Best-Sellers

MORTON THOMPSON

NO SERAS UN EXTRAÑO
II

Título original: NOT AS STRANGER
Traducción: B. Porta

Para Venezuela:
Coedición con DISTRIBUIDORA MERIDIANO, S.A., Colombia

Traducción cedida por: Editorial Bruguera, S.A.

ISBN: 84-8280-900-8 -Obra completa.
ISBN: 84-8280-951-2

CARVAJAL S.A.
Impreso en Colombia
Printed in Colombia

Bajo el sol de la mañana, las líneas bajas y severas del Hospital del condado entusiasmaron a Lucas como una radiante promesa. El joven médico no se fijó en el paraje donde estaba enclavado, saltó del automóvil en compañía del doctor Runkleman, y sin apartar los ojos de la achatada mole, se encaminó hacia el edificio saboreando el momento, gozando de aquella primera contemplación, sintiéndose dueño de aquel establecimiento.

Construido en forma de U rectilínea, con las alas en sentido perpendicular a la fachada, el edificio estaba dividido en toda su longitud por un pasillo, a cada lado del cual se alineaban las salas. Una de las aulas contenía la sala de Rayos X, el quirófano, la sala de urgencia y una habitación donde se vestían los cirujanos. La otra ala la ocupaban los pobres del condado y aquellas personas que no estaban bastante sanas para trabajar ni bastante enfermas para ser hospitalizadas.

El doctor Runkleman estaba enseñando a Lucas el laboratorio, raramente utilizado, cuando se abrió la puerta del mismo y una figura baja, flacucha y desgreñada, se precipitó dentro de la habitación.

—¡Me han dicho que estábais aquí! —gritó el hombrecito, en tono de acusación—. ¡Dios les condene! ¡Nunca! ¡Nunca consigues que te informen de nada!

Lucas miró atónito al doctor Runkleman.

—Este es el doctor Snider —le dijo Runkleman.

Lucas estrechó la mano que se abandonaba en la suya y observó atentamente al hombre que la sola palabra "doctor" elevaba a la categoría de miembro de su hermandad. En la comisura de los delgados labios de aquel individuo aparecía una mancha de jugo de tabaco.

—El doctor Marsh —presentóle el doctor Runkleman—. Ha venido a prestarnos ayuda.

—Encantado de conocerte —dijo el doctor Snider. Lucas advirtió que cuando el doctor Snider se tragaba la saliva, su angulosa nuez de Adán subía y bajaba bajo el vistoso lazo del cuello—. Ve si encuentras el laboratorio en debidas condiciones.

—Le he enseñado las diversas dependencias.

—¿Te gusta entretenerte en el laboratorio?

—Para mí constituye una especie de inclinación sentimental. Me ayudé a cursar la carrera trabajando en él —confesó Lucas.

—Todo lo que necesites, no tienes más que pedirlo. ¿No es cierto,

Dave? Aquí nos falta personal. Supongo que Dave te habrá dicho que casi usamos esta dependencia como almacén.

—Bien —dijo el doctor Runkleman, marchando hacia la puerta—, me parece que esta mañana tenemos un poco de trabajo.

—¿Me necesitáis?

El doctor Runkleman asintió. Los tres se dirigieron a la sala de operaciones.

—Notarás que somos de poca importancia —dijo el doctor Snider—. Después de lo que estás acostumbrado a ver, lo clasificarás de modesto, ni más ni menos que un hospital pequeño perdido entre los montes. Yo tenía uno propio en la frontera del Estado.

—Se lo había dicho —intervino el doctor Runkleman.

—Supongo que tú en Obstetricia solamente, tienes bastante trabajo para darle tarea sobrada, de todos modos, ¿eh, Dave? —preguntó torcidamente el doctor Snider.

—Para eso estoy aquí —replicó prestamente Lucas—. Para hacer todo el trabajo que se me presente.

—¡Ah, no te faltará, no temas! Dave encontrará el necesario. Te tendrá ocupado a todas horas. ¿Eh, Dave?

—Sí —contestó el doctor Runkleman, muy tranquilo—. Tenemos mucho trabajo.

Al cruzar la ancha puerta de doble hoja de la sala de operaciones, tres enfermeras levantaron la cabeza vivamente, llenas de curiosidad y de nerviosismo.

—¡Buenos días, chicas! ¡Os traigo un médico nuevo y simpático! ¡Y joven! —anunció ruidosamente el doctor Snider.

Lucas se sonrojó. Las enfermeras sonrieron indecisas.

—Les presento al doctor Marsh —dijo Runkleman—. Miss Adams, miss Pomfret, miss Punce.

—¡Ciencia nueva! —gritó el doctor Snider—. ¡Recién llegada de la Universidad del Estado! ¡Hala, chicas, esta mañana sacudíos la pereza! No nos hagáis quedar mal. —Y dirigiéndose al doctor Runkleman, le dijo—: En seguida estoy contigo. —Después de lo cual, dio media vuelta y salió.

—Supongo que casi estamos a punto —indicó el doctor Runkleman, sonriendo afablemente a las enfermeras—. Lamento haberme retardado un poco.

El y Lucas se fueron al cuarto para vestirse. Lucas advirtióse severamente a sí mismo: "El modo de hablar no significa nada. Ni el modo de hablar ni el mascar tabaco, ni el tener los ojos pequeños y mezquinos, ni el ostentar todos los signos de un granuja. Debajo de estas cosas que no importan, está un médico. Trata con el médico y olvida lo demás".

—¿Qué impresión le ha causado? —preguntó el doctor Runkleman, en tono indiferente, después de quitarse la camisa y la camiseta, que doblaba ahora con cuidado, luciendo un pecho y un vientre muy poblados de vello.

—Ha de dar bastante quehacer el regentar todo este hospital —contestó Lucas, sin vacilar.

—¡Las chicas hacen todo el trabajo! —exclamó el doctor Runkleman, con desprecio—. El viejo Al ha encontrado una gran solución limitándose a ser el administrador. Tuvo un pequeño sanatorio. Me figuro que no sabía qué hacer con él. Envejece. Yo no le utilizo sino cuando no queda otro recurso. En cuanto a las chicas (no sé si se habrá fijado), solamente una es enfermera oficial. Tenemos que componérnoslas lo mejor que podemos... Miss Otis, por ejemplo, que será la enfermera del quirófano esta mañana, viene cuando puede. Ha de cuidar a su marido que está inválido.

—¿No pueden sostener una enfermera permanente para el quirófano?

—Vea usted... El viejo Al reduce los gastos al mínimo. De este modo se mantiene en el buen terreno. No creo que tengamos tres enfermeras con título entre todo el personal.

Se vistieron, se lavaron y ocuparon su puesto.

La paciente fue traída en la camilla rodada.

—¡Carne sobre la mesa! —cacareó gozosamente el doctor Snider, que seguía a la camilla. Se había quitado la chaqueta y ahora llevaba un corto chaleco blanco.

El doctor Runkleman observó a la paciente, una delgada muchacha de quince años que les miraba con unos negros ojos desorbitados por el miedo.

—Esto será una apendicectomía —le dijo a Lucas—. Y pienso que podemos encontrarnos con algo más. —Luego, levantando la voz y sonriendo a la muchacha, exclamó: ¡Bueno! ¿Cómo te encuentras esta mañana? La próxima vez que me veas, se habrán terminado por completo tus molestias.

La chica, con la vista fija en sus cubiertos rostros, intentó sonreír. El doctor Snider se sentó a la cabecera de la mesa, con una mascarilla y un frasco de éter preparados a su lado. Luego, de un brusco tirón, hizo levantar la barbilla a la muchacha.

—Ahora está bien —dijo, irritado—. No quieras tragártelo todo, basta que respires normalmente. Respira con sosiego. —Dicho lo cual, le colocó la mascarilla sobre la faz e inmediatamente la llenó de éter. La muchacha levantó la cabeza con un movimiento brusco.

—¡Eh! —gritó el doctor Snider, indignado—. ¿Qué te propones? ¡Quieta! ¡Tranquilízate! Y levantó la vista, ofendido.

Lucas desvió los ojos. El doctor Runkleman no dijo nada. Por un momento se fijó en la mascarilla para la anestesia y luego centró su mirada en la mesa. La sala se quedó en silencio. La respiración de la chica se hizo estertorea.

—Ya está bien, me parece —dijo por fin el doctor Snider.

El doctor Runkleman dio un paso hacia la cabecera de la mesa. El doctor Snider levantó la mascarilla y miró a su colega interrogativamente. Este le dio una orden con un enérgico movimiento de cabeza y el doctor Snider levantó, obediente, un párpado de la muchacha.

El doctor Runkleman lo examinó un momento, hizo un signo afirmativo y volvió a su puesto. La chica fue cubierta rápidamente con el lienzo blanco. Ahora respiraba despacio, inspirando profundamente. No se le veían más que el ombligo y la región operatoria.

Lucas levantó la mano, el doctor Runkleman levantó la mano. Miss Otis miró sucesivamente a los dos, no sabiendo a quién entregar las largas pinzas con la pelota de gasa.

—¡Es cierto! —dijo el doctor, con voz sonora—. ¡Esto le corresponde a usted! —Y retiró la mano.

—A menos que quiera hacerlo usted —contestó Lucas, humildemente.

—¡No, no! ¡Tiene razón! ¡Por completo!

Miss Otis puso las pinzas en la mano de Lucas con movimiento rápido y suave. El joven las sostuvo encima de un cubo. Otra enfermera derramó antiséptico sobre la gasa hasta empaparla. Lucas restregó la piel desnuda y arrojó las pinzas en la bandeja preparada al efecto. El doctor Runkleman levantó la mano. Miss Otis se la armó con un bisturí. Lucas levantó la mano. Miss Otis le puso en ella, suavemente un cuadrado de gasa.

—Con más fuerza —dijo el joven.

Miss Otis asintió con una cabezada.

El doctor Runkleman miró la hora.

En seguida hizo una pequeña incisión en la piel. Lucas secó con la gasa y extendió la mano. Las pinzas hemostáticas golpearon su palma. Lucas hizo un signo de conformidad. El doctor Runkleman había cortado ya la primera capa muscular. Dos pequeñas arterias empezaron a sangrar. Lucas las obturó con las pinzas. El doctor Runkleman cortaba la segunda capa. Mientras Lucas colocaba más pinzas, él aguardó. Y para mayor seguridad, esperó todavía un momento, mientras el joven enjugaba la herida. Luego volvió a cortar. Ahora separaba los labios de la incisión. Lucas manejaba los retractores, colocaba pinzas, secaba... Los dedos del doctor Runkleman desaparecieron y volvieron a emerger con el apéndice. Parecía que el operador trabajase despacio, con cautela. Mano extendida, instrumento, corte, inspección, espera, suelta del instrumento utilizado, mirada, mano, instrumento.

El apéndice y la pinza que lo sujetaba por un extremo cayeron en una riñonera. Involuntariamente Lucas levantó la vista al reloj. Ocho minutos. Entonces miró incrédulo al doctor Runkleman, que se estaba ocupando del muñón. Luego miró al doctor Snider. Este le miró, a su vez, con los ojos entornados y una sonrisa sardónica en la cara. "Te sorprende, ¿no es cierto? Ya me lo figuraba. Aquí lo hacemos de este modo".

—¡Usted es un ayudante magnífico, magnífico de verdad —dijo cordialmente el doctor Runkleman, sosteniendo la atada sutura mientras Lucas cortaba con las tijeras.

Lucas movió la cabeza pasmado, murmurando:

—¡Ocho minutos!

—¡Esto es lo que hemos tardado! ¿Verdad que sí? —exclamó el operador, aparentando sorpresa. "Si tú te sorprendes, yo también. Tú y yu Juntos. Lo que haga el uno,lo hace también el otro. Siempre codo con codo"—. Me parece que tenemos que dar un vistazo a esos ovarios, ahora que estamos en ellos y la tenemos abierta. ¿Qué opina usted? Creo que haríamos bien. ¿Cómo está la paciente? —inquirió, dirigiéndose al doctor Snider. Este levantó la mascarilla, observó despreocupadamente el paralizado rostro y volvió a cubrirlo. A continuación movió la cabeza en sentido afirmativo, sin demostrar el menor interés.

Los dedos del doctor Runkleman desaparecieron en la incisión, hundiendo de paso en ella el extremo del intestino, tantearon un momento y volvieron a emerger, sacaron el ovario derecho y parte de la trompa, delgada como es de rigor en una joven en el auge de la adolescencia.

—Sí, señor! —exclamó el doctor Runkleman.

— ¡Quistes gonocócicos!

—Tan joven, ¿verdad? —asintió el doctor Runkleman.

—¿Qué opina?

—Que esos tejidos han recibido algunos golpes —intervino el doctor Snider desde su puesto—. ¡Probablemente ha tenido ya por esas cercanías más cosas de las que tenía al nacer!

Lucas miró al doctor Runkleman, pero éste estaba absorto colocando pinzas en el tejido. Lucas pensó que aquella muchacha sería una profesional. La cara le había engañado. En lo sucesivo no prestaría atención a los rostros. Quince años. Y con aquella medalla escapular. Y con una gonorrea suficientemente antigua para haber ascendido hasta las trompas.

Cuando tuvo el retractor en la mano y se volvió, el área estaba libre de quistes. En el ovario izquierdo, el operador había encontrado uno solo. El doctor Runkleman pidió las suturas y se puso a coser. Parecía trabajar despacio. Sus pesadas manos se movían calmosamente, sus gordetes dedos se abrían y se cerraban reflexivos. Trabajaba sin ningún cambio aparente de ritmo. Y Lucas, que desde el comienzo había concentrado todos los nervios de su cuerpo en tener presto todo lo que necesitara el operador, en adelantarse a cada demanda, en limpiar la sangre que oscurecía el área de trabajo, en colocar pinzas y retractores, en sujetar bien las suturas, adaptóse entonces súbitamente al ritmo del doctor Runkleman y lo siguió como una bailarina se adapta al paso de un nuevo compañero, y al final ambos se movían al unísono, en aquel suave ir y venir de pareja de baile, exaltados ambos por una alegría entera, triunfal. Terminada la operación, los dos levantaron los ojos y se sonrieron mutuamente. Ambos miraron al reloj.

—¡Dieciocho minutos! —exclamó Lucas, con voz más fuerte de lo que se proponía.

—¡Sí, esto es! —asintió el doctor Runkleman, como si también él se quedara sorprendido.

—¡Empezar y terminar en dieciocho minutos! ¡Quistes, ovarios y apéndices! —Y su acento afirmaba: "¡No! ¡Usted no debe demostrar sorpresa como si fuera la primera vez que lo hace! ¡Esto es increíble!".

9

—¿Más o menos, aproximadamente, de como lo hacían en el del Estado? —preguntó tímidamente el doctor Runkleman.

—¡Ah, sí! —contestó con viveza Lucas, burlándose—. ¡Ah, sí! ¡Así lo hacían! ¡Usted lo sabe bien! —Y mentalmente añadió: "Usted sabe bien el tiempo que tardan. Usted sabe cómo ha llevado la operación: limpia, segura, perfecta, sin derramar en total ni un vasito de sangre. Usted sabe..., sí, verdaderamente, sabe".

Aquel hombre era un maestro.

Allá en aquel rincón del mundo, pese a su corpulencia, a su aspecto torpe, a su timidez, a su traje de confección, vivía un médico. Aquello, aquello era Medicina. Lucas sonrió exultando de dicha.

—Parece que respira con dificultad —dijo el doctor Snider, en tono irritado.

El doctor Runkleman se acercó rápidamente a la cabecera. Lucas le siguió. La chica tenía los labios azules y la respiración muy débil.

El doctor Runkleman ocupó el puesto del doctor Snider como si éste no estuviera. Al retroceder, el doctor Snider derribó el taburete que le sirvió de asiento.

—¡Oxígeno! —pidió Lucas, mirando a las enfermeras que le miraron, a su vez, sin saber qué hacer. El joven corrió hacia la ampolla.

—¿Dónde está la mascarilla?

—¿Dónde está la mascarilla? —repitió el doctor Runkleman con voz enérgica. Las enfermeras tropezaron una con otra al ir corriendo a buscarla. Las dos revolvieron el armario de los instrumentos. ¡De prisa! —ordenó el doctor Runkleman en el mismo tono de antes.

Una de las muchachas vino con la mascarilla. El oxígeno empezó a silbar.

—¿Epinefrina? —inquirió Lucas.

El doctor Runkleman asintió.

La encargada del quirófano cargó la jeringa en un segundo y colocó la aguja. El oxígeno continuaba silbando. La respiración de la paciente se aceleró un poco.

—Ocho —contó Lucas. El doctor Runkleman hizo un movimiento afirmativo—. Diez... —Su jefe asintió nuevamente.

—Se ha puesto morada repentinamente —declaró muy tranquilo el doctor Snider.

Hubo un momento de silencio.

—No es verdad —replicó en tono glacial el doctor Runkleman.

—¡La he mirado de pronto y vi que se había puesto morada!

Por fin la respiración de la chica recobró el ritmo normal.

Lucas cerró la llave del oxígeno.

—Bien —dijo el doctor Snider—. Parece que ahora ya está mejor.

El doctor Runkleman no contestó. Sólo después de observar unos minutos más a la muchacha, hizo un signo afirmativo. Luego giró sobre sus talones y se encaminó al cuarto de vestir, quitándose la mascarilla y los guantes. Lucas le seguía. El doctor Snider no prestó atención alguna a ninguno de los dos. La puerta se cerró tras ellos.

Los dos operadores se desnudaron. El silencio se hacía opresivo.

—Se lo he advertido un millón de veces —dijo por fin el doctor Runkleman.

—Podía habernos avisado mucho antes —comentó Lucas— midiendo las palabras en atención a la antigüedad del doctor Snider.

—¡Es un tonto maldito! —estalló el doctor Runkleman.

—¿Opera alguna vez?

—No ha operado en muchos años. De tarde en tarde utilizo el éter. Generalmente anestesio por vía raquídea.

Así, pues, a través de aquellas palabras claras, sencillas y breves, y de la turbación de la voz, podía leerse una historia completa, podía divisarse perfectamente el panorama.

—Entraremos en el Valley un minuto. Tengo allí un caso de hernia, un paciente del doctor Castle. Le dije que le ayudaría.

Se ducharon, se vistieron y atravesaron rápidamente las salas.

—Este es el doctor Marsh. —Y las caras de los indigentes se levantaron, un poco recelosas—. ¿Qué opinión le merece esto, doctor? —Y se sucedían, indistintas, las enfermeras, sucedíanse, indistintos, los pacientes, algunos muy jóvenes, la mayoría muy viejos; todo un pequeño océano de vida humana—, Este es el doctor Marsh. ¿Le sabría mal fijarse en este caso, doctor? —Todo ello con la máxima deferencia, la mejor atención, como si el recién llegado fuese un gran cirujano, un gran médico, y él, el doctor Runkleman, estudiase sus opiniones, valuase su talla. Y Lucas comprendió perfectamente que en adelante sería el doctor Marsh, el médico nuevo, joven quizá, pero a quien el doctor Runkleman consultaba y escuchaba atentamente. El doctor Marsh al cual el doctor Runkleman, su médico de siempre, trataba como a un igual. O mejor todavía.

En su recorrido pasaron por delante de la sala de Rayos X, situada en el mismo pasillo que el quirófano. Fuera, junto a la puerta, había dos camas ocupadas por dos ancianos. Lucas se volvió hacia el doctor Runkleman con expresión interrogativa.

—Es la sala de Rayos X —explicó éste—. Sí, me figuro que están un poco agobiados de gente.

Lucas miró de nuevo a su superior, cuyo tono de voz había sufrido un ligero cambio. Sus palabras encerraban algún significado especial. Pero el doctor Runkleman no dijo nada más.

—Me gustaría saber lo que está haciendo Kristina —dijo Lucas cuando se dirigían al Valley.

—¿Quiere suspender el trabajo? ¿Quiere que pasemos por allá? No tardaremos un minuto.

—¡Oh, no! ¡No, de ningún modo!

—No hay el menor inconveniente.

—Estará de limpieza. Se encontrará perfectamente.

—Es una mujercita agradable. Sí, muy agradable. Mire, pero nos detendremos sólo un momento.

—¡No, no, doctor! ¡En serio!

—¿De verdad?

—Estará bien. Se sentirá contentísima.

—Ea, pues; como tengo un par de amígdalas y de vegetaciones que resolver, opino que tanto da que terminemos con ellas primero y después ayudaremos al doctor Castle.

Una hora después, Lucas y el doctor Runkleman habían realizado tres extracciones de amígdalas y vegetaciones adenoides.

Luego de haberse desvestido, el doctor se sentó en un catre y se recostó contra la pared, con las manos en la nuca. Al cruzar el umbral, el doctor Castle inclinó la cabeza automáticamente. Contaría más de los sesenta años, tenía el pelo castaño entrecano y escaso, la faz cuadrada, la mirada lenta y viva, la boca hundida, la nariz prominente y afilada. Era un hombre de aventajada estatura, con el aspecto de un atleta viejo, y vestía mucho mejor que el doctor Runkleman. No es que vistiese impecablemente, pero a su lado el doctor Runkleman resultaba un poco rústico.

—¡Ah! —exclamó— Han llegado temprano. Se me han adelantado.

—Sí —dijo el doctor Runkleman. Y se levantó sonriendo—. Sí. Le presento al doctor Marsh.

—Mucho gusto de conocerle, señor —dijo Lucas. El doctor Castle retuvo su mano un buen rato.

—¿Qué opinión se ha formado de nosotros? —le preguntó encendiendo un cigarrillo. Lucas advirtió unas manchas en su chaqueta y levantó la vista hacia su rostro. "Endurecimiento de arterias. Evidente hipertensión", diagnosticó para sí.

—¡Creo que soy muy afortunado! —contestó serenamente.

—¡Oh! ¡Oh! ¿Le ha visto trabajar? ¿Qué le parece la cosa?

—Creo que soy muy afortunado —repitió sencillamente Lucas. Con ello quedaba dicho todo lo que había que decir.

—¡Caramba! —protestó el doctor Runkleman.

—Es la verdad —asintió el doctor Castle—. Tiene razón, amigo Dave.

—Me figuro que he visto a unos cuantos doctores —encareció Lucas.

—Me veré obligado a invitarles a comer —dijo el doctor Runkleman—. Sí. He ahí lo que pretenden. Muy bien. Quedan invitados.

La operación empezó.

El doctor Castle hizo la primera incisión. El doctor Runkleman, que le miraba sin perder detalle, manteníase cortésmente apartado. El doctor Castle colocó las pinzas hemostáticas. La enfermera limpió el corte. Lucas se mantenía a cierta distancia.

—Dentro de un minuto te lo entrego —dijo el doctor Castle. Cortaba despacio, a pesar de lo cual sus incisiones eran irregulares, malas—. Me hago viejo —dijo, sin levantar la vista. Y sin que se notara su intervención, poco a poco, con tal delicadeza que Lucas no pudo determinar en qué momento fue, el doctor Runkleman prosiguió la operación y el doctor Castle actuó de ayudante, mientras Lucas se encargaba de los retractores. Había empezado la última fase. Hacia el final, cuando llegó el momento de cerrar la herida, el doctor Castle exclamó malhumorado—: Esto lo haré yo. —Y al instante, el doctor Runkleman se quitó la invisible vestidura del cargo, y el doctor Castle reanudó sus lentos, penosos, repetidos movimientos, auxiliado por el doctor Runkleman y por Lucas, que en realidad les auxiliaba a los dos, mientras la enfermera le miraba con ojos celosos.

El doctor Castle se detuvo.

—No —dijo, contemplando su obra—. No debería haber...

—Está muy bien —le aseguró su colega—. No sé... Quizá podríamos... —Y las manos del doctor Runkleman se movieron hábilmente, y como pidiendo perdón, cortaron unos puntos, los volvieron a coser, todo ello muy rápidamente—, hacerlo de este modo..., aunque tanto daba como lo habías dejado tú. Era igual.

—No —replicó el doctor Castle, fijándose en Lucas, que había empezado a coser—. No, lo hice mal —confesó con voz pausada y digna—. Venga por aquí a verme cuando esté ya acomodado —le dijo a Lucas en el gabinete, antes de marcharse.

—Te lo traeré —le prometió el doctor Runkleman.

Y el doctor Castle saludó y se fue.

—Se hace un poco viejo —comentó con prudencia el doctor Runkleman, mientras se ataba el nudo de la corbata—. Esa artritis le ha fastidiado.

Me he dado cuenta. Por las manos, principalmente. Tiene el pulso de los que sufren hipertensiones, ¿verdad?

—¿Henry? No debería ejercer en absoluto. Tiene un ruido presistólico que suena como una catarata.

—Mitral...

—Sí. ¿Ha notado su rubicundez? Está muy mal.

—El lo sabrá, por supuesto.

—¡Oh, yo se lo he dicho! Ya lo verá algún día. Le deja inútil. Y, sin embargo, no quiere retirarse. Es todo un médico Henry. Sabe lo que lleva entre manos. Sabe bastante para pedir que le ayuden. En otro tiempo, no hace mucho, era un operador excelente. Yo a su lado parecía un patán.

—Sí, sabe lo que hace, es cierto.

—Ha envejecido. Es lo único.

"Usted tampoco es muy joven —se dijo Lucas, turbado, camino del consultorio—. Tengo que descargarle de trabajo, he de ayudarle cuanto pueda. Debo desenvolverme por mí mismo. Pero sin precipitaciones. Aquí las personas obran con delicadeza. Tengo que ser discreto. He de saber contenerme. Como él. He de ser como él".

Comieron de prisa. Al terminar, el doctor Runkleman miró la hora, y dijo pausadamente:

—Vaya, me parece que casi es el momento de reanudar el trabajo.

En el despacho, Lucas conoció a miss Snow, la enfermera, a miss Albes, que llevaba la contabilidad y recibía un tratamiento radioterápico, y encontró las habitaciones que ocuparían él y Kristina, lavadas y limpias desde el suelo hasta el techo, pero desiertas, porque su esposa había salido de compras.

—Usted siéntese aquí —le dijo afablemente el doctor Runkleman— indicándole una silla al lado de su mesa. Cuando Lucas se hubo sentado, miss Snow entregó al primero el historial clínico de un enfermo, que el doctor Runkleman pasó a su ayudante después de haberle echado un vistazo—. Perfectamente —resolvió luego—. Ya puede empezar a mandárnoslo.

Miss Snow abrió la puerta.

Entró una mujer de cuarenta años. Y Lucas, que se había visto un momento a sí mismo con la imaginación, que había visto orgulloso al médico sentado en el consultorio, apenas aquella mujer hubo cruzado el umbral y mientras sus ojos sacaban una conclusión, mientras leían el libro de su cara, inspeccionaban su actitud y estudiaban sus movimientos, se olvidó de sí mismo y volvió a identificarse con lo que había aprendido. Se convirtió, sencillamente, en un instrumento.

—¡Hola! ¿Qué tal se encuentra hoy, mistress Funston? —El doctor Runkleman se mostraba exageradamente cordial, se expresaba en tono altisonante. Para él era una manera cortés de conducirse, era la idea que tenía del trato social. La pregunta no encerraba otro significado que el saludo que David Runkleman, que había visto la luz del día en una granja, dedicaba ahora, como médico a los de su clase. Y Lucas se dio cuenta de ello, a pesar de sí mismo, gracias a una especie de desdoblamiento de la personalidad que le permitía observarlo y analizarlo todo.

Mistress Funston sacudió la cabeza, confundida.

—Ese señor es mi ayudante, el doctor Marsh. Sí.... Veamos ¿cómo va ese dolor en el vientre? Mistress Funston es la esposa de uno de nuestros cajeros, doctor Marsh.

La mujer era gorda, demasiado gorda. Su piel y su conjuntiva tenían la opacidad sucia de la gastritis crónica.

—Todavía lo sufro —declaró ella, sentándose con aire torpe.

Al sentarse se había alisado la falda y les había dirigido una mirada de desconfianza. En aquel momento, en aquella mirada, Lucas despojó hábilmente a la interlocutora de personalidad, de ornamentos, de situación social en la tribu. Sus ojos vieron solamente los movimientos de la carne, el mudo lenguaje de un millar de diminutos dedos de tejidos que trazaban una arruga aquí, tiraban una línea allá, moteaban una superficie, daban tersura o aspereza a otra, formaban elevaciones, hablando interminablemente en su lenguaje mudo. Sus oídos sólo escucharon las apagadas lenguas del cuerpo, los latidos del músculo cardíaco, los sonidos apagados, agudos, profundos, raudos, carraspeantes, crepitantes, la infinidad de mensajes claramente expresados por aquellas lenguas mudas.

Lucas miraba a Addie Funston, escuchaba cómo el doctor Runkleman le arrancaba palabras que le iluminasen, y revolvía aquellos datos en busca de los signos y de las expresiones de la neurosis; sus ojos examinaban los vestidos de la mujer tratando de descubrir un desorden revelador, manchas, apatía...

Allí estaba una mujer, que, sencillamente, comía demasiado. Y al llegar aquí, Lucas cesó de analizar; el problema estaba resuelto. La atención de Lucas revertió a las expresiones formulativas indispensables entre el médico y su paciente, a la cortesía, al tacto, al juego.

La puerta se cerró detrás de Addie Funston. Los dos médicos salieron por una puerta excusada a un pasillo en el que se abrían ocho habitaciones, en cada una de las cuales miss Snow había acomodado a un paciente que les aguardaba.

—Parecía sufrir una ligera gastritis —dijo Lucas en tono cortésmente serio.

—Viene todas las semanas —explicó sonriendo el doctor Runkleman—. Su cutis mostraba una especie de abotagamiento, de opacidad...

—Sí, y la conjuntiva también.

—La próxima semana volverá... Ahora veamos. —El doctor recorrió el pasillo con la mirada y escogió una puerta al azar. Una muchacha delgada y rubia se levantó en el estrecho cubículo. Miss Snow se acercó a ellos precipitadamente y les entregó una tarjeta.

—¡Ah, sí! Miss Peterson, ¿verdad? —El doctor Runkleman sonrió. Miss Snow cerró la puerta sin ruido, dejándoles solos—. Le presento al doctor Marsh, miss Peterson. Miss Peterson es tenedora de libros. —El médico consultó la tarjeta— Trabaja en el Acme Garaje. Veamos, ¿cuáles son sus principales molestias?

Miss Peterson se sonrojó y se humedeció los labios, entreabriéndolos para decir algo, pero los volvió a cerrar. Era una joven alta y delgaducha de veinticuatro años de edad. Tenía las piernas largas, una ligera erupción en la piel, unos párpados enrojecidos, las manos frías y un poco húmedas. Miraba a Lucas, vacilando.

—Pues... pues... se trata de... de mis flores —dijo con renuencia.

Lucas parpadeó.

El doctor Runkleman movió la cabeza, asintiendo.

—Cuando tiene sus flores..., cuando llega el período... ¿lo tiene más abundante que de costumbre?

No, señor. Yo..., pues me encuentro derrengada, sufro unos dolores exagerados. Uso bolsas de agua caliente, pero no me sirven de nada. Alguien me habló de un saco de sal caliente, pero nadie es capaz de resistir cosa semejante... Y cada mes lo mismo, cuatro días de pérdidas, dos en la cama... Ya no puedo resistirlo más.

—Sí. Bien... Ya sabe usted que no puede evitarlo.

—A veces pienso que sería mejor morir. ¡Y rodeada de hombres en el establecimiento! Cada vez que me encuentro así lo notan y se cruzan observaciones entre sí.

Nada por esta parte. Dos minutos después de que la joven empezara a explicar, Lucas abandonó el análisis y escuchó el resto sin prestarle atención, esperando pacientemente que terminase. No era preciso que tuviera el cerebro en actividad. Estaba ante otro ser humano cuya vida, cuyas funciones y potencial no corrían ningún peligro, y dotado del mecanismo para expresar la posesión de dichas cualidades. Un mecanismo sin ningún defecto de consideración.

Un pensamiento que nació en su mente durante el último año de estancia en el hospital, viendo centenares de casos similares a la joven aquella, acudió de nuevo, vago, persistente, no resuelto. Pero él lo rechazó.

El doctor Runkleman miró el reloj. Miss Snow apareció, le entregó una tarjeta y desapareció, yéndose a ordenar el cuarto del que acababan de salir.

En el que entraron entonces esperaban dos personas. El hombre tenía cincuenta años y aparentaba setenta. Estaba depauperado, tenía el cuerpo tan anguloso como su medida plegable de carpintero. Se limitaba a mirarles y hablaba sólo cuando le preguntaban. En cambio, la mujer charlaba volublemente, refiriendo los síntomas que presentaba su marido. Las facciones de la mujer se contrajeron de disgusto cuando mencionó el sabor de la última medicina prescrita por el doctor Runkleman. El doctor recetó otra.

La puerta se cerró tras los dos médicos, que se dirigieron al cuarto siguiente.

—Si su mujer continúa tomándose sus medicinas, él nunca se pondrá bien —exclamó el doctor Runkleman, con una risita de desaliento—. Todo lo que le prescribo a él, se lo toma ella. Bueno...

Después pasaron a la habitación vecina.

Una cara nueva, un cuerpo nuevo, una nueva forma, un hombre, una mujer, viejos, jóvenes, de mediana edad..., un bebé..., un corazón, un estómago, una fractura..., un forúnculo, unos intestinos, una excrecencia, un hígado, unos riñones... Todo escondido por las ropas, detrás de los rostros, detrás de las expresiones, bajo el tono de su voz, bajo las palabras, entre las frases, entre lo que se decía y se replicaba cada día, entre lo que se conquistaba y lo que se pretendía. Todo puesto allí al desnudo, todo mirado, inspeccionado, escuchado, tratado, medicado, y luego arropado, vestido, escondido nuevamente... Todo volviéndose hacia la puerta, marchando a confundirse con la masa, como antes de entrar.

Un cuarto después de otro, un caso tras otro; la rápida mirada, la rápida pregunta, la mano rasgando la hoja del cuaderno de recetas..., el pasillo, la habitación contigua, el caso siguiente...

En una hora habían completado el circuito por dos veces y volvían a encontrarse en el despacho. Con cierto remordimiento de conciencia, Lucas se había adaptado a la marcha, dándose cuenta de que había pasado por alto muchas cosas, y se encogía de hombros mentalmente, culpablemente, confiándose al doctor Runkleman.

—Se va poniendo al corriente de los asuntos, ¿eh?

—Vamos un poco aprisa —contestó Lucas.

—Se acostumbrará. La mayoría no tiene nada en absoluto... Supongo que usted lo había observado ya en el hospital... Le diré lo que hago. Si pueden dormir por las noches, si el dolor no les despierta, me gusta aliviarles, tranquilizarles, hasta que la dolencia mejora o nosotros sabemos de qué se trata. Y si empeora..., ¡vuelven!

—Viene a ser una cosa así como mantenerlos al pairo —murmuró Lucas, en tono impersonal.

—Es casi todo lo que podemos hacer. Diga, miss Snow. ¡Oh! Me estaba preguntando si usted querría encargarse de este caso, doctor.

—La segunda puerta a la izquierda —informó miss Snow. Y después de introducir a otro enfermo en el despacho, corrió en pos de Lucas—. Le presentaré...

Aquel caso era suyo exclusivamente. Su primer paciente en el ejercicio particular. Lucas miró a la joven con ojos escudriñadores, resuelto a que no se le escapara nada. La examinó silenciosamente, escuchando atento mientras sus ojos observaban y sus dedos palpaban. Miss Snow asomó la cabeza un momento, indecisa, pero viéndole absorto, se volvió.

La pelvis era normal.

Lucas le auscultó el corazón y luego todo el pecho. Después palpó el abdomen.

—...Y mi compañera de habitación, que es profesora de educación física, creyó que era mejor que viniera a que me visitaran. Vivimos juntas, ¿sabe usted?, y como ella enseña educación física... Pero, a pesar de todo, un día de la semana pasada apenas pude corregir los ejercicios de inglés... ¡Sí, esto es! ¡Aquí exactamente! ¡Encima del estómago!

—¿Y le duele antes del desayuno?

—¡Con un dolor continuo y vivo! Y después de tomar algo me siento mucho peor.

—Pero no la despierta por la noche.

—No, el dolor no...

—¿Qué le despierta?

—Una pesadilla... ¡Si no se lo explicase a alguien, enloquecería! No sé hacia dónde volverme. He de descubrir una cosa... ¡Escuche, doctor! Estoy casi segura de que mi compañera de habitación tiene relaciones... ¡con un hombre! ¡Dígame! ¿Tendré sífilis? Las dos usamos el mismo bidet... Yo toco todo lo que ella toca... ¡No puedo soportarlo! ¡Por el amor de Dios, doctor! ¡Dígamelo sinceramente!

La joven se oprimió el vientre con la mano, como si estuviera sufriendo un repentino espasmo de dolor. Sus ojos no se separaban de la faz de Lucas.

—No presenta el menor síntoma de sífilis —le dijo éste, sin vacilar—. Estoy seguro de que no existe motivo alguno para alarmarse. Mas para mayor seguridad, le haremos un análisis de sangre..., y me gustaría sacarle una radiografía del estómago.

—¡Oh, sí doctor, se lo agradeceré! ¡Lo que sea! ¡Lo que sea!

Lucas le extrajo una jeringa de sangre y le dio fecha para los Rayos X. Luego salió del cuarto en compañía de la joven y le dijo adiós, sonriendo complacido, tranquilo, confiado. Miss Snow se cruzó con él, andando apresuradamente al mismo tiempo que se recogía un mechón de pelo indócil. El doctor Runkleman, que salía de un cuarto de reconocimiento, vio a Lucas y se detuvo.

—¿Ha salido todo satisfactoriamente?

—Sí, muy bien. —Los dos médicos se quedaron unos minutos en el pasillo. Lucas le explicó el caso. El doctor Runkleman asintió con una media sonrisa.

—Tendremos que enviar la sangre esa a la ciudad —dijo especulativamente—. Allá enviamos todos los Wasermann... si los enviamos.

—Estoy seguro de que será negativo.

—Tan negativo como la de usted o como la mía... Sí, lo mismo que los Rayos X.

—He creído que debíamos asegurarnos.

— ¡Ah, naturalmente! ¡Por supuesto que cuando le pasemos la cuenta, pataleará más que un novillo!

—Pero si son las pruebas corrientes. Yo...

— ¡Ah, sí, tiene razón! ¡En absoluto! Ocho dólares por el Wasermann, diez dólares por los Rayos X, pongámosle un dólar por la visita, resulta más de la mitad de lo que cobra en una semana... Y todo negativo..., nada que justifique el gasto...

—No sé cómo podrá quejarse.

— ¡No, a nosotros no nos dirá nada! Ni una palabra, pero al cabo de algún tiempo, cuando se les pasa el miedo, corren las historietas. "Ciertamente a una le cobran una barbaridad por nada... En verdad que no miran cómo ganan el dinero"

— ¡Oh, lo lamento! Supongo que habré creído estar todavía en el hospital. La rutina...

— ¡No se inquiete por ello! —El doctor Runkleman le dio una palmada en el hombro—. ¡Me figuro que podemos afrontar la contingencia... usted y yo!

Irguiendo un poco los hombros, abatidos por el cansancio, Lucas le acompañó a la siguiente habitación, alicaído, pero sintiendo que un nuevo afecto por el doctor Runkleman hinchaba su pecho, proponiéndose firmemente imitarle en silencio, pensar como él.

Una mujer encinta que les aguardaba con aire estúpido, se tendió encima de la mesa sin que se lo ordenaran, y luego que la hubieron examinado en silencio, bajó de nuevo. Los dos médicos le sonrieron cordialmente, le dieron algunas indicaciones y la mujer se marchó. Y ellos se encontraron nuevamente en el corredor. Miss Snow les dio una tarjeta y se acercó a la puerta vecina.

—Esto marcha rápido —dijo el doctor Runkleman después de otras cuatro visitas—. ¡No sé cómo me las arreglaba sin usted! ¡A esto le llamo yo trabajo de equipo!

Lucas se enardeció, sonrió satisfecho y resolvió trabajar más de prisa aún. Todo lo demás quedó relegado al olvido. Las puertas se abrían y se cerraban. Aparecían nuevos rostros, caras que pasaban a ser conocidas y en un momento familiares y que volvían a desaparecer para ser remplazadas por otras nuevas. Los dos médicos iban de cuarto en cuarto, arriba y abajo del pasillo, entrando y saliendo continuamente. Volvían al despacho, regresaban nuevamente al pasillo. Cuatro puertas en un sentido, cruzar hacia el otro lado, cuatro puertas en sentido inverso, el despacho, vuelta al pasillo y a empezar el circuito otra vez.

Y miss Snow precediéndoles siempre, limpiando la habitación con un toque allí, otro allá y un cambio de toalla. Y llenando los cuartos con la misma rapidez que se vaciaban, repoblándolos con la aparentemente interminable muchedumbre que llenaba la sala de espera.

Y la puerta se abría. Una cara nueva, impaciente.

—Hace mucho rato que espero.

Y la suave respuesta.

Lo siento. Hoy estamos un poco agobiados de trabajo. ¿Qué es lo que parece funcionar mal?

Y la puerta se cerraba.

Y el siguiente que aguardaba apático.

El otro, impaciente.

Al cabo de un rato, por una decisión espontánea, Lucas se encargó de una fila de habitaciones y el doctor Runkleman de la otra. Cuando se cruzaban sonreían brevemente y seguían rápidos su camino. Luego se encontraron de nuevo en el despacho. Lucas estaba convencido de que la jornada había terminado y se acomodó, se arrellanó en el asiento.

El doctor Runkleman miró el reloj.

—Las tres. ¿Todavía viene gente, miss Snow...?

—Todavía.

Las puertas se abrían. Se cerraban.

Seguía el desfile confuso de rostros.

De vez en cuando, uno de ellos se destacaba del conjunto.

Aquellos dos hombres, por ejemplo. El diácono, que decía que se sentiría infinitamente más dichoso si el doctor Runkleman quisiera verle un momento, y el reverendo que sonreía, y el diácono sonrojándose... ¡Vaya, por una tontería tener que levantarse en mitad del sermón y dejar el púlpito! No hay por qué avergonzarse si uno se pone enfermo. Para esto están los médicos...

Y luego, con voz sosegada, el doctor Runkleman les habló. Ellos le miraron atónitos; el doctor Runkleman se lo explicó de nuevo, y los dos sacerdotes se marcharon por fin: el diácono, saliendo profundamente impresionado y el reverendo dulcemente aturdido. Sí, le avisarían mañana, o a los pocos días, para decirle lo que hubieran determinado hacer respecto al tumorcito cerebral.

Y se alegraban de haber conocido al doctor Marsh, se alegraban muchísimo de haberle conocido...

Las puertas se abrían.

Se cerraban.

—Todavía vienen —decía miss Snow.

Siete trastornos del aparato respiratorio, tres prenatales más, una vejiga de la hiel, un posnatal, dos forúnculos, una fractura, una costilla, una masa blanda en el pecho, una comezón en la cabeza, cuatro bebés, una dieta, un impétigo.

Las puertas se abrían y se cerraban.

—Más todavía —informaba miss Snow.

...y todo lo que la mujer aquella quería saber era si la niña lo había hecho. Era su madre y tenía derecho a saberlo. Una se esforzaba por criarlos debidamente y... ¡ahí la tienen! No quería abrir la boca.

—¿Lo has hecho, Betty? ¿Has hecho lo que dice tu madre?

La niña permanecía sentada y en un mutismo tozudo.

El doctor Runkleman se levantó. La madre hizo poner en pie a la niña y de un empujón la mandó dando traspiés hacia el cuarto de reconocimiento.

Lucas se irguió. No, no lo había hecho. Seguía intacta. Himen intacto. El joven médico miró a la madre con ojo glacial.

—Tres dólares —dijo el doctor Runkleman, sonriendo sólo con los labios.

—¡Si generalmente cobra...! ¡Verás, tú! ¡Espera nada más hasta que tu padre llegue a casa! —La mujer revolvía enojada el bolsillo. La niña continuaba en silencio. Y escondía el odio que asomaba en sus ojos, no levantándolos del suelo.

La puerta se abría. Se cerraba. Miss Snow daba paso al cuerpo extraño en el ojo, a la úlcera en la lengua, al corazón, al seno frontal, al riñón, a la medula del hueso, a la jaqueca...

...y le dio las gracias cariñosamente mientras se alisaba el destrozado vestido complementado por unos zapatos que venían a ser agujereadas tiras de cuero consumido. Y se le humedecieron los ojos. Y dejó los dos pollos muertos sobre la mesa diciendo que había entrado al pasar, sólo para darle las gracias de todo corazón. No, todavía le quedaba mucha medicina. Y sus manos de anciana, sus manos sarmentosas, manchadas, surcadas por los caballones de las venas, temblaban. La mujer contempló los dos pollos, se pasó la lengua por los labios azules, delgados, desvió la mirada haciendo un esfuerzo, y la fijó dichosa, en la cara del doctor.

—¡Están en su punto! ¿Verdad que son hermosos, doctor Marsh?

Y se marchó con paso inseguro. En la sala de espera paseó una mirada orgullosa a su alrededor. Y la puerta se cerró tras ella.

—¡Usted sabe que los ha robado! —gritó Snow—. Usted lo sabe perfectamente, doctor. ¿Puede imaginárselo, doctor Marsh? ¿A sus años?

—¡Ea! —replicó Lucas, serenamente—. Mirándolo bien, me figuro que no encontraríamos muchos pacientes capaces de robar para pagar la cuenta de su médico.

El doctor Runkleman levantó la vista, admirado.

—¿Está cansado?

—¡No! ¡No! —mintió Lucas—. Me encuentro perfectamente. Esto no es más que un día de mucho trabajo en el hospital.

—¿Todavía más, miss Snow?

—Todavía más.

Era en verdad como en el hospital. Pero allá no había tantos. No eran tan numerosos que uno no pudiera recordar los casos. No eran tantos que uno no pudiera recordar el último, el anterior; la sucesión no era tan rápida que uno no pudiera grabarlos en la memoria.

Y aquel pensamiento acudió otra vez a su mente. Ahora ya no tan vago... Todavía no se perfilaba bien, pero se hacía más dominante. Era un pensamiento teñido de piedad. Y de un extraño terror.

¿Qué quería el hombre? ¿Qué objetivo tenía su vida?

¿A qué la dedicaba?

Y los rostros, los empañados rostros, se levantaban como detrás de una ventana, aparecían bruscamente, mirando fijos, inmóviles, sin ver nada, y entre él, Lucas, y aquellos rostros vibraba en el aire una sensación de espera, de espera recelosa.

El informe pensamiento pesaba cada vez con más fuerza, con mayor imperativo, eludiendo su acoso. Lucas estaba fatigado. Con gesto impaciente desterró de su espíritu aquel pensamiento ingrato y enfiló con paso vivo el corredor. Miss Snow le llamó con un ademán.

La puerta se abría.

Y se cerraba.

Un paciente, y otro, y otro...

Las líneas ansiosas del enfermo incurable surcaban la faz de aquel joven. Tenía los ojos apagados, la mirada inexpresiva. Su cuerpo destacaba anguloso, descarnado, sobre el sillón de ruedas Sus rasgos fisonómicos daban paso sombríamente a la facies hipocrática; los tejidos bosquejaban la presencia. El doctor Runkleman se inclinó sobre él y percibió el olor, el aliento de los moribundos. Y le dio unas palmaditas sobre el hombro, desinteresándose. Empujaron el sillón y el joven salió fuera del consultorio, indiferente, tranquilo, sin advertir apenas la presencia de los demás, ajeno a todo, encerrado profundamente en sí mismo, pobre chinita que se hundía en el blanco cieno sin fondo de sus células en corrupción. bajando hacia donde no alcanza la vista, hacia donde no alcanza el oído, hacia la nada.

Ahora el doctor Runkleman preguntaba muy cortés:

—No creo que la hubiese visto nunca por aquí, ¿verdad?

Ella dijo que no.

Tenía veintiséis años. Su vestido, su cabello, pródigamente cuidado, su voz, todo poseía un sello de distinción.

—Me han hablado de usted —dijo la joven pausadamente—. Vivo en Amelot. Y como pasaba por aquí con el coche...

—¿Viene por recomendación de alguien?

—No... Un día unas amigas me hablaron de usted. Ahora iba de paso.

—Comprendo... Veamos, pues, ¿cuáles son sus molestias?

—No sé, doctor. Es cosa de la región genital. Es una comezón... una comezón cáustica... y...

—Tiene que llevar un paño continuamente.

—¡En efecto! ¿Qué es? ¿Sabe qué será, doctor?

La joven hubo de tenderse sobre la mesa.

—Veamos, veamos —dijo el doctor Runkleman, examinando la región enferma.

—Todas nos ponemos la mejor ropa interior cuando tenemos que ir al médico —comentó la paciente, con burlesca desesperación. Su acento era nervioso; hablaba por decir algo—. Y el doctor nos ordena que nos la quitemos y luego sale del consultorio sin haberla visto siquiera.

—Es cierto —asintió el doctor Runkleman con buen humor. El espéculo le reveló un conducto vaginal enrojecido, y al fondo, el cuello cervical hinchado. De su abertura rezumaba un hilo de líquido blanco-amarillento. La joven se agitó un poco.

Lucas quitó un poco de la sustancia amarillenta del cuello cervical, pasó la gasa con gesto experto por el portaobjetos y se encaminó hacia la puerta.

—A menudo me pregunto por qué se molestan las mujeres en llevar ropa interior alguna cuando van a ver al medico —dijo antes de salir.

—¡Oh, doctor! ¡Hay que llevarla! ¡En estas ocasiones particularmente!

—La moral —dijo el doctor Runkleman, con una sonrisa—. Ese es el motivo, ¿verdad? ¡Apuesto a que es por la moral!

—¡Qué hombres! ¡Nunca distinguirían la diferencia!

—¡Es verdad! —admitió Lucas, riendo.

—¿Le duele aquí? —El doctor Runkleman tocó levemente la zona hinchada. La joven se encogió un poco.

Lucas se llevó el portaobjetos al pequeño laboratorio, vertió sobre él una gota de colorante, luego de una segunda solución, lavó, secó, aguardó un momento y finalmente instaló sobre el portaobjetos otra gota de líquido fijador.

Bajo las lentes de inmersión en aceite, el campo reveló un color, permaneció emborronado un momento y luego se hizo distinto, abriéndose claro y bien dibujado a la mirada del observador. Dentro de las células blancas crecían organismos rosados, plantas sin clorofila y en forma de grano de café, plantas que medraban en el tierno suelo de los tejidos humanos. Eran plantas vigorosas, redondas, agrupadas en parejas, y por su forma y su disposición su nombre resultaba tan evidente como el que sugieren la forma y la disposición de un roble o de una rosa. Aquellas plantas se llamaban gonococos.

Lucas regresó y pasó un trozo de papel delante de los ojos del doctor Runkleman.

Tanto el recién llegado como la paciente tenían la vista clavada en el rostro del maduro doctor. Este echó una ojeada al papel.

—Sí... Bueno...

La faz de la joven estaba en tensión.

—¿Cuáles son las malas noticias, exactamente? —preguntó con acento despreocupado— sonriendo. Pero encima de la curva de su boca, de los finos y blancos dientes, sus ojos brillaban de ansiedad.

—Me temo que esto nos proporciona una noticia no muy buena —dijo el doctor Runkleman, manoseando suavemente el papel.

—Yo he oído hablar de ello a mis amigas —dijo la mujer, como si los tres hubiesen escuchado la misma conversación—. ¿Cómo la llaman? Luque... Luque no sé qué más.

—¿Leucorrea? Sí, en efecto. Este es probablemente el nombre que le dan.

—Tendré que darme lavados para combatirlo, ¿verdad? ¿Algún lavado especial?

—Sí... Ahora bien, en cuanto a lo que usted tiene, me parece que es gonorrea.

La joven le miró impasible, haciéndose la ignorante, como si no supiera nada de aquel mal momento, de aquel tropezón.

—¿Gonorrea? —repitió con la misma presencia de espíritu que si estuviera hablando de otra persona.

—Eso me temo. Me lo ha parecido ya en seguida.

—Pero esto es imposible —objetó ella, sonriendo.

—Sí, ya sé lo que usted piensa en estos momentos, y desearía que fuera imposible; pero la realidad es esto. De todos modos, no se preocupe; se trata sencillamente de un microorganismo.

—¡Pero aguarde un minuto! ¿Cómo se contraen... esas cosas? ¡A mí me han hablado de los asientos de los "waters"! Esto habrá sido probablemente, ¿verdad? Hace unas dos semanas estuve en unos grandes almacenes y... aunque no ignoro el peligro, no lo tuve bastante en cuenta...

—¿Cuánto tiempo ha transcurrido desde la última vez que tuvo relaciones con un hombre?

— ¡Relaciones! ¿Con un hombre? ¡Nunca! ¡Yo no he tenido relaciones con un hombre en toda mi vida!

—Relación, trato sexual...

—Ya sé lo que quiere decir.

—Yo no sé cómo se ha puesto en boga el cuento ese de los "waters". Nadie lo coge allí.

— ¡No he tenido relaciones con un hombre en toda mi vida!

—Sí... Bien...; nosotros le haremos el tratamiento. Pero se adquiere así y no de otra manera. Acaso usted conozca al hombre. En este caso, le conviene alejarse de él. Y escoja mejor sus explicaciones. A nosotros no nos importa. Es igual. Somos médicos y para eso estamos aquí, para cuidarla a usted...

— ¡Lo menos que puede decirse es que me está insultando! —La mujer se había puesto en pie.

—Se lo explicaré bien, para que se entere —dijo el doctor Runkleman, con aire apocado—. El doctor Marsh también podría explicárselo. Es notablemente difícil conservar vivos a esos diablillos, a esos microbios, aun en las mejores condiciones, incluso en un laboratorio donde se hace lo posible para que vivan. De modo que en el asiento de un "water" mueren a los pocos minutos. Y no viven en ninguna otra parte; ni en la piel; no es su medio. No. Suponiendo que usted se lo propusiera, le daría un trabajo enorme contraer esa enfermedad en un "water"... Entiéndame, yo sólo quiero decirle una cosa. Nosotros, no somos jueces, no nos importa lo que haya ocurrido, pero no existe sino una manera... Usted es una mujer inteligente...

—La cuenta, por favor —dijo ella, con voz firme. El doctor Runkleman hizo un signo de asentimiento y se puso a escribir—. ¡Le repito ahora lo mismo que le he dicho antes! No he tenido relaciones con un hombre en toda mi vida. Me apena que esto no sea suficiente para usted. ¡Ni esto ni mi palabra de honor!

—Aquí está —dijo el doctor Runkleman. La joven abrió el lujoso bolso, puso un billete encima de la cuenta y lo dejó todo en el ángulo de la mesa.

—¡Un momento nada más! ¡Esto es demasiado! ¡Apuesto a que no son sus honorarios normales! —Y mirando con desprecio al doctor Runkleman, exclamó—: ¡Tuve que pensarlo mejor antes de acudir a un médico patán! —Y cerró suavemente la puerta tras sí. Por un momento, los médicos ni se miraron. La enfermera, miss Snow, abrió la puerta. El doctor Runkleman movió la cabeza afirmativamente. La enfermera desapareció.

—¡No la ha cogido al pie de ninguna empalizada; —dijo entonces, soltando la risa, el doctor Runkleman.

—¿Cómo tiene esa desfachatez? ¿Por qué viene aquí y le dicen a uno que lo negro es blanco?

—No ha ido a ningún médico de Amelot. No, ha venido aquí, de lejos. Me gustaría saber si ese es su nombre. Es una mujer culta, ¿verdad?

—"No he tenido relaciones con un hombre en toda mi vida" —escarnecióla Lucas.

—Sí, y nos miraba a los ojos tan tranquila.

La puerta se abrió.

—Las cuatro —dijo el doctor Runkleman, sonriendo.

Aquel hombre tenía cuarenta y cinco años y aparentaba cincuenta. Era bajo, vestía pobremente y la suciedad se acumulaba debajo de las uñas y en los cortes y arrugas de sus manos gruesas, encallecidas.

—Este señor es Oscar Glaimer. Usted habrá visto su tienda de zapatero, la que está al lado del Banco.

—¡Ah, sí! —dijo Lucas—. ¡Sí! Bonita tienda.

—Sí... Bien, veamos... En qué podemos servirle?

—Tengo... —El hombre parecía querer evadir la pregunta.

—¿Un dolor? ¿Un dolor en alguna parte?

—Entre las nalgas —dijo humildemente el zapatero. —Ah, caramba! ¡Bueno, bueno! Vamos a verlo. ¿Cuánto tiempo hace que le molesta? ¿Sangra mucho? —preguntó el doctor, mientras se dirigían a la sala de reconocimiento.

Y cuando el hombre estuvo arrodillado y con la cara pegada a la mesa, el doctor Runkleman dirigió a Lucas una mirada de inteligencia y le dijo con acento significativo, al mismo tiempo que retiraba el dedo:

—Toque esa próstata.

Lucas se puso un guante. Mientras su dedo ascendía. advirtió que allí existía una terrible anormalidad. Parecía que lo hubiese introducido en una caverna, se notaba una flojedad, una relajación, las paredes no cerraban herméticamente como en un recto normal. Se tocaba una masa. Era casi segura la existencia de un cáncer.

El joven retiró el dedo. Sus ojos se encontraron con los del doctor Runkleman.

—Tiene unas hemorroides de muy mala especie. ¿Lo sabía usted? —preguntó suavemente el doctor Runkleman.

—Hay algo que no funciona bien —contestó el zapatero con voz opaca.

El doctor Runkleman armó el largo tuvo el proctoscopio.

—Sí. Véamoslo mejor, veamos...

Luego se encontraron otra vez en el despacho. El hombre sentado ante los dos médicos. Oscar Glaimer, el que durante veintidós años fue el zapatero remendón de Greenville, se había convertido de pronto en un extraño. Existía un secreto que ya no era secreto, una situación intermedia entre los vivientes y los fallecidos, una barrera, una reagrupación.

—Esto es grave —dijo el doctor Runkleman hablando a Oscar Glaimer como a través de una presencia impalpable—. He de darle malas noticias.

El zapatero desvió la mirada hacia Lucas para volver a fijarla en el doctor Runkleman.

—Oscar —prosiguió éste, después de una pausa—, lamento tener que decírselo, pero me temo que tiene un cáncer.

—¡Un cáncer! —Y ahora el hombre poseía el secreto, ahora ya no eran tres personas hablando de una enfermedad, sino dos contra uno, dos hablando y uno escuchando. La separación se había hecho total—. ¿Está seguro? —Ahora el enfermo luchaba, se esforzaba por volver hacia ellos, por regresar al mundo de los vivos.

—Le haré ingresar en el Condado. De nada serviría despilfarrar un montón de dinero —dijo el doctor Runkleman, tomando nota en el cuaderno.

—¿Me operarán? —El paciente se humedecía los labios, trataba de adaptar su oído al tintineo de aquella campana, de habituarse a sentir en el cuello la cuerda que la sostenía. Unos momentos antes era un hombre, ahora era un sentenciado, un muerto en vida, un canceroso.

—Sí —contestó el médico—. No le queda otra oportunidad, Oscar. Me imagino que el mal está muy avanzado.

—¿Qué opina usted?

—No lo sé. Sinceramente, no lo sé. La biopsia nos informará. Pero apenas queda margen de duda. Será preciso abrir y verlo.

—¿Moriré? —La palabra encerraba tres preguntas: "¿Moriré? ¿Viviré? ¿Viviré todavía, pero siendo un canceroso, un hombre consumido por el mal, atormentado por la angustia?"

—No estaría de más que pusiera sus asuntos en un orden. Aunque lo mismo podría aconsejarse a cualquiera de nosotros. Sí. Yo tomaría esta precaución, Oscar. Le he puesto en lista... Será a mediados de la próxima semana.

—Bien... —El zapatero se puso en pie. Sus manos jugueteaban con el sombrero—. Bien. Me figuro que esto se acabó... —Pero aguardaba esperanzado.

—Debo decirle una cosa, Oscar. No quiero que se haga demasiadas ilusiones, pero uno no puede afirmar nada. Por lo menos hasta saberlo cierto. He visto casos muy graves que se han restablecido... Entretanto, tome estas píldoras... para el dolor. Miss Snow se encargará de decirle lo que debe traer al hospital.

Cuando se hubo cerrado la puerta, el doctor Runkleman gritó indignado:

—¡Siempre esperan! ¡Esperan hasta el último momento! ¿Qué quiere que le haga yo, ahora?

Lucas movió la cabeza tristemente. En su cerebro se producía la imagen que había visto por el proctoscopio.

—¿Le operará?

—¡Veremos! —contestó escuetamente el doctor Runkleman—. ¡Vienen en el último minuto! ¡Este no es el primero que se visita cuando ya está seguro de que la cosa va muy mal! ¿Qué esperan que haga yo?

Lucas levantó los ojos vivamente sorprendido. La cólera, el rencor, inflamaban la faz del doctor Runkleman. El joven desvió rápidamente la mirada.

La puerta se abrió.

Cuarenta y dos años, la carra arrugada por los sufrimientos, los ojos mortecinos, el ralo cabello colgando lacio, sin vida.

—Hemos de hacer algo —decía aquella mujer—. Estoy perdiendo la razón. Hemos de hacer algo, doctor.

—No se siente mejorada, ¿eh?

—Peor todavía. Exactamente ... peor.

La mujer entrecruzaba los dedos nerviosamente. Sufría un exagerado tic en un ojo. El doctor Runkleman sacó los papeles donde tenía anotado su historial y los estudió en silencio.

—¿Supone que sea de los pulmones? A veces sufro una sensación de ahogo, como si estuviese echando el último aliento, luego me duelen las tripas y empiezo a vomitar ¡No se me sostiene nada en el estómago! Parece que todo el día estoy ardiendo; tengo los nervios alterados; me duelen los intestinos; las articulaciones me queman.

—Los pulmones los tiene muy bien —dijo el doctor, soltando la radiografía que tuvo en la mano.

—¿Sin la menor anormalidad? —La mujer se expresaba con acento incrédulo—. He trabajado toda mi vida, día y noche, hasta quedarme en los huesos, y no estuve enferma ni un segundo...

—Lo hemos examinado todo —la interrumpió el doctor Runkleman, reforzando la afirmación con un gesto—. He aquí mi opinión actual, ¿Quiere que se la diga? Se la diré francamente. Creo que tiene los nervios destrozados. Creo que usted es una enferma de los nervios.

—¿Quiere decir que todos esos dolores que siento no son otra cosa que nervios? ¿Es esto lo que quería decirme?

—En efecto. Y añadiré una cosa. Mejor preferiría una fractura de pierna. Porque en dos meses se la habría remendado.

La enferma miró la receta con desconfianza y estuvo un buen rato inmóvil, considerando lentamente las palabras del doctor, explicándose a sí misma lo que acababa de escuchar, y aguzando la atención para percibir la respuesta de su organismo.

La puerta se cerró tras la enferma de los nervios.

En seguida volvió a abrirse.

—¿Verdad que no se quedará deforme? —preguntaba ansiosamente la mujer.

—Es casi imposible reducir esta discontinuidad sin que quede deformidad alguna. Lo raro es que no sea mayor de lo que será —contestó Lucas.

—Yo quería que tocase el violín. Le compramos uno hace poco. —Luego miró al muchacho con malevolencia, y dándole un empujón, le gritó—: ¡Ven aquí, tú!

El anciano chino tenía una úlcera que abarcaba el tobillo derecho, cuyos huesos se veían claramente. La supuración era escasa. El hijo y la hija quitaron las vendas y las compresas que la cubrían, y miraron en silencio al doctor Runkleman. El padre sonreía jovialmente.

—Me temo que esta vez también le haré sufrir —dijo el doctor en voz baja. El anciano asintió con un gesto agradable.

El doctor Runkleman eliminó el tejido muerto con las tijeras, dejando al vivo los bordes de la úlcera y con las pinzas picoteó en el cráter, arrancando trozos de carne muerta y viva hasta que los tejidos rebeldes empezaron a sangrar. El chino había inclinado la cabeza y miraba con gran atención.

—Duele, ¿verdad? —preguntó el doctor Runkleman, con voz compasiva, levantando la cabeza. Lucas apretaba los labios contra los dientes.

—¡Ah, sí! ¡sí! —El viejo se apresuró a mover la cabeza asintiendo.

Terminada la cura, vendado nuevamente el tobillo, el padre pasó los brazos por encima de los hombros de sus hijos. Estos le levantaron de modo que sólo apoyase el pie sano en el suelo. Luego dieron las gracias al doctor Runkleman y se marcharon. La próxima vez habría que profundizar más. El próximo año no quedaría pie, no habría ya tobillo. Y Sing sonreía.

La chiquilla del Instituto y su madre entraron sonriendo. El doctor Runkleman se puso en pie para recibirlas a mitad de camino.

—¿Verdad que acertamos? —preguntó satisfecho.

—¡Por completo! —exclamó la madre—. ¡Mírela!

La muchacha levantó la barbilla presentando la cara. El doctor Runkleman la examinó de cerca.

—¡Tenía que haberla visto un mes atrás! —exclamó la madre, dirigiéndose a Lucas.

—¿Van bien las gafas? —preguntó el doctor Runkleman.

—¡Muy bien! —contestó la jovencita—. ¡Estupendamente!

La puerta se cerró tras las dos mujeres.

—Bien —dijo el doctor Runkleman, alborozado—. ¡Esta es una! ¡Esta es una para anotarla en el libro!

—¿De qué se trataba?

—Pues, señor, esa chiquilla tenía la cara cubierta de pequeños abscesos sí, señor, abscesos acné, barrillos y qué sé yo cuántas cosas. Era una calamidad. Lo probé todo. La niña tenía el estómago siempre revuelto y nada le hacía efecto. Incluso la envié a un dermatólogo. Nada. Finalmente, ¿qué cree que hice?

—¿Cuestión de hormonas?

—¡La envié a que le examinaran la vista! Necesitaba lentes. ¡He ahí el caso! Fuese como fuese el defecto visual provocaba una serie de fenómenos. Se puso las gafas y... ¡se acabó el desarreglo gástrico! ¡Se acabaron las impurezas de la piel! ¡Dios mío ¡Vea qué hora es!

—Ahora se van clareando —dijo miss Snow—. Disminuyen...

Dos hemorroides. Un chirle en la rodilla. Un vómito negro. Un apéndice. Un Rayos X. Cuatro corazones. Lucas pasaba penosamente de uno a otro.

La puerta...

—¿Es usted el doctor?

—En efecto. ¿Le duele algo?

—Fui a los doctores Binyon y Blake y me recetaron una dieta blanda.

—Comprendo. ¿Y cuándo le dan los dolores?

—A veces siento correr el líquido por los intestinos.

—Supongamos que nos cuenta desde el principio. Primero los dolores. ¿Siente alguno?

—Veo danzar moscas delante de los ojos. Luego me sale una erupción de puntitos oscuros por toda la piel. A veces pequeñas vesículas entre los dedos...

—¿Le duele algo en estos momentos?

—Se me cubre la lengua. Se me hinchan los tobillos.

La mujer le escuchó ansiosa.

La puerta se cerró tras ella.

Se abrió nuevamente.

Un muchacho de dieciséis años, rubio y gordinflón, entró vacilando. Detrás iba su madre, una mujer obesa, de mejillas sonrosadas y ojos duros, recelosos.

—¡Enséñalo al doctor!

—¡Oh, mamá!

—Bájate los pantalones. De prisa. ¡Esto cuesta dinero!

El chico se bajó los pantalones con repugnancia. El doctor Runkleman se le acercó. Mientras éste cruzaba la estancia, Lucas pudo ver el escroto del muchacho, dentro del cual colgaban los testículos, grotescamente hinchados. El doctor Runkleman apoyó el dedo en el anillo inguinal del enfermo.

—Haz el favor de toser. Tose, hijo...

El doctor Runkleman retiró el dedo y se hizo a un lado, cediendo el puesto a Lucas. Pero cuando éste alargaba la mano, la mujer apoyó la suya en el antebrazo de Lucas y se volvió hacia el doctor Runkleman.

—¿El también tiene que mirarlo?

—¡Sí, caramba! Se lo agradeceré.

—¿El precio es el mismo?

—¡Efectivamente!

—Está bien. Lo que no quiero es pagar doble visita. No me importa que aprenda, pero no con mi dinero.

El doctor Runkleman hizo como si no la oyese y miró a Lucas, aguardando con los labios apretados. Lucas retiró el dedo y movió la cabeza afirmativamente.

—¿Te causa mucho malestar? —preguntó afectuosamente al muchacho.

—Bastante —contestó éste, dirigiendo una mirada culpable a su madre.

—¡Bastante! —coreó ella, con desprecio—. ¡Si no corrieras por ahí como un loco con esa pandilla de chicos salvajes, te encontrarías perfectamente! ¡Ahora sal de aquí! ¡Sal fuera y espérame!

Y cuando el muchacho hubo salido silenciosamente del despacho, la mujer preguntó:

—¿Qué tiene?

—Hernia e hidrocele.

—¿Qué es eso?

—Una rotura. Tiene la pared abdominal rota y los testículos..., ya los ha visto usted.

—¿Qué tendrán que hacerle ustedes?

—Será usted, señora, quien tendrá que hacer algo. Tendrá que hacerle operar.

—¿Cuánto importará?

—Depende de lo que encontremos. Alrededor de los setenta y cinco dólares.

—¡Jamás había oído cosa semejante! Cuarenta... ¡Vaya! Cuarenta es todo lo que doy. ¡Ni uno más! —El doctor Runkleman se levantó y se dirigió hacia la puerta—. ¿Qué mal le hará el continuar así? ¿Qué peligro le acecha? ¡Dios sabe que corre por ahí y come igual que el más sano!

—Una herida puede gangrenarse, y la gente también muere de gangrena. En cuanto al hidrocele, puede perjudicarle de una manera seria en el terreno sexual.

La mujer meditó un momento.

—Me parece que el chico está bien —dijo—. Dejaremos pasar algún tiempo. Quizá entretanto gane algo con qué pagar parte de la cuenta.

La puerta se cerró.

—¿Es pobre? ¿Tanto significan setenta y cinco dólares para esa mujer?

—¿Ella? ¿Pobre? Tienen una granja... ¡La mejor granja del condado! ¡Y el padre aún es peor. ¡Me gustaría que viese a su hija! Va a la escuela vestida de harapos. No se atreve a levantar la vista del suelo.

La puerta se abrió. Miss Snow hizo pucheritos con los labios. Entró una mujer que contaría cuarenta años y pico, vivaracha, nerviosa, con el pelo algo desordenado y un pequeño desgarrón en el vestido. Su cutis tenía el aspecto aterciopelado que se presenta en los alcohólicos.

—No tengo paciencia con ellos —dijo el doctor Runkleman cuando se hubo marchado—. ¡Ninguna! Su padre acabó del mismo modo.

—¿Con quién no tienes paciencia, Dave?

Los dos médicos levantaron la vista sobresaltados. El doctor Runkleman se puso en pie y se acercó al hombre alto y corpulento que entraba en el despacho. Miss Snow, que se había quedado en el umbral, sonreía divertida.

—¡Henry! —gritó el doctor, apresurándose a sacudir vigorosamente la mano del recién llegado—. ¿Qué haces aquí? Quiero presentarte a mi ayudante, Henry. ¡Venga acá, doctor Marsh!

Lucas, que se había levantado al mismo tiempo que el doctor Runkleman, avanzó con aire fatigado. El desconocido le estrechó la mano en un firme apretón, escudriñando su rostro con la mirada.

—¡Bien, bien! —dijo sonriendo cordialmente.

—¡Sí! Me he buscado un ayudante!

—¡Si tu negocio mejora un poco, tendremos que aumentarte los impuestos!

—¡Henry es el alcalde! —explicó el doctor Runkleman—. ¡Un voto por Henry Granite es un voto por Henry Granite! Vele por él, doctor Marsh. ¿Qué te trae por aquí, Henry? ¿Qué ideas se te han ocurrido ahora?

—¡Oh, me ha dado la idea de venir para que me hagáis una revisión general... si tenéis tiempo!

—¡Tiempo! ¡Es lo único que tenemos en abundancia! —El doctor Runkleman hizo un guiño a Lucas.

—Tenía que haber pedido hora... Le he dicho a miss Snow que no era preciso que me hiciera pasar delante de toda esa buena gente que está esperando.

—¡Oh, me figuro que siempre tenemos tiempo para el alcalde! ¿No es cierto, doctor Marsh?

—¡Indiscutiblemente! —exclamó Lucas, no muy convencido.

—No me gusta reclamar ningún privilegio especial.

—¡Ven aquí! ¡Vamos a echarte un vistazo!

En el cuarto de reconocimientos, Henry Granite colgó cuidadosamente su elegante traje y extendió sobre la mesa la camisa hecha a medida.

—No te molestes en quitarte los zapatos y los calcetines —dijo el doctor Runkleman—. ¿De dónde sacas esos trajes, Henry?

—Hace diez años que trato de alejarle de los catálogos de confecciones —explicóle el alcalde a Lucas—. Parece absolutamente incapaz de comprender que un traje hecho a medida por un sastre dura más, resiste más... y no hablemos de lo que viste.

Mientras hablaba se había quitado la ropa interior. Estaba ante ellos en cueros.

—No tengo tiempo. En el rato que un sastre me tomaría las medidas y me probaría la ropa, podría hacer seis visitas y asistir a un parto... Veamos, Henry. Te daremos un repaso.

Desnudo, aquel cuerpo era como otro cualquiera, no revelaba nada respecto a la calidad de su dueño; podía haber sido el envoltorio material de un estibador, de un minero, o de un atleta. Era un cuerpo bien musculado, que se mantenía erguido, pero sin el traje no causaba tanta impresión y hasta se notaba que tenía los hombros un poco caídos hacia adelante.

—Estate quieto, Henry —dijo el doctor Runkleman.

—¿Sabéis que a veces me pregunto qué pensaréis los médicos cuando miráis a una persona? Quiero decir, dejando aparte las indicaciones importantes que buscáis en su cuerpo.

—Lo he intentado una y mil veces y nunca he podido sacar ninguna deducción —explicó Lucas—. En el hospital, en las clínicas, al entrar en una habitación llena de personas desnudas las miraba una por una y trataba de figurarme: este es rico, aquel es pobre, ese es mezquino, el de allá orgulloso, el de aquí es hábil, el otro listo... Pero no se acierta. Desnudas, las personas no son sino seres vivos. Son los supervivientes. Uno se engaña siempre.

—"Cuando Adán cavaba y Eva hilaba, ¿quién era el caballero?"

—Es cierto. Pero se trata de algo más que de la posición social.

—Así, pues, lo verdadero y lo falso, no residen en las cosas, sino en el intelecto, y no debemos juzgar una cosa por lo que es accidentalmente, sino por lo que es esencialmente. Y un hombre no es falso por el hecho de conocer criterios falsos, sino por amarlos.

Lucas miró fijamente y con notoria intención al hombre desnudo.

—Di treinta y tres, Henry —ordenó el doctor Runkleman. —Otra vez... otra vez... Respira por la boca...

El reconocimiento terminó...

—Te califico de útil. Podrías continuar sin contratiempos por otros cincuenta años. Tienes un organismo sano, Henry. Cuídalo.

—Es lo mejor que poseo. Creo que en este aspecto la suerte me ha favorecido más que a la mayoría. Me gusta cuidarlo. Supongo que sabes por qué he venido.

—¿Se solivianta otra vez?

—Un poquitín...

—¡Naturalmente! Ya me figuraba que había llegado la hora de darte otro masaje.

El doctor Runkleman se puso un guante de goma y se untó el dedo índice con lubricante.

El alcalde hizo una mueca. Lucas desvió la mirada compadeciéndole.

—¿Qué opina de nuestra pequeña población?

—Sube aquí, Henry.

—Es una pequeña ciudad admirable. Parece tan bien regida, tan ordenada...

—Dóblate sobre la mesa. Está bien. Cúrvate más.

—Va progresando. Y ha progresado mucho.

—Tenemos una ciudad tan sólida como la primera que pueda encontrar en el Estado —dijo el doctor Runkleman—. Tu gestión resulta excelente, Henry. Excelente de verdad. —Diciendo lo cual, introdujo el dedo en el recto del alcalde. Luego empezó a darle masaje a la próstata con la yema del mismo.

El alcalde se quejaba, se retorcía.

—Hago cuanto puedo, lo mejor que puedo —dijo en seguida con voz opaca—. Aunque no siempre sé qué significa la palabra "mejor". A veces me veo obligado a recordar que cada hombre persigue el bien sin conocer la naturaleza del mismo. Procuro ser... ¡Ay! —gritó.

—Lo siento, Henry... Ya no tardaré mucho. Te encontrarás mucho mejor.

El doctor retiró el dedo y se quitó el guante. El alcalde se levantó. Y miró a Lucas, sonriendo.

—¿No le parece simbólico? ¡Platón saliendo a la luz por un extremo y el dedo de un médico por el otro.

—Será algo más que el dedo de un médico lo que volverá a salir del cuerpo de mucha gente este año —replicó con evidente intención, el doctor Runkleman.

—Todo llegará, Dave —dijo el alcalde, con una sonrisa indulgente—. Todo llegará con el tiempo. Ten un poco de paciencia.

—Lo digo muy en serio, Henry.

—Ya lo sé. —El alcalde se vestía sin apresurarse—. Pero tú también sabes el dinero que costará. Eso de renovar toda la conducción de aguas... —Henry movió la cabeza con desaliento.

—¿Tifoidea? —preguntó Lucas, incrédulo.

—El doctor Runkleman miraba fijamente al alcalde.

—¡Oh, se nos dan unos cuantos casos! —dijo éste, encogiéndose de hombros—. La mayor parte de los pozos de la ciudad son poco profundos, además de que, a mi parecer, podían haberlos emplazado mejor. Y los canales abiertos, que desembocan en ellos...

—Este año será peor, Henry. Tenemos dinero suficiente para comprar terrenos nuevos y adecuados.

—Lo sé, lo sé. Pero tú mira la cuestión desde mi punto de vista. Yo también soy médico. Yo trato el cuerpo político. Y como tú, cuando soy alcalde y no me dedico exclusivamente a mi aserradora, espero en mi despacho a que la gente venga a contarme sus conflictos. Y cuando me presentan sus enfermedades, después de asegurarme que no son imaginarias, trato de curarlas. Pero, lo mismo que tú, tengo que esperar hasta que vengan a verme.

—Es una vergüenza, Henry. ¡Es una verdadera calamidad!

—Yo lo he indicado ya, Dave. Lo sabes muy bien. No se pasa año que no lo recuerde con la precisión de un despertador... No puedo cambiar a la gente ni su manera de pensar; no puedo hacerles preferir el agua pura de manantiales buenos... La gente es así: pan y circo...

—Yo creía que la fiebre tifoidea ya casi no existía —interrumpió Lucas—. ¡El único caso que he visto fue en un libro de texto!

—El año pasado murieron siete de tifus —dijo el doctor Runkleman, sin ninguna inflexión de voz—. Esto aquí, en Greenville. Yo estoy atento al pozo de la escuela, Henry. Estoy esperando que explote.

—Dave, tú conoces a esa gente tan bien como yo. Sencillamente, no es posible interesarles por una nueva conducción de aguas que anularía todo lo existente ahora.

—¡Se acordarán cuando sus hijos caigan enfermos! Cuando el pozo de la escuela empiece...

—Lo intentaré de nuevo, Dave. Conseguirás convertirme en un hombre altamente impopular... Celebro, haberle conocido, doctor Marsh. Me complace darle la bienvenida a Greenville. Pase a verme cualquier noche, cuando tenga tiempo.

—Lo haré —contestó Lucas, agradecido—. Y quizá si usted les habla a los vecinos de sus pequeños...

El alcalde hizo una pausa. Meditó unos instantes y luego sonrió tristemente. Levantando la vista hacia los dos médicos, comentó:

—No son los niños lo que les impresiona, ya lo sabéis..., no son los niños. Son los niños muertos.

La puerta se cerró a su espalda.

—Bien... —El doctor Runkleman se encogió de hombros. Luego cogió el guante, en cuyo índice todavía brillaba la grasa, y lo dejó caer en la pila.

—¿Desde cuándo dura esta situación? —preguntó Lucas.

—Diez años, ahora. Diez años que vengo advirtiéndoles. —El doctor miró la hora—. ¡Dios mío! —exclamó, sobresaltado—. ¡A miss Snow le dará un ataque!

Los dos médicos salieron con paso vivo. Las cuatro habitaciones los engulleron. Empezó de nuevo la procesión.

Un hombre de pelo gris, rostro inexpresivo, palabra lenta, movimientos tardos, aspecto letárgico.

Y la mente de Lucas, atisbaba a través de la mueca de la fatiga, consideraba, recordaba, interrogaba; luego la visión interior se hacía clara, evidente; dato tal más más dato cual, respuesta: la letargia de los postencefalíticos.

Dos dietas alimenticias, dos denticiones... y Lucas seguía adelante, pasaba, pero concienzudamente, tratando de no pasar nada por alto, de ser rápido y perfecto, viendo en un segundo los movimientos faciales no controlados, los signos de un ataque reciente.

Luego un ojo, una sarna, una quemadura, un corte, una quemadura, una hidropesía, una menopausia, un resfriado, un resfriado, pero...

Y su inteligencia le mandó una llamada de aviso, sus sentidos se afinaron: la mano de la enferma estaba caliente, los ojos aterrorizados; los sobacos manchados de sudor. A través de la fatiga, la excitación reanimó a Lucas, que se dijo que podía fácilmente haber dejado de advertir todo aquello y proponiéndose no perder un solo detalle, le examinó el cuello desde más cerca, y en él vio, menudo, inconfundible, el principio de la papera exotálmica.

Las puertas se abrían.

Y se cerraban.

Lucas se rascaba disimuladamente el pescuezo. Desconfiaba. Una duda le arrugaba el entrecejo. Meditaba preocupado. Trataba de pensar. ¿Se le habría escapado algo? ¿Habría pasado por alto algún síntoma? Trataba irritado de pensar. Y no lo conseguía. Miraba al hombre con recelo. Las ropas de éste colgaban sueltas. Desde entonces había perdido peso. Los dos botones de la parte superior del pantalón los llevaba desabrochados.

Piensa, ahora.

Piensa...

Recuerda...

¿Cálculos biliares?

¿Cirrosis hepática?

¿Cáncer del peritoneo?

Habla con él... Escucha bien atento... Palpa... Percute... Háblame, dolencia, háblame. Sentid, dedos; mirad, ojos; escuchad, oídos.

Uno de vosotros lo sabe.

Uno de vosotros habla su lenguaje.

Está alerta, mente. ¡Está alerta!

La puerta se abría.

La puerta se cerraba.

Entraban... Salían... De todos los temperamentos y condiciones. Silenciosos, volubles, ruidosos, aterrorizados, culpables, venales, desconfiados, astutos, voluntariosos, estúpidos, apáticos, despreocupados, insanos, temblando de angustia, presordos, preciegos, apenas nacidos y sentenciados, chillando al menor sufrimiento, reculando, cobardes, estoicos, deseados, desvergonzados, ultrapoderosos, rencorosos, contradictorios, histéricos, sonrientes, deshonestos, ladrones, embusteros, desalentados, obscenos, de paso tardo, apresurados, jóvenes, viejos, de media edad. Y los ojos hablaban... Siempre los ojos... Ojos aterrorizados y ansiosos, disimulados, suplicantes, secretos y desnudos... La revuelta corriente entraba en el consultorio, enseñaba sus tejidos, exhibía sus lacras... una cara después de otra, una voz tras otra, un cuerpo a continuación de otro cuerpo, una cavidad y otra cavidad, abultamientos y cavernas, cuerpos y almas.

Y luego terminó la jornada.

Era de noche.

El primer día había concluido.

La puerta se cerró por última vez en aquella tanda.

—Váyase a casa, miss Snow.

—¡Qué día! ¿Eh, doctor?

—Es cierto. ¿Qué tenemos mañana?

—Han llamado del Condado. Vesícula biliar y apéndice. Ocho y nueve. Usted deberá actuar de forense a la una treinta. Dos nuevos casos de obstetricia. Miss Dorothy, que debía dar a luz esta noche, y mistress S. Wanson.

—Bien. ¿Cómo se encuentra? —preguntó el doctor Runkleman dirigiéndose a Lucas—. ¿Qué tal le ha sentado?

La jornada había llegado a su fin. El doctor Runkleman no parecía notablemente cansado.

—¡Perfectamente! ¡Absolutamente bien, señor! —contestó Lucas, precavido.

Y su agotada mente se decía, intranquila: "El no está cansado. Los pacientes han pasado por encima del doctor Runkleman como un chorro de agua"

¡Rrrraaasss! Una receta.

—"¿De que se queja usted?"

Una rápida mirada.

El centelleo de un instrumento.

¡Rrrraaasss! otra receta.

Lucas trató de revigorizarse. Trató de ver lo que el doctor Runkleman veía, de comprender íntimamente su actitud, y lo que había aprendido, y la dosis de verdad que se encerraba en él.

Ante Lucas se agitaba el mar de la Humanidad.

El joven contuvo el aliento. Se le nublaron los ojos. Sintióse muy viejo. Había percibido una realidad. Había percibido los sombríos límites de la misma, de una caverna, de una negrura, del fondo de la caverna.

—¿Alguien camina sobre su sepulcro, acaso? —le preguntó el doctor Runkleman, sonriendo.

—¡Sesenta y dos casos! —apresuróse a contestar Lucas, sofocado—. Estaba pensando ahora en lo que hemos hecho hoy. Veo cómo puedo descargar un gran peso de sus hombros.

—Es verdad. Créame, estoy muy contento de tenerle conmigo. Nuestra colaboración dará un resultado magnífico. ¡Sí, señor! ¡Sencillamente magnífico! ¡Oiga, me preguntaba qué estará haciendo su esposa!

—¿Kris? —ambos soltaron la carcajada a la vez—. ¡La había olvidado!

Los dos hombres se dirigieron a toda prisa hacia la puerta que separaba el aposento de Lucas de las dependencias para el público.

Kristina, que estaba a gatas, limpiando el suelo, levantó la vista con aire de cansancio, recogiéndose un mechón de pelo que le caía sobre la frente y trató de ponerse en pie.

—¡Deje, deje! —El doctor Runkleman la cogió por el codo y la ayudó.

—¡Oh, es muy amable, doctor!

—¿Qué has hecho, Kris? —preguntó Lucas sonriendo, a pesar del ceño que arrugaba su frente, dirigiendo una mirada curiosa a las habitaciones—. ¿Qué has hecho? ¡No me digas que las has fregado de cabo a rabo por segunda vez!

—¡Le gusta tenerlo todo limpio! ¡Se ve en seguida!

—¿Qué tal ha ido, Luke? ¿Se ha portado bien, doctor?

—No había visto tantos pacientes en toda mi vida...

—Hoy le hemos dado un castigo bastante duro. Ha sido un día de aglomeración. A mí no me gusta visitar más de sesenta pacientes...

—¡Estarás muerto! —Kristina miraba a Lucas con profunda compasión.

—¿Yo? Y el doctor Runkleman, ¿qué diremos?

—¡No se preocupen por mí! ¡Oigan! ¡Creo que deberíamos celebrarlo! ¿Qué les parecería una verdadera cena china? —Viendo un objeto en un rincón, arrugó el entrecejo—. ¿Qué es eso? ¿Han comprado ya alguna cosa?

—¡Una nevera! —Kristina sonreía satisfecha.

—Ya lo veo. ¡Bien! ¡Vaya, es una preciosidad!, ¿no es cierto? ¿Dónde la ha comprado?

—En un pequeño almacén, el de Claring, cerca de la oficina de Correos, al que uno vuelve...

—Conozco bien a Claring. No faltaba más. Veamos, ahora. ¿Cuánto le ha costado?

—¡Treinta dólares! —gritó con orgullo Kristina.

—Parece barata —dijo Lucas sabiamente.

—Es cierto. Es cierto. Parece una pieza de calidad. Bien. Les diré una cosa. Supongamos que le llamase por teléfono...

Marido y mujer le siguieron extrañados.

¡Hola! ¿Es Claring? ¡Hola! Aquí el doctor Runkleman. ¿Cómo está? Me alegro. Oiga, ahora está aquí mistress Marsh. ¿Usted conoce a mistress Marsh, la esposa del doctor que trabaja conmigo desde hace unos días? Sí... Respecto a la nevera que ha comprado... Sí, es una joya.... Me estaba preguntando si mañana podrían venir ustedes a recogerla... ¡Oh, no! Está muy bien. Sólo que creo que puede hacer mejor negocio... No, Claring, creo que será mejor que la recojan... Comprendo. Bien. Se lo diré y veremos qué dice. —El doctor cubrió el micrófono del aparato—. Dice que la deja en veinte dólares. Creo que es un buen precio, y que vale la pena que lo aprovechen... ¡Hola, Claring! Mistress Marsh dice que en este caso está bien... Claro... Claro... Se lo diré... Bien, ya sabe que no ganará nada dejando de tomar la medicina... Está bien... Usted tómela y cuando se le haya terminado la botella, avíseme...

Y colgó el aparato.

—¡Ya está! ¡Ahora vámonos a cenar!

—¿Cómo se las ha arreglado?

—¡Oh, Claring es muy buena persona! Lo que pasa es que no les conocía. Se figuraba que se habían establecido por su cuenta. Es un paciente mío. Luético.

Cenaron en el pequeño restaurante chino contiguo a la sala de billares. Y como ni Lucas ni Kristina habían comido jamás manjares chinos, y ni siquiera imitaciones, el doctor Runkleman sonreía dichoso ante la sorpresa y el alborozo que demostraban.

Habían casi terminado cuando sonó el teléfono.

—Es para usted, doctor —dijo el camarero—. Alguien que estaba en el Condado y lo han llevado a casa de usted.

Al entrar en el oscuro despacho encontraron a una enfermera del Condado, y, recostado sobre un canapé de la sala de espera, a un hombre alto, con el aliento saturado de olor a whisky, las desgarradas ropas manchadas y un pie sobre un taburete.

—Fractura de pierna, creo yo, doctor —dijo la enfermera—. Me gustaría quedarme, pero tengo que volver allí. Nos lo habían llevado en aquel mismo instante. Al llegar aquí han llamado del hospital.

—¿Qué ha pasado? —Mascando el último bocado de la interrumpida cena, el doctor Runkleman se inclinó, pasóse uno de los brazos del accidentado por encima del hombro y se enderezó. El hombre se puso en pie sin esfuerzo.

—Conduciendo —contestó la enfermera—. En algún punto de la carretera del Wood Hill. Ha salido por la cuneta y ha caído hasta el fondo.

—¿Iba acompañado?

—No. Completamente solo.

—¿Qué está haciendo? —preguntó el herido.

—Váyase, váyase —le dijo Kristina a la enfermera—. Yo les ayudaré.

—Usted siga conmigo —contestó el doctor Runkleman al chofer.

Lucas pasó el otro brazo del accidentado por encima de sus hombros. Y entre los dos médicos le llevaron a la sala de reconocimiento.

La brillante claridad de las luces repentinamente encendidas casi les deslumbró.

—Bien, bien. Veamos. ¿Qué le ha ocurrido a *usted?*

—¡Venga, venga! —replicó el hombre.

—Había bebido un poco, ¿verdad?

—¡Arrégleme la pierna!

—Bien, veamos. —El doctor Runkleman se arrodilló. Con mucho cuidado, Lucas le quitó al chofer la destrozada camisa. Los fuertes músculos aparecían cubiertos de sudor. El enorme pecho jadeaba. El doctor Runkleman movió ligeramente el pie del accidentado.

—¡Ay! —gritó el hombre—. ¡Ay! ¡Maldito sea!

—Sí —comentó el doctor Runkleman—. Creo que hay fractura. Sacaremos una radiografía.

—¡Usted vuelva a moverme el pie, maldita sea...!

El doctor Runkleman le oprimió la rodilla.

—¿Duele aquí?

La faz del chofer se contrajo de dolor.

—¡So hijo de perra! —Y levantó el vigoroso antebrazo—. Repita esto y le aplasto la cara.

Lucas se puso en guardia, presto a rodear al chofer con sus brazos. El doctor Runkleman levantó la cabeza y le miró fríamente.

—¡Inténtelo nada más! —le dijo. Sus ojos se inflamaban de cólera—. ¡Siga adelante! ¡Inténtelo! —El cuarto se quedó en silencio—. ¡Levante la mano nada más! —Insistió el doctor. En el aire vibraba una implícita amenaza—. ¡Inténtelo solamente!

—Eso duele —dijo el hombre en tono huraño.

—En cualquier momento que le den ganas de hacer algo, inténtelo nada más, le repito. —Y la pesada mano, la poderosa mano que había levantado tan fácilmente al chofer, de un solo tirón puso en pie al doctor Runkleman.

—¡Esta maldita pierna está rota! —dijo el hombre con voz espesa.

—¡Llévenlo a la sala de Rayos X...! ¡Y usted sujete la lengua! ¡Ah, y cuando le dé la idea de hacer algo, basta que me lo diga! ¡Ya estoy harto de usted!

En la sala de Rayos X, al subirle encima de la mesa, el chofer volvió a berrear y echó el brazo hacia atrás con aire de amenaza. El doctor Runkleman se inclinó inmediatamente sobre él, mostrándole su poderoso puño.

—Duele —dijo el hombre sometiéndose.

Los dos médicos se pusieron a trabajar en silencio.

Las radiografías revelaron dos fracturas perfectamente visibles.

—¿Quiere que le ponga una inyección? —murmuró Lucas.

—¿A ese? ¡No, a ese no! ¡Un sujeto tan valiente como él no necesita inyecciones! Un poco de dolor, ni lo sentirá. Lo sacaremos de aquí y lo llevaremos al Condado. Mañana me encargaré de él.

El hombre se sentó y esperó que llegara la ambulancia.

El doctor Runkleman no le hizo caso.

El chofer se revolvió los bolsillos y después de unos momentos sacó un arrugado billete.

—Tome —dijo.

—Lo necesitará para whisky. Necesitará algo más que dinero antes de haber terminado con esto.

—No tenía intención de ofenderle... La realidad es que me desahogaba diciendo palabrotas. ¿Qué le parece si le cayera un camión encima desde una altura de cincuenta pies?

Nadie le contestó. Transcurridos unos minutos se guardó el billete en el bolsillo. Afuera parpadearon las luces de la ambulancia. En seguida entró un enfermero. El hombre se apresuró a bajar de la mesa. El enfermero corrió hacia él.

—¡No, no! —dijo el doctor Runkleman—. Es un sujeto fuerte y valiente. Es muy valiente ese amigo. Déjele que camine solo.

El enfermero miró a todos los presentes con ojos interrogativos.

—Está bien. Vámonos —le dijo al accidentado—. En marcha.

El hombre dio un paso y se abalanzó hacia adelante. Involuntariamente, Lucas se precipitó sobre él, le cogió en el momento preciso y le ayudó a salir del pasillo. Allí vio con sorpresa que Kristina estaba a su lado. Entonces volvió la cabeza hacia el doctor Runkleman, pidiéndole perdón con la mirada.

—Si oigo una sola palabra diciendo que usted ha causado el menor contratiempo... —exclamó el doctor Runkleman fríamente—, ¡una sola palabra, entiéndalo bien...! —Y volviéndose al enfermero le indicó—: Llame a la policía. ¿Me entiende? ¡Dígale que el doctor Runkleman ha dado orden de que les avisaran!

—Me pesa, doctor —murmuró el hombre—. Le pidio perdón.

El doctor Runkleman salió de la habitación. Lucas y Kristina le siguieron.

—Ya no puedo decir más, ¿no es cierto? —preguntó el accidentado.

—¡Venga! —le gritó el enfermero—. Muévase.

—¡Oye, compañero! ¡Tengo una pierna rota!

—¡Lo siento en el alma, amigo!

El accidentado hubo de seguir, cojeando, tras el enfermero, deslizando una mano por la pared para no caerse.

—He dicho que me sabía mal, ¿verdad? He dicho... —Su voz se alejó. Luego se cerró la puerta, se oyó el golpe de las de la ambulancia... El hombre se había marchado.

En el dormitorio, marido y mujer hablaron largo rato.

—El sujeto aquel debería avergonzarse —decía Kristina sinceramente indignada—. ¡Mira que ir a casa de un médico para que le curase y luego...!

—Por mi parte creo que hubiera optado por no hacerle caso —replicó Lucas en tono concluyente. Luego exclamó—: ¡Qué día! ¡Oh, Kris, Kris! ¡Qué día!

Y le explicó cómo había transcurrido la jornada.

Ella le habló de la población, de sus habitantes, de los muebles que había visto, de que el doctor Runkleman era muy apreciado, de lo que se decía del doctor Castle, del doctor Binyon, del doctor Kauffman, de lo caras que estaban las sábanas, de cómo tendrían la casa... Y Lucas la escuchaba soñoliento, pensando en sus cosas, oyéndola sólo a medias.

—¿Sabes quién tuvo el piso antes que nosotros? Un dentista. Se emborrachaba a todas horas. Se suicidó. Allá mismo, en el cuarto donde están los tubos. Un día entraron y le encontraron tendido. Se había disparado un tiro durante la noche.

—¿Quién? ¿En nuestro piso? ¿Dónde hemos de vivir nosotros?

—En efecto. El dentista era un borracho. El piso ha estado seis o siete meses desalquilado. Quizá el doctor Runkleman no quisiera alquilarlo; quizá no pudiese...

—No nos lo dijo. Me extraña. Me pregunto: ¿por qué no nos lo dijo?

—Nos lo dirá. Algún momento procurará encauzar la conversación de manera que venga a tono. Quizá pensó... ¡Ea, quizá quería que nos lo quedásemos y tuvo miedo de que, si lo sabíamos, nos diese reparo!

—Probablemente... A mí no me importa...

—A mí tampoco... ¿Estás contento, Luke?

—¡Muy contento!

—¡Qúe feliz soy! Casi no puedo creerlo... Tener un hogar propio...

—No es nuestro, Kris. Todavía no. Lo usufructuamos. Y yo no poseo instrumentos, tampoco. Estoy sirviéndome de la casa de otro, de los instrumentos de otro... ¡Dios mío! Tantos casos..., tantos... ¿Cómo se lo hace?... Espero que no haya pasado nada por alto, he ahí lo que me importa. No pido más sino que no se me haya escapado nada...

—¿Qué tal son las chicas? ¿Qué personal auxiliar tenéis? ¿Tenéis una buena enfermera de quirófano?

—Una temporal. No puede venir siempre. Trabajó en algún hospital importante. Tiene a su esposo tullido. Esa es buena de verdad. ¡Pero las demás...! ¡La mayoría no poseen título!

—Me gustaría verlas... Llévame contigo alguna vez, Luke... Cuando tenga la casa en orden...

—¡Que operador! Ya no sé lo que esperaba... Me figuro que con una vez que le vieras no creerías... Tendrías que verlo, Kris... Si le vieras... ¿Kris?

—¿Eeeh? Estoy despierta. Estoy despierta...

Un instante despúes no se oía en el dormitorio sino la respiración pausada, regular, de Kristina. Lucas cerró los ojos. Casi instantáneamente la dulce droga del sueño le narcotizó, puso fin a sus pensamientos, rindió su ser. El joven médico había entrado en el campo de la inconsciencia. La preciada oscuridad era completa. La casa dormía.

Transcurrió una hora.

Sonó el teléfono.

Lucas salió de las profundidades del sueño vacilante y sobresaltado, medio inconsciente, escuchando sin oír sino a medias.

A miss Dorothy le habían sobrevenido los dolores. Ahora se repetían con intervalos de nueve minutos.

Allá lejos se oyó la voz del doctor Runkleman y el ruido del auricular al ser colgado.

—¡Yo iré, doctor! —gritó Lucas.

—¿Luke? ¿Qué..., qué pasa? —Desorientada, Kristina se incorporó, despertando al oír el grito de Lucas.

—¡No, no! ¡Vuélvase a la cama!

—¡No, doctor! ¡Por favor! ¡Voy con usted!

Lucas se vistió con esfuerzo.

—Duérmete, Kris.

Lucas cogió el maletín al pasar, con torpe apresuramiento. Dejó las escaleras a su espalda... La puerta se abrió, cerróse con estrépito... Los dos médicos habían salido.

CAPITULO XXVI

Transcurrió una semana. Los días se repetían. La gente que vio el primer día había vuelto a pasar por el consultorio. Durante las horas de aquellos largos días raramente se acordaba de Greenville, de que era una población desconocida para él, de que tenía árboles, ríos, caminos, campos de labor; de que los días eran agradables o desagradables. Todo esto se deslizaba precipitadamente por su vera, sin perspectiva, fragmentariamente, con tal rapidez que Lucas sólo entraba en contacto con aquella población y sus mecanismos, con su ritmo de vida, su acento y sus reacciones por medio de lo que los pacientes le ponían ante los ojos.

Los largos días, las interrumpidas noches, le armaron con la orgullosa, masoquista satisfacción que siente el soldado profesional en medio de una campaña difícil. Durante sus días de estudiante siempre tuvo algún momento libre. Aquí, sobre la arena de la realidad, sencillamente, no cabía la elección. Estaba de guardia las veinticuatro horas del día. Cada día tenía mil cuatrocientos cuarenta minutos. Durante el sueño podían despertarle a cada minuto, durante la vigilia todos y cada uno de los minutos estaba ejerciendo la Medicina.

Las exigencias del día eran inflexibles, independientes de su voluntad, lo cual le libertaba de sentir la menor sombra de remordimiento por entregarse de lleno a la satisfacción de su afán primordial hasta el punto de excluir de su vida toda otra actividad humana y de sacrificar cualquier otro ser humano que pudiera sentirse unido afectivamente a su destino.

Lucas recogió algunos datos más referentes a miss Snow. La enfermera vivía en una casita de los arrabales, y, por lo visto, no dedicaba ni un segundo a la vida de sociedad; sólo aguardaba cada mañana con anticipada alegría la congregación de enfermos de Greenville, y pronto aceptó a Lucas con el mismo estado de espíritu que una diaconisa aceptaría la entrada dentro de la estructura jerárquica ejecutiva de un sacerdote joven recién ordenado.

A Lucas todavía se le hacía difícil recordar el nombre de la mujer que llevaba los libros del doctor Runkleman, pero sabía vagamente que con su trabajo iba saldando los servicios que el doctor le había prestado a ella y a su nebulosa familia.

En cuanto a la enfermera encargada del Condado, Lucas se sentía bastante inquieto. Ponía en tela de juicio su honradez y su relación con el doctor Snider. Por algunas insinuaciones y por algunas miradas elocuentes que había observado, estaba seguro de que se comportaba de un modo tiránico con el reducido personal de la casa. Era una enfermera muy antigua. Lucas nunca la había visto en acción, pero estaba seguro de que profesionalmente era muy limitada, al mismo tiempo que poseía un carácter malhumorado y diabólico, miserable y cruel.

El doctor Snider, sencillamente, le inspiraba repulsión. Después del primer día, le vio poco, porque el doctor Runkleman sólo le utilizaba cuando anestesiaba con éter, pero generalmente lo hacía por vía raquídea, con lo cual el doctor Snider quedaba eliminado casi por completo de la sala de operaciones. Nominalmente era el director del Condado, pero el doctor Runkleman ostentaba el cargo de primer cirujano, y a excepción de Lucas, era el único médico del hospital. El doctor Snider regía el establecimiento con gran tacañería, siempre atento al presupuesto; trabajaba por un sueldo miserable, y tenía, además, una clientela insegura y reducida entre la población. Su administración no tenía motivo alguno para sustituirle. Por otra parte, el doctor Runkleman siempre estaba en la brecha para protegerle. Era el verdadero director.

Cuando hubo terminado el arreglo de la vivienda, Kristina, que durante muchos años no había tenido que pensar en la manera de distribuirse las horas de un día, y que actualmente no conocía a nadie de aquella ciudad, como no fuese a las dos enfermeras que se atareaban por el territorio prohibido situado al otro lado de la puerta que comunicaba el despacho con su hogar, después de examinar las dependencias del mismo acabó por limpiar una, en la cual no se hubiera encontrado ya el más leve vestigio de suciedad... No le parecía respetable que una mujer saliera de su casa antes del mediodía, a menos que la obligara a ello un motivo concreto e inaplazable. La mujer callejera no cuida debidamente de su hogar. La compra le servía de distracción una vez al día. Kristina se entregaba al regateo hasta el límite que le parecía prudente para no hacerse notar en exceso y después regresaba a su casa. Si hacía las compras por la mañana, las horas que faltaban hasta el mediodía y todas las de la tarde se deslizaban aburridas y sin objetivo ante sus ojos. Por esto procuraba estar atareada toda la mañana, dominándose severamente hasta el mediodía, a cuya hora le sería dable conocer lo que hubiera tenido a bien decidir Lucas, o sea, si acudía a casa para engullir precipitadamente lo que ella le hubiese preparado, o si, como era más probable, comía en uno de los dos hospitales o en cualquier establecimiento de la ciudad en compañía del doctor Runkleman.

Pero en cuanto había transcurrido la hora de la comida, abría la puerta, y después de una rápida y minuciosa inspección a los botones y al cabello, se lanzaba hacia la ciudad, dejando atrás una casa tras otra, hasta que, después de tres travesías, se hallaba ya en la población animada por la plaza del mercado, las filas de tiendas, los almacenes, casas de baños y droguerías, que constituían toda la vida exterior de Greenville.

Obediente al concepto que tenía de la mujer, atenta a los intereses profesionales de su marido y a la conveniencia de evitar las censuras de las demás, Kristina compraba los comestibles cada día en una tienda diferente y se comportaba con la mayor urbanidad para que a través del tendero la población recogiera una impresión altamente favorable de la cultura de su marido, y se mantenía prudentemente en guardia para rechazar o parar a tiempo los velados tanteos, la sedienta curiosidad de todos los convecinos con quienes entraba en relación.

Cuando entraba en una tienda hasta entonces desconocida, miraba por el rabillo del ojo para ver lo que había más allí. Al salir se paraba un momento simulando que esforzaba la memoria, y luego con un ligero ademán de sobresalto, como si recordara algo, avanzaba en la dirección que antes había explorado su vista. Después de una detenida mirada a todos los escaparates, llegaba al extremo de la manzana, exploraba la perspectiva que venía a continuación, daba media vuelta y regresaba por el mismo camino recorrido antes.

Como tenía derecho a volver a casa sin apresurarse, así lo hacía, y entretanto inspeccionaba a su sabor las pequeñas casas y sus dispersos jardines, siempre en uso de su derecho. De vez en cuando se cruzaba con otra mujer que la examinaba calladamente de pies a cabeza, estudiando el menor detalle de su vestido y de su persona, sin sonreír, del mismo modo que ella en tales ocasiones estudiaba a las otras. Lo mismo ocurría en las tiendas y en las avenidas. Lo mismo había ocurrido siempre allí y en todas partes.

—Os miráis recíprocamente, como perros que no se conocen. Os miráis como si os tuviérais odio. Se diría que mientras paseáis contentas y afectuosas véis surgir de pronto a un enemigo —dijo Lucas, con una mueca de desprecio un día que paseaban juntos, durante su internado.

Kristina se quedó sorprendida.

—¿Que nos odiamos unas a otras? Yo no siento nada.

—Pues os miráis como si os odiárais. Vuestra cara adquiere una expresión glacial, como si esperáseis descubrir en vuestras semejantes una suciedad repelente, o un arma escondida, o...

—Una mujer debe saber todo lo que pueda acerca de otra mujer —le había explicado Kristina sencillamente—. Y al momento. Ha de saberlo inmediatamente.

—¿Para qué? —había inquirido entonces Lucas, pasmado.

Y Kristina se había limitado a mirarle. La muchacha trataba de imaginar qué podía decirle, cómo le explicaría que el peor enemigo de uno es el de su propia especie y que todas las mujeres andaban por el mundo en una tregua armada, espiando la transgresión de las reglas, de las miríadas de reglas sobre la presencia, la conducta, la postura, la mirada, la educación, la limpieza, la moda, la actitud, el porte, el tono, la moral, la calidad, la rigidez de la línea de acción, el andar, el trato social, entre todas las cuales formaban la norma superior, la norma de ser mujer. Una mujer entre otras mujeres.

Y Kristina se había encogido de hombros y había exhalado un suspiro de impotencia.

Pero como ahora la novedad se había convertido por fin en materia trillada, al volver a casa ya no se fijaba en las moradas ni en las personas; su mente especulaba sobre si Lucas comería en casa, si le gustaría lo que le habría preparado, o si se fijaría en ello por lo menos. Luego se ponía a pensar en lo que le contaría a su marido, procuraba recordar cuidadosamente todo lo que había visto en la población, se escuchaba mentalmente relatándole los menores detalles, que ordenaba y reordenaba hasta combinarlos de la forma en que finalmente se los presentaría.

Planeaba lo que diría y cómo se comportaría si Lucas llegaba malhumorado por el cansancio; decidía que en tal caso se movería pausadamente, hablaría poco y en tono sosegado, suavemente, para disipar su irritación. Si llegaba sonriente, procuraría prolongar cuanto le fuera posible tan apreciable regalo, haciendo de modo que Lucas no se entregara a la excesiva hilaridad, sino que continuase en el mismo humor; vigilaría todas sus palabras, pensándolas antes de pronunciarlas, atenta a todo lo que pudiera poner fin al tranquilo y gozoso estado de espíritu de Lucas. Si él regresaba a casa y se comportaba de una manera determinada, si la acariciaba inesperadamente, si le hablaba de cierto modo y le miraba de una forma especial, entonces ella sabría muy bien cuál era su deseo y tendría estudiado hasta el último detalle para que él pudiera satisfacerlo sin haber de expresarlo, y luego le mimaría, le acariciaría y permanecería despierta pensando largamente en nada, gozando de una profunda sensación de contento, de plenitud, de posesión, de acoplamiento a un hogar, a la necesidad y a la norma.

Aquella noche, Lucas la llamó desde el cuarto de baño mientras ella repartía la sopa en los platos de la mesa de café cuidadosamente puesta en la sala de estar.

—¿Qué es esto?

Y como Lucas había llegado a casa sonriendo, Kristina corrió hacia el cuarto de baño.

Su marido tenía en la mano un caprichoso cubilete para afeitar, en el fondo del cual había encajada una fragante pastilla de jabón destinada al mismo uso.

—¿Esto? ¡Ah, es una pequeña sorpresa! Las personas deberíamos darnos mutuamente alguna sorpresa. No tiene importancia, lo he comprado en la droguería. ¿Te sirve? ¿No te merece reproche alguno?

—Es muy bonito. Pero no necesito estas cosas, Kris. Gracias de todos modos. Sólo que tengo otras necesidades más apremiantes.

—No me ha costado mucho. Te sorprendería el precio.

—Los he visto. Sé cuánto valen. —Lucas salió del cuarto de baño y se sentó—. ¿Qué has hecho hoy? ¿Sopa? ¡Huele muy bien, Kris!

—¿De dónde? El tendero me ha descontado el treinta por ciento.

—¡Estás de broma! ¿Se trataba de una liquidación o de algo por el estilo?

—Tenía que comprar pasta para los dientes y al ver esto por casualidad he preguntado de paso cuánto valía. El tendero ha contestado que para mí una tercera parte menos del precio. "Usted es la esposa del médico nuevo, ¿verdad?", me ha preguntado. Yo le he dicho que sí. Y él me ha dicho que así sería siempre, que te dijera que te descontará siempre un tercio por lo menos. Dijo que estará muy contento de que le proporciones negocio.

—¿Qué negocio?

—El de las recetas.

Lucas la miró con ojos severos. Ella le miró, a su vez ansiosamente. Lucas se puso encarnado.

—Tú sabes lo que significa esto, ¿verdad?

—Yo no he visto ningún mal en ello. El ha dicho que todos los médicos...

—¡Significa adquirir un compromiso para el futuro! ¡Es ni más ni menos el sistema de la pelota! ¿Conoces la modalidad de conceder participación en los honorarios? Bien, esta equivale a conceder participación de los honorarios. ¿Se te ocurre alguna razón por la cual él tenga que regalarnos algo a cambio de nada?

—Ha dicho que era en compensación de tu negocio.

—Yo no soy un comerciante. Yo ejerzo una profesión.

—Ha dicho que todos los médicos...

—No me importa lo que haya dicho. Miente.

—¡Oh, es terrible! Lo siento infinitamente, Luke. No permitiré que suceda jamás.

—¡Ni vayas jamás a su establecimiento!

—¡No iré! ¡Qué desfachatez! —dijo Kristina, vivamente—. Se te enfría la sopa, Luke. Mañana a primera hora lo primero que haré será devolvérselo.

—Repítele lo que te he dicho.

—Se lo repetiré. Y tú, ¿lo explicarás al doctor Runkleman?

—Sí, mañana. Le gustará saberlo. ¿Qué has hecho hoy?

—Pues he salido de compras, he limpiado la casa...

—¡Ya lo sé, ya lo sé! Pero ¿qué hiciste luego? ¿Qué más?

—¡Caramba! Nada más. ¿Querías que hiciese algo? ¿Me habías pedido algo?

—¡No, no! Los has hecho todo muy bien. Pensaba únicamente... No te aburrirás, ¿verdad? Podrías echar de menos tu trabajo; la vida que llevabas antes...

—¡Pero si estoy encantada! No me cambiaría por nadie en el mundo.

—¡Ea, no me digas....!

—¡Caramba, Luke, no existe ninguna chica en el mundo con la cual quisiera cambiarme!

—¿Vas a decirme que no encuentras a faltar el trabajo que hiciste durante años y para el cual te entrenaste casi toda la vida?

—¡No volvería al pasado por nada! Claro que a veces se me hace el tiempo un poco largo. Pero tengo un hogar, soy casada, esta es mi casa...

—¿Y te contentas con esto?

Lucas la creía, pero, no obstante, le parecía increíble. Y se solivantaba contra Kristina, pensando en los años pasados, en la carrera, en la vida que había dejado atrás sin la menor añoranza, hollándolo todo bajo los pies como uno sería capaz de pisar una pieza de vestir que se le hubiera caído al suelo al quitársela.

Y Kristina le miraba a él conturbada, tratando de aguzar sus facultades... "¿Qué es lo que tú quieres? ¿Qué quieres que sienta? ¿Qué quieres que diga? ¿Acaso no conoces a las personas? ¿O crees que todo el mundo es como tú? ¿Puede que siempre tenga que defraudarte?".

Y Lucas, que estuvo a punto de lanzarse a un largo e íntimo monólogo sobre sus comienzos en el ejercicio de la Medicina, sobre el entusiasmo que le infundía el verse actuando por fin, sobre la impresión que le causaba todo, siendo eso todo lo que había aprendido, lo que estaba aprendiendo y su adaptación al ejercicio real, verdadero, viviente, de la Medicina, Lucas hizo un esfuerzo para contenerse y se reprimió, convencido de la inutilidad de discutir tales temas con una persona capaz de cambiar de existencia como quien da la vuelta a un grifo, y pensó en Avery con nostalgia. A Kristina no podía hablarle; ella nunca comprendería lo que él le estuviera explicando.

—Me gustaría saber lo que hace actualmente el bueno de Avery. Debería escribirle unas líneas.

De modo que aquello era lo que le reservaba el futuro. Aquello era el estar casado. He ahí la consecuencia final del matrimonio. Ahora estaban en su casa con una serie de años idénticos en perspectiva. Kristina era así; la vida sería así. Y Lucas miró con curiosidad a su esposa. Esta le miraba medio sonriendo y con un poco de ansiedad en los ojos. Súbitamente, Lucas se sintió culpable. ¡Kristina demostraba tal afán por agradarle! Ella era como era, y él tenía que hacerse cargo de la situación. Debía mostrarse cariñoso, comprensivo; debía esforzarse por ir a su encuentro en su propio terreno, hablarle de lo que entendiera.

—¿Has escrito a tu padre ya?

—No, no... Todavía no...

—Pues deberías hacerlo. Ponte ahora mismo a escribirle una carta, Kris. Es un deber que has de cumplir, Kris.

—Te aseguro que es un anciano simpático, Luke. Creo que le cobrarías afecto.

—Dile que cuando estemos aposentados en un hogar propio le agradeceremos que se venga con nosotros.

—¡Luke!

—¿Qué pasa? —Kristina se levantó de un salto, le besó y le rodeó la cabeza en un fuerte abrazo—. Bien, tú escríbele —dijo disimulando la profunda emoción que le causaba la gratitud de Kris. Estaba deseando inexplicablemente que el anciano llegase mañana para que la dicha de

Kristina fuese dos veces mayor—. ¿Qué tal la gente de aquí, Kris? ¿Has conocido a alguien más?

—¿La gente de aquí? ¡Ah, sí! ¡Un poco atrasada! Exactamente lo mismo que en Minnesota. Es una ciudad pequeña; todo el mundo parece igual. ¿A ti te parece una buena población, Luke?

—Creo que sí.

—¿Aquí quieres establecerte? ¿Esto es lo que te gusta?

—Todo saldrá estupendamente. —Y el pensamiento de Lucas galopaba hacia el futuro, hacia el día confuso, distante, que tendría un consultorio propio—. Pronto empezaremos a conocer gente. Entonces no te sentirás tan sola.

—Yo no me siento sola, Luke. Te tengo a ti, tengo mi hogar, no estoy sola de ningún modo.

Kristina lavó los platos rápidamente, con gesto vivo, gozoso, ansiosa por terminar, por ponerse a escribir la carta. Lucas la contemplaba, y leía lo que pasaba en su interior. Era un hombre que observaba a su mujer, y él sí se sentía solitario, como si el mundo huyese lejos y él lo mirase desde el vacío, completamente solo.

Luego cogió una revista médica y se puso a leer, y en un momento estuvo todavía más distanciado en su soledad. Constituía una individualidad única, aislada, un ser humano con una sola misión, que se movía entre otros seres humanos huérfanos de destino. Y Lucas exhaló un suspiro aceptando la realidad, considerándose un miembro de una hermandad separada del común de los mortales.

Al día siguiente, cuando se dirigía al Condado con el automóvil que le prestaba el doctor Runkleman, estaba lloviendo. Había salido temprano y muy gozoso y cruzaba a paso vivo desde el espacio destinado a los coches de los médicos hasta la puerta del edificio, impaciente por empezar la tarea.

Al entrar en la sala de los hombres, saboreó con placer la sorpresa y el revuelo que había provocado entre las enfermeras, la atención y el respeto con que ellas le saludaban. Y pasó cama por cama a ver a los pacientes, sonriéndoles con afecto, considerándose amigo particular de cada uno de ellos, cada uno de aquellos seres que había explorado, y a quienes tenía ahora en sus protectoras manos. Allí estaba su amigo Chapman, en quien él y el doctor Runkleman habían trabajado horas enteras, echando mano hasta el último recurso de la ciencia que fueron capaces de recordar o estudiar, para repararle, para coserle y remendarle, para empañar un diafragma y un pulmón que la policía le destrozó a balazos después del asalto y robo de que hizo objeto al propietario de un surtidor de gasolina. Y Chapman, a quien habían conseguido sacar adelante a costa de grandes esfuerzos y que se restablecería y sufriría el juicio y sería ejecutado por asesinato, le sonreía con una sonrisa vaga allí en el hospital, dentro de aquella vida serenamente alejada de la vida, aislada entre sus muros, dentro de aquel mundo en el que lo único que importaba era la vida y el defenderla, en el que no existía absolutamente ninguna otra realidad.

Cama por cama, fue dejándolos atrás, dejando atrás a sus amigos, a sus criaturas, moviéndose confiadamente, distribuyendo una sonrisa aquí, una palmadita al otro, una atenta mirada a la gráfica de cada uno, mucho más tranquilizadora por la fingida atención con que la dirigía, un murmullo al que los enfermos dotaban de gran trascendencia, una broma torpe considerada por ellos como la mayor expresión de ingenio... Era el doctor que realizaba su visita.

Y después de la sala de los hombres venía la sala de los ancianos, de los seniles...

—Aquél de allá, Cunningham, ha vuelto a ser un mal chico, doctor. ¡Ha embutido otra revista en el water!

—¡Vamos, vamos Cunningham! ¡Me han dado una sorpresa! ¡Y yo que le consideraba buen amigo mío!

Y Cunnigham le miraba estúpidamente con la boca abierta, mientras se aglomeraba lentamente una lágrima en los ángulos de sus arrugados párpados; y a uno y otro de sus lados Jorgenson hacía tiras de papel con aire ausente y Pacello miraba al techo con ojos inexpresivos, al paso que Jules y Rodríguez y Bannerman le observaban con viva atención.

Y salía de allí, fuera del leve olor de la ancianidad mezclado con la incontinencia de orina, el indol y el escatol de las heces fecales, de las que nunca estaban completamente limpios, para entrar en la sala de las mujeres, para hablar largo rato con la delgada miss Robinson, que todavía no se resignaba a permitirles que le extirparan el riñón enfermo, y que cada día estaba más depauperada; con mistress Chancellor, que inclinaba de un lado para otro la enorme montaña abdominal de su hidropesía; con las ancianas, que no reclamaban otra cosa a la Humanidad que el concentrar en ellas la atención de Lucas; con aquellas heridas de la carne que jamás podrían sanar. Y con la niña que él y el doctor Runkleman habían operado el primer día y que ahora estaba en vísperas de irse a su casa y la cual se sentía cohibida entre tantas mujeres de más edad que la rodeaban. Y con miss Wanders, la callada, solitaria, retraída miss Wanders, que se encontraba cerca de la fase terminal de la tuberculosis. Y en un cuarto exclusivamente para ella, vecino al de las parturientas, con mistress Randolph, engreída, envanecida por la rareza de su caso, por las rojizas joyas que le cubrían la faz como prenda de su importancia, como signo de una extraña variedad de erisipela.

¿Acaso existía un mundo fuera de aquel? Todos ellos vivían dentro del espacio cerrado por aquellas paredes, dentro de aquel mundo que era el suyo hasta el día de su renuente éxodo, el extraño día mezcla de impaciencia y de tristeza. Y a partir de tal momento contemplarían siempre las paredes del hospital con la expresión de intimidad, de abandono de los exiliados. Aquel era el mundo de Lucas, tanto si estaba dentro como fuera; toda otra forma de vida era para él un incidente, una pausa, un hito en el tiempo. Los otros se marcharían. El continuaría siempre dentro de aquel mundo.

El cuarto de los alumbramientos estaba vacío. En la sala de maternidad había dos futuras madres esperando, y en la enfermería un solo recién nacido. El llanto del pequeño era sano. Lucas miró el diagrama para saber a qué sexo pertenecía. Luego salió y encontró al doctor Runkleman por el pasillo.

—¿Ha pasado visita ya? —le preguntó.

—En la sala de los hombres y en la de las mujeres, únicamente.

—¡No sé cómo podría seguir adelante sin usted! —encareció el doctor Runkleman, moviendo la cabeza con aire admirado y agradecido—. ¡Hasta parece como si hoy pudiera sobrarme tiempo!

En la sala de operaciones sólo les esperaba un caso: una mujer que había intentado provocarse un aborto con el gancho de alambre de una percha.

—No lo ha hecho todo por sí sola —dijo torvamente el doctor Runkleman, después de proceder a la dilatación y al sondeo—. Ese cuello cervical estaba ya dilatado. En Lepton hay un callista y su mujer. Algún día les cazaremos. Saben lo suficiente nada más para dilatar el cuello y cobrar cincuenta dólares; luego se quedan tranquilamente en su casa y esperan a que la naturaleza siga su curso. Este año han venido ya a parar a mis manos siete mujeres que pasaron por las suyas!

—¿Hablará la enferma? —preguntó Lucas—. ¿Conseguiremos hacerle hablar?

—¿Con qué fin diría nada? Ha conseguido lo que fue a pedir.

—Pagó cincuenta dólares y no le aprovecharon. Si creyese que iba a recuperar su dinero, quizá les descubriera.

—Nunca les descubren, o casi nunca.

Lucas recordó su experiencia de interno, cogió un libro de abortos de la librería de la memoria y ya a partir de la primera página, vio que el doctor Runkleman tenía razón.

Los dos médicos entrecruzaron entre sí una mirada que equivalía a un juramento de enemistad eterna contra lo que se había hecho en el cuerpo de aquella mujer y contra el autor de la fechoría.

Eran médicos, y la vida que constituiría su fin, su objetivo como tales médicos, había convertido aquella ley en implícita. La vida era un bien mucho más precioso de lo que podrían comprender jamás aquéllos que lo poseían.

Era un delito de lesa vida. Porque en todo ser viviente no hay pecado mayor que el pecado contra la vida. En su calidad de médicos, para ellos el don supremo era la vida, un bien tan precioso como incomprensible, y no existía pecado comparable al cometido por los que la destruían, por los que destrozaban aquella materia sagrada, aquél milagro, en defensa del cual ellos, los médicos; entregaban ciegamente su vida entera.

—Cualquier día los cazaremos —prometió el doctor Runkleman.

—Sí —contestó Lucas, que también lo consideraba inevitable—. Pero hasta siendo callista, ¿cómo pueden hacer estas cosas?

—Ya sabe usted que no siempre son los callistas. Estos han intervenido en este caso particular... Pero cuando yo vine aquí teníamos a un sujeto, un médico...

—Ya lo sé —apresuróse a interrumpirle Lucas, como queriendo

arrastrar las palabras del doctor Runkleman hacia la oscuridad, hacia el vacío de los sonidos, condenándolas a la pérdida de todo significado—. Lo que quería decir es que ni aun un curandero...

—Parte de la culpa corresponde a la ley. Si se cambiasen las disposiciones...

—Aunque lo permitiese la ley, yo nunca lo haría.

—No —dijo el doctor Runkleman, pausadamente—. No puede hacerse. De veras que no.

—Ni más ni menos que un juez no puede sentarse en su sillón y aplicar deliberadamente una ley errónea.

—Y, sin embargo, puedo decirle que sentí compasión por un sujeto que cogimos dedicado a estas actividades. Quiero decir que daba pena verle allí sin esperanzas de recibir auxilio de ninguna parte ni de nadie; ver que las mismas personas a quienes había servido se volvían contra él.

—Conocía el riesgo que desafiaba. Conocía a los pacientes. Y sabía lo que hacía. Existe un *saber* que nos es común a todos, seamos callistas, comadronas, médicos, enfermeras, practicantes o estudiantes. Y cuando un hombre procede en contra de ese deber, se convierte en una ramera.

—Si lo hace corrientemente. Si lo convierte en una profesión...

—¡No, no! ¡Más aún! ¡Con una sola vez! Sí, con una sola vez se convierte en una ramera. Lo máximo que puede alcanzar es que se le perdone. Pero seguirá siendo una ramera. Será una prostituta perdonada. Y puede suicidarse, si quiere. Y entonces será ramera muerta. Y no hay otra cosa. No existe manera de borrar el estigma. No es nada que dependa de la decisión de nadie.

—En cuanto a la ley —dijo el doctor Runkleman, pacíficamente—, es una cosa divertida. Quiero presentarle un día a ese abogado que tenemos por vecino. Me parece un poco librepensador, una especie de comunista. Le divertirá un rato; expone una idea que...

Llamaron a la puerta. El doctor Runkleman abrió.

—Es miss Osage, doctor —anunció la enfermera, en tono de disculpa.

La habían llevado hasta la puerta del quirófano. Sobre la camilla rodada yacía un cuerpecito endeble de setenta años que las enfermeras rodeaban con cariño. La viejecita yacía inmóvil y les miraba sucesivamente con aprensión.

El doctor Runkleman le dirigió una sonrisa tranquilizadora y extendió el brazo para quitar la sábana que la cubría. La anciana se sonrojó y se mordió el labio. Las enfermeras procuraban distraerla dándole conversación.

El médico separó las remisas y marchitas piernas de la anciana, y junto con Lucas, examinó el cáncer que corroía sus partes genitales internas. Los dos médicos intercambiaron una mirada. Luego, el doctor Runkleman puso la sábana como antes.

—¿Sufre mucho? —Su sonrisa era artificial, su simpatía palpablemente insincera.

—Bastante, doctor —murmuró miss Osage.

—¡Sufre muchísimo! —informó una de las enfermeras, acentuando sus palabras con un signo afirmativo.

—Me parece que aumentaremos un poco la morfina. ¿Ahora le damos un cuarto? Démosle medio...[1]. ¡La pondremos bien, amiguita! ¡No se apure!

Y mientras se la llevaban de nuevo, él se volvió de espaldas.

—No podemos hacer nada —dijo—. Usted ya lo ha visto.

—¿Operar?

—No existe la menor probabilidad. El cáncer ha invadido la vejiga. ¿Ha visto el hilo de orina? Los tejidos están al vivo. De ahí viene la mitad de sus sufrimientos. Es demasiado tarde. Ahora resultaría inútil. No.

Y en su voz se notaba un extraño acento de aversión. Lucas desvió la mirada para esconder su sorpresa.

Al pasar la visita al hospital volvieron a ver a Oscar Glaimer. La biopsia había confirmado la existencia de un carcinoma en el recto. Cada día el doctor Runkleman entraba a disgusto en el cuarto del enfermo, lo examinaba con desgano y se iba sin darse por afectado.

—Vamos. ¿Cómo está hoy, Oscar?

—¿Me operarán en breve?

—Quizá es mejor que primero lo reforcemos un poco. ¿No le parece?

—Usted es el médico...

—¡Ciertamente! —dijo la enfermera. Y en su tono se notaba un deje de hostilidad. Los dos médicos la miraron sorprendidos.

Ella y el paciente cruzaron una mirada. Luego la enfermera salió con los médicos al pasillo.

—¿Le operará, doctor Runkleman? —preguntó.

—Veremos, veremos... —El doctor la examinó con la mirada.

La muchacha se disponía a decir algo, pero se contuvo, apretó los labios y se alejó bruscamente.

—¿Qué le pasa? —inquirió Lucas.

La enfermera encargada los iluminó. Miss Paget se había enamorado del paciente, estaba enamorada de Oscar Glaimer.

—Por supuesto, no es enfermera diplomada —concluyó despectivamente—. ¿Habían oído jamás cosa semejante? ¡Van a casarse, teniendo él un carcinoma inoperable en el recto!

—Uno ve cosas de todos los colores —comentó el doctor Runkleman— encogiéndose de hombros mientras andaban por el corredor.

—¿Cómo pueden casarse? —protestó Lucas. El doctor Runkleman repitió el gesto de indiferencia—. ¿Le operaremos?

—Pues no lo sé, ahora. ¿Qué opina usted?

—El mal está muy avanzado. Pero existe una probabilidad, naturalmente.

---

1. Estas dosis se refieren al grain, medida de peso equivalente a 0'06 gramos.

—¿Lo cree así? —Y el acento del doctor Runkleman decía que él no lo creía, que si le operaba el paciente iba a morir, que contra aquel fracaso casi seguro se oponían poquísimas esperanzas de éxito, y que la muerte del paciente sería la nota negra que evidenciaría el fracaso.

—Pues no lo sé... Me lo parece solamente... Claro que uno nunca está seguro... —respondió Lucas, en tono de duda. Pero en su interior se retorcía el espíritu de la rebeldía. Se sentía asqueado, porque, de pronto, se hacía evidente que el doctor Runkleman experimentaba una especie de horror hacia los sentenciados, que se apartaba de ellos, que no quería tratar a ninguno.

Al salir del edificio, Lucas advirtió que en el corredor, junto a la puerta de la sala de Rayos X, había una sola cama, y en ella, pacíficamente tendido, un anciano, muy anciano, que no apartaba los ojos del techo.

Durante la semana anterior, al entrar o salir de la sala de Rayos X, había sorteado más de una vez alguna cama arrimada, junto a la pared.

—Actualmente, están sacando un montón de radiografías, ¿no es cierto? —preguntó.

El doctor Runkleman le dirigió una rápida mirada. Y se echó a reír como celebrando la ocurrencia.

—¡Es verdad! ¡Están sacando un montón de radiografías!

Lucas le miró desorientado. Evidentemente, allí ocurría algo y el doctor Runkleman le suponía enterado de ello. Quizá el doctor Snider se servía de los aparatos del hospital para atender a sus clientes particulares. Y Lucas no dijo nada.

Aquella noche hubo una llamada de urgencia desde el Condado. Lucas dejó la cena precipitadamente para atender a un hombre con una herida en el hígado.

Pronto hubo terminado. La tarea era corta, a pesar de que Lucas la prolongó cuanto pudo, asegurándose de que el herido quedara debidamente acomodado en la sala de los hombres. Todavía se entretuvo unos instantes, pero como la sala y sus moradores se preparaban calladamente para las horas de oscuridad, disponiéndose a emprender el corto viaje que les llevaría al otro extremo de la noche. Lucas pensó que no tenía nada que hacer allí y se dirigió de mala gana hacia el pasillo.

El lecho que había visto por la tarde continuaba junto a la puerta de la sala de Rayos X. El anciano que lo ocupaba seguía también exactamente como le había visto entonces, mirando al techo fijamente, sin parpadear.

Lucas frunció el ceño.

"¡Hola! ¿Qué es esto? —se preguntó—. ¿Por qué le dejan a ese hombre en el pasillo? Alguien se habrá olvidado y le han dejado aquí. ¡Bonita prueba de descuido!".

Y pasó junto a la cabecera para mirar dentro de la sala de Rayos X. Lucas se estremeció. Dentro había otro lecho. Y en el lecho, otro anciano. El joven médico apretó los labios encolerizado. Aquello era indignante. Fuese o no fuese hospital público, aquello se salía de la medida. Lucas recorrió el pasillo a grandes zancadas, buscando a una enfermera. Cuando pasaba por delante del cuarto de Oscar Glaimer, la puerta del mismo se abrió y apareció miss Paget.

La muchacha miró a Lucas con temor, sobresaltada.

—Haga el favor de venir conmigo —ordenóle éste, con voz tajante.

—Estoy libre de servicio —replicó la muchacha, en tono defensivo—. Me he sentado a su cabecera para hacerle compañía unos minutos.

Lucas no la escuchó. Al llegar junto a la cama olvidada en el pasillo, dijo:

—Quiero saber qué significa esto.

—¿El qué, doctor? Si se refiere a... Yo no sabía que fuera contrario al reglamento el que me sentara a su lado. Alguien ha de dedicar un rato de vez en cuando a esos pobres diablos... El puede ser nada más que un acogido a la beneficencia pública, pero si tuviera dinero estoy segura de que le operarían sin tardanza.

—Quiero saber por qué este hombre, que habrían traído para sacarle una radiografía, ha quedado abandonado aquí, simplemente, toda la noche. ¿Por qué no está en la sala que le corresponde? ¿Qué hace aquí? ¿Y el otro —la voz de Lucas subía de tono excitada por la cólera, al mismo tiempo que señalaba con el dedo hacia el interior del local—, traído para verle con los Rayos X y sencillamente abandonado ahí también? Ha estado toda la tarde. Lo sé. He pasado por aquí y le he visto. Quiero saber sobre quién pesa la responsabilidad.

—No es mi sala —contestó maquinalmente la enfermera.

—Quiero saber quién es el responsable de estos hechos.

—Pero doctor...

—¿Por qué no les hicieron las radiografías y por qué no fueron devueltos a su sala?

Entonces la muchacha lo comprendió. Y le miró pasmada. Luego, poco a poco, una sonrisa leve, vindicativa, sustituyó la inquietud que había develado su faz.

—¡Caramba, doctor! —exclamó burlonamente—. ¡Usted sabe sin duda por qué están aquí esos pacientes!

—No comprendo el tono que usted emplea, ni tengo la menor idea de por qué se dejan aquí inatendidos a dos ancianos. Uno de ellos sacado al corredor y ¡ahí se queda! Otro traído a la sala de Rayos X, y ¡no nos acordamos más! —Lucas cruzó el umbral—. ¡En un cuarto sin calefacción! —gritó indignado—. ¡Sin mantas! ¿Ha oído hablar alguna vez de neumonía? ¿Se da cuenta del frío que hace aquí dentro?

La enfermera le escuchaba con aguzada atención, bebía sus palabras, regocijándose con su cólera, sintiéndose profundamente satisfecha. Luego se alisó el lacio cabello castaño de ambos lados de su achatado rostro.

—Eso es, doctor. ¿No lo dicen así? ¡Neumonía: enemiga de los jóvenes, amiga de los ancianos!

—¿De qué está hablando? ¿Dígame qué tiene que ver?

—¡Así es como los matamos, doctor! ¿No lo sabía? ¡Esto es lo que hacemos con ellos aquí en el Condado! ¡Naturalmente!

Lucas, que estaba a punto de estallar ante lo que no podía ser evidentemente sino un chismorreo, y un chismorreo poco respetuoso por añadidura, se contuvo. La muchacha hablaba con acento de triunfo, con el aplomo y la seguridad de quień está en lo cierto. Y se la veía encantada de poder abrirle los ojos a un hecho que él desconocía.

—¿Qué está diciendo?

—Para eso les ponen aquí —explícole ella, pacientemente—. ¡Neumonía! ¡Amiga de los viejos! ¡Ah, sí! ¡Así procedemos en el Condado! Ellos no tienen nada en realidad, ya lo sabe usted. No, son demasiado viejos. Han llegado a la fase senil. Se vuelven niños. Si se les dieran mantas, no se cubrirían con ellas.

Ahora Lucas la escuchaba como entre sueños, sus pensamientos se habían interrumpido, su mente no percibía otra cosa que el sonido de las palabras, oía lo que miss Paget iba diciendo, y aun de un modo apagado, confuso, sin que le causara ninguna emoción.

—Y así... como ellos yacen quietos... porque son viejos... y de este modo casi es seguro que contraen una neumonía, permaneciendo inmóviles... sólo para mayor seguridad... La sala de Rayos X siempre está fría... y el frío disminuye todavía más sus resistencias... y de esta forma...

—Miss Paget, está levantando acusaciones muy serias. Quiero advertirle que...

—¡Si no levanto acusación alguna, doctor! Nada de acusaciones. Usted me ha preguntado y yo le contesto. Usted ve que aquí en el Condado no disponemos de un espacio infinito. Siempre hay alguien que espera una cama, especialmente las de los viejos y las viejas. Hay que tenerlas en movimiento, compréndalo. Y cuando los ocupantes de las mismas se hacen *muy* viejos, tan viejos que uno puede estar seguro de que el fin es cosa de un día, como máximo... pues entonces... pues entonces lo precipitamos un poco. ¡No es culpa mía, doctor! Le aseguro que esta norma no la implanté yo.

—¿Quién la implantó?

—No soy quien debe decirlo, doctor. No soy yo la que gobierna el hospital. ¡Caramba, fíjese en ese infeliz, míster Glaimer, sabiendo el pobre que tiene cáncer y esperando la operación, una operación a la que tiene derecho...!

—¡Tráigame mantas!

—Lo siento, doctor. No estoy de servicio.

—No le he preguntado si estaba de servicio. Tráigame mantas. En seguida.

Lucas se acercó a la cabecera y leyó el diagrama. Carlile Emmons. Ochenta y cuatro años. La piel que le cubría el cráneo cercaba entre una infinidad de arrugas una nariz prominente; y los ojos, al hundirse, habían provocado innumerables ondulaciones alrededor de las órbitas, en las que se habían escondido, y esas ondulaciones permanecían inmóviles, petrificadas; no se formaban y desaparecían como sucede

54

sobre los fluidos tejidos de la juventud, y sus ojos, semejantes a dos piedras caídas, fijaban su mirada ciega en el techo. Las comisuras de sus delgados labios, huérfanos de sangre, habían adquirido la contracción de una leve sonrisa carente de significado. El anciano había cogido la colcha entre sus brazos como si fuera un niño y de vez en cuando, inesperadamente, se ponía a canturrearle.

—Bueno, ¿cómo se encuentra hoy, míster Emmons? —dijo Lucas, con la voz reservada para los enfermos. No se trataba de una pregunta, sino de un sonido tranquilizador, de un recurso vocal para infundir aliento. En seguida cogió la delgada muñeca del anciano para tomarle el pulso, que latía débil y rápido. Su piel ardía. El paciente no contestó.

Las energías de míster Emmons habían descendido a un nivel bajísimo.

Miss Paget regresó.

—No creía que durase hasta ahora —dijo extendiendo dos mantas sobre la sábana y la colcha que constituía todo el abrigo del anciano—. ¡Ahí está, míster Emmons! ¿Qué tal resulta eso?

Detrás de miss Paget vino la enfermera de noche

—Quiero botellas de agua caliente. Prepare el suero fisiológico... Tráigame adrenalina, más mantas... aceite...

—Sí, señor —contestó la enfermera, asustada.

—Esta es miss Boston, doctor —dijo miss Paget—. Supongo que ahora puedo irme.

Pero Lucas había empezado a trabajar sobre Carlile Emmons. El fonendoscopio transmitía a sus oídos los líquidos sones que las bases de los pulmones emitían, las olas de un mar de muerte que la marea de su edad había levantado para ahogarle. La neumonía estaba en marcha.

Lucas no podía confiar mucho en la ayuda que le prestase el organismo de Carlile Emmons. Los tejidos del mismo habían perdido la capacidad de reaccionar. La insensibilidad al dolor que la edad administraba tan hábilmente para velar la proximidad del asedio de la muerte, había adormecido el organismo hacía tiempo. La faz de Carlile Emmons se conservaba serena al no sentir un dolor que unos años atrás le hubiera arrancado profundos gemidos y habría contraído sus labios de angustia. Mientras el oleaje aumentaba inexorablemente en su interior, el anciano yacía tranquilo, estrechando el cubrecama entre sus delgados brazos y canturreándole cariñosamente. Aquel trozo de tela era su amigo, su compañía.

Lucas hizo lo que pudo. Luego, parándose un poco para fijarse en el estado del anciano, se acordó de otro paciente, del que aguardaba junto a la puerta, en el pasillo. Lucas salió y se puso a empujar la cama. Miss Boston corrió hacia él.

—¡No, no, doctor! —exclamó, despavorida—. ¡Déjeme que lo haga yo!

—¡Vuélvalo a la sala!

—¡Lo haré, lo haré, doctor! —Y la enfermera empujó la cama por el pasillo.

—¿Qué pasa aquí? —preguntó sonriendo el doctor Snider. Lucas se volvió—. No quería trastornarte. Alguien me ha dicho que habías venido y que estabas molesto por algo. ¿Acaso alguien te ha dado algún contratiempo?

Lucas meditó un instante.

—Me han llamado para un caso de urgencia —dijo, midiendo las palabras—. Para un hombre con una herida en el hígado. Y cuando estaba a punto de marcharme, he visto una cama en el pasillo, delante de la sala de Rayos X. En la cama había un hombre. He entrado en la sala de Rayos X. Allí había otra cama y otro paciente en ella: un anciano, sin mantas, con síntomas evidentes de neumonía...

—¿No te lo ha contado Dave? —Y el doctor Snider le dirigió una sonrisa de camaradería, de connivencia.

—Me temo que no lo entiendo.

—¡Anda! ¡Dave tenía el deber de explicártelo! ¿No te habías dado cuenta antes? Yo pensaba que lo sabías... Te contaré lo que hay. Vámonos por ahí, podemos sentarnos en mi despacho...

—¡Tengo que cuidar del paciente! —Y Lucas entró delante del doctor Snider en el departamento de Rayos X, se acercó al lecho de Carlile Emmons y le tomó el pulso.

—¡Eh, eh! —gritó el doctor Snider—. ¿Qué significa esto? ¿Qué tenemos aquí? —Y señalaba con el ademán el equipo que Lucas había ordenado traer.

—Este paciente sufre neumonía —dijo el joven con llaneza, y sin permitirse un arrebato. Hablaba a un superior suyo, el director del Hospital del Condado, de una materia que era superior a los dos, por muy médicos que fuesen.

—Me figuraba que él te lo había dicho —repitió el doctor Snider, sonriendo y haciendo un signo afirmativo—. Te explicaré una cosa. No es preciso que te excites en extremo. Este hombre tiene ochenta y cuatro años. Y nosotros tenemos un número de camas limitado. El viejo Carlile ha llegado al final de su ruta. Ayer le eché un vistazo y me dije a mí mismo: "Bien, viejo Carlile, te quedan veinticuatro, cuarenta y ocho, setenta y dos horas de vida como máximo".

—Comprendo.

—Necesitamos el espacio, ya sabes. —Lucas no contestó—. Lo tenemos todo ocupado. Y hay una docena que esperan esta cama. Así, pues, cuando llega su hora, cuando uno ve que es cuestión precisamente de horas o de días... —Snider completó la frase encogiéndose de hombros—. Ellos no sienten nada en absoluto, están tan a gusto aquí como en la sala... de modo que así lo hacemos. No te inquietes. Primero los observo bien.

Ahora ya se lo habían dicho. Lucas meditó desconcertado aquella realidad. Aquel hombre pellejudo, sucio, mascador de tabaco, había hecho una afirmación concreta. Era médico. Y había dicho lo que él acababa de oír. No cabía el cerrar los ojos, no cabía el malentendido, lo había dicho con todas las palabras. Aquel viejo, Carlile Emmons, había sido puesto allí para que muriese. Había sido puesto en aquel cuarto glacial deliberadamente, y los que le llevaron allí sabían con qué fin se les ordenaba que lo hicieran. Sabían que con la frialdad del cuarto, sin mantas, era casi seguro que sería víctima de una neumonía. Y que esta enfermedad había de matarle. Para ello le dejaban allí.

—Te lo digo sólo para que lo comprendas —concluyó el doctor Snider—. Estaba convencido de que Dave te lo había explicado.

De modo que el doctor Runkleman también lo sabía. La vergüenza le hizo bajar los ojos al recordar las incomprensibles cabezadas y sonrisas del doctor Runkleman, su aire de compartir un secreto. ¿Era posible? ¿Era verdaderamente posible?

Carlile Emmons empezó de nuevo a parlotear con el cubrecama, acariciándolo al mismo tiempo. Lucas se volvió hacia él.

—Salen con las ocurrencias más chocantes, ¿verdad? —comentó el doctor Snider—. Lleva cuatro días abrazando ese trozo de tela. El primer día que empezó, me dije: "Ahí va, ¡vigílale ahora!". ¡Estoy tan entrenado que huelo el fin con una semana de anticipación!

—Si quiere hacer el favor de dispensarme, ahora debo atender al paciente —dijo Lucas con toda la serenidad que le fue posible.

—¿Atenderle? ¡Vaya, estás perdiendo el tiempo! ¡No podrás hacer nada por él! ¡Se va al otro mundo, amigo! ¡Se va!

—Todavía no —replicó Lucas—. Y mientras le quede un soplo de vida, supongo que usted sabe cuál es mi deber tan bien como yo.

—Haz lo que te plazca. Si quieres pasar la noche en vela por el viejo Carlile, sólo a ti y a Dave os importa. Yo no trato sino de hacerte comprender una cosa y de ahorrarte una pérdida de tiempo. Nosotros hacemos las cosas así.

—No es la forma como a mí me enseñaron a hacerlas.

—Ya sé lo que quieres decirme. También yo fui joven una vez, lleno de ilusiones y de bravatas y recién salido de la Facultad. Me parecía que llevaba el mundo entero sobre mis hombros. Y ahora quiero hacerte una advertencia: este hombre va a morir, y ni tú, ni yo, ni nadie en el mundo puede hacer nada para impedirlo. Morirá, y morirá antes de mañana.

—¡Eso lo veremos!

—Claro que lo verás, sin duda alguna. ¡Por la mañana habrá expirado! ¡Cuando den las seis, el viejo Carlile estará más difunto que una momia! ¡Apostaría todo lo que sé! Ni tú ni nadie puede salvarle. Y en fin de cuentas, sólo se va un poco antes de lo que se figuraba, ahorrándonos mucho tiempo y muchos sinsabores. Y tú tienes pacientes más sanos que te necesitan. Medítalo bien.

Al llegar al umbral se volvió y, por un momento, sostuvo la mirada de fuego de los ojos de Lucas. Después se encogió de hombros.

—Quédate toda la noche, si así lo prefieres —dijo con profundo desprecio—. Si estuviera en tu lugar hablaría un ratito con Dave.

Dicho lo cual se marchó. Y con él se fue la vergüenza, por lo menos en su mayor parte, la inmensa vergüenza que anulaba la palabra y el pensamiento. Con su zarrapastrosa figura desapareció su voz, sus palabras, aquellas palabras que habían expresado lo inexplicable. Lucas se volvió vivamente hacia Carlile Emmons, apoyó la mano sobre la frente del anciano, auscultó los latidos de su corazón y cargó una jeringuilla de adrenalina. Cuando la aguja se hundió en su brazo, Carlile Emmons no hizo el más leve movimiento.

—Todo irá bien, amigo mío —dijo Lucas, con voz ronca—. No se apure. No les tema a esos hijos de perra. ¡Ahora está *conmigo!*

Durante la primera hora hizo transportar el lecho del anciano a la sala y mandó que lo rodearan de cortinas. Luego correteó por todo el hospital, requisando todo lo que pudiera utilizarse en un momento dado: oxígeno, suero fisiológico, jeringas, soluciones, botellas de agua caliente... y se lo llevó al espacio cerrado que rodeaba la cara de Carlile Emmons, que se convirtió en un hospital dentro de otro.

Ahora el viejo dormía. Respiraba con menos dificultad. Los carraspeantes sones del pecho, el burbujeo del aire como a través de botellas llenas de agua, había disminuido. El matiz amarillo de cera de sus tejidos había decrecido un poco renuevamente, para dar paso a una tímida, leve coloración, indicadora del retorno de la sangre.

El anciano dormía con los brazos rodeando el cubrecama y los labios abiertos, dejando paso al aire que salía ruidosamente de la desdentada caverna de su boca. Luego el aire volvía a ser inspirado avariciosamente, el proceso se repetía sin cesar. Lo mismo que todos los hombres vivientes del planeta respiraban aquella noche, Carlile Emmons respiraba y su corazón latía; lo mismo que aquéllos estaban vivos, él estaba vivo.

—¡Quiero a mi esposa! —exclamó de pronto el durmiente con voz cascada.

Lucas se puso en pie al instante.

Carlile Emmons había abierto los ojos y miraba con aire meditabundo al techo.

—Quiero a mi esposa —repitió en tono hostil.

—¿Cómo está, míster Emmons? —Lucas se inclinó tiernamente sobre el anciano.

—¡Lucy! ¿Dónde estás? ¡Yo te llamo! ¿Me oyes, mujer?

—¡Eso va bien! ¡Usted utilice sus pulmones, grite cuanto quiera! ¡Yo estaré aquí! ¡Yo le traeré a su esposa!

Pero Carlile Emmons había vuelto a cerrar los ojos y estaba roncando de nuevo.

Lucas le observaba ansiosamente. Pero el viejo respiraba como antes. Su oscilante pulso iba martilleando tozudamente, y ahora un poco más lento. "Un poco más lento —suspiró Lucas—. Un poco más lento, alabado sea Dios". El joven médico se acercó de puntillas a la mesita de noche y cogió el diagrama del anciano.

Carlile Emmons se había presentado en el hospital un mes atrás. Procedía de la carretera, de la ancha carretera del Estado que pasaba algo más allá del edificio. Durante un mes estuvo junto con los transeúntes ancianos. Luego se puso en cama a causa de un resfriado. Y en la cama continuó. Tenía ochenta y cuatro años. Era soltero, jamás había contraído matrimonio. Como profesión figuraba la de labrador, y en otro tiempo fue dueño de una granja. Había sido niño y había sufrido las enfermedades de la niñez. Se hizo adulto y durante esa fase le operaron de apendicitis. Había trabajado la tierra. Y todavía respiraba, su corazón seguía latiendo. Estas eran las mallas que le unían con los seres que tenía a su alrededor. No, jamás había contraído matrimonio.

¿No tendrá a nadie? ¿Ningún familiar?

Lucas abrió con gesto rápido el cajón de la mesita de noche, el escondrijo del paciente, sagrado y personal. Contenía el corazón enmohecido de una manzana, seis pepitas de naranja, secas, una monedita, un trozo de cuerda y una hoja de papel, manoseada, arrollada y doblada.

¿No tendría ningún pariente?

Carlile Emmons escribía. O le escribían a él.

Lucas abrió la plegada hoja. Con una letra y una ortografía infernales, decía así:

> "Querida Lucy. He visitado este lugar y está muy bien, pero te quisiera a ti conmigo. Termino la carta esperando que vendrás pronto si es que puedes venir, pues yo he esperado ya bastante. Sinceramente, tu marido Carlile Emmons".

—Se cree casado —susurró miss Boston.

Lucas se volvió. La enfermera estaba a su lado con los ojos fijos en la carta.

—¿No lo es? —Lucas miró el papel dudando.

—Yo supongo que para *él* esa mujer es muy real —contestó la enfermera en tono defensivo.

—Pero, ¿está segura? ¿No tiene esposa... o alguna persona a quien dé este nombre?

—El nombrar a su esposa empezó la semana pasada. Anteriormente solía jactarse de haber estado soltero toda la vida. ¡Oh, no! Nosotros hicimos averiguaciones, porque a ratos incluso hablaba de una dirección imaginaria. Y no, no tenía a nadie. Ni siquiera existía tal dirección.

Lucas dobló el papel, lo guardó en el cajón, que cerró inmediatamente, y miró inquieto al enfermo.

—¿Cómo está, doctor?

—Bien —susurró distraído. Luego hizo una inclinación con la cabeza a la enfermera y ambos salieron al pasillo.

—Es muy viejo —le dijo ella una vez fuera de la sala—. Ya sabe lo que hacen, doctor, cuando llegan a esta edad... El doctor Snider asegura que no pasará de las seis.

—¿Se ha equivocado alguna vez?

—No lo creo, señor. No lo creo... Nunca.

—Se da el caso de que yo disiento de su parecer. Y, diga: ¿estas cosas se producen a menudo? ¿Son aquí una práctica corriente?

—Ellos no se dan verdadera cuenta, ya lo ve. No es que quiera darle lecciones, doctor, pero una persona de mucha edad...

—Es cierto. Un anciano no siente un dolor que resultaría insoportable para un paciente más joven.

—Y siempre estamos tan atestados... Como dice el director Snider, ellos ni siquiera saben que estén aquí; en realidad, es sólo una cuestión de horas, no significa la menor diferencia ni para ellos mismos una hora más, una hora menos...

—Yo le explicaré la diferencia. El trabajo de un médico y el de una enfermera consisten en salvar la vida. ¿Comprende? En prolongarla cuanto sea posible. Y cuando ya no es posible, en seguir combatiendo para retenerla, para traerla hacia acá. ¿Comprende? No lo olvide jamás. Usted no es una doncella ni una camarera de categoría superior. Usted es enfermera. Y este es su deber. *¡La vida!* Todo lo demás es, sencillamente, accesorio.

Yo no soy más que una empleada, doctor...

—Sé que no es más que una empleada. Pero mientras yo esté aquí, eso es lo que espero de usted, en todos los casos que yo atienda. Y ahora le diré una cosa. Voy a salvar a este hombre.

Miss Boston le miró aprensivamente. Sin querer levantó la vista al reloj del pasillo. Eran las diez.

—Sí, señor —dijo dubitativa—. ¿Quiere algo más, doctor? ¿Algo más que yo pueda proporcionarle?

Lucas esforzó la memoria.

—No; de momento, no. Atienda a los demás pacientes.

Médico y enfermera recorrieron calladamente el oscuro corredor y se detuvieron un momento junto a la puerta principal delante del cuarto de recepción, y extendieron la mirada por el mundo exterior iluminado por los rayos lunares. La gran carretera del Estado se deslizaba suavemente por delante del hospital, perdiéndose en la distancia, lisa e indefinida, azotada por el viento. Miss Boston la miraba hundirse allá en el ignoto y suspiró por la carretera, que nacía lejos y corría lejos, mucho más allá del repliegue de terreno que escondía el Hospital del Condado.

—De allá vienen —suspiró nuevamente—. Más de la mitad de los ancianos que tenemos aquí. Sí, vienen por esa carretera. No tienen familia. Y son demasiado viejos para trabajar. Pero siguen caminando, adelante, adelante, adelante. Hasta que se paran... —La muchacha se quedó callada, pensando—. Habrán pasado por delante de un sinfín de hospitales... —musitó, meditativamente. Y suspiró—: Pero al final... se paran...

Lucas movió la cabeza tristemente.

—Nadie sabe si son desdichados ni si se sienten solos. Recuérdelo. Nosotros se lo atribuimos; nosotros decimos que no sienten, y no lo sabemos ni nos preocupa. Nadie lo sabe. Recuerde siempre lo que le digo. Probablemente nuestras suposiciones sean ciertas, pero nadie lo sabe...

La muchacha asintió pensativamente.

—Pobre míster Emmons. Está grave, ¿verdad?

—Sí. Está en mal estado.

—Llamando a su esposa. ¡Pobrecito! Me figuro que siempre habrá deseado, en secreto quizá, tener una esposa. Y ahora... ¿Está seguro de que no puedo proporcionarle nada más, doctor?

—Será mejor que me vuelva con él y le eche un vistazo... Durante un rato no la necesitaré.

—Yo le vigilaría atentamente, doctor. Al minuto que le notase algo podría llamarle a usted... Quiero decir que usted podría irse a su casa...

—¿Irme a casa?

Lucas recorrió el pasillo con el ceño fruncido y se acercó de puntillas a la cama de Carlile Emmons. El viejo dormía como cuando le dejó. No se había producido ningún cambio perceptible. Lucas miró el reloj. Eran las diez y treinta. Luego colocó una silla junto a la cabecera, se sentó y cruzó los brazos.

Y su mente pasó revista a las armas de que disponía, que podía reunir para luchar contra la muerte. El suero glucosado y el salino entraban lentamente, gota a gota, en el cuerpo del anciano, alimentando sus tejidos. El lecho estaba caliente. Al viejo Carlile le habían levantado un poco los hombros para que respirase mejor. ¿Oxígeno?... No era preciso todavía. ¿Adrenalina?... No se necesitaba aún. Sólo era preciso él. Y allí estaba, preparado.

No era mucho....

No... No era mucho... ¿No sabía nada más? ¿No se podía echar mano de algún otro recurso? No se podía cortar nada, no se podía tratar, no se podía recetar... Había... ¡Oh, no había nada más que unos tejidos viejos, muy viejos, unos tejidos de ochenta y cuatro años! Ochenta y cuatro años, siete docenas de años... Había solamente un anciano decrépito, con todos sus órganos desgastados, frágiles, consumidos, que cedían por cansancio; órganos viejos, viejos, viejos...

¡Lucy! —gritó Carlile Emmons en tono de reconvención. Volvía a tener los ojos abiertos de par en par.

Estaba vivo.

—No pasa nada, compañero. —Lucas se levantó instantáneamente.

—¡Ven acá!

El anciano cerró los ojos. Dormía de nuevo. Lucas atrajo lentamente una de sus pantorrillas fuera de las sábanas. Luego se untó las manos de aceite y se puso a darle masaje con movimiento suave, incesante, hacia arriba, ayudando a la sangre a deslizarse por las flácidas venas, amasando, oprimiendo suavemente, levemente, el líquido vital para que ascendiera. El pie estaba helado, excepto un trozo que calentó, sólo superficialmente, la botella de agua. Y Lucas frotó el pie, poco a poco, con dulzura.

Después de largo rato, fue sin ruido al otro lado de la cama, a la otra pierna, y empezó de nuevo, lenta, suave, incansablemente...

Sin duda, Lucas estaba dormitando. Habríase sentado otra vez y habría caído dormido. Soñaba que el viejo Carlile y su esposa estaban en la cama juntos, que sus cabezas descansaban una al lado de la otra en la almohada y que él les cuidaba a los dos.

El grito le despertó.

"No tiene esposa alguna", se dijo ya con los ojos abiertos. Y un segundo después se dio cuenta de dónde estaba, vióse de pie, y al viejo Carlile, sentado en el lecho, con la cara roja, boqueando en busca de aire.

Lucas sacó con mano torpe el estetoscopio y suavemente, pero sin perder tiempo, apartó los brazos que estrechaban el cubrecama contra el pecho y aplicó sobre el mismo la campana del aparato. A sus oídos ascendieron los sonidos de la respiración del enfermo. Los estertores. Lucas dejó el estetoscopio y percutió la pared del pecho con los dedos. Se produjo un sonido opaco, notablemente opaco, como si fuese una caja completamente llena.

— ¡Socorro! —gimió con voz cascada Carlile Emmons, boqueando. Y su voz tenía una rara resonancia pectoral. Su pulso era filiforme, comprensible. El cuerpo del anciano le hablaba a Lucas, le decía que había ocurrido algo, que Carlile Emmons, que se había dormido hallándose apenas en la primera fase de una neumonía, detenido en aquella primera fase e iniciando incluso un laborioso proceso de recuperación, había pasado con velocidad asombrosa a la segunda. A la segunda fase de la enfermedad.

Y entonces, sin preocuparse en absoluto por el ruido que hiciera, Lucas puso en movimiento sus manos con toda la rapidez de que eran capaces. Había derribado la silla sin querer y estaba ajustando la mascarilla de oxígeno, cuando miss Boston apartó la cortina precipitadamente y llegó a su lado.

La cara de Carlile Emmons se había vuelto pronunciadamente azul. Al caer sobre la almohada, el viejo empezó a toser. Miss Boston limpiaba sus labios del esputo pardo rojizo, color de jugo de ciruela, indicio de una hemoptisis, de una hemorragia pulmonar. Ahora el cuerpo del enfermo estaba frío. La fiebre había desaparecido súbitamente.

El oxígeno empezó a silbar por los lados de la mascarilla de caucho. Lucas apretó los bordes, adaptándola con más fuerza a la cara del viejo. Miss Boston descubrió las impotentes piernas del anciano, le introdujo un catéter en el recto y dejó caer el extremo libre sobre una riñonera. Luego volvió a llenar las botellas de agua caliente.

Médico y enfermera aguardaron.

Lucas miraba fijamente el trozo de lienzo que cubría el pecho del yacente. Debajo del mismo, sus ojos, los ojos de su mente, los ojos de la asociación y la memoria, veían la delgada pared torácica; se hundían bruscamente debajo de la piel y los huesos; contemplaban los pulmones dilatados al máximo, expansionándose en busca de aire; veían los tubos bronquiales (que habían debido estar vacíos) llenos de sangre, de líquido y de moco intentando abrirse cual bocas ansiosas. Veían los pulmones con su color pardo, hepático; mentalmente, los dedos del médico tentaban la blanda superficie que en otro tiempo tuvo la elasticidad y consistencia del caucho y que ahora se rompía fácilmente. Y sabía que, excepto los tubos bronquiales y los vasos mayores, apenas quedaba porción alguna de pulmón que continuase en actividad.

Lucas levantó la vista. Sus ojos se encontraron con los de miss Boston. La enfermera le miraba compasivamente. Al encontrarse con la mirada del médico, bajó la suya.

Lucas quiso sonreír.

—Todavía no está muerto —susurró.

La joven le miró atónita. Todos sus conocimientos y experiencias le decían a la primera mirada que Carlile Emmons pertenecía ya al otro mundo. De un momento a otro exhalaría su último aliento. Miss Boston miró involuntariamente la hora, pero al sorprenderse a sí misma realizando esta acción, levantó los ojos hacia Lucas con expresión culpable.

—¿Qué hora es? —preguntó él, ásperamente.

—Las cuatro y cinco minutos —contestó ella en tono suplicante.

Lucas dirigió una rápida mirada al aparato del oxígeno, reguló la salida minuciosamente y fue hacia los pies de la cama. Una vez allí puso al descubierto las piernas del enfermo.

—¡Usted coja una! ¡Yo me encargaré de la otra!

Y sin aguardar a la enfermera, inició un masaje lento, rítmico, siempre hacia arriba. Los dos trabajaban en silencio.

"No... morirá..., no... va a morir..., no... morirá..., no... va a morir...". Lucas llevaba la cadencia de los pases de las manos. Sus brazos no cesaban. Su mente transmitía un mensaje. "¡Oyeme, carne! ¡Oyeme....! No cedas..., no cedas..., no cedas...".

De pronto, notó los ojos de la enfermera fijos en su cara. La muchacha le miraba indecisa; sus movimientos empezaban a flaquear. Lucas miróla furioso. Miss Boston se apresuró a intensificar el esfuerzo.

—Si por lo menos hubiera algo que administrarle... ¿No hay nada para la neumonía...? ¿No hay nada...?

—Ahórrese el aliento... No hay nada...

Pero su mente se rebelaba, protestaba, sus pensamientos chocaban contra las negras tinieblas que retrocedían, contra el abismo de lo desconocido.

—Deténgase —dijo de pronto. Y la enfermera detuvo sus movimientos, agradecida—. Le estamos fatigando.

Entonces observó a Carlile Emmons. Sus ojos, enrojecidos por el cansancio, le miraban, suplicando que se produjera una señal. Carlile Emmons yacía inmóvil.

—Pásele una esponja. Pásele una esponja con alcohol caliente.

"Pásele una esponja", repetía el eco de su mente. "Pásele una esponja con alcohol caliente", retumbaba el eco con amarga vibración. Una esponja, una esponja y alcohol caliente contra aquel poderoso antagonista. "Humedece la piel, empápale dulcemente...". Y mientras tanto, dentro del cuerpo de aquel hombre un enemigo poderoso y despiadado se movía ágil de célula en célula..., le transformaba las manos, le arreglaba el cabello..., le perfilaba las uñas de los pies...

Lucas se volvió desesperado hacia la mesa de tratamiento.

—¡Digitalina! —gritó.

—Está en el dispensario...

—Yo iré a buscarla...

—El segundo estante de la derecha al entrar.

Lucas se precipitó hacia el dispensario. El reloj del pasillo señalaba las cinco menos cuarto. Al verlo aceleró todavía la marcha.

Encontró el estante. Digitalina.

"Yo no tengo mucha fe en la digitalina. Nunca la tuve. Menos en este caso. No sé qué beneficios puede producir. Pero todo el mundo la administra...".

Lucas arrebató la botella. "Doce centígramos... No, nueve centígramos...".

Sus ojos iban y venían por el estante lleno de frascos. Les pedía que hablasen; sondeaba la memoria, especulaba frenéticamente.

"Estricnina. ¡Por supuesto! Un remedio desesperado, pero...".

"Y cafeína... ¿Cafeína?... ¿Por qué no?".

"¿Aconitina?... ¡No, no! ¡Espera! ¡Ciertamente, aconitina! De nueve a doce centígramos..., mejor no cargar demasiado...".

"Y esto es todo".

"¡Espera!"

"¡Gelseim".

"¡Vaya!, ¿qué diablos hace esto aquí? Debe tener unos cincuenta años. ¿Quién usa gelsenium ahora? Pero antiguamente..., antiguamente...". Un hilo de recuerdo le dejó inmóvil. Su mente se aferraba a él.

"¡Probemos!"

"¡Probémoslo todo!"

Lucas corrió hacia la sala.

Eran las cinco menos cinco.

Carlile Emmons seguía viviendo todavía.

—Creo que se nos va... —Miss Boston vacilaba—. Intenta gemir...

Lucas se plantó de un salto a la cabecera y levantó la mascarilla suavemente. El corazón se le ensanchó en el pecho. La cara del anciano no estaba tan azul. La respiración era superficial, pero aun así parecía un poco más profunda que antes. Lucas escuchó ávidamente. Sí, era un poco más profunda.

—¡Llegamos a tiempo! ¡Creo que llegamos a tiempo!

Sus temblorosos dedos colocaron la aguja en la jeringuilla, hicieron subir la digitalina, inyectaron... Luego se quedó inmóvil, observando la faz casi inexpresiva del viejo.

Viéndole, mirando su ansiosa faz, la angustia, la desesperación que expresaban los ojos del joven médico, su arrugado traje, sus manos colgando descorazonadas, su decisión desesperada, indomable, miss Boston hubo de cerrar los párpados transida de compasión.

Eran más de las cinco.

Eran cerca de las seis...

Y el doctor Snider nunca se equivocaba.

Era un viejo cochino. Si alguna vez aprendió algo, lo había olvidado; era médico sólo por el título. Pero en esta cuestión jamás se equivocaba. Conocía a la muerte. Con una sola mirada la reconocía. He ahí la última posesión de que podía enorgullecerse. Era infalible.

Pasaban de las cinco.

Y el doctor Snider había dicho a las seis.

"¿No sabes que no puedes salvarle? —gritaba la enfermera interiormente—. ¿No sabes que es imposible? ¿Que sólo estás destrozando tu propio corazón? ¡Es viejo! ¡Tiene ochenta y cuatro años! Y esto es neumonía! ¡Muchacho! ¡Muchacho! ¡Muchacho! Eres un chico excelente. Eres admirable. Yo te adoro. Pero déjale, muchacho. Déjale que muera..."

Lucas levantó la vista y sonrió con una sonrisa de cansancio.

—¡Creo que hemos llegado a tiempo! ¡Creo que tenemos una posibilidad!

Y tomó el pulso al enfermo, notando el estímulo cardíaco producido por la digitalina. Mientras le miraban, los ojos se abrieron en el rostro lívido de Carlile Emmons. El anciano exhaló un lamento; sus sarmentosas manos tentaron en busca del cubrecama. Lucas se lo acercó a la altura del pecho y guió sus delgados brazos para que lo rodearan. Carlile Emmons lo acunó cariñosamente y lo acercó más hacia sí.

Lucas y la enfermera le estaban observando.

—Yo tengo que irme... —dijo miss Boston dubitativa.

—Sí, váyase.

—¿Puedo traerle un poco de café?

—¡No, no! Atienda a sus pacientes.

Carlile Emmons había cerrado los ojos. Tenía una respiración superficial, trabajosa.

—Vamos, Carlile —susurraba Lucas—. Resista. Procure resistir. Yo lo sostengo. Volverá a sentarse fuera, al sol y... a pasear, quizá. ¿Le gusta pescar, Carlile? ¡Apuesto a que sabe! ¡Apuesto a que sabe muchísimo! ¿Le gustaba salir de pesca, Carlile? ¿Querrá ir conmigo?

Se trataba de una vida. Se trataba de la vida de Carlile Emmons, de un trozo de toda la vida que existía. De la más pequeñita centella del sagrado don. Pero por pequeña no dejaba de ser una centella. Y la fuerza vital de Lucas anhelaba penetrar dentro de Carlile Emmons para darle parte de su energía, para unir corazón a corazón, pulmones a pulmones, esencia a esencia.

"¡Viva, Carlile Emmons"

"¡Viva!"

Eran las cinco treinta.

Los minutos pasaban con su lento martilleo.

Lucas se inclinó sobre el paciente. Escuchó. Abrió la boca para oír mejor. Todavía se inclinó más. El cabello del pescuezo se le erizaba; sentía en la piel el hormigueo de la sorpresa y del espanto. Carlile Emmons estaba en los estertores.

¡Aconitina!

Los dedos de Lucas volaron en busca de la aconitina. Digitalina... No, no, basta de digitalina... Cafeína... ¡Démosle cafeína!

— ¡Carlile! ¡Resiste, amigo mío!

Y las mejillas... ¿Era una mancha encarnada aquello? ¿Se le estaba poniendo lívida la faz?

— ¡Carlile!

El pulso era débil y filiforme. El viejo se estremeció ligeramente. Había vuelto la fiebre. La aconitina.

Lucas hubo de hacer un esfuerzo para esperar.

El termómetro señalaba ciento cuatro grados y catorce centésimas[1].

El proceso era rápido, muy rápido; todo iba tan rápido...

— ¡Carlile! ¿Me oyes? ¡Lucha, muchacho! ¡Lucha! ¡Lucha por Luke! ¡Lucha por tu buen amigo, por Luke!...

El joven médico bajó la colcha y se puso a frotar con alcohol todo el cuerpo... "Fluye por mis dedos, vida; entra en su organismo! Que la absorba de la mía. Canalízate, derrámate, aliméntale, entra dentro de él, óyeme...".

Carlile Emmons respiraba. Luego se le paró la respiración.

Volvió a respirar.

Se le paró la respiración otra vez.

Ahora, lenta.

Más lenta...

¡Inexistente!

Un estremecimiento.

La inmovilidad.

Luego un lento...

Imperceptible...

Definido...

Movimiento...

Una inspiración... una pausa larga, larguísima..., una espera..., quietud..., una espiración...

Y Lucas dio vía libre a su propio aliento, largo rato contenido.

Estricnina.

Aquello no podía seguir de aquel modo.

Cada aliento del enfermo era el último.

En cualquiera podía pararse para siempre.

Por lo tanto, Estricnina.

Casi seguro que provocaría una trombosis coronaria.

¡Dásela!

Pero...

¡Dásela!

¡Ahora!

Los dedos temblorosos de Lucas llenaron la jeringuilla con seis,

---

1. 104° 14' Fahrenheit equivalen a 40° 08' C.

diez miligramos y la aguja se hundió en la carne. Lucas vaciló todavía. Luego empujó el émbolo.

Y aguardó, temblando.

Sus dedos percibieron un pulso más fuerte. Seguía siendo débil, breve, moribundo. Pero era más fuerte.

Lucas ya no pensaba. Ya no era capaz de calcular, de razonar, de planear. Sólo era capaz de atacar, de esquivar; desesperada, ciegamente.

Carlile Emmons se ahogaba. Tenía los pulmones llenos de líquido. La marea le llegaba casi hasta la garganta. Sus tejidos estaban agotados. No quedaba en ellos la menor energía. Sólo quedaba la vida. Su destrozado cuerpo se había encogido, se había hecho más pequeño.

El peso enorme de la fatiga y del embotamiento hundió a Lucas en las profundidades de la apatía. Durante unos minutos permaneció inmóvil, callado, sin ver nada, esperando únicamente.

Sus ojos recibieron una sensación. Parpadeó irritado. El mensaje le importunó nuevamente, se hizo inteligible. Lucas volvió a parpadear y levantó la vista. Y se quedó mirando, incrédulo.

Amanecía.

Las ventanas ya no parecían negras.

Lucas contempló absorto aquella claridad lechosa y se puso a temblar.

Y Carlile respiraba aún.

Se oyó un alboroto en el corredor.

Llegó miss Boston. Eran las seis y veinte. La enfermera miró a Carlile Emmons.

Luego a Lucas. Tenía la boca abierta de asombro.

Lucas sostuvo la mirada, indómito, resuelto, como defendiendo al anciano.

—¡Está vivo! —susurró la muchacha.

—¡Claro que está vivo!

La enfermera suspiró profundamente.

—¡Lo ha logrado!

—Se nos está acabando el suero glucosado.

La enfermera, electrizada, asociándose a la victoria, corrió a buscar más.

Sobre la cama, Carlile Emmons respiraba levemente, a sacudidas, con un ligero estertor; luego, por un momento, respiraba con más fuerza. Su pulso era filiforme, pero no más débil. La lividez había huido de sus mejillas, de sus hundidas mejillas, que a la luz creciente de la aurora, se pegaban a las quijadas. En las profundidades de sus órbitas, los ojos se abrieron. El anciano cerró los dedos.

—Todo va bien, muchacho. Es de día, amigo. Es de día. Todo va bien...

Lucas pasó la mano tiernamente sobre las peludas mejillas, cogió el cubrecama, lo puso sobre el pecho del enfermo y se lo hizo abrazar. Uno de los descarnados brazos se deslizó, inerte, sobre la tela.

Miss Boston llegó precipitadamente con el suero glucosado. Detrás venían las enfermeras de día. Se acercaban incrédulas; sus miradas se fijaron atentas sobre Carlile Emmons. Al verle respirar se miraron una a otra. Era cierto.

E incluso, mientras le miraban, empezó a respirar mejor. Tenía el pulso firme. La vida que se había recluido profundamente, escondiéndose para no ser encontrada asomó despacio, empujada silenciosamente hacia el mundo; la escondida vida se arrastró tímida, lentamente, y puso un gemido en los labios y una ligera luz en los ojos del anciano.

Todos sonrieron. Todos los que rodeaban la cama notaron el fenómeno y sonrieron. Conocían aquella luz. Era la vida. Aquel cuerpo era nuevamente un ser humano.

Después los párpados del enfermo se cerraron. Carlile Emmons se durmió.

A las siete treinta llegó el doctor Runkleman.

Ante aquella escena, miró a Lucas, sorprendido, boquiabierto.

—¡Eh! ¿Qué... qué...?

—Neumonía —dijo Lucas con voz ronca. Y aclarándose la garganta repitió distintamente—: Neumonía.

El doctor Runkleman fijó la mirada en la inmóvil figura del lecho. Vio que era un anciano, vio que respiraba, vio todo aquel aparato... y volvió a fijar la vista en el rostro demacrado de su ayudante. Y recordó la larga jornada anterior.

—¡Dios mío! —exclamó—. ¿Ha estado en vela toda la noche?

Lucas sonrió penosamente.

—En mi vida me había sentido mejor.

Todos levantaron la vista. Había entrado el doctor Snider. Lucas se irguió. El doctor Runkleman vio que los ojos de su ayudante se llenaban de odio y de repulsión. El doctor Snider se inclinó sobre Carlile Emmons.

—Buenos días, Dave —dijo enderezándose—. Has conseguido que pasara la noche, ¿verdad? —Pero al ver los ojos de Lucas desvió la mirada precipitadamente. Luego carraspeó y miró al doctor Runkleman—. Me recuerda a un viejo que tuvimos aquí una vez —empezó Snider, en tono despreciativo—. ¿Te acuerdas del viejo Charles Fears? Juraba por Dios que no vería la aurora, y, ¡cielos!...

El doctor Snider se calló. Su voz perdió aliento paulatinamente...

Lucas se había alejado, se marchaba de la sala.

El doctor Runkleman miró al director del hospital con fría indiferencia.

—Yo te avisé —le dijo encogiéndose de hombros.

—Vamos, Dave, tú sabes muy bien en qué situación nos encontramos; sabes perfectamente que este pobre diablo no tenía un día de vida en el cuerpo...

Pero el doctor Runkleman había salido de la sala siguiendo a Lucas. Le encontró en el gabinete de los médicos. Ambos se desnudaron en silencio. El joven se fue a la ducha.

—¿Por qué no se va a casa a dormir?

—¿Yo?

—¡Vaya! ¡Váyase a descansar!

—Me encuentro perfectamente, doctor. Estoy acostumbrado.

—Se está tambaleando. Esta es la verdad. ¡Váyase! Por lo demás esta mañana no le necesito; sólo tengo un apendicitis. Los otros pueden aguardar.

—Hay una cosa precisamente que quiero saber...

—¡Yo se lo he dicho! ¡Le he avisado repetidamente!

—¿Qué haremos con ese malvado?

—Es viejo. Ahora ya no le queda mucho. Yo estaba convencido de que el año pasado se retiraría. No le quitaré el ojo de encima.

—Eso no es un médico.

—Le vigilaré los pasos, ahora.

—Eso no es un médico.

—No le perderé de vista.

—¿Daremos parte?

—¡Yo pensaba que usted lo sabía! El otro día, cuando dijo: "Están sacando muchas radiografías", pensé que usted lo sabía.

—¿Que lo sabía? ¿Que estaba enterado de una cosa semejante? ¿Que sabía que un médico, un doctor en Medicina, mataba deliberadamente a sus enfermos?

—Ha de ser razonable. Comprendo su estado de ánimo. Usted ha estado en vela toda la noche... Todo esto le resulta nuevo... El casi tiene razón; es cosa de horas nada más. A mí me gusta tan poco como a usted. Pero él ha de presentar unas cuentas favorables; no le dan dinero bastante.

—¡Y roba el dinero de los pacientes! ¿No es verdad? Bajo mano ordeña a los acogidos a la beneficencia.

—No lo sé... No lo sé...

—Es un sujeto peligroso. Y usted lo ve, ¿no es cierto? Es capaz de todo, de todo.

—Cuidaré de que no vuelva a ocurrir. ¡Este es el último! ¡Se lo prometo! Debí terminarlo hace tiempo. Soy tan culpable como él. Ahora váyase a casa, se lo ruego. Duerma, aunque sólo sea un par de horas.

—¡Usted no es culpable! La fechoría la comete él. Usted no puede estar en todas partes. Usted no puede hacerlo todo. El es el director del hospital... ¡No, de veras, doctor! Y no se apure por mí. La ducha me entonará.

Y se metió debajo del chorro.

—¡Por Dios, le ha salvado usted! —gritó el doctor Runkleman para dominar el ruido del agua—. ¡Le ha sostenido en lo más crítico!

—¡Pensé que se me iba de las manos una docena de veces! —gritó Lucas a su vez.

—¡Yo no le habría calculado la menor posibilidad! ¡Ni media! ¡Ochenta y cuatro años!

—Y con neumonía lobular —Lucas salió de la ducha sonriendo dichoso. Tenía los ojos cansados, pero brillantes. Y con una cabezada de satisfacción añadió—: ¡Vive, bendito sea Dios!

—No comprendo cómo pudo lograrlo... No... No, señor... Nunca lo comprenderé...

—El pobre sigue arrugando su cubrecama... y un día saldremos juntos a pescar..., y, ¡por Dios, que vive!

Los dos médicos se vistieron y se pusieron a operar rápidamente. Lucas sentía en el rostro las miradas respetuosas de las enfermeras. El doctor Runkleman se expansionaba en una ancha sonrisa. Lucas sonreía ligeramente. Luego, su jefe le guiñó el ojo y él tuvo que sonreír.

En toda su vida no había hecho nada que le causara tan profunda satisfacción. Ni siquiera su título de médico le había proporcionado una alegría tan viva. El paso de los minutos acrecentaba la magnitud de su gesta. Lucas revivía su obra detalle por detalle, sentíase saturado de ella, veía crecer, subir más arriba de su persona, encastillarse, hacerse más grande y más alta que su mismo autor. Y se veía a sí mismo como un humilde instrumento, un simple instrumento animado que ahora formaba parte ya del gran juego. Había salvado una vida.

Acompañado del doctor Runkleman se acercó de puntillas a la cama de Carlile Emmons y le vio dormirdo. Notó que su pulso era más firme; le observó unos instantes, dio a la enfermera detalladas instrucciones, aguardó hasta estar seguro de que ella le había comprendido bien, volvióse con pesar y, acompañado del doctor Runkleman, recorrió nuevamente el pasillo.

Al cruzar por delante de la sala de Rayos X sus ojos buscaron instintivamente si había algún lecho. El pasillo estaba desierto. La sala de Rayos X estaba vacía.

—No se darán ya nunca más hechos semejantes —le aseguró el doctor Runkleman con una decisión granítica en el rostro—. En el Valley no tenemos nada en absoluto. Nada sino el pasar la visita. ¡Váyase a casa! Ahora, váyase.

—¿Y las visitas del consultorio?

—¡Le despertaré ¡Se lo prometo!

Lucas se fue a casa.

Kristina estaba de compras.

El joven se quitó la camisa y se miró al espejo, dedicándose una sonrisa de contento. Luego se acercó a la cama, quédose con la vista fija en ella un momento y se sentó en su borde. Después se tendió con pausado movimiento. Estuvo un rato mirando el techo y se puso a pensar. Caldo. Había de ordenar que le diesen caldo. ¿Caldo? ¿Por qué? Lucas arrugó el entrecejo y cerró los ojos para concentrarse mejor.

Kristina le sacudía por los hombros.

—¿Qué... qué pasa? —Casi al instante se encontró sentado en la cama, parpadeando al querer mirar a su esposa—. ¿Qué... qué hora es?

—Cerca de las dos.

—¿Las dos?

—¡Pobrecillo! ¡Lo lamento, Lucas! Llaman del Condado; el doctor Runkleman ha dicho que convenía que te despertase. Primero pensó que no debíamos hacerlo; luego ha pensado...

Pero Lucas se había puesto ya la camisa... cogió la chaqueta y se marchó haciéndose el nudo de la corbata por el camino.

Minutos depués estaba en el Hospital del Condado y se encaminaba directamente a la sala. Sin fijarse en la enfermera que estaba con el enfermo. Lucas se inclinó sobre Carlile Emmons. El viejo no respiraba apenas. Costaba trabajo encontrarle el pulso. Los latidos del corazón eran muy débiles, reticentes, cansados, tardos, condenados a la extinción.

—¡Eh! —gritó Lucas, con el corazón galopando por el pánico—. ¡Eh! ¡Carlile!.... ¡*Estricnina!*... ¡Eh! —La enfermera le puso la jeringuilla en la mano—. ¡Eh! ¡Espera! —La aguja se hundió en la carne. El émbolo empujó el líquido—. ¡Carlile!

La respiración del enfermo se interrumpió. Al cabo de una infinidad de tiempo se reanudó otra vez. Por un instante, el pulso se hizo más fuerte. De pronto se oyó un leve sonido. Y se repitió. Estaba allí ya. Era inconfundible. El viejo tenía la boca abierta. Sus ojos sin luz miraban fijamente al techo. Y junto con el aliento, con el último aliento con el que precedía al último y definitivo, el que empezaba entonces...

Se produjo un sonido crujiente.

Un crujir de hojas secas.

Y un estertor.

Este aumentó por momentos.

El atormentado pecho del anciano luchó desesperadamente por absorber otra bocanada de aire. El corazón, indiferente, latió una vez más. La córnea se abotargó sobre los vidriosos ojos. El cuerpo sufrió un estremecimiento. Vino de nuevo el estertor; esta vez más fuerte y a sacudidas.

Luego vino el silencio.

Un silencio total.

Se acabó el aliento.

Carlile Emmons había huido. El cuerpo que llevó aquel nombre yacía en la cama. El pecho estaba en silencio; el corazón, parado; los ojos sin vista, en blanco para siempre.

La enfermera salió de su inmovilidad.

Lucas expelió el aire largamente contenido.

La mandíbula del anciano abrióse lentamente. Lucas se la cerró con gesto maquinal, escondiendo la desnuda, la impúdica caverna de la boca. Poco a poco, suavemente, desenredó los dedos que acunaban el cubrecama sobre el pecho difunto.

La enfermera cerró con una venda la mandíbula, que se había abierto de nuevo.

Lucas se volvió con el corazón oprimido. Sobre la mesita de noche continuaba extendida la inútil profusión. Del cilindro de cristal seguía descendiendo el suero, gota a gota, por el tuvo de caucho. Lucas extendió el brazo para cortar la corriente de líquido, pero en seguida dejó que continuara fluyendo, y salió al corredor, alejándose de la sala, huyendo de aquella última imagen de vida.

El grupito de enfermeras se dividió para dejarle paso. Las muchachas le miraron y bajaron los ojos.

—¡Qué pena, doctor! —murmuró una.

Y del grupo de levantó un murmullo de simpatía.

—¡Ea! —Exclamó una voz desafiante. Lucas levantó la vista; era miss Paget—. ¡Usted le ha salvado de todos modos! ¡Usted le dio con la puerta en las narices al viejo Snider! ¡Usted le salvó!

—¿Le salvé?

—¡Sin duda! Habría muerto a las seis, ¿verdad? ¡Delo por seguro! ¡Y usted le ha sostenido hasta las dos!

Todas las enfermeras murmuraron:

—¡Estamos orgullosas de usted doctor!

—¡De las seis a las dos! —gritó una, noblemente—. ¡Son ocho horas!

Lucas inclinó la cabeza penosamente.

Y pasando por entre las muchachas, cruzó el pasillo y salió del hospital.

Una vez fuera, sacudió la cabeza, cegado. Luego dirigió la vista a la carretera. Después se miró las manos.

Subió al coche pausadamente, puso en marcha el motor, soltó el embrague y se fue al consultorio.

—¿Ha muerto? —le preguntó afectuosamente el doctor Runkleman.

Lucas hizo un signo afirmativo.

El doctor Runkleman movió la cabeza.

—Es una pena...

CAPITULO XXVII

La mayoría de las personas descubren tempranamente y sin rebelarse, que no es posible mostrar nuestro espíritu a otra. Tal descubrimiento las tranquiliza, se les antoja una protección.

A otras, en cambio, las acongoja. Se pasan la vida esforzándose por abrir su alma a los demás.

No teniendo nadie más, Lucas explicó a Kristina todo lo que había ocurrido. El, habitualmente tan alejado de su esposa, corrió hacia ella para contarle lo sucedido, para abrirle su corazón y mostrarle cuánto sufrió. Se lo narró todo, punto por punto, obstinadamente, sin saber cuál sería el detalle que establecería la comunión entre sus almas, sin omitir ninguno. Y durante toda la narración, que él mismo escuchaba atentamente, apresurándose a corregirse una o dos veces, hasta que hubo terminado y se quedó en silencio, permaneció sentado, inmóvil, mirando a su esposa con el alma al desnudo, incrédulo todavía, preguntando sin saber qué.

Kristina buscaba a tientas entre la vehemencia de su marido, buscaba aguijoneada por la necesidad que percibía en Lucas, impulsada por el desesperado afán de apaciguarle, de resolver sus conflictos, de encauzarlo todo debidamente.

—Se llevarán un disgusto —dijo con acento sombrío—. ¡Sí, algún día se llevarán un disgusto, no lo dudes!

Lucas la miró fijamente, petrificado.

—¡Un disgusto! —repitió en un eco.

—¡Espera, Lucas! ¡Espera! No te enfurezcas. Sé lo que quieres expresar. Yo no hablo también como tú. Pero te conozco. Sé como calificas estos hechos... Son crímenes... —gritó indignada, intentando experimentar los mismos sentimientos que experimentaba el joven—, son crímenes, crímenes horribles...

Kristina se estrujaba el cerebro desesperadamente buscando la manera de reconfortar a su marido.

—Me acuerdo de la primera vez que lo vi —dijo en voz baja.

—¡*Tú* lo viste también!

—No se trataba de ancianos, por supuesto. Llevaba muy poco tiempo encargada del quirófano. Era una mujer cancerosa. Cuando la abrieron se vio que todo el organismo estaba afectado; apenas le quedaba hígado, apenas le quedaba nada. Me acuerdo de la mirada que se cruzaron los doctores. Luego se pusieron a coserla. Era muy rica: el operador, famoso. Pero no la cosió por completo. Dejó abiertas tres o cuatro pequeñas arterias... Yo, que entonces era nueva, estuve a punto de advertirles, pero cuando abría la boca, el operador levantó la vista casualmente y notando la expresión de mis ojos, dejó transcurrir un minuto, al mismo tiempo que me dirigía una mirada glacial. Entonces desvié los ojos. Como una es enfermera, Luke... —concluyó en son de excusa.

—Lo sé... ¡Pero si yo hubiera estado allí no hubieran quedado las cosas de aquel modo! ¡No se lo habría consentido!

—Después... lo vi muchas veces. Unos doctores lo hacían. Otros, no.

Ambos se quedaron callados.

—¿Qué le vas a hacer, Luke? —preguntó Kristina, por fin, acongojada—. Si la enfermedad es incurable..., si no pueden vivir..., si uno no puede remediarles... Yo me había preguntado muchas veces: ¿no significa esto hacerles un bien? Los médicos aquellos no eran malas personas, algunos eran grandes cirujanos...

Lucas suspiró. Y empezó con paciencia, sencillamente, yendo a buscar el argumento muy atrás. Quizá al final, cuando le comprendiera, Kristina vería claro.

—Cuando uno nace ya no hay esperanza, Kris. Entonces comienza esa lucha, esa lucha sin esperanza, sin que ningún médico pueda salvarle de su fin. Uno va a morir. Uno muere un poco cada año. Pero he ahí precisamente lo que los médicos no saben nunca con seguridad; no saben si existe o no una esperanza. Pueden temerlo, pueden estar sinceramente convencidos de que aquella enfermedad es irremediable. Pero jamás saben que lo sea.

—Pero cuando se hacen tan viejos...

—El médico ignora qué es la edad. La edad es una cosa relativa. El médico no sabe qué es la muerte, ni cuál será la causa que la produzca indefectiblemente. Ni siquiera sabe tampoco qué es la vida. Pero sabe que está allí. Sabe bajo qué bandera milita él. Conoce a los enemigos de la vida. Y jamás se une a ellos.

—Esto es admirable, Luke... Eso es lo que eres *tú*.

—¿Yo? ¡Eso lo creen todos los médicos!

Kristina desvió la mirada. Lucas se sonrojó.

—Puede haber uno o dos como Snider —quiso admitir.

—¿Qué ha dicho el doctor Runkleman?

—Sencillamente, no lo entiendo. El estaba enterado de lo que ocurría. Lo supo desde el principio. Y ha permitido que Snider continuara impunemente.

—Pero no lo aprueba. Le gusta tan poco como a ti.

—Podía haber puesto fin a los manejos de Snider.

—¿Le hablarás en algún otro momento de este caso?

—Para decirte la verdad, no sé como hacerlo. Espero que lo saque a colación. Comprendo que no deberíamos cruzarnos de brazos. Dejar que el asunto ese muera así, es lo mismo que haber dejado que el anciano muriese. En cuanto a Snider... —Lucas sacudió la cabeza como

74

para desterrar el recuerdo de aquel hombre—. ¿Cuántos supones que habrá matado? ¿Cuántos?

Kristina asintió muy seria.

—Yo no me habitué a ello. Aunque, al verlo, siempre experimentaba un sentimiento de culpabilidad. Nunca me pareció... Claro que eran personas que estaban condenadas inevitablemente; no quedaba la menor duda sobre este punto; no se podía hacer nada por ellas.

—Nadie está condenado inevitablemente, Kris. Jamás. Ni cuando exhalan el último aliento. Nunca puede afirmarse. Por nulas que sean las posibilidades de victoria, un médico debe seguir luchando.

—Yo no digo lo contrario, compréndeme. Lo que está mal, está mal. Pero todos hemos de marcharnos tarde o temprano.. y en fin de cuentas, ese hombre tenía ochenta y cuatro años.

—¿Crees acaso, que nadie ha pasado de los ochenta y cuatro años? ¿Te figuras que tenemos derecho a establecer la fecha en que deben morir las personas? ¿Qué está entre nuestras atribuciones el decir: 'Ese hombre vive; ya es hora de que muera?'

—Lo sé... Lo sé...

Hay que luchar por la vida, Kris. No existe en todo el planeta otra cosa digna de que se combata por ella. La vida es la única posesión del hombre, cuya dignidad máxima nace del hecho de vivir. Todo lo que sea además de un ser viviente, todo lo que pueda llegar a ser arranca del hecho de que viva.

Kristina vio que la conversación había hecho un gran bien a su marido. Lucas había acumulado palabras que ciñeran la magnitud de lo inexpresable, frases que lo ceñían imperfectamente, y trataba de estrechar el inmenso abrazo en una palabra, una sílaba, una inflexión de voz, eco de lo que encerraba en su vector, de lo que no podía expresarse por medio de palabras humanas. Con ello se había sosegado un poco. Estaba cansado, se había desahogado hablando; con las palabras se había disipado su furor, aunque no el recuerdo.

Kristina tenía miedo de decir algo que malograra la buena disposición de su marido. Se estrujaba el cerebro buscando la frase precisa que uniera a Lucas con ella, que abriera el camino para otra vez, que les fundiera en uno.

Y Lucas aguardaba esperanzado, ofreciéndole sus sentimientos, su misma personalidad.

—Voy a decirte lo que pienso —exclamó ella, por fin, frenéticamente—. Pienso que a un hombre como ése..., ¡alguien debería abandonarle en la sala de Rayos X!

Lucas abrió la boca para replicar, irritado, pero se dominó, exhaló un suspiro y se quedó en silencio. De pronto, bruscamente, notó que Kristina le inspiraba aversión. Su esposa estaba a un mundo de distancia del suyo. No debía haberle dicho nada. Ahora ella lo sabía también. "¿En qué estará pensando? —se preguntó—. ¿Qué pasa en su interior?" Y la miró con curiosidad, con una mirada que levantaba entre los dos un muro impenetrable, detrás del cual vivía un extraño. Luego sonrió fatigadamente y se fue a dormir.

A la mañana siguiente no hubo operaciones en el Condado y la ronda de visita terminó pronto. Los pacientes vistos el día anterior no habían cambiado perceptiblemente; sus ojos seguían conservando la expresión de miedo y de asombro, la sorpresa de los que miraban pasmados a la vida, a esa cosa tan vulgar, de la que antes ni se acordaban.

Seguían mirando a los dos médicos que iban de lecho en lecho, con el afán de descubrir algún secreto que les fuera negado, algo referente a sus vidas que los médicos supieran y ellos no. La faz del joven era la que observaban más particularmente, porque al viejo le conocían bien; su rostro era una máscara que jamás revelaría el menor signo. Aparte del cansancio y la seriedad que expresaba, la cara del joven resultaba tan impenetrable como la del otro pero a él no le conocían tanto, y con lo desconocido siempre existe una posibilidad.

Miraban a Lucas y al doctor Runkleman, atentos al menor signo, a la menor inflexión de voz, al menor cambio de su fisonomía. Y al no ver ninguno, la ansiedad volvía a replegarse hacia el fondo de sus ojos y se filtraba hacia el estanque interior de la muerte, de donde había salido. Y se tendían otra vez y se quedaban mirando al techo sobre el que estaba escrito el Tiempo y sobre el cual escribían ellos con letras tan grandes que las palabras que componían carecían de significado. Y así habían de continuar, en suspenso, hasta la visita de la noche.

Como los dos médicos no tenían que acudir al otro hospital sino hasta una hora después volvieron al consultorio.

—Se me ocurre que esta hora sería tan buena como cualquier otra para que usted hiciera sus visitas —indicó en tono suave el doctor Runkleman. Lucas sonrió pasmado—. Sus visitas de cortesía. Siempre es conveniente hacer visitas de cortesía a los otros médicos. Yo creo que por lo menos no acarrea ningún mal; aparte de que lo exigen las normas establecidas.

—Estupendo —contestó Lucas calurosamente. Se sentía mayor. Notaba con sorpresa que por primera vez desde su llegada se sentía a sus anchas delante de su superior; ya no experimentaba el menor afán de congraciarse con él.

—Llevo unas cuantas recetas y de paso entraré a que me las sirvan —dijo el doctor Runkleman, con un gesto de asentimiento.

Aquellas palabras despertaron la memoria de Lucas.

—Hace unos días que tengo ganas de hablarle de una cuestión —dijo, arrugando el entrecejo—. Estando mistress Marsh el otro día de compras en una droguería, el dueño quiso rebajarle el treinta por ciento de la compra. Le dijo que era por cortesía profesional y le explicó que las recetas que nosotros mandaríamos allá le compensarían el descuento. —Le aseguro que aquí es práctica corriente.

—¿Quién era?

Lucas se lo dijo.

—¿Aceptó su señora?

—No. Yo le hice devolver lo que había comprado.

— ¡Se lo aplaudo! ¡Me gusta saberlo! —Lucas se quedó más tranquilo—. Poco negocio hará, hablando de este modo. —Al mismo tiempo el doctor Runkleman se sonrojó.

—Carece en absoluto de ética.

—Sin embargo, es una práctica muy corriente...

—Más tarde o más temprano, algún paciente pagaría mi crema de afeitar.

—Si estuviera en el puesto de usted, no le haría ningún caso. Tendré que hablar unas palabras con él.

El doctor Runkleman suspiró resignadamente mientras se entretenía con aire distraído haciendo rodar un lápiz entre sus dedos. Lucas, que aguardaba su decisión, fijó la vista en el lápiz que el doctor Runkleman no cesaba de hacer rodar en uno y otro sentido. Estaba marcado con letras doradas. Un instante que se quedó quieto, Lucas leyó: "Regalo de Unsherwood y Heop. Pompas fúnebres. Servicio de amigo. Precio de amigo".

Lucas se apresuró a desviar la mirada.

—Hay que aceptar a la gente tal como es —dijo el doctor Runkle man, por fin

—Supongo que está en lo cierto —contestó Lucas— dirigiendo una mirada al lápiz, regalo que estaba recordando a todas horas: "Doctor no nos olvide, doctor". En cuanto al treinta por ciento —se dijo Lucas—, no sé si compras mucho o poco (hojas de afeitar, seguramente, y otras menudencias por el estilo), pero sí estoy seguro que lo aceptas. Quizá ahora no vuelvas a admitirlo. Pero lo aceptabas. Vive tu vida, Lucas. Vive tu vida y a él déjale tranquilo. Es un hombre excelente y tú sólo conseguirás amargarle la existencia—. El joven advirtió por primera vez la carpeta, imitación de cuero repujado, en la mesa del doctor Runkleman. Estaba marcada discretamente: "Flatcher y Trocar. Pompas fúnebres. Servicio de ambulancia. Día y noche".

'Esto no es nada nuevo. ¿Te lo habían contado de estudiante, te habían hablado de participación en los honorarios, de prestaciones gratuitas, de pesos y medidas especiales?... ¿Qué buscas, doctor? ¿Qué pretendes?', se preguntaba Lucas, disgustado.

—Quiero decirle una cosa, doctor. Estaba pensando, lo pienso todavía, si no debería usted aumentar un poco sus honorarios —oyó Lucas que él mismo decía súbitamente en voz alta. Se escuchaba sorprendido de sí mismo.

—Tengo los precios muy bajos... —convino el doctor Runkleman.

—Si los doblara continuarían siendo bajos.

—Sé que trabajo más barato que los demás.

—Podríamos perder unos pocos. Pero, ¡como de todos modos tampoco pagan!...

—Es cierto... Cobro poco, efectivamente... No... Creo será mejor que lo dejemos tal como está...

—Pero, ¡setenta y cinco centavos! Un dólar...

—Están acostumbrados así. Esto es lo que he cobrado siempre. Empezarían a preguntarse en qué sentido he mejorado, por qué repentinamente mis servicios habían de costar más. —El bueno del doctor se echó a reír—. ¡Caramba, a mí me gustan las cubiertas! ¡Me gustaría calzar el coche con ellas!

—¿Por qué no lo hace?

—¡No se precisaría más! En cuanto las vieran dirían: "Mírale cómo se pasea con las cubiertas que le he pagado yo! ¡En eso se ha gastado mi dinero, en cubiertas blancas!"

—Pero, ¡setenta y cinco centavos...!

El doctor Runkleman miró a Lucas, sonriendo en silencio.

—Vámonos a dar un paseo —dijo, levantándose.

Pero no fueron a visitar en seguida a los otros médicos.

—Yo procedo del campo —empezó diciendo el doctor Runkleman.

—Entonces debe conocer a fondo todo lo relativo a esas granjas —comentó Lucas, indicando con el ademán los terrenos de labor que cruzaba.

—Me levantaba todas las mañanas a las cuatro. Vivíamos hacia el Norte. Hacía mucho frío, y los veranos eran cortos. No recuerdo otra cosa que trabajo y más trabajo. —Parecía que el doctor Runkleman recitara las anteriores palabras, sin que despertasen en él ninguna reminiscencia, como si fueran un preludio para otra cosa, como si supiera un secreto y estuviera a punto de contárselo a Lucas; un secreto que subiera a la luz aun contra su voluntad, a pesar de los esfuerzos que hacía para volver a hundirlo en el fondo, para no dejarle salir.

"Eramos nueve hermanos. Al levantarnos no nos esperaba otra cosa que trabajo, apenas nos dirigíamos la palabra, porque nunca descansábamos... Eramos nueve y nunca descansábamos, pero no teníamos nada. No, señor —repitió, sonriendo—, nada. —El doctor sonrió ante el recuerdo, con una sonrisa sin alegría—. Algunos años yo ahorraba veinte dólares. Era la parte que me correspondía. Pero un día murió mi padre. Yo vendí mis derechos a mis hermanos; fui a Dakota del Norte, dije que no trabajaría nunca más en el campo, y como tenía cuatrocientos dólares, me puse a estudiar Medicina.

—¿Y se pagó la carrera trabajando?

—Entonces era posible. Además, yo conocía el valor de un dólar; por otra parte, no había inconveniente. Y después de haber trabajado de labrador, lo que tenía que hacer allí me parecía también muy sencillo. Luego vine acá y establecí estos precios.

—Pero usted hace recorridos muy grandes. Ahora se introduce la costumbre de computar los honorarios según el número de millas.

—Yo me he levantado en pleno invierno (usted no ha visto todavía uno de nuestros inviernos) y como la nieve llegaba hasta la barriga del caballo, hacía señal a un tren de carga. Generalmente me conocían a mí y conocían mi maletín, y me llevaban hasta los montes, donde me dejaban nuevamente. Yo tenía que subir a través de la nieve, ladera arriba de la montaña, hasta cerca de una milla de la cumbre. Una vez allí tenía que asistir a un parto. Y cobraba cinco dólares. Y luego, vuélvete a casa como puedas. Algunos días sólo con la mitad de los cinco dólares.

"Y de ahí es de donde sale la clientela —se dijo Lucas, mientras asentía con un gesto—, de ahí y de los setenta y cinco centavos y de las visitas nocturnas a dólar y de los trajes de confección".

—Yo lo decía pensando en usted, doctor —explicó pausadamente. Los ojos del doctor Runkleman se habían animado. Paró el coche. Lucas miró por la ventanilla mientras su jefe saludaba con la mano a una mujer atareada en el jardín de una casa, bonita y de construcción reciente.

—Es mía —dijo el doctor—. La alquilo. Tengo en Greenville otras tres. —Y con una sonrisa taimada, añadió—: Todo gracias a las visitas de setenta y cinco centavos... y a no comprar todos los equipos nuevos que las casas proveedoras lanzan al mercado... —Y Lucas se acordó de los gastados instrumentos, del sencillo mobiliario del consultorio, de las desconchadas del linóleo.

Un rato después, el doctor Runkleman detuvo el coche en las cercanías de Madison, delante de una casa de vecinos de cuatro pisos.

—Voy un momento a ver mi portero —dijo, acentuando las palabras para recrearse con la estupefacción de Lucas. Al regresar a los pocos minutos, retrocedieron hacia Greenville.

El doctor Runkleman poseía también dos cuadras, un próspero restaurante junto a la carretera, a muchas millas de distancia, y varias fincas en diversos puntos. Lucas mirábale con ojos desmesuradamente abiertos.

—No sería conveniente que la gente se enterase —explicó lacónico el propietario, siempre sonriendo. Y Lucas comprendió que el doctor Runkleman no había honrado a nadie más con aquella confianza.

—¡Usted se lo ha ganado! —dijo, en tono resuelto.

—No conviene aumentar los precios. —Lucas sacudió la cabeza, todavía enmudecido—. Le revelaré un secreto. Estoy pagando los estudios de Medicina a dos muchachos. Dos hijos de labradores que saben lo que vale un dólar. Uno está en el segundo año; respecto al otro, pensaba que sería mi ayudante aquí, pero será misionero médico.

—¡Dios santo! —fue lo único que Lucas consiguió decir.

—Ahora, cualquier día, quizá dentro de un poco más o menos si todo marcha bien (y para entonces usted le habrá tomado ya el pulso al oficio) voy a retirarme. Estoy cansado. Tal como se desenvuelven los negocios, no tardaré mucho. No quiero sino una renta segura, un millar de dólares al mes para mientras viva. Estoy ya muy cerca, y cada día me acerco más. Entonces le arrendaré la tienda... ¿Qué le parece? O se la venderé... y usted podrá pagarme de lo que gane. Del modo que sea..., del modo que a usted le resulte mejor. Y luego me iré lejos. ¿Ha sentido alguna vez el afán de visitar Australia? Yo no sé por qué..., pero toda la vida quise irme allá. A pescar y a cazar... Sólo a cazar; quiero cazar mucho, tiempo... —El doctor Runkleman soltó una carcajada, riéndose de sí mismo—. Nunca he sido dueño de una escopeta... —Y se quedó callado.

Lucas trataba de ordenar sus pasmados pensamientos. Destacándose por encima de todo lo que había escuchado durante la hora increíble que acababa de transcurrir, martilleaban las palabras: "Le arrendaré la tienda... o se la venderé. Podrá pagarme de lo que gane..., dentro de un año, o quizá dos...".

—Bien, esto queda en absoluto entre nosotros. —Y el maduro médico miró a Lucas como un padre miraría a su hijo.

—¡Oh, Dios mío, doctor! —protestó Lucas, luchando por encontrar palabras.

El doctor Runkleman le dio una palmadita en la rodilla.

—Lo comprendo, lo comprendo. —Y movió la cabeza afirmativamente. Luego paró el coche, se desperezó como si acabara de despertar de una siestecilla, sonrió alegremente y exclamó—: ¡Ea, hemos llegado! ¡Lo mismo da que empecemos por aquí!

A los doctores Binyon y Blake casi se les podía tomar por hermanos. En el traje cada uno copiaba fielmente al otro; ambos lo llevaban de paños ligeros y de calidad, ambos fumaban en pipa, ambos llevaban gruesos zapatos, ambos llevaban el pelo corto, y usaban gafas con montura de asta.

—Como hoy teníamos una hora libre, he pensado que debía venir a presentarles a mi nuevo ayudante. Les presento al doctor Marsh —dijo el doctor Runkleman, en su papel de médico antiguo, enterado de las fórmulas.

—Encantado de conocerle —contestó el doctor Binyon, sin ningún entusiasmo.

—¿Será pariente, acaso, de los Marsh de Boston? —preguntó esperanzado el doctor Blake.

—No lo creo —respondió Lucas.

—Ya sabe de quién se trata, de Jordan Marsh, el de los grandes almacenes.

—No, estoy seguro de que no...

—Bueno, ¿y qué opina de nuestra hermosa ciudad? —suspiró el doctor Binyon. Y sin aguardar respuesta, añadió—: Yo me estaba preguntando hasta cuándo esperaría a buscarse un ayudante, doctor Runkleman. Con tanta tarea como lleva entre manos...

—Bien, señores —dijo el doctor Runkleman, levantándose—, me he creído en el deber de presentarles mutuamente para que se conozcan.

—¿Le gustaría ver nuestro establecimiento antes de marcharse?

—Muchas gracias —contestó Lucas.

Los dos asociados les enseñaron las habitaciones y el equipo, confiadamente orgullosos. En todas las dependencias brillaban aparatos e instrumentos nuevos.

El doctor Binyon dirigió una mirada a su reloj.

—Debemos irnos —dijo el doctor Runkleman—. Hemos de pasar por casa del doctor Kauffman.

—No hay prisa —contestó el doctor Blake, acompañándoles hacia la puerta.

—Encantado de conocerle, Marsh —dijo el doctor Binyon.

La puerta se cerró. Jefe y ayudante se dirigieron hacia el consultorio del doctor Kauffman.

—Tratan de poner en marcha una clínica —explicó el doctor Runkleman—. Esto significa que todo lo que hace un médico de Medicina general, ellos lo cobran a precios fantásticos.

—¿Qué tal son?

—Buena gente, supongo. Cuando se presenta una operación, operan los dos. No pocas veces llaman al doctor Gordon, de Lepton. Hace tres semanas, para operar un apéndice estaban cuatro, atareados como catorce.

Los dos médicos se miraron sonriendo, divertidos.

—Tuvieron que ser cuatro, ¿eh?

—En efecto. De algún modo han de pagar los nuevos equipos. Hace ya cuatro años que están aquí, y yo juraría que cada año han comprado cosas nuevas. Hasta ahora han tenido cuatro aparatos de Rayox X, cada uno más grande que el anterior. No se les puede reprochar nada. Tienen ideas propias respecto al modo de tratar a la clientela... y quizá estén en lo cierto... No se relacionan con los otros compañeros... A uno le dan la idea de que ellos son los misioneros, y nosotros, los demás, los salvajes.

—Cuando usted ha dicho que íbamos a ver al doctor Kauffman, se han mirado de un modo que me ha llamado la atención.

El doctor Runkleman se sonrojó.

—Han llegado habladurías a mis oídos —dijo pausadamente—. Le llaman "el judío" y me han contado que lo escarnecen delante de los pacientes... De todos modos, siempre pretenden desacreditar a uno o a otro... No sé que jamás hayan pronunciado una palabra de elogio de ninguno de nosotros... Jamás tuve en mucha estima a los médicos que no quieren visitar por la noche.

—¡No quieren visitar por la noche!

—Eso es lo que me cuentan los pacientes. Es otra de las novedades que han introducido. Ellos dicen que si el paciente se encuentra tan mal que necesita el médico, donde mejor estará es en el hospital, y le contestan, a cualquiera que solicite sus servicios, que llame a la ambulancia.

—¡No lo dirá en serio!

—¡Así lo hacen! Les dicen que vayan a la clínica. Y si el que les llama alega que el enfermo está demasiado grave para ir, ¡le contestan que lo lleven al hospital!

—¡Dios mío! ¿Y eso es eso Medicina?

—Es la que ellos practican.

—Pero, ¡no acudir a una llamada!

El coche se detuvo delante de una modesta villa.

—Ahora estamos en casa del doctor Kauffman. Es un hombre muy susceptible.

—Conozco el caso. —Lucas asintió con el gesto, indicando que le comprendía—. Tuve un profesor llamado Aarons...

—Siendo así, está al corriente. Buena persona. No tiene muchos clientes... Sí, me figuro que esa familia lo pasa bastante mal.

El doctor Kauffman, un hombre bajo y regordete que tendría la misma edad del doctor Runkleman, les saludó cortésmente, pero con aire desconfiado. A Lucas le hizo objeto de una minuciosa inspección.

—Me satisface poder darle la bienvenida, doctor.

—El doctor Marsh procede de la Universidad del Estado.

—¿Del Estado? —el doctor Kauffman arrugó la frente, pensativo. Su cara se iluminó—. ¡Ah, sí! ¡En este caso conocerá al doctor Aarons! —exclamó, con reservado acento, y en el rostro la expresión de la persona que espera le den noticias de un familiar.

—Era mi profesor de Patología. ¡Un hombre excelente! ¡Un gran profesor, no cabe duda! Se portó muy bien conmigo.

El doctor Kauffman sonrió satisfecho.

—Por supuesto, no tengo el placer de conocerle.

—Todo el mundo dice que vale demasiado para continuar en aquella Universidad.

—Sí, claro... —La sonrisa del doctor Kauffman perdió su animación—. Supongo que habrá probado a entrar en otra parte —concluyó en tono seco.

—Ahora venimos de la clínica —intervino el doctor Runkleman.

—¡Ah! —exclamó el dueño de la casa—. ¡La clínica! —Y luego de cruzar una mirada inexpresiva con el doctor Runkleman, preguntó cortésmente—: ¿Qué les ha parecido? Tienen todo lo que la ciencia moderna puede ofrecer, ¿no?

—Excepto el visitar por las noches —replicó Lucas.

El doctor Kauffman movió la cabeza afirmativamente.

—Quizá sea la nueva forma de tratar al público...

—Yo no sé... A nosotros nos enseñaron de otro modo...

—Durante treinta y cinco años, nunca he desatendido ninguna llamada, fuese de día, fuese de noche —dijo prestamente el doctor Runkleman.

—Yo pensaba que ésta era nuestra misión.

—Pero, ¿están seguros? —pidió Lucas—. ¿Están verdaderamente seguros?

—Joven —le dijo gravemente el doctor Kauffman—, lamento tener que informarle que los médicos son personas como las demás. Pertenecemos a la raza humana. Tenemos nuestros santos y nuestros pecadores. Y vivimos en un mundo gris. Desde hace veinte años, intento separar lo negro de lo blanco; pero en el único terreno que lo he conseguido ha sido en mis fotografías. —Y con el ademán indicó las paredes de su despacho, en las que se alineaban, dentro de lujosos marcos, unos cuadros con los juegos de luz y de sombra muy manifiestos.

—¿Las toma usted? —preguntó Lucas, sonriendo.

—Como pasatiempo nada más. Lo que podría llamarse..., ¿habla usted alemán?..., el arte por el *Arzt*.

—Lo siento; no hablo alemán.

—¿No? ¡Qué lástima! Hice un bonito juego de palabras. He de recordarla para contárselo a Marta, mi esposa. *Arzt* es la palabra alemana que significa médico. Yo creo que todos necesitamos un pasatiempo, de preferencia que esté relacionado con el arte. ¡En el campo artístico todos somos capaces de hacerlo tan mal!

—El año pasado, en el concurso, el doctor Kauffman conquistó dos premios del Condado —dijo orgullosamente el doctor Runkleman.

—¡Bah! ¿Eso? ¡Concursos del Condado! No... Yo intento hacer algo... Creo que todos deberíamos intentarlo...

—Me gustaría tener tiempo.

—¡Oh, tú! ¡Tú y tu monstruosa clientela!

El doctor Runkleman sonrió satisfecho.

—El doctor Kauffman y su esposa son el centro de arte de Greenville.

—Hemos de presentársela algún día; ahora está fuera, pintando.

—Pinta unas flores preciosas, mejor que las de verdad.

—¡No! ¡No! ¡Basta de flores! Ahora está con los árboles. Creo que lo hace muy bien. Veo que le gusta el arte, doctor. Parece que le complace examinar mis pobres esfuerzos. ¿Acaso usted...?

—¡Oh, no! —contestó Lucas—. Pero estaba pensando... ¿Podría usted sacar fotografías con su cámara a través del microscopio?

El doctor Kauffman le miró con ojos de sorpresa.

—No lo creo.

—Lo dice en serio —aclaró el doctor Runkleman, significativamente.

La faz del doctor Kauffman se apaciguó.

—¡Ah! —exclamó, dándose cuenta y sonriendo a Lucas—. ¡Ah, hijo mío! ¡Esto se le pasará! ¡Créame! ¡Todos lo hemos experimentado! El polvo de las salas de clase se le caerá de los hombros; olvidará las cosas que ahora le parecen tan importantes, y le quedará tiempo libre. ¡Le conozco, usted es un lector! Un día volverá su atención hacia la cultura, y será bien recibido en nuestro grupito. Mistress Kauffman le acogerá con afecto. Cada quince días da un té. ¡Verá usted las obras en cobre de nuestro amigo Ames, el de la aserradora! Y conocerá a un oficial de fontanero, un joven que es toda una promesa. Al principio se mostraba muy tímido. Trabaja el vidrio, hace pequeñas figurillas... Y las chicas... Es muy interesante. Quedará sorprendido. ¡Le diré a mistress Kauffman que usted lee! ¡Le aseguro que le interesará mucho.

—Ojalá tuviera tiempo.

—¡Vaya con el tiempo! El doctor Runkleman le dará permiso.

—¡A cualquier hora! —prometió calurosamente el doctor Runkleman—. ¿No se lo he dicho? ¡En el Condado tenemos un caso de erisipela!

—¿De verdad?

—Yo pensé que jamás vería uno —afirmó Lucas—. Es tan rara como la tifoidea.

—Mucho más. ¡Me parece que verá algún caso de tifoidea antes de que termine el año!

—He hablado nuevamente con el alcalde —dijo el doctor Runkleman, sin dar ninguna entonación especial a sus palabras.

El doctor Kauffman se encogió de hombros.

—¿Por décima vez? ¿O por decimoquinta? ¡Qué caramba! Algún día le tocará el turno a la escuela. Hasta entonces...

—Bien —dijo el doctor Runkleman, levantándose.

—Venga siempre que guste, doctor —invitó afectuosamente el doctor Kauffman—. ¡Nuestras esposas deberían conocerse! ¿Pinta, acaso, su señora? ¡Quizá le gustaría pintar! ¿O cultivar alguna otra especialidad? Mistress Kauffman le dará toda clase de facilidades. ¿Querrá decírselo?

—Mi esposa jamás ha tenido tiempo para nada parecido; era encargada del quirófano en el Hospital del Estado.

—¡Ah! ¡Comprendo! ¡Es usted un hombre afortunado! Bien, si ella o usted cambiasen de idea...

Mientras se alejaban en el automóvil, el doctor Runkleman movió la cabeza con aire de conmiseración.

—Cuando vino aquí, pasó una temporada muy dura —suspiró—. A causa de ser judío precisamente. Aún hoy... Yo trato de enviarle pacientes de vez en cuando, pero la mitad no van. No quieren que les visite un judío. Uno llegaría a pensar que el ser judío se contagia, o cosa por el estilo. Y, sin embargo, es un buen médico. Jamás he oído una queja contra él. Sólo que... es judío. —Y el doctor Runkleman hizo un gesto de resignación—. Me figuro que nosotros no podemos cambiar el mundo.

—No. Pero tampoco estamos obligados a unirnos al mundo.

El doctor Runkleman le miró sobresaltado. Lucas no dijo más. Aquel día había conocido a dos médicos en plan de negocio, a dos médicos que no visitaban de noche y para los cuales la ciudad de Greenville era una fuente de subsistencia. Y había visto el imperio de un hombre que se había hecho rico a base de visitas a setenta y cinco centavos, de un hombre cuya secreta ambición era dejar su establecimiento e irse a cazar a Australia.

Lucas pensó con nostalgia en Avery.

Si se hubiese ido con Avery, si hubiese escogido la enseñanza, jamás habría descubierto todo aquello. Y eran hechos patentes, era imposible ignorarlos. Aquellos hombres eran médicos, llevaban la toga encarnada. Aquellos eran los sacerdotes del mayor misterio del hombre, el hombre mismo.

Iban a la caza del dinero. Sus mundos giraban alrededor de la moneda. Tenían la mano presta para coger hasta el último centavo que se pusiera a su alcance.

¡Cuatro habían de reunirse para operar, sudorosos, un sencillo apéndice sin complicaciones!

—Exceptuando otras dos o tres ocasiones en el hospital, es la primera vez que veo a los doctores Binyon y Blake desde que se establecieron en Greenville —dijo calmosamente el doctor Runkleman.

—Confío que seré todavía más afortunado —replicó Lucas, con amargura.

—No verá a ninguno con mucha frecuencia —le tranquilizó su acompañante—. Nada más que al doctor Castle, y alguna vez al doctor Rankin, de Lepton. Alguna que otra vez le ayudamos —sonrió, rememorando algo.

Lucas se abstuvo de preguntar.

En el transcurso de una semana y aunque con algún recelo, esa vigilancia cedió un poco. Lucas se daba cuenta de que la herida que recibió su sensibilidad y el desorden interior subsiguiente no habían sido advertidos por nadie. Ningún ojo extraño había seguido el proceso.

El joven observaba a Kristina, pero ésta carecía de perspicacia para adivinar sus luchas íntimas. Para ella, el incidente del doctor Snider fue una lamentable repetición de un hecho que había presenciado desde sus primeros tiempos de enfermera, que miraba con disgustada indiferencia, pero que ya no la sorprendía.

—¡Una vez vi cómo un médico daba un puntapié en las mismas posaderas de una enfermera! La chica había cometido una equivocación; el médico se volvió, la cogió por los hombros, la mandó de un empujón hacia la puerta y en seguida echó a correr detrás, de modo que en el preciso instante que la enfermera llegaba a la puerta, ¡le dio una patada fenomenal en el trasero!

Luchas miró huraño, exasperado, a su esposa.

—Luego continuó la operación. Era un operador excelente... Tenías que haberle visto, Luke.

—Sí —contestó él, con ironía—. Sí, estoy seguro de que había de resultar muy interesante. —Su rostro se endureció—. Supongo que nadie daría parte.

—No lo sé —contestó Kristina, confundida—. El doctor Runkleman te aprecia mucho —dijo al cabo de un instante.

—Yo también le aprecio a él —respondió maquinalmente Lucas.

—No es culpa suya si las cosas van mal. Cierto que aquí es una figura importante, pero ha de aceptar el mundo tal como es.

—Y me aprecia. Ha de aceptar al mundo tal como es y me aprecia. ¿No es eso lo que querías expresar?

—Se da el caso de que sé cómo te pones cuando te excitas por algo —replicó ella, humildemente.

—Te gusta estar aquí, ¿verdad, Kris?

—Sí. Me gusta. Es el primer hogar que hemos tenido... Tú ganas bastante. En un par de años habremos ahorrado lo necesario... —Kristina se interrumpió bruscamente.

—¿Para ejercer por mi cuenta?

—Pues..., ¿por qué no? Algo parecido...

Pero entonces tendría que competir con el doctor Runkleman.

—El tiene muchos pacientes... y no sabe qué hacer ya con todo lo que ha ganado. Es muy natural..., él mismo no se figura otra cosa... En realidad no sería como si le hicieras la competencia...

Lucas la miró fijamente, y con una sonrisa glacial en los labios, sintiéndose alejado de ella por la anchura de aquella habitación y por el mundo de distancia que mediaba entre los dos. Kristina se puso encarnada, pero Lucas siguió mirándola con expresión cruel.

—Piensa retirarse dentro de uno o dos años —dijo en tono suave—.
Y cuando se retire, me venderá la clientela de la forma que yo prefiera.

—¡Oh, imposible!

Lucas observaba la llama de alegría encendida en los ojos de su mujer, la observaba desapasionadamente, y quiso aventarla más aún.

—Es completamente cierto. El me lo dijo.

—¡Y tú me lo habías dicho a mí! —Pero la exclamación era de gozo, no de reproche.

—No —convino él agradablemente.

—¿Y cuándo?

—Quiere marcharse a Australia a matar animales. Tiene la ilusión de cazar, éste ha sido el sueño de su vida. Y ahorrando el dinero, ha reunido una fortuna a base de los setenta y cinco centavos por visita. Calladamente está pagando la carrera de médico a dos muchachos. Posee casas y fincas en todas partes. Posee acciones. Y el mercado está en alza continuamente. Cuando llegue a los mil dólares de renta, mil dólares al mes para toda la vida, entonces se irá. Ahí tienes el cuándo. Cuando sea, lo mismo puede ser dentro de seis meses que de un año o de dos, a lo sumo.

—¡Oh, Luke! —Kristina se arrojó en brazos de su marido. Lucas sintió en los suyos el contacto de los labios, los cálidos labios de su esposa. Y recordó un tópico de siquiatría, la frase que el profesor pronunciaba con mayor seriedad: "Uno tiene que comprar a su propia mujer".

De modo que era verdad. La mujer que había en Kristina amaba por encima de todo la seguridad.

Y sin ningún miramiento la poseyó allí mismo, sobre la alfombra como un extraño.

Cuando ella salió de arreglarse, él estaba leyendo. Alrededor de Lucas se había levantado un muro, como si unos momentos antes no hubiesen estado forcejeando convulsos, susurrando y gimiendo por el suelo. Lucas leía. Sus manos sostenían el último número de una revista médica. Kristina, que sabía cuán poco conveniente era molestarle en tal momento, se alejó de puntillas, como si no fuera más que una parte del ajuar. En la publicación médica, Lucas leía los vallados artículos de su fe.

Junio fue un mes bochornoso regado por algunos chaparrones. Los campos y los huertos se convirtieron en ordenadas selvas de verdor. En una quincena, sobre el verde pálido y sobre el verde oscuro apareció, rosada, blanca como la espuma, escarlata, una alfombra de floraciones. Salieron las flores y los capullos. Sus colores entusiasmaron a Lucas por espacio de un día; luego pasaba por el campo yendo a ver a los enfermos, sin acordarse. Aquella floración semejaba los carteles de circo, que se leen en un momento con la delicia que proporciona la novedad y que pronto pierden todo su interés.

El doctor Runkleman anunció gravemente:

—Será una cosecha nunca vista. Todos los granjeros del Condado se comprarán un "Cadillac". —Y con una sonrisa sesgada sin la menor esperanza, añadió—: Quizá me paguen alguna de las cuentas pendientes.

—¿No nos alejamos un poco de nuestra ruta? —preguntó atentamente el joven médico.

—Quiero enseñarle algo que creo que le interesará. De vez en cuando paso a visitar a un par de muchachas viejas que tengo ahí. Son dos enfermeras. Vinieron después de la guerra. Y me temo que una de las dos habrá de perder el pie.

—¿Dos mujeres? —El coche había dejado el macadán y se internaba con precaución por las vueltas y revueltas de un mal camino que serpenteaba entre bosques y matorrales.

—Me figuro qué es lo que ellas quieren. Viven completamente apartadas de todo el mundo. Se encontrarían, sin duda, a cinco millas de la casa más cercana. —El coche se paró delante de una vivienda antigua, azotada por el tiempo. Los dos médicos vadearon la hierba, que les llegaba hasta las caderas, y atisbaron por las ventanas.

—Ha de haber alguien dentro —dijo dubitativo el doctor Runkleman—. Fabrican pan y una vez por semana, Agnes, que es la que está bien, conduce la vieja carraca que poseen hasta la ciudad y lo venden.—Así diciendo, fue a llamar a la puerta trasera—. El doctor Castle y yo nos turnamos para ver si les ocurre algo.

Cuando ya estaban a punto de volverse, después de aguardar un rato, la puerta se abrió súbitamente. Una mujer menuda como un pajarillo, de cerca de los setenta años de edad, y cuyos ojos brillaban alegremente, se alisó la descolorida falda de algodón y se apartó a un lado.

—¡Entre! ¡Es usted! ¡Entren, entren! ¿Quién le acompaña?

—Este joven es el doctor Marsh. Le dije que viniera para que las conozca. Es mi ayudante.

—¡Hola! ¡Qué guapo joven, caramba! —Y al pasar Lucas, le tentó el híceps.

Lucas le guiñó el ojo afectuosamente. Se sentía complacido. De aquella mujer se desprendía una atmósfera de independencia, un aura de actividad y de indiferencia total respecto a las actitudes, a los sentimientos que las personas han calificado de muy importantes. Parecía haberlos perdido mucho tiempo ha.

Al atravesar la cocina, Lucas vio una amasadora de panadero y un gran horno con dos trampas.

—De modo que aquí es donde cuecen el pan —dijo, tratando de realizar los primeros movimientos del juego para disipar toda hostilidad.

La mujer esperó pacientemente que terminase de inspeccionar el aparato gracias al cual ella preparaba el pan suficiente para venderlo cada semana en Greenville y con el producto comprar tabaco, papel, harina, leche condensada, levadura y medicinas.

—Es muy bonito, ¿eh? —preguntó el doctor Runkleman.

—¡Maravilloso! Confío que algún día me encontraré aquí cuando esté cociendo. Me agrada sobremanera el aroma del pan recién cocido.

—Yo ya no lo noto —contestó ella con indiferencia, abriendo la marcha hacia el dormitorio.

La enferma se le parecía; habrían podido ser hermanas. Lo cual resultaba más extraño, pensaba Lucas, precisamente porque sus caras no poseían ningún rasgo común.

—Gloria —dijo la que había salido a recibirles—, te traigo un regalo. Aquí tienes a otro médico.

En la mal amoblada casa, el papel de cuyas paredes se desprendía en múltiples puntos y la madera cuyo desgastado suelo carecía casi en absoluto de alfombras, el cuarto de la enferma resultaba algo completamente inesperado. Contenía dos camas, un armario, un espejo pequeño y delicado media docena de vistosos calendarios, cuatro sillas de madera y cuatro mesitas. Las cuatro mesitas estaban alineadas alrededor de la cama de la enferma. Por su parte, aquella cama constituía una representación de las funciones de una de hospital, tan bien como lo permitían los materiales disponibles en un lugar tan apartado de la civilización, y la industria de una enfermera. Rodeábalo un armazón de tubo ordinario, de los largueros superiores del cual colgaban diversos cabestrillos y poleas. En la cabecera, atada a una cuerda, colgaba una lámpara descubierta. De la pared, junto a la cama, pendía una pesada cacerola de hierro, y la cuerda que la sostenía estaba atada, a su vez, a un grueso clavo, del cual pendía por medio de otra cuerda resistente un grueso cucharón de hierro.

—¿Le llaman la atención? —Y al mismo tiempo que le dirigía la pregunta, Gloria cogió el cucharón e izándose por medio de una polea de la cabecera golpeó la cacerola. Por la estancia se propagaron las vibraciones del campanillazo. La enfermera sonrió dichosa.

—De esta manera me llama —dijo Agnes, sonriendo.

—Ambas hemos sido enfermeras el tiempo suficiente para escoger mejor recurso que el confiarnos a la luz discreta y al discreto zumbador. ¿Qué le ha traído por aquí, doctor? Hace pocos días que vino el doctor Castle.

—Quería que conocieran a mi nuevo ayudante. ¿Cómo sigue el pie?

—Creo que necesitaremos más píldoras para el dolor —respondió alegremente Agnes.

—Sí —convino Gloria—. Otra vez nos quedan pocas. ¿Quiere ver el pie? —Y empezó a deslizarlo por debajo de la sábana. Ni Agnes ni el doctor Runkleman hicieron movimiento alguno para ayudarla. Lucas se apresuró a quitar la ropa—. Generalmente lo hago por mí misma —le dijo la enfermera, calmosamente.

—Dispense —contestó Lucas, sonrojándose.

—No hay de qué. Lo que pasa es que me gusta hacer por mí misma todo lo que puedo. Y mientras pueda.

El pie tenía un color azulado. Le faltaban ya las uñas. En el trozo donde estuvo pegado el parche aparecían tres agujeros en forma de cráter y un manifiesto desgaste de los tejidos.

—Parece como si lo hubieran roído los ratones —comentó Gloria, con interés.

El doctor Runkleman pintó el área con antiséptico y volvió a colocar los trozos de tela que la cubrían.

—¿Qué opina? —le preguntó la paciente.

—Las dos son enfermeras. ¿Qué opinan ustedes? —replicó él, sonriendo.

—Parece como si ese pie tuviera que ser cortado a no tardar —asintió Gloria, sin darle importancia.

—Todavía lo conservaremos algún tiempo.

—Quizá la libraría en parte del mal que la corroe —dijo Agnes.

—Y acaso me hiciera más atractiva a los ojos de los hombres —añadio Gloria—. Los chicos prefieren a las mujeres con una sola pierna. No pueden correr tanto.

—En el hospital base había un marinero con una sola pierna, ¿te acuerdas, Gloria? Era el terror. Pellizcaba a todas las enfermeras del establecimiento.

—¡A tí no te pellizcaba! ¡Me pellizcaba a mí!

—¡A mí me dejaba morada y azul!

—¿Le ha dicho el doctor que estábamos juntas de enfermeras durante la guerra? Ella es inglesa; yo soy americana. Nos encontramos en el hospital base, y cuando la guerra terminó, teniendo en cuenta unas cosas y otras, decidimos venir aquí, o sea, a cualquier sitio donde hubiera mucho bosque y ninguna gente. Creo que hemos visto demasiado, ¿no es verdad, Agnes?

—Vimos de sobra siendo enfermeras. Luego vino la guerra a colmar la medida.

—Sí, la guerra completó la lista. La gente es valiente y es miserable, es buena y es mala. ¡Al diablo con ella! Ya hemos visto de sobra.

—Le habíamos visto cuando vinimos.

—¿Quieres decir que hemos cambiado algo en la actualidad?

—No, pero ahora podemos aceptarla o dejarla; estamos en libertad. Después de ocho o nueve años en este sanatorio, podemos escoger.

—¡Miren cómo habla la inglesa maldita!

—¡Miren cómo habla la pobrecita yanqui!

—Ahora ya sabe todo lo referente a nosotras. ¡Mírales, Agnes! ¡Escucha los chirridos de sus palancas!

—Estaba pensando nada más —protestó Lucas.

—Dos solteronas viejas que viven solas entre los montes. Dos viejas lesbianas... ¿Cuál será el hombre? ¿Cuál la mujer?

—En realidad, no nos interesaban mucho los hombres —reconvino Agnes.

—Es un estado de espíritu consecuencia de la guerra. Bueno, ¿cuándo volverá a vernos?

—Pasaremos por aquí cualquier día —dijo el doctor Runkleman, cerrando el maletín.

—Tráigame a ese chico tan guapo. No me haga caso, doctor, pero ¡es tan agradable el no tener que andar ya más con el "Sí, señor", "No, señor", detrás de los médicos!

—Gloria es verdaderamente cariñosa, en realidad —explicó Agnes—. Tiene un corazón grande como una remolacha. Y de la magnitud del corazón habla la boca.

Desde su lecho, la enferma les despidió alegremente con la mano.

Cuando entraban nuevamente en la cocina, Lucas se disponía a tomar la palabra, pero viendo la seriedad de su faz, Agnes movió la cabeza negativamente para que no lo hiciera.

—¿Ha terminado la cochura para esta semana? —preguntó el doctor Runkleman, levantando la voz.

—Todo está listo hasta la próxima.

Al salir al exterior, Agnes cerró la puerta cuidadosamente y fijó la mirada en el doctor Runkleman.

—Perderá el pie mucho antes de lo que ella cree—dijo el doctor, muy a su pesar.

Agnes se volvió hacia Lucas.

—¿Qué le parece a usted?

—Yo se lo cortaría en seguida —respondió el joven.

La mujer miró nuevamente al doctor Runkleman.

—Quizá podamos conserváselo cosa de otra semana, quizá un mes...

—Necesita más píldoras. En la actualidad se las come, literalmente. El doctor escribió una receta.

—No quisiera convertirla en una morfinómana.

—Todavía no —convino Agnes. Y dirigiéndose a Lucas, añadió—. Venga cuando guste, doctor. A Gloria le ha inspirado simpatía. Aquí, el doctor le explicará que no debe hacer caso de su vocabulario.

—¿Qué hará con ella? —le preguntó el doctor Runkleman.

—Afrontaremos la contingencia cuando se presente.

—¿Se trasladan a la ciudad?

—No lo creo. ¿Para qué?

—No se quede sin morfina.

—Con esta bastará.

Los dos médicos se marcharon.

—¿Ha visto? —preguntó el doctor Runkleman, con acento de admiración—. ¿Ha visto jamás una cosa parecida?

—Son dos mujeres valerosas —convino Lucas.

—Tienen pocas necesidades. Y cada una cuenta con la otra. He ahí su mundo particular. Hacen unos dólares de vez en cuando y lo demás se lo procuran cultivando un trozo de tierra. Pero, ¿es capaz de imaginarse una cosa más inverosímil? ¡Dos enfermeras enterrándose de este modo!

—Pronto perderá el pie. Y ahora lo perderá por entero.

—Lo sé. Y ella también lo sabe. Debería oírla en algunas ocasiones. Le habla como si fuera una persona.

—Tromboangitis obliterante, o enfermedad de Buerger.

—Yo diría que es endoarteritis.

—¡Oh! ¿Endoarteritis? ¿De veras?

—Sí, creo efectivamente que se trata de una endoarteritis.

—¿No es la enfermedad de Buerger?

—No lo creo... Veamos. En la endoarteritis se inflama la capa interior de una arteria y como el tejido regenerado oblitera la luz...

—Pero, ¿no ha encontrado venas y arterias que se rompían, con todas las capas afectadas?

—Creo que puede llamarse endoarteritis igualmente.

—¡Dispense! —Lucas se mordió el labio, mortificado—. Yo habría jurado...

En realidad no importa. Los vasos sanguíneos se rompen cada vez más aprisa. El pie se va consumiendo. Gloria se elimina por su propia mano el tejido gangrenoso con unas tijeras de costura. Y cuando ella no alcanza, se lo hace Agnes.

—Me pregunto si podremos salvarle la pierna.

—Yo no me atrevería a decir que sí. No...

—Tiene el otro pie un poco tumefacto y con las puntas de los dedos azules.

—Ese vendrá a continuación... —Moviendo la cabeza, exclamó admirado—: ¡Vaya pareja!

—¡Formidables! —coreó obedientemente Lucas. Pero ¿cómo se le había pasado por alto la endoarteritis? Con la enfermedad de Buerger, la paciente estaría sin pie desde mucho tiempo. ¿Cómo había tenido semejante desliz? Era el primer diagnóstico equivocado que había hecho en tres años. ¿Realmente el primero? ¡El primero que se había puesto en evidencia! Y delante del doctor Runkleman. Lucas apretó los labios, enojado.

—Su caso de úlcera perforante falleció ayer —dijo el doctor Runkleman.

—¡No! ¿Era de verdad una úlcera perforante?

—No creo que quepa la menor duda. Hizo usted blanco al primer tiro.

"¡Dios mío, sí, acerté! ¡Hice diana al primer disparo!". Lucas se maravilló de la misteriosa precisión de sus aciertos en cuestión de diagnósticos. Vio nuevamente al hombre aquel tendido en la camilla delante del quirófano, esperando que le entraran. Oyó cómo el doctor Runkleman le pedía que le echara un vistazo. Y se vio a sí mismo acercándose al paciente, observando sus hundidas mejillas, su azulado rostro, observando que movía los dedos y que el dolor contraía su barbuda faz, mientras él tentaba el abdomen por segunda vez. Vióse al dar media vuelta y escuchó de nuevo las palabras "úlcera perforante" saliendo repentinamente de sus labios. Y contempló con la imaginación el asombro pintado en la cara del doctor Runkleman.

Fue una temeridad sentar aquella afirmación con tal rapidez y tal contundencia. El retuvo el aliento, mientras el doctor Runkleman meditaba. Las enfermeras empujaron la camilla. Y cuando se habían vestido ya, cuando estaban uno a cada lado de la mesa y al enfermo se le había dado una inyección intrarraquídea, y se disponían a empezar a cortarle...

El doctor Runkleman había hecho una pausa, dudando. Luego miró con atención el rostro azulado del paciente.

—No me corten —suplicaba éste, desesperado—. No me corten —gimió de nuevo.

Era la súplica habitual anterior a la operación.

—¿Qué no le cortemos? —comentó entonces el doctor Runkleman.

Y mientras Lucas le miraba pasmado, repitió—: ¿Qué no le cortemos?

—Luego, y sin dejar de mirar fijamente al azulado rostro del enfermo, empezó a quitarse los guantes—. Muy bien, muy bien, si usted quiere que no le corten, le diré lo que vamos a hacer... ¡No le cortaremos!

Y giró sobre sus talones, y él, Lucas, le siguió hacia el cuarto de vestirse. Las pasmadas enfermeras bajaron al paciente de la mesa, lo pusieron nuevamente en la camilla y lo devolvieron a su cama.

—Estaba muy azul —dijo Lucas, obedientemente.

—Me parece que no tiene remedio.

—Sí, está cianótico.

Se nos hubiera muerto encima de la mesa. No interesa tener una defunción en el historial quirúrgico. Y para nada.

Se vistieron en silencio. El doctor Runkleman estaba un poco indignado por la treta de que casi les hizo objeto aquel hombre. Se habían detenido en el momento preciso.

El doctor Runkleman sentía aversión por los sentenciados; no quería nada con ellos. No quería verles ni tratarles. Lucas recordó, malhumorado, aquella realidad. Cada hombre tiene sus defectos, incluso en el terreno profesional. El del doctor Runkleman era ése. En todo lo demás resultaba un hombre admirable. Era un médico excelente de veras. En cuanto a sus inversiones, a su interés por el dinero..., nada, en tal aspecto era como un niño dichoso. Aquello no constituía una verdadera pasión, una parte de su personalidad, sino un juego, un pasatiempo, una resultante incluso de su penosa infancia... Pero algún día, Lucas le demostraría suavemente que uno debe enfrentarse también con los condenados, y que el ser un enfermo incurable es sólo una circunstancia como cualquier otra... Algún día planearía el problema afectuosamente, con tacto y cautela infinitos.

¡Pero en fin de cuentas, aquello era úlcera perforante!

Y el doctor Runkleman tenía razón. El paciente, retornado a su lecho, continuó pocas horas en él, murió aquella tarde. Habría muerto en la mesa de operaciones.

¡Pero era una úlcera! No cabía duda.

El había acertado.

—No debí ser tan rápido —excusóse—. Un segundo después de haber pronunciado aquellas palabras, comprendí que no debía precipitarme tanto. Sencillamente, se me escaparon.

—¿Quiere que le diga una cosa? Yo ni siquiera había pensado en la posibilidad de una úlcera.

—Supongo que por mi parte no fue más que una corazonada. Sé que no tuve tiempo para pensar.

—Usted siga teniendo corazonadas como aquélla. Sí... y aquel caso de depauperación, el hombre cuya mujer se le tomaba las medicinas, ¿quién habría pensado en la malaria? ¿Y menos a estas alturas; a tres mil pies sobre el nivel del mar? Ni siquiera se me ocurrió nunca preguntarle si había vivido en los pantanos antes de venir acá. ¿Y la mujer del melanoma? ¿Y el niño epiléptico que no tenía epilepsia?

El doctor Runkleman expresó su admiración con una sonrisa, añadiendo:

—¡Usted siga por este camino!

—¡De todos modos, otra vez no seré tan rápido! Por lo menos, si se trata de una endoarteritis.

—¡Bien, ahora ha visto ya a mis dos solteronas!

—Son admirables —respondió Lucas, cumpliendo con un deber—. Sencillamente, admirables.

Aquella tarde necesitó un impreso, y como el doctor Runkleman estaba atareado, lo buscó él mismo en su escritorio. En un cajón del fondo encontró una gran bandeja para instrumentos de acero inmaculado, llena hasta los topes de billetes y monedas.

Lucas llamó a miss Snow, y señalando el dinero, le preguntó:

—¿Qué es esto?

La enfermera miró atónita en la dirección que le indicaban. De súbito, vio el dinero y contuvo la respiración.

—¡Dios mío! ¡Ya empieza otra vez!

Miss Snow sacó la bandeja y la volcó exasperada sobre la mesa.

—¡Con ser un hombre sensato y en muy buena posición, a veces sale con las chiquilladas más inexplicables!

—¡Aquí habrá muy bien seiscientos o setecientos dólares —maravillóse Lucas.

—¡Por lo menos! Y él lo guardaría aquí tranquilamente, sin decirme nada, yo enviaría las facturas...

—Pero, ¿con qué fin?

La enfermera cerró los labios y se encogió de hombros.

—Es una de sus pequeñas tretas. No sé si usted lo habrá advertido o no —añadió en tono seco—, pero el doctor no odia demasiado el dinero. Y, de paso, ¿dónde estaban ustedes dos esta tarde cuando vino el *sheriff*?

—Fuimos a ver a las dos enfermeras ancianas, las que viven solas.

—Debí suponérmelo. Bueno... yo le he resuelto la cuestión. No tendrá que presentarse. Es un niño, sabía muy bien que hoy vendría el *sheriff*.

—¿Para qué? ¿Qué ha ocurrido?

—¿No se ha enterado? Pues que han pescado al callista de marras, y, además, en flagrante delito... Estaba en mitad de sus manejos para provocar un aborto, cuando entraron en su casa. Creo haber oído que la madre de la chica les dio la confidencia... ¡De todos modos, le han pescado! Y el doctor no tendrá que testificar...

—¿No tendrá que hacerlo? ¡Pero *querrá* hacerlo!

La enfermera sonrió cariñosamente.

—Esto no es lo que me dijo a mí. No. ¡Además, tiene razón! ¿Por qué motivo ha de querer verse mezclado en un asunto como ése?

—Estoy seguro de que se equivoca, miss Snow —replicó Lucas, esforzándose por dominar la voz—. ¡Precisamente el doctor Runkleman estaba esperando el momento de que cogiesen al individuo ése! Sé que le causaría una profunda satisfacción el actuar de testigo.

—Entonces, usted no conoce al doctor Runkleman —exclamó ella, riendo—. ¡Caramba, estoy convencida de que primero emprendería un viaje fuera del Estado, antes que testificar en un asunto como el presente! Y yo sería la última persona que dijese que haría mal. ¿Para qué le necesitan? Al infractor le han cogido con las manos en la masa, ¿verdad? Esto le dije al *sheriff*. No puedo afirmar que me haya dado mucho trabajo. —La enfermera guiñó un ojo exageradamente—. Usted ya sabe la enfermedad que le estamos tratando. Ha bastado que hiciera lo que me ha indicado el doctor Runkleman. He dicho: "*Sheriff*, el doctor Runkleman me ha encargado, para mayor seguridad, que le preguntase si las píldoras aquéllas hacen efecto". —Miss Snow soltó una carcajada—. Entonces se ha callado como una esfinge. Luego ha dicho que era un caso que se resolvería sumarísimamente, y que, de lo contrario, volvería. Yo le he dicho que mejor que no volviese. ¡De modo que esta cuestión ha quedado resuelta!

Miss Snow cogió la bandeja de dinero.

—Ahora ya no me queda sino averiguar de quiénes procede esto, ¡y otro caso resuelto! —La enfermera suspiró con fingida desesperación y se dirigió hacia la puerta—. Todo va bien, doctor —añadió ella, formalmente—. No se preocupe por ello.

—No —dijo Lucas—. No me preocuparé... Gracias, miss Snow.

—Cuando lleve algún tiempo aquí... —Miss Snow dio una cabezada tranquilizadora, le guiñó el ojo y se fue.

Lucas se dijo que uno jamás debía ser sensato.

Sentado sobre la mesa de operaciones del quirófano del Condado, haciendo oscilar lentamente las piernas colgantes, la oscuridad de la estancia le daba una sensación de seguridad, le confundía con los objetos que le rodeaban.

Nadie pensaría en ir a buscarle allí. Era muy poco probable que nadie entrase en el quirófano a tales horas. Era de noche; los pacientes dormían, el operado a quien había cosido últimamente fue llevado a su lecho, y por lo que sabía todo el personal, él también se había ido a su casa. Estaba solo. La soledad actuaba como un remedio, como un sedante, poseía una dulzura inefable.

Lucas se deslizó fuera de la mesa. Le sabía mal abandonar la oscura sala. Al dirigirse hacia la puerta sabía que con unos pasos más estaría de nuevo a la luz; habría regresado inexorablemente al mundo. Pero no podía hacer otra cosa. Una enfermera que se cruzó con él tuvo un sobresalto; le creía en su casa desde hacía varias horas. Lucas sonrió y saludó con una breve inclinación de cabeza.

—Me estaba preguntando si mañana me necesitará —dijo— a primeras horas del día siguiente.

—¿Mañana? —preguntó sorprendido el doctor Runkleman.

—Es domingo.

—¡Es cierto! ¡Caramba, sí lo es! ¡Pues claro, váyase! ¿Qué hará? ¿Llevar a la señora al campo?

—No —respondió Lucas—. He pensado que podría ir a pasar el día con los muchachos de la Universidad.

—¿No le habrá ocurrido algún contratiempo? Quiero decir, si se hubiese suscitado algún problema que yo le pudiera resolver...

—¿Contratiempo? ¿Aquí, quiere decir? ¡Cielos, no!

—Siempre que pase algo, ya lo sabe, no se lo calle. Podría darse el caso de que yo no lo hubiera advertido.

—¡Descanse! —exclamó Lucas, afectuosamente.

Y estrechó la mano del doctor Runkleman.

—No estaré de regreso hasta mañana por la noche y muy tarde. Puede que vuelva el lunes por la mañana —le dijo a Kristina a la hora de cenar.

—¿Adónde vas? ¿Qué ha pasado?

—No ha pasado nada. Te he dicho solamente que puede darse el caso de que no llegue a casa sino hasta muy avanzada la noche de mañana o a primeras horas del lunes. ¿Acaso ha de haber pasado algo?

—Como no me has dado la menor explicación...

—Quiero ir a la Universidad. Quiero hacer un viaje. Cogeré el tren y me llevará a la capital. Luego, cuando haya terminado regresaré a Greenville.

Lucas se comportaba de una manera cruel con su esposa; lo comprendía, pero no podía remediarlo.

—¡Buena idea! ¡Te hará bien! Con el trabajo que has tenido...

—De acuerdo —la interrumpió—. Ahora ya lo sabes. Y cogió una revista médica.

—Es posible que veas a Avery. Dale recuerdos de mi parte.

Lucas contestó con una cabezada.

Después de lavar los platos, Kristina se sentó y estuvo un buen rato ociosa, mirando a su marido que leía. Y al pensar en el viaje que le había anunciado, se acordó del hospital y acarició el recuerdo largamente. Rememoró los días que había pasado en él y experimentó una dulce y gozosa sensación al pensar en sus dominios, en los saludos que le dirigían los doctores (porque ella era la encargada del quirófano y la gasa atada alrededor de su cabeza equivalía a una condecoración), al volver a ver las miradas de respeto que la seguían al pasar, Kristina sonrió, exhaló un suspiro y paseó la mirada por su hogar, su hogar propio... Sí, su vida había sufrido un gran cambio, pero aquel era su puesto. Entonces se acordó de la cofia que colgaba en el armario, y un ramalazo de cariño por aquella prenda conmovió su corazón. Y cediendo a un impulso repentino, Kristina se levantó silenciosamente, alejóse de puntillas para no estorbar a Lucas y fue hasta la vecina habitación, donde ya caminó más despreocupada, y abrió el armario. La cofia estaba allí, colgando recta, digna, paciente. La joven la acarició, como si con sus caricias volviera a tomar posesión de ella, como si le dijera que estaba allí. Después la descolgó con gesto vivo y se la llevó a la cocina. Allí preparó la tabla para planchar y enchufó la plancha.

Trabajaba absorta, ensimismada, cuando oyó a Lucas que estaba detrás.

—¿Qué haces, en nombre de Dios?

—Se me ha ocurrido que podía planchar esto. Como estaba sin hacer nada y tú leías, he pensado... No creía que me hubieras oído.

—Estabas cantando.

—¡Oh, Luke! ¡Lo siento! No me he dado cuenta.

—Esta es tu cofia, ¿verdad? ¿Para qué diablos la planchas, y a estas horas de la noche?

—Se me ha ocurrido pensar que... uno nunca sabe lo que puede ocurrir. ¡Quizá un día la utilice!

—¿Utilizarla? —Lucas trató por un momento de desenredar aquel enigma, de penetrar en los procesos mentales de su mujer. Pero abandonó la empresa.

—¡Jesús! —exclamó—. ¡Renuncio!

Acto seguido se fue al dormitorio, desnudóse rápidamente, tendióse con cuidado en la parte que solía ocupar y se volvió de espaldas. Entonces pensó en el tren y una ola de felicidad sumergió su irritación. Lucas cerró los ojos. Cuando Kristina entró, ya estaba dormido.

Al día siguiente, mientras se acercaba a la morada de su amigo, sufrió unos minutos de terror al pensar que quizá Avery no estuviera en casa, que tal vez hubiese salido. Durante el viaje, en el tren, había intentado leer, había querido mirar el paisaje y fijarse en las caras de los demás viajeros, había tratado de no pensar en nada, de mantener su mente en absoluta inactividad. Ahora, en cambio, se aglomeraba en ella todo lo que pugnaba por escapar de sus labios. Lucas tocó el timbre sintiéndose presa del pánico. No hubo respuesta. El joven se quedó mirando la puerta con ojos incrédulos. Luego, en un acceso, mezcla de terror y de rabia, oprimió el timbre varias veces consecutivas.

La puerta se abrió.

Avery le miró asombrado.

Una hora después, pasada la efervescencia del primer encuentro, se produjo un breve silencio. Lucas buscaba mentalmente una manera de empezar. Avery le miraba con afecto.

—Tú no has cambiado mucho —terminó por decir desmañadamente Lucas.

—Y tú no has hecho el viaje para discutir qué tal me conservo.

—Tengo que hablarte de muchas cosas.

—Eso está mejor. ¿Quieres que demos un paseo en coche?

—¡Naturalmente! ¡Eh! ¡Aguarda un minuto! ¿Significa esto que tienes coche?

—Pero, ¿no me has oído, hijo mío? Estamos en una época de gran prosperidad. Hoy día hasta los pobres profesores poseen un "Daimler". El mío es un "Ford". Invertí doscientos dólares en unas acciones llamadas U. S. Carbón...

—¿Quién te aconsejó?

—Abrí un periódico por la página de finanzas, cogí un alfiler y lo clavé a ciegas.

—¡Dios mío! —exclamó Lucas, mientras se dirigían hacia el automóvil—. ¿Eres capaz de imaginarte cuánto le habrá afectado a Alfred todo esto?

—Alfred no lo pasó muy bien, al principio. Han llegado continuamente pequeñas historias referentes a su vida. Mientras estuvo aquí, fue el representante del mundo de los acaudalados. Era el muchacho rico, la genuina encarnación de la riqueza.

—Pues ya sabes lo que anhelaba. Para él, vivir en Nueva York habría sido lo mismo que si le hubiesen dejado suelto dentro de la Tesorería.

—No. No fue de este modo. En Nueva York los muchachos ricos no constituyen un fenómeno raro. Alfred hubo de luchar contra un buen número, contra un verdadero ejército de jóvenes ricos, muchos de los cuales lo eran más que él, para conquistar una clientela en Park Avenue. Y como en el terreno que se libraba la competición lo que cuenta no son los bienes materiales..., pues hubo de confiarse nuevamente a los conocimientos y a la destreza profesional.

—¿A ti te va bien, Avery? ¿Te gusta enseñar?

—Sí —dijo después de un instante de reflexión—. A veces resulta... —Avery hizo un ademán indicando que no encontraba la expresión—. ¡A veces hasta tú te sentirías dichoso!

—¿Qué te parece el profesorado... para mí?

—¿Quieres ser profesor?

—No lo sé...

—¡Oh, vamos, Luke!

—¡Lo que hago no cuadra conmigo! —Lucas se irguió en el asiento—. No puedo seguir más; tengo ya bastante. He agotado mi capacidad de resistencia. Y sé que nada mejorará, sino al contrario. Es como una maldición. Ya estoy harto de retroceder, de continuar trabajando con una máscara en el rostro, fingiendo que no ha ocurrido nada, cuando me asquea infinitamente lo que ocurre... No puedo soportarlo más...

—¡Diantre, Luke! Nosotros lo habíamos discutido muchas veces. Cuando tú no estabas presente tenían lugar unas sesiones tempestuosas comentando lo que te esperaba, sintiendo lo que tú sientes. ¿Por qué piensas que no lo conozco?

—No es posible. Tú supones que se trata de una vaga decepción en el terreno de las ilusiones, de un idealismo femenil alimentado por un muchacho, ¿verdad? ¡De una conmoción que sufren las sensibilidades delicadas!

—Es un problema de adaptación, en efecto.

—Pues aquí es donde te equivocas precisamente. ¡Dios todopoderoso! ¡Si tuviera que adaptarme a todo aquello! ¡A lo que he visto! ¡A lo que sé? ¿Adaptarme? ¡Jamás! ¡No puedo! ¡Ni siquiera saber cómo lo conseguiría! ¿Quieres que me adapte al asesinato? Porque te juro que he presenciado asesinatos... ¡No equivocaciones, no apreciaciones falsas, no mala suerte, sino asesinatos evidentes, simples, premeditados! ¡Cometidos por un médico! ¡Por un doctor en Medicina!

—¡Tranquilízate, Luke!

—¿Debo tranquilizarme? ¿No me crees? Tú no conoces a Snider. Yo te contaré unas cosillas del doctor Snider. Es viejo, masca tabaco, ha olvidado casi todo lo que supo de Medicina, y jamás supo mucho;

es el director del hospital de un condado y lo tiene en marcha con poco gasto. Recuerda ahora que te estoy hablando de un médico. Y que mata a los pacientes. No sé cuántos habrán muerto por error. ¡Sólo Dios lo sabe! Pero en el hospital hay la sala de Rayos X, que está siempre a una temperatura polar. Cuando los pacientes se hacen muy viejos, manda que les lleven allá, les quita las mantas y... neumonía (enemiga del joven, amiga del viejo), ¡los asesina! El médico planea su muerte y la ejecuta. Con ello queda sitio para otros.

—¡El malvado! ¿Por qué no lo denuncias?

—Porque es viejo. Porque el doctor Runkleman no quiere que lo haga. Porque de todos modos se mueren. ¿Cuál es la respuesta, Avery? ¿Tiene razón, en fin de cuentas? ¡He ahí lo intolerable, he ahí el horror! ¿Es él quien está en lo cierto?

—¡Dios santo! ¿No me lo preguntarás en serio? ¿Verdad que no?

Lucas le contó entonces el caso de Carlile Emmons.

—Gané ocho horas. Luego murió, a pesar de todo.

—¿Qué te pasa, Luke? Ni en tu mano ni en la mía está el decidir cuándo debe morir un hombre. Esta vez ganaste ocho horas. ¡Dios mío! ¡Otra vez ganarás un día! ¿Qué dice Runkleman?

—Dice que Snider es viejo. En cierto modo, dice también lo mismo que Snider. Dice que muy pronto la edad obligará a Snider a retirarse. Y hasta entonces.. ¡Ea, es un anciano! No puede durar mucho. ¡Y yo aprecié a Runkleman! Conmigo se ha portado estupendamente. Además, es un operador soberbio. Le tomé afecto ya desde el primer momento que le vi. Y más aún cuando le vi operar. ¡Tendrías que verle tú! Entonces comprenderías los sentimientos que me inspira, que son los mismos que te inspiraría a ti.

—Pero él sabe lo que está ocurriendo y no denuncia al culpable.

—¡Oh, han tenido algunas peleas terribles! Me han contado muchas cosas. Una vez le levantó en vilo y lo arrojó fuera de la sala de operaciones. ¡Te aseguro que es imposible expresar la inutilidad de Snider! No sabe ni anestesiar.

—Y Runkleman...

—No sé, Ave... no puedo resistirlo más... El doctor Runkleman es como te he dicho: amable, entendido, hábil... —Al llegar aquí, Lucas desvió la mirada, tragó saliva y prosiguió—: Pero poco a poco sale lo demás. Le da miedo la muerte, le dan miedo los moribundos, cuando un caso es incurable, él escapa, no es capaz de mirar al enfermo a los ojos. No quiere verlos, siente una especie de horror, piensa que pueden estropear su historial; un paciente incurable equivale a una mancha negra inevitable en su lista de operaciones... Y sólo al verles entrar en el quirófano pierde ya la cabeza. Resulta... resulta una cosa embarazosa; te da más asco por el mismo aprecio que le tienes.

Avery bajó los ojos.

—Pero, ¿en lo demás?

—Exceptuando esa flaqueza, magnífico. Es un luchador. Es un luchador incansable. Tendrá un millón de dólares, estoy tan seguro como de que tiene un centavo. De niño era pobre y la pobreza le espanta, pero no cobra sino de setenta y cinco centavos a uno o dos dólares por visita. —Avery silbó, admirado—. No cobra más, ni lo ha cobrado nunca durante sus treinta años de ejercicio. Y con esos precios ha adquirido casas de vecinos, fincas rústicas, acciones y obligaciones de compañías, y está a punto de retirarse. Con ese fin trabaja tanto. Es hombre, es capaz y se mata trabajando... ¡para poder retirarse con una renta de mil dólares al mes e irse a cazar animales a Australia!

—No todos somos iguales, Luke. Ya lo sabes. No digo que tenga razón, digo que...

—¡Sesenta pacientes en una tarde? ¡Sesenta pasan por nuestras manos! Dos o tres operaciones por la mañana. Llamadas de noche. ¡Y sesenta pacientes cada tarde!

—¡Sesenta! Pero uno no puede...

—No, uno no puede hacerles justicia; es cierto. No puede hacer otra cosa que tratar los síntomas que presenten. O, mejor dicho, los que no le pasan inadvertidos. Una píldora aquí, un masaje allá, un parche adhesivo, soluciones tónicas y emolientes, para que vayan sosteniéndose. Nada más que un pase superficial y que vayan marchando. Esto no es Medicina, Ave. A cada paciente que trato sé que hago mal, imperdonablemente mal, pero sigo haciéndolo y, mientras, se me revuelven los intestinos.

—Tendrá que reducir el número; se verá obligado.

—No lo reducirá. Porque el dinero sigue entrando y no pasa nada. Los pacientes vienen por legiones. No existe razón alguna para que se niegue a visitarles. Por lo menos, desde su punto de vista. ¿Y qué vas a hacer? ¿Le dirás que se marche a un hombre que ha venido a solicitar tus auxilios? ¿Tú lo harías?

—Si vienen demasiados podrías decírselo. ¡Jesús, Luke! ¡No podéis tratarlos a todos! Habrá allá otros médicos.

—Están Binyon y Blake. Tienen una clínica. ¡Dios mío! Poseen todos los cacharros relucientes que el hombre conoce; cobran dos, tres y cuatro veces más que Runkleman, y para colmo han de llamar a otros dos médicos, ¡para operar una simple apendicitis! ¿Puedes mandarles a un hombre para que lo trasquilen? ¿Y probablemente para que le hagan una barbaridad? No puede ser, Runkleman es demasiado bondadoso para proceder así. Tenemos al doctor Castle, un hombre experto, decente, instruido. Pero es viejo, padece del corazón y tiene ya todos los clientes que puede tener. Y tenemos a Kauffman. Pero es judío. Y si le recomiendas a uno de aquellos campesinos que vaya a que le visite un judío, lo toma como un insulto.

—Faltan médicos. ¡En todas partes! No cabe duda.

—Uno llega a pensar en esa cuestión: no puede remediarlo. ¿Por qué no hay bastantes médicos? ¿Quién controla el número a fin de que todo el mundo participe de la riqueza, a fin de que todo el mundo ingrese de cinco a diez mil dólares anuales? ¿Quiénes son los responsables de esa estudiada escasez, de esos ingresos garantizados, de ese negocio disfrazado, a fin de que todos conserven la compostura y no se produzca una carrera de reducción de honorarios? ¿De que seamos tan pocos y la gente tenga que mirarnos humilde y respetuosa pensando en la hora en que nos necesitará? ¿Quién es el responsable de las normas dictadas por los Estados, de las reciprocidades? ¿Por qué un médico no ha de poder ejercer dondequiera que se le antoje? A los alumnos de un mismo curso, en todas las universidades se les dan las mismas enseñanzas, se les instruye en la misma Medicina. ¿Quién redactó, quién hizo aprobar las leyes que regulan el número de médicos de un Estado? Esto parece un acto de comercio. ¿A quién se debe?

Avery movió la cabeza.

—No puedo contestarte.

—¡Oh, sí puedes! ¡Puedes contestarme perfectamente! "Esta es la Medicina; la mía, aquélla en que yo creo; mi Dios! ¡Esta es la que soñé, mi primer sueño, el único que he tenido!" Nadie puede contestarme así, nadie puede decirme que lo que está mal está bien. Porque yo lo distingo. ¡Yo lo sé! Sé lo que es la Medicina.

—Bueno, Luke, yendo al fondo de la cuestión es exactamente lo que yo enseño: La aplicación de las fuerzas físicas para curar o remediar las enfermedades y los sufrimientos y para prolongar la vida.

—Exactamente. Y para un médico es un estilo de vivir. El dinero encarna el impulso del hombre de negocios. La gloria es la meta de los soldados y de los estadistas. La vida es el grial del médico. Mezcla su propósito, dilúyelo, desvíalo, cambia su primer objetivo y ha dejado automáticamente de ser médico. Es sólo un hombre que trabaja para conquistar honores, dinero o una posición social. ¡No! El médico tiene valor porque no se preocupa de la recompensa, posee la gloria porque no la busca, ocupa un lugar en la sociedad porque su mismo trabajo se lo confiere. Y el dinero no es su medida ni su esperanza. No me digas que soy un aguafiestas. Ni me llames idealista. Yo sabía que la Medicina era esto ya antes de venir aquí, por primera vez. Y cuando vine, esto fue lo que me enseñaron, como te lo enseñaron a ti. ¡Cómo tú lo enseñas ahora!

—Sí, es lo que yo enseño, Luke. Lo que los dos aprendimos. No importa lo que haga la gente: la Medicina es esto verbalmente. Y esto es lo que *tú debes* recordar. Nada ha cambiado.

—Yo sé lo que me ocurre, la transformación que se opera en mi interior. Es un fenómeno lento, paulatino. Poco a poco me voy aclimatando, me uno al rebaño, me rindo. Llegará el día...

—Te equivocas.

—Tengo miedo. Pienso en lo que seré dentro de diez años.

—En cierta ocasión conocí a un sacerdote que me dijo que la única oración razonable en labios de un médico era: "¡Dios mío, ayúdame a realizar lo que te pido en mis oraciones!" ¿No encuentras ningún apoyo en Kris?

—¡Kris!

—No dejes de estimar a Kris, muchacho. ¡Jamás!

—Tú sabes lo que hice, ¿verdad? Ella me pagó la carrera.

Lo sé; lo sé todo.

—Pero tú no tienes que vivir con ella. Tú no has de preocuparte a cada minuto por lo que dirá al minuto siguiente; a ti no te duele el oído al escuchar lo mal que habla, ni sus risas destempladas. Ni te amarga su fantástica, su total incapacidad por comprender lo que sucede...

—¡Vaya ramillete de chismes acumulados contra la muchacha que te hizo ser médico!

—No es por mí. Yo estoy unido a ella, tal y como es ahora y como puede llegar a ser. Pero ni la amo, ni me gusta.

—Le hiciste una sucia jugarreta, Luke.

—Y la pago. No lo olvides tampoco.

—¿Cómo diablos te figuras que pagas? ¿De qué le aprovechan a ella tus sufrimientos? ¡Dios santo, una como ella, que te daría su sangre si se la pidieras!

—Tú no sabes lo que representa vivir con Kris. ¿Cómo has de saberlo? Sólo viste lo rara que era... durante unos pocos minutos.

—Era la mejor enfermera de quirófano que he visto en mi vida. Conocía su oficio tan bien como pueda yo conocer el mío. Es franca, recatada; tanto si te das cuenta como si no, te conoce hasta en tus más escondidos repliegues, y es tu mujer, jamás le pedirás nada que no lo haga al instante. Porque te conoce. Cuando se casó contigo sabía lo que hacía y no por ello se detuvo. Sabía qué era lo que tú amabas y con lo cual estabas desposado ya. Yo siempre le he tenido afecto, Luke. Yo la considero una gran mujer. Y creo que puede ayudarte.

—¿Cómo me ayudaría? ¿Cambiando la Medicina? ¿Cambiando las cosas de como están en la actualidad? No vas a decirme que sería un alivio comunicarle mis penas, desahogar mi pecho, ¿verdad que no? Aun suponiendo que ella tuviese alguna idea de lo que yo quisiera manifestarle.

—¿Cuál es la solución? ¿Qué proyectos te has trazado, Luke?

—¿Qué tal resulta la enseñanza, Avery?

—Pues muy bien. Da muchas sorpresas. Si tienes un par de estudiantes hambrientos de saber ¡te pasmaría el gusto que da enseñar! Sientes que una parte de tu ser va con ellos, una parte de tu ser cura a un paciente, no sabes dónde... ¡Es magnífico, Luke! Compensa de muchas cosas!

—Lucas asintió. Tenía la faz pálida.

—¿Quieres decirme que deseas enseñar?

—¿Podrías introducirme? —Avery le miró, boquiabierto. Lucas hizo un signo afirmativo—. He tomado una decisión. Ahora sé lo que quiero.

—Voy a explicarte lo que significa ser profesor. En todas las clases hay un Snider. Y tú no puedes hacer nada por impedirlo. En todas hay desde tres hasta una docena de holgazanes que sólo leen resúmenes. Y tú no puedes remediarlo. Existe luego un numeroso grupo de comerciantes y otro numeroso grupo de muchachos que terminarán la carrera porque sus padres quieren que la terminen. Y por fin, queda un puñado de médicos, de chicos que les gusta la Medicina, que la aman... Y, muy de tarde en tarde, uno que no es capaz de pensar en otra cosa.

También sigues encontrando los mismos asnos pomposos en los estrados. Tienes que escuchar en silencio, rabiando, cómo enseñan algo que quedo arrinconado en tiempos de Noé, o cómo enseñan algo completamente erróneo. Y tampoco puedes hacer nada para impedirlo. Tienes que permanecer sentado, sonreír y soportarlo. No te queda el recurso de sustraerte a ello. Cada día te reserva una dosis concentrada. Cada día encuentras de nuevo tu dosis comprimida entre cuatro paredes. He aquí otro aspecto de la enseñanza.

CAPITULO XXVIII

Julio había transcurrido casi. Fue un mes de quemaduras, de heridas penetrantes causadas por las hoces para segar el heno, de luxaciones de hombro. Los pacientes preguntaban: "Dios mío! ¿Lo tengo roto, doctor?". Y en su pálida faz los ojos veían el campo que no habían terminado de segar. Julio fue un mes de vómitos sanguinolentos causados por los insecticidas venenosos, de postración a consecuencia del calor; de personas que llegaban a punto de ahogarse y de fiebre del heno.

Las personas afectadas por estas calamidades llenaban el consultorio; el miedo y la sorpresa atormentaban sus ojos, la alarma les dejaba paralizados. Presentaban sus cuerpos al médico, boquiabiertos de extrañeza, mirando sus propios organismos, con los cuales tan familiarizados estaban, convertidos de pronto en un objeto ajeno y raro.

Y las heridas eran tratadas y curadas; las hemorragias, cortadas; los cortes, cosidos; los huesos, fijados. Y los cuerpos, medicados, reparados, libertados, volvían a emprender su antigua ruta por un mundo en que la misma desgracia u otras que no soñaban siquiera, volvería a baldarles, por un mundo en que cada acción podía ser causa de una calamidad.

Lucas, que había encontrado la felicidad en el trabajo, se acorazaba ahora con él, librando un nuevo combate, redoblando los esfuerzos para tratar al mayor número posible de enfermos lo más completamente posible, ahitándose con un volumen de paciencia que sabía era excesivo.

De la gente que llevaba sus dolencias al consultorio sabía muy poco. Los había cuya personalidad le obligaba a una pauta antes de que, concentrándose en el estudio de sus achaques, olvidara sus características particulares y les olvidara como a individualidades distintas. Había otros que por un instante provocaban su irritación. Pero al final, al resumir sus contactos con todos ellos, aquellas personas eran dolencias. Sus caras y sus nombres eran los puntos de unión con el mal contra el que Lucas se dirigía. Míster Jones era el cáncer de cadera. Míster Smith, la fractura de brazo. Miss Lawrence, el desarreglo nervioso. El pequeño Johnson, la diarrea estival con otitis media.

El doctor Runkleman, que en el programa diario había adquirido soltura y hábito, realizando su tarea de una manera instintiva, maquinal, din desperdiciar un solo movimiento, ni un solo pensamiento, encontraba realmente, aun en los días de mayor aglomeración, un momento de ocio, para conversar con sus pacientes. A Lucas le bastaba con saber la actividad o el propósito de cada uno. Si el paciente trabajaba en una granja, lo más importante era procurar que el brazo enfermo pudiese realizar los movimientos necesarios en dicho trabajo: recoger heno, ordeñar, arar. Su finalidad consistía en el restablecimiento de la función y el alivio del dolor, y se lanzaba a satisfacerla con un impulso total, experimentando ante sus pacientes el orgullo, el amor, la complacencia que siente un arquitecto al pasar por delante de un edificio cuyos planos trazó, lo que siente un ingeniero al contemplar el tránsito circulando sobre el puente cuyo derrumbamiento evitó.

El doctor Runkleman advirtió en Lucas signos de fatiga, descubrimiento que le llenó de inquietud, pues el joven le inspiraba un afecto que el paso del tiempo hacía cada vez más profundo, y trató, desazonado, de imaginar de qué modo podía decirle que no trabajara con tanto ahínco, que no se prodigara tanto en los casos que desfilaban diariamente por el consultorio, que no lo tomase todo tan en serio. Resultaba muy difícil hablarle así a un joven que no poseía más interés que el de la Medicina, que adoraba a ésta cada día más intensamente, sin reflejar nunca el menor signo de hastío, de embotamiento. El médico que quisiera contratar a un ayudante había de hacerse cargo que tendría que aceptar filosóficamente aficiones e intereses, por otra parte quizá muy aceptables, que unirían al ayudante a otras actividades ajenas a su trabajo que reducirían la cantidad de tiempo que dedicaría a éste. Pero con Lucas no cabía ni siquiera la sospecha de ninguna otra inclinación; nada que no fuera la Medicina le interesaba. Procediendo lealmente, uno no podía salir al encuentro de un joven como aquél para decirle: "Usted me está dando más de lo que tratamos, más de lo que estaba dispuesto a aceptar, y por su bien se lo digo, más de lo que necesito".

Pero llegó inevitablemente el día en que Lucas hizo un alto al pasar de un enfermo a otro y exhaló un suspiro.

—Trabaja demasiado —apresúrose a decirle el doctor Runkleman.

Lucas reprimió un acceso de cólera.

—¿Cree que tenemos demasiadas visitas?

Cuando haya muerto, ellos no irán a darles las gracias.

—¿Cree que invierto demasiado tiempo en cada uno?

—No me refiero al tiempo.

—No estoy cansado, de veras. Si usted era capaz de atender a todos antes de contar conmigo, supongo que no puedo decir que tenemos demasiadas visitas, ¿verdad que no?

—Ya sabe que en cierto modo soy responsable de usted ante mistress Marsh. Un día vendrá aquí y me arrancará el pellejo gritando: "¿Qué le ha hecho usted a mi marido?"

—¿Kris? —Lucas olvidó por un momento que el doctor Runkleman eludía el reto de discutir el número de pacientes que pasan diariamente por sus manos.

—Las mujeres se inquietan, hijo mío. Hemos de acordarnos de las mujeres. Usted debería salir con ella, de vez en cuando. Y divertirse juntos un poco. La esposa de un médico puede llegar a sentirse demasiado sola.

—¿Cree usted que Kris se siente sola?

—Pues fíjese —dijo el doctor Runkleman desazonado— en determinada época se encuentra ella ocupada todo el día como encargada del quirófano, y, sin un minuto de transición, se ve abandonada de pronto en una ciudad pequeña, encerrada entre cinco habitaciones y sin nada que hacer en las veinticuatro horas.

—¡Pero si nunca hizo otra cosa! Al terminar la jornada se iba a su habitación en el departamento de las enfermeras, o al cine o a dar un paseo, con más frecuencia a ver a una amiga sueca.

—A casi todas las mujeres les gusta callejear un poco.

—¡Caramba, puede callejear por toda la población! ¡Tiene todo el día libre!

—Les convendría a los dos. En esta ciudad hay personas agradables a las cuales usted no ha tenido tiempo de conocer todavía, personas verdaderamente agradables, cultas...; en fin, que usted no creería que pudiesen vivir aquí.

—Nosotros somos gente muy vulgar —objetó Lucas, sin rodeos.

"Hola, se avergüenza de su esposa", pensó el doctor Runkleman, atónito. Y trató de imaginar qué tendría Kristina para que Lucas se avergonzara de ella.

—Bien —defendióse entonces—, no me meta en un compromiso por obligarle a trabajar demasiado.

—Para mí es un placer —contestó Lucas—. Saboreo hasta el último minuto de mi trabajo. Pero ya que usted ha iniciado el tema... estuve preguntándome... No sé como expresarlo debidamente...

—¿Un aumento de sueldo? Hace algunos días que pienso en ello...

—¿Para mí? ¡No, Dios mío! Nunca se me hubiera ocurrido.

—Se lo merece, qué diablos! Ayer se lo decía a Castle.

—¡No, no! ¡De veras, doctor! ¡No se acuerde siquiera! Esto que me inquietaba...

—¿Unas vacaciones? ¡Eso es! Los dos la necesitamos. Vamos a estudiar el asunto inmediatamente... Dos semanas para usted..., dos semanas para mí... ¡Usted todavía no ha visto nuestra región de los lagos!

—Yo no puedo menos que pensar que tratamos demasiados casos. En interés de los pacientes, quiero decir. Son tantos que no podemos llevar bien a ninguno. Aquel míster Norris, por ejemplo. La cuestión es la siguiente: ¿Cómo puede uno visitar a sesenta pacientes en un día y no dejar de equivocarse en un caso como el de míster Norris?

—Uno no puede acertarlos todos. Los Rayos X mostraron claramente un tumor de la tercera vértebra cervical. Nosotros quedamos absolutamente justificados.

—Y sin embargo, si hubiéramos tenido tiempo... si yo hubiera podido leer el historial con mayor atención...

—A mí me pasó inadvertido todo lo que pasó a usted... El hombre vino quejándose de un sencillo dolor en el hombro izquierdo; los Rayos X nos revelaron la existencia de un tumor en la tercera cervical...

—Esto es exactamente. No obstante, el historial clínico demostraba que el dolor en el hombro se había producido después de la perforación de una úlcera gástrica.

—Está bien. Pero después de hecha la radiografía, aunque hubiera resultado que el tumor estuviera en la tiroides...

Lucas movió la cabeza sombríamente.

—Debí tomarme el tiempo necesario para pensar. Si su historial mostraba la perforación de una úlcera gástrica, automáticamente yo había de haber deducido la probable formación de un absceso debajo de la hoja izquierda del diafragma.

El doctor Runkleman juntó las cejas.

—¿De modo que de allí procedía el dolor, ascendiendo por el nervio frénico y siguiendo por la rama que corre hacia la parte posterior del hombro...? —Y miró a Lucas con admiración. Luego, con un gesto despreciativo, continuó —: Nosotros procedimos con una lógica perfecta... ¡Y, de todos modos, el tumor ha desaparecido! Imposible acertar en todos —suspiró—. Y el buen hombre anda por ahí como nuevo.

—Lo sé..., pero ojalá hubiéramos elongado el nervio frénico izquierdo también. Porque eso era lo que teníamos que haber hecho, mientras estaba en nuestras manos. Puesto que más tarde o más temprano...

El doctor Runkleman sonrió. Su rostro había perdido la expresión de ansiedad...

—Es usted un virtuoso, hijo mío.

—¡No, no! Eso no hubiera sido más que obrar según las normas de la Medicina. Más tarde o más temprano, míster Norris tendrá que...

—Es imposible ejercer la Medicina de ese modo. Uno puede intentarlo. Yo no diré que no deba intentarse. Pero es imposible. Uno no puede ir a buscar las últimas derivaciones de ningún caso. Jamás. Con toda una vida, no habría bastante. Y aun suponiendo que llegara a terminar, entretanto se habría acumulado un montón de descubrimientos nuevos y uno tendría que volver a revisar todos los datos y las conclusiones.

—Quizá tenga razón.

—Pero usted no lo cree.

—Sesenta casos al día, sesenta casos que manejar en una tarde, aunque no tuviéramos que operar por las mañanas, ni atender los casos de urgencia por la tarde, ni visitar fuera del consultorio...

—Usted cree que tenemos demasiados...

—¡Sí! ¡Lo creo sinceramente! No se trata sólo del caso de Norris... A veces me pregunto cuántas cosas me habrán pasado inadvertidas, y cuánta atención dediqué a las que no me pasaron.

—¿Ve usted? Ahora le pasa otra. Los pacientes obtienen lo que quieren, precisamente. Obtienen lo que están dispuestos a comprar. Y con esto me refiero tanto al tiempo como al dinero. Cuando uno empieza a dedicarle mucho tiempo, la gente se pone recelosa. Saben que les costará dinero. No admiten sin protesta que se hagan pruebas. No quieren otra cosa sino que se les remiende y se les mande a que sigan su camino.

Miss Snow llamó a la puerta.

—Míster Cosgrove —dijo en tono despreciativo.

Un hombre delgado, de corta estatura, moreno, que tendría poco más de treinta años, penetró con paso leve en el consultorio. Protegido por las gafas de gruesa montura, sus ojos se fijaron sucesivamente en el rostro de los dos médicos, al mismo tiempo que sus labios dibujaban la mueca de una sonrisa.

—Paren la ambulancia —protestó—. Dejen el cuchillo, que no estoy enfermo.

—Le presento a Ben Cosgrove —dijo el doctor Runkleman, exhibiendo la sonrisa que exhibiría un mastín ante los ladridos de un *fox-terrier*—, el abogado de la ciudad. Ben, tengo el placer de presentarle a mi ayudante.

—Usted es Marsh, ¿verdad? No permita que este tendero vulgar le meta ideas falsas en la cabeza. Yo no soy el único abogado de la ciudad. Aquí hay otros dos picapleitos.

—¡Me dejan asombrado; me cógen de sorpresa!

—No se atormente todo el día por esta causa.

—Me dará que pensar prometió Lucas. Y levantándose preguntó—: ¿Me necesitará, doctor Runkleman?

—Hasta que aquí, el amigo Ben, haya dejado de ser el Hombre Malo de Greenville, no —dijo juiciosamente el doctor—. ¿Qué le parece, Ben? ¿Se ha terminado la función?

—Ha terminado —respondió Cosgrove sin alterarse—. Se me ha ocurrido una idea para conseguir que Granite se haga campeón de la traída de aguas. Usted es el último de la lista. Esta noche nos reuniremos en casa de Granite.

—Ben ha estado siempre de nuestra parte en este asunto —confesó el doctor Runkleman?

—No hay que asombrarse, Marsh. Por lo que a mí se refiere, este asunto es una disputa. He ahí lo que me interesa. Yo soy un buscacamorra. Usted, Runkleman, Castle y Kauffman son los nobles caballeros que salen a matar al dragón llamado tifoidea. Yo sólo me meto en ello por gusto de armar jaleo. Hasta la hora presente he puesto en juego una variedad de recursos. Hemos formado comités que intentaron vender orgullo cívico. Un comité de sacerdotes trató de conquistar al alcalde hablándole de la santidad del servicio público. Le atacaron también con una comisión de médicos que procuraron meterle miedo con el peligro que corría la salud pública. Incluso reunimos a las maestras que se esforzaron por arrancarle una lágrima en pro de los pobres, pobrecitos niños. Pero, hasta el momento, Granite es de granito. No le hemos hecho mella.

El abogado se inclinó hacia atrás y apoyó las puntas de los dedos de una mano en la otra.

—¿Qué tempestad ruge por tu cabeza, Ben?

—La solución estaba a la vista de todo el mundo, desde un principio. Pero ninguno de nosotros se había dado cuenta. —Y volviéndose hacia Lucas le preguntó—: ¿No ha oído mentar al caballo de Troya?

—Lo recuerdo muy bien.

—Pues no lo olvide. No olvide nada que se relacione con la Grecia. Porque por ella hemos pescado a nuestro primo. La manera de derrotar a Granite consiste en valerse del mismo Granite.

—No te entiendo, Ben.

—En cada ser humano se esconde un solemne bobalicón. Si quieres vencer a una persona no ensayes el razonamiento, no apeles a la nobleza, ni al sentido común, ni a la Ley. Busca su punto necio. Y el punto necio de Granite es la cultura. El alcalde es un *snob* intelectual. Pero todas sus aficiones intelectuales se reducen a seis páginas de Platón, que leyó en otro tiempo, dos párrafos de Aristóteles y una corta introducción a la cultura griega.

El doctor Runkleman suspiró. Luego se recostó en la silla, sonriendo. Cosgrove se encogió de hombros, imperturbable.

—A usted no le interesa semejante juego, ¿eh? Usted no ve cómo es posible que un hombre adulto, el alcalde de toda una comunidad, pueda encapricharse con una cosa tan tonta. ¿Y a usted qué le parece, doctor?

—Apenas conozco a Granite —contemporizó Lucas.

—¿Qué ideas bullen por tu cerebro, Ben? ¿Qué te propones, exactamente? —inquirió el doctor Runkleman arrugando el entrecejo.

—Voy a intentar servirme de Granite contra sí mismo. He citado a todos los intelectuales de esta trastienda. A todas las personas que Granite desea le tengan en gran concepto. Ustedes dos están incluidos.

El doctor Runkleman hizo un gesto de indiferencia.

—Bien, yo no veo ningún mal en ello.

—A mí no me importa si ve algún mal o no. Usted quiere que se solucione lo de la conducción de aguas. Pero lo hemos intentado ya de todas las formas. —Y levantándose, concluyó—: ¿Irán?

—De acuerdo, Ben —suspiró el dueño de la casa—. ¿Quién más ha dicho que habrá?

—La flor y nata de la población, Castle; Kauffman, con la maníaca del arte, su esposa; Harriet Lang, en representación de la cultura práctica; Blemis Shedd, representando a la Literatura, y nuestro estimado espantalobos, que soy yo, en representación de la Ley y de la Filosofía; además de ustedes dos, que serán los portavoces de la ciencia, antigua y moderna. Tráigame a su esposa, Marsh. Cortesía para las señoras, rosetas de maíz para los niños.

—Perfectamente, Ben —asintió el doctor Runkleman. —¿Has invitado a los doctores Binyon y Blake?

—Esos no irán. Si no hay tifoidea no hay negocios.

—Estarán ocupados, probablemente. —Pero el acento del doctor Runkleman era frío.

Cosgrove soltó un bufido y se encogió de hombros.

—Hasta la noche —dijo en tono de hastío. La puerta se cerró tras él.

Lucas y el doctor Runkleman se miraron.

—¿Qué le parece? —le preguntó el segundo.

—¿De él?

—No. No de Ben. A ése todo el mundo le conoce. Se cree comunista. Aguarde hasta que le oiga hablar de Medicina. No me refería a Ben, sino a su afirmación.

Lucas se encogió de hombros.

—Usted conoce al alcalde mucho más que yo. Aunque efectivamente, parecía un hombre a quien le gustan los aplausos. Y soltaba citas continuamente.

—Puede que sí... Puede que sea así... Estaba pensando en aquello de que todos somos unos bobalicones... Nunca lo admitiría para Ben... Creo que es cierto, sin duda. En un sentido quizá... En un sentido limitado...

—No le concedo ninguna probabilidad de éxito —dijo Lucas—. Me figuro que Ben sólo ha provocado una situación mediante la cual espera humillar a Granite, vengándose de su oposición, y espera también conquistar algún elogio. Me parece que no pretende otra cosa. Pero creo que, a pesar de todo, hemos de asistir.

—Así me lo imagino —convino de mala gana el doctor Runkleman. Pero al momento se animó—. ¿Oiga! He ahí una excelente ocasión para que mistress Marsh salga de su encierro.

—Ya sabe usted que tanto le da quedarse en casa. Le gusta de verdad. Incluso es posible que no quiera ir.

—Usted pruébelo. Dígale que conocerá a algunas de las personas más simpáticas de la población. ¡Espere! ¡Le acompañaré!

Kristina recibió la noticia con la boca abierta y hubo de tragarse la saliva de tan emocionada. Su faz adquirió una expresión radiante de gozo.

—¡Voy a prepararme ahora mismo!

—¡Kris! ¡Cálmate! ¡La reunión no tiene lugar hasta las ocho treinta!

—Atorméntele de firme, mistress Marsh. ¡Compre un sombrero nuevo!

—No lo necesito. Sólo tengo que proveerme de unas cuantas cosas. ¡Luke! ¿Vendrás pronto a cenar?

—Lo intentaré —respondió lacónicamente el joven, encaminándose hacia la puerta.

—Usted podría ir tal como está y las dejaría avergonzadas a todas, mistress Marsh —exclamó admirativo el doctor Runkleman.

—¡Qué galante! Lo que debería hacer es casarse usted también. Yo conozco a una infinidad de muchachas suecas de lo más fino a las cuales podría comprarles sombreros, ¿eh, Luke?

—¿Estás segura de que quieres ir? —preguntóle Lucas indeciso.

—¡Claro que sí!

—La llevaremos en medio de los dos. Una rosa entre dos espinas —prometió el doctor Runkleman sonriendo gozosamente.

Mientras regresaban al despacho, le dijo a su ayudante:

—Es usted muy afortunado.

—Kristina sabe moverse perfectamente dentro de una sala de operaciones. Debo reconocérselo. Pero desearía que las personas que acudirán esta noche a la reunión no fuesen demasiado... cerebrales —replicó Lucas, inquieto.

—No se preocupe por ella. ¡Podrán considerarse afortunadas entrando en relación con una chica tan simpática.

Sonó el teléfono. Miss Snow anunció:

—John Roamer.

Al doctor Runkleman se le nubló el rostro.

—Dígale que se vaya a la clínica. Dígale que lo he dicho yo.

—¡El viejo estúpido! —exclamó la enfermera, dando un bufido.

—¡Binyon y Blake le manejarán bien!

Los dos médicos se dirigieron hacia el coche. El mayor de los dos sonrió con esfuerzo.

—A veces —dijo excusándose— me siento hastiado de la raza humana. Supongo que durante su internado le ocurrió algo semejante...

—No parece que nos presente sus facetas mejores.

—No todos son iguales, por supuesto... Debo reconocer que en algunas ocasiones uno encuentra una buena dosis de coraje metida dentro de un solo cuerpo. Existe una especie de resignación alegre, de verdadera bravura...

—Me gustaría poder compartir su opinión. Personalmente, nunca sé si lo que estoy viendo es coraje o una especie de altanería.

—Sí, se dan casos, es cierto. Pero los conflictos empiezan cuando se trata del dinero. Por ejemplo, ese John Roamer es un rico comerciante en productos alimenticios de esta ciudad y tiene muchísimo dinero. Por lo general, yo respeto a la gente acaudalada, siempre es posible que resulte interesante; por de pronto, son personas que han llegado a alguna parte. Pero ese sujeto me llamó en mitad de la noche. Su hija tenía una apendicitis aguda, complicada con peritonitis. Sea como fuere, la salvé. Y al llegar a fin de mes le mandé la cuenta por ciento cincuenta dólares. Usted sabe que generalmente cobramos cincuenta, pero me figuré que él podía resistir perfectamente ese aumento. Sin embargo, tan pronto como recibió la factura vino a verme, y me dijo que si se trataba de demostrarme su gratitud, era capaz de pagarme mil quinientos dólares, pero que se daba el caso de que le había mandado la cuenta en un momento en que se encontraba mal de dinero. Yo me limité a mirarle. Llevo treinta años de experiencia en estos asuntos, pero nunca logré habituarme a ellos. Además, sabía lo que tenía él en el Banco. Y le dije: "Muy bien, en este caso deme la mitad. No quiero que el negocio se mezcle en una cuestión en la cual yo no pensaba en nada más sino en salvar a su hija". Entonces él me miró fijamente. "Bien —me dijo—, debo hacerle una advertencia. Tal como van las cosas es posible que tardase bastante hasta para pagarle la mitad. Ya sabe usted que en total no tuvo más de una hora de trabajo. En estos momentos llevo treinta y cinco dólares en el bolsillo. ¿Qué le parece si los acepta y quedamos en paz?".

—¡Dios mío! —exclamó Lucas en voz baja.

—Pero la cosa no termina aquí. Yo acepté los treinta y cinco dólares. Una hora después me llamaba Castle para informarme de que Roamer le había pedido que pusiera en juego su influencia para que yo le rebajase el precio.

—¡Vaya cerdo!

—Seis meses después regaló cinco mil dólares para el templo. —El doctor Runkleman movió la cabeza, sonriendo torcidamente—. ¡Dios mío, si tuviera que recordar a todos los John Roamer que me he topado en treinta años de ejercicio! —concluyó con voz áspera.

Cuando entraban en el hospital, el doctor Snider fue a su encuentro apresuradamente, sin dejar de mascar el bocado de tabaco. Lucas desvió la mirada.

—¡Tengo un caso bueno para vosotros! ¡Uno de los que no véis a menudo! —Y dirigiéndose a Lucas, en tono apaciguador concluyó—: Apuesto a que no ha visto una cosa como ésta, doctor.

Lucas le miró.

—¿De qué se trata? —preguntó lacónicamente el doctor Runkleman.

El doctor Snider dio media vuelta y se dirigió con paso vivo hacia la sala de los hombres. Los dos médicos le siguieron. El doctor Snider se acercó a una cama y sin ningún preámbulo levantó las sabanas.

—¡Miren!

Ante los ojos de los dos médicos apareció un abdomen rasgado por un centenar de cortes. Lucas y el doctor Runkleman observaron al paciente, un hombre de unos sesenta años que miraba al techo fijamente.

—¿Cómo ha ocurrido esto? —preguntó el doctor Runkleman con un tono de voz que pretendía llamar la atención del doctor Snider sobre el hecho de que toda la sala estuviese mirando y escuchando.

—¡Han sido los gatos! —gritó regocijado el doctor Snider—. ¡Estos sujetos estaban coleccionando gatos! —Y volviéndose hacia el paciente, exclamó sonriendo—: Ha salido con algunos arañazos, ¿verdad? Ha dado con mininos de mala índole!

—Se lo vendaré —dijo secamente el doctor Runkleman, alejándose.

Lucas le siguió sin tardanza.

El doctor Snider cubrió de nuevo el abdomen del paciente y se fue tras ellos.

—Píntale la barriga con tintura de yodo —le gritó a una enfermera que acudía presurosa—. Ponle mucha. Este es el sujeto arañado por un gato.

En el corredor dio alcance a los dos colegas.

—¿Qué ha pasado? —preguntó fríamente el doctor Runkleman.

—¿Sabes el ala de los ancianos? Pues bien, los pacientes masculinos tenían gatos. Hace cosa de un mes los cogimos todos; bastante trabajo nos dan ellos para limpiar, cuando no hay animales. Pero al parecer algunos se sentían solos y necesitaban encariñarse con algo. Yo les dije: "Con la multitud que estáis amontonados aquí, no sé para qué necesitáis otra compañía". Y dimos caza a los gatos. O por lo menos así lo habíamos creído. ¡Que me cuelguen si este individuo y otro no habían recogido una caja vacía y no habían puesto sus gatos dentro! Esos dos se metieron luego los animales sobre el bajo vientre, ya podéis suponer para qué. ¿Habéis visto qué barriga? ¡El maldito animal le ha puesto hecho una calamidad!

Snider miró alborozado a los dos médicos, esperando que demostraran su sorpresa.

—Un par de aquellos arañazos parecían muy profundos —le dijo Lucas al doctor Runkleman, sin hacer caso del otro—. ¿Cauterio, quizá?

—Sí, será mejor que cauterice algunos cortes —contestó el aludido—. A mí también me han parecido muy profundos. —El doctor Runkleman hizo un signo con la cabeza, y acompañado de su ayudante, se encaminó hacia el quirófano.

—¡No puedo soportarle! ¡No puedo resistir su sola presencia! —estalló Lucas—. ¡Cada vez que le veo me refresca la memoria! —Al doblar la esquina del pasillo, el joven miró con aprensión. Pero no se veía ninguna cama en la sala de Rayos X y el corredor estaba vacío.

—Durante un tiempo se portará bien —dijo el doctor Runkleman—. Basta que no deje de vigilarle. —Y con una risita añadió—: Me parece que usted le da un poco de miedo.

—¡Mejor que lo tenga! Sólo quiero cogerle una vez más.

—¡Yo me encargaré de él. Es viejo. No le queda mucho tiempo de servicio. Entonces puede que el Condado nombre a otro peor.

Kristina se había puesto su mejor vestido. Se había peinado hacia atrás el rubio, fino y algo brillante cabello y lo había partido en dos trenzas, que se arrollaban formando sendos discos planos sobre las orejas. Toda su persona tenía un aspecto de limpieza esmerada, parecía rodeada de un nimbo.

Lucas miró involuntariamente. Kristina espiaba con ansiedad la expresión del rostro de su marido.

—¿Te parece que estoy bien?

—Muy bien, Kris —respondió él de todo corazón. Había llegado a casa preparado para lo peor, y en cambio, encontraba a su esposa sentada como una niña, presentándole con la mirada todo lo que era, todo lo que había hecho (y había hecho cuanto supo) para acicalarse, y pidiendo su aprobación. Por un momento, Lucas se odió a sí mismo.

—¡Estás maravillosa! —le dijo con orgullo.

Kristina bajó los ojos. Aquellas palabras eran demasiado inesperadas, demasiado cariñosas. La muchacha comprendía todo lo que había cruzado por el corazón y la mente de su marido en aquel momento. Y una parte de su ser se rebeló ante el hecho de que Lucas la estuviera defendiendo. Kristina se sintió desamparada ante aquella nueva herida, se vio abandonada, alejada de su esposo; porque la compasión de éste era la mejor prueba de que entre los dos se abría un abismo. Un abismo que había existido desde el comienzo de su vida de matrimonio, hacia el fondo del cual ella había dirigido, como una extraña, una mirada nostálgica y esperanzada. Pero al mismo tiempo, la afectuosidad que adivinaba en aquel instante en el alma de Lucas la consolaba, la enternecía, y a fuerza de inesperada, le llenó los ojos de lágrimas.

—No quisiera amargarte la noche —dijo humildemente.

—¿Cómo podrías amargármela? —preguntó Lucas, elevando la voz como si no admitiera tal posibilidad.

—Sé que no sé bastante. No tengo gusto; no visto como tú querrías. —Y se encogió de hombros—. Te casaste con una escandinava tonta, con una estúpida sueca, nada más. —Y la muchacha levantó los ojos, mirando a Lucas con una mirada de compasión. Luego sonrió resignada—. El uniforme de enfermera ofrecía una ventaja. todas teníamos el mismo aspecto. No podían distinguirnos.

—¿Sabes qué te digo? Cualquier día que tenga un rato libre nos iremos los dos a la ciudad y nos fijaremos en los escaparates. Quizá tanto tú como yo aprendamos algo.

—¡Oh, Luke! ¿Querrás ir conmigo?

—Claro que iré —contestó él, con cierta aspereza. Y empezó a vestirse. Kristina le observaba. Luego dijo con un hilo de voz:

—Luke...

—¿Qué quieres Kris? —respondió él, sacando una camisa limpia.

—¿No te arrepientes de haberte casado conmigo? —Kristina inclinó la cabeza.

Lucas se acercó a su mujer.

—Yo creo que nos llevamos perfectamente. Tú sabes lo que significa para mí la Medicina; sabes que es lo primero. Y tú, Kris... ¡Sin ti no hubiera podido cursar los estudios! ¿Acaso piensas que no lo sé? ¡Lo sé, Kris! ¡Créeme! ¡Lo sé!

—No fui yo quién te ayudó —replicó ella, moviendo la cabeza negativamente—. Fue el dinero.

—¿Qué?

—Fue el dinero, Luke. Fueron unos papeles que pertenecen a cualquiera. Nada más que papeles.

—He ahí un lazo bien frágil entre dos personas. Papel...

—No me quejo —dijo Kristina en voz baja, pero firme—. No hay inconveniente en empezar con papel. Algo ha de proporcionar el comienzo.

—Te estás volviendo toda una filósofa —comentó Lucas, desazonado.

—Ahora veo muchas cosas que antes no veía. Tú tienes derecho a quejarte. Un hombre como tú podía encontrar una esposa mucho mejor que yo; inteligente, elegante... Yo no me quejo, Luke...

—¿Estas preocupada, Kris? ¿Tienes algo en el pensamiento que te atormente?

Pero ella no supo qué contestar. No encontraba nada que decir. Quedaba el tiempo. Solamente el tiempo. Quedaba el mañana. Quizá pudiera decirse algo... Kristina contempló a su marido, que seguía vistiéndose. Y una oleada de compasión le hizo entornar los ojos.

—Se te ve cansado, Luke. Actualmente siempre tienes un aire de profundo cansancio. Ni en lo más duro de tus estudios tenías tal aspecto de fatiga.

—Me dan mucho trabajo, Kris.

Lucas se volvió y la miró un momento.

—¿Te gusta esto, Luke? ¿Llena todas tus aspiraciones?

—No —dijo llanamente—. No, no es lo que quiero.

Kristina asintió con un gesto.

—¡A veces pienso que se parece a una fábrica! Os miro a los dos y me pregunto cómo es posible que atendáis a tanta gente. ¿Cómo podéis saber lo que estáis haciendo en cada caso?

Lucas movió la cabeza de un lado para otro.

—Uno no puede decirles que se marchen.

—No podéis decírselo...

—Lo más curioso es que ellos están contentos.

—En fin de cuentas, les remediáis... y ellos están satisfechos...

—¡Pero no yo! Yo no quiero acostumbrarme a esa rutina.

—Tú lo solucionarás... Tendrás una clientela propia. Cuando él se retire harás lo que te plazca.

—Ya lo he pensado... Pero, ¿qué cambiará entonces? ¿Habré de rechazar a los pacientes? —Lucas miró a Kristina desalentado. De su mano colgaba, oscilando la corbata.

—Lo resolverás todo —aseguró la mujer, confiadamente—. Eres un gran hombre Luke.

—No, no lo soy. Me conozco bien. Sin la Medicina no soy nada. Lo sé.

Y se quedó mirando distraídamente la corbata.

—Sin lo que da personalidad, nadie es nada —dijo tristemente Kristina—. Ni una enfermera. —Y sus ojos se volvieron hacia el armario donde guardaba la cofia. Pero entonces vio el reloj.

—¿De qué estás hablando?

—¡Luke! ¡Llegaremos tarde! ¡Mira qué hora es!

—Todavía no comprendo por qué motivo este mismo recurso no ha de surtir efecto entre el grupo de los ricos —decía inquieto el doctor Runkleman, mientras se acercaban a la casa del alcalde—. Ellos son los que tendrán que pagar la factura.

—¡Ellos jamás darían el voto para este proyecto! —advirtióle Kristina, alegremente.

—¡Vaya! ¿Por qué lo dices? —preguntó Lucas.

—Tiene razón —protestó el doctor Runkleman.

—Claro —insistió Kristina—. Nunca votan gastos.

—Corren el mismo peligro que los demás.

—¡No, no! Los que tienen dinero no quieren soltar ni un centavo. Piensan que si lo gastan, ya no lo tienen. Sólo lo toleran si les proporciona algo.

—Si quieres tener la bondad de explicarme qué hay en el organismo de un rico que le proteja contra el bacilo del tifus, te lo agradecería —replicó Lucas.

Sus acompañantes le dirigieron una mirada despreciativa.

114

—El dinero tiene la particularidad de infundir confianza al que lo posee —aventuró el doctor Runkleman.

—¿Incluso contra las epidemias?

El doctor Runkleman dio una palmadita a Lucas en la rodilla.

—No lo tome a pecho. El mundo es así.

—¡Ah, pero se les recargan los honorarios! —dijo amablemente Kristina—. Así pagan por los pobres.

Henry Granite les recibió gozoso. Estaba entusiasmado. He ahí a tres invitados más a un banquete del intelecto donde él sería la figura central.

—¡Llegan tarde! —exclamó—. ¡Ya están todos los demás! ¡Les aguardábamos! ¡Y ésta será mistress Marsh! Mistress Marsh, me han hablado mucho de usted; muchas de las señoras más bellas de la ciudad me han dirigido preguntas; usted se ha constituido en un personaje intrigante. Deberé explicarles qué aspecto tiene. Mistress Granite me ha hecho prometer que se la describiría al detalle.

—Me causa mucho placer conocerle —contestó Kristina, con timidez—. Usted es el segundo alcalde que he visto en mi vida. Tiempo atrás, cuando estaba de enfermera, un paciente con cálculos biliares...

—Ya sabes que las mujeres de los médicos han de permanecer en segundo término —intervino el doctor Runkleman. Y carraspeó para aclararse la voz.

—¡No lo crea! —replicó Henry Granite—. Esta noche se sentará a mi lado. ¡Usted será mi defensa contra esa gente que ha venido a atacarme!

En el sofá, recargado de adornos rematados en unas borlas color púrpura oscuro, estaban sentados el doctor Castle, Ben Cosgrove y otro caballero.

—Al doctor Castle ya le conocen —dijo el alcalde—. Ben Cosgrove, la espina clavada en la carne de Greenville, el abogado del diablo, la voz de la duda..., la conciencia de la comunidad.

—Nos conocemos ya —asintió Lucas.

—Y Bemis Shedd, el Cuarto Poder, el cronista de nuestra sociedad.

Un hombre alto y corpulento se levantó un poco y extendió una mano gordinflona, llena de pecas, al tiempo que exhibía una descolorida sonrisa, que dejaba al descubierto sus dientes, una cabeza calva, con los bordes moteados de cabello rubio y dos grandes orejas que colgaban un poco, lo mismo que su encarnada nariz, salpicada de anchos poros.

—Encantado de conocerles —dijo sin entusiasmo y con expresión dialectal—. Debí pasar a saludarles hace ya mucho tiempo.

—Y era muy capaz de hacerlo, sólo que los médicos no publican anuncios —declaró el alcalde, cordialmente—. ¿Eh, Beam?

Luego se volvió casi en una pirueta, animado, alegre, jocoso.

—¿Al doctor Kauffman le conocen? ¿Sí? ¿Y a mistress Kauffman?

Mistress Kauffman resultaba un poco desconcertante. Les examinó largamente, con gran atención. Después Lucas se dio cuenta de que lo hacía adrede, para impresionar. Era una mujer de pelo negro peinado con cerquillos sobre la frente y colgando liso en los costados, delgada, de cara triangular, pómulos salientes, nariz estrecha y aquilina y que llevaba un collarete de cuentas de lacre.

—Es un placer, doctor Marsh —dijo arrugando el entrecejo con expresión formal—. Y mistress Marsh, ¿cuán amable ha sido viniendo!... Yo tenía intención de visitarla... ¡Qué largos dedos, querida! ¡Es artista?

—Enfermera —contestó, sencillamente, Kristina.

—¡Oh, enfermera! ¿Qué fortuna para el buen doctor! ¡Enfermera!

—Era encargada de quirófano en el Hospital del Estado —dijo Lucas.

—En la sala de operaciones no se dispone de muchas oportunidades para cultivar el arte —añadió Kristina.

—¡Eso va para usted! —exclamó Granite, volviéndose hacia el doctor Runkleman—. ¡Y para usted también, Kauffman; para todos ustedes! ¡Pocas oportunidades para cultivar el arte en la sala de operaciones!

—Me gustaría verte algún día en "maillot", Henry —dijo Cosgrove meditativamente—, encima de un caballo blanco, con un ejemplar del *Barlett's Quotattons* en una mano y una vara en la otra, y detrás de una banda tocando todo el rato, y el caballo levantándose de manos y dando vueltas.

—¿Quieres darles a entender que todo fue una ilusión, Ben? ¿Incluso para ti?

—Yo soy Harriet Lang —dijo una muchacha que estaba al lado de los Kauffman, poniéndose en pie.

—¡Yo la había reservado para lo último! —protestó el alcalde.

—Al doctor Runkleman ya le conozco. ¿De modo que usted es mistress Marsh? ¿Y usted el nuevo doctor?

Lucas retuvo la mano de Harriet Lang. La joven vestía una tela suave, sedeña, que dibujaba su esbelta figura, sus caderas breves, de adolescente, sus pechos menudos, sus delgados brazos. Tenía el cuello largo, el cutis atezado por el sol, los ojos grises y grandes, la boca generosa y la ovalada faz enmarcada por el cabello, negro, ondulado.

La muchacha dio un ligero tirón y Lucas soltó la mano retrocediendo un paso, confundido.

—Bienvenida a Greenville, mistress Marsh saludó cariñosamente la joven. Y su voz de timbre bajo, turbó nuevamente a Lucas, que la miró fijamente unos instantes para luego desviar los ojos con aire culpable.

—Encantada de conocerla —contestó Kristina, mirándola con viva atención después de haber observado las reacciones de Lucas.

—Nuestra mujer del mañana —dijo, grandilocuente, Henry Granite—. Nuestra mujer de...

—Miss Lang —interrumpió Cosgrove— dirige el departamento de cerámica de la Greenville Tile Company. ¿Cómo van los negocios, Harriet?

—No pueden marchar mejor —contestó la joven, gravemente.

—Hay quien cuida de ellos. Bien, Henry, supongamos que bajas del escenario y permites que se sienten todos, y que nos ocupemos del asunto.

El doctor Runkleman, que no había abierto los labios, limitándose a sonreír cortésmente, sentóse agradecido.

—Usted colóquese al lado de miss Lang, doctor —decidió Granite—. Mistress Marsh se sentará al mío. Mistress Marsh será mi guardia personal.

—Doctor... —Cosgrove se volvió hacia el doctor Castle y luego hacia los demás— (fíjense que estamos en un acto oficial, que digo "doctor" y no "Henry"), ¿qué posibilidades tenemos de que este año se declare una epidemia de tifoidea?

—Mayores que el año pasado, diría yo —contestó pausadamente el aludido.

—¿Y usted, doctor?

—Estoy de acuerdo con el doctor Castle.

—¿Y el doctor Runkleman?

Este asintió con un movimiento de cabeza.

—Al doctor Marsh no le pregunto. Es nuevo en la ciudad y no conoce nada de ella, como no sean las enfermedades que ha tratado. —Cosgrove se acomodó en su asiento. Las sonrisas desaparecieron; los rostros se pusieron serios. Lucas miró a Harriet Lang, pero al notar que una cálida oleada invadía su cuerpo desvió los ojos.

—El año pasado perdimos unos sesenta poco más o menos. Este año probablemente morirán más. ¿Lo oyes, Henry? El servicio de aguas está contaminado. Necesitamos uno nuevo. Si no nos procuramos una nueva distribución de aguas, vamos a sufrir una epidemia. ¿Qué medidas estás dispuesto a tomar?

—¡Caramba, Ben! No hablemos de epidemias. Un aumento en el porcentaje de mortalidad no equivale exactamente a una epidemia. No amedrentemos a la gente. ¿Ya sabes que de todo esto no has de publicar nada, Beam?

Bemis Shedd movió la cabeza afirmativamente, con aire de importancia.

—¿Qué posibilidades existen de que se produzca una epidemia, doctores? —preguntó inesperadamente Harriet Lang, sentada a la vera de Lucas. El joven médico se estremeció y miró a su alrededor, presto a defenderla.

—Existen siempre muchísimas —dijo suspirando el doctor Castle.

—Por mi vida que no sé cómo nos hemos librado hasta ahora —dijo el doctor Kauffman.

—Por tanto, ¿podría producirse una este año?

—Podría, ciertamente —contestó con voz fuerte el doctor Runkleman.

—¿Les has oído? —preguntó torvamente Cosgrove.

Henry Granite suspiró.

—Nos hemos encontrado en una situación análoga otras veces, ¿verdad? Quieres apoyarte en un mejor criterio, ¿no es cierto, Ben? Sí, he oído. Lo escuché también el año pasado. Y el anterior. Y, a Dios gracias, todavía no se ha producido una epidemia.

—¡No puede ser que hable en serio! —gritó Lucas, bruscamente.

—La tifoidea es muy mala —dijo Kristina—. Una vez en Minnesota...

Lucas la miró con ojos furiosos.

117

—Por supuesto, habla en serio —dijo Cosgrove—. En estos momentos ustedes están atisbando los repliegues de la mente de un alcalde. Esto es exactamente lo que piensa.

—Esto no es lo único en que hay que pensar —dijo con aplomo Bemis Shedd.

—Recordemos esa bagatela que se llama dinero —replicó Granite. Bemis Shedd asintió.

—¿Cómo lograremos tener para todo? —inquirió mistress Kauffman—. ¿Cómo construiremos escuelas, cómo sostendremos al Gobierno...?

—¿No podría apelar al pueblo, Henry? ¿Acaso aquí, Bemis, a través del periódico...? —preguntó suavemente Harriet Lang.

—No nos precipitemos —interrumpió Shedd—. No vayamos a sembrar el pánico entre la gente.

—Simplemente, ¿qué resolveremos, Henry? —preguntó el doctor Castle.

—¿Qué es lo que le impide unirse al proyecto? —inquirió a su vez el doctor Kauffman.

El alcalde vacilaba.

—Mira, Henry... —dijo Bemis Shedd, en son de advertencia.

—¿Son los intereses, Henry? —preguntó irónicamente Cosgrove.

—De acuerdo, dale este nombre si quieres, Ben. Dale el nombre que te plazca... Examinemos la cuestión llanamente.

—Tú sólo eres el alcalde —concedió Cosgrove—. Si dependiera de ti, tendríamos ya un servicio nuevo de aguas. Pero eres uno nada más, y has de tener en cuenta el Consejo de la ciudad; ellos son quienes han de votar el presupuesto.

—Esto ya lo habían dicho antes —afirmó Harriet Lang.

—Creo que me dijiste una vez que incluso un pueblo tan grande como el ateniense hubo de afrontar este problema —recordóle el doctor Castle—. Platón lo cuenta en alguno de sus escritos, ¿verdad?

La cara del alcalde se dulcificó.

—Así lo creo —dijo tímidamente.

—¡Caramba, Henry Granite —gritó Lang—. ¡No tenía idea...!

—¡Oh, sí, leo un poco! —confesó displicente, el aludido—. Un poco nada más. Platón, Aristóteles...

—¡Cielos, Henry! —exclamó Cosgrove—. Para mí has ganado un punto. ¡Estos autores son de mucha profundidad! ¿De dónde sacas el tiempo?

—Les diré una cosa —declaró Granite, sonrojándose—. Por muy modernos que nos creamos, son poquísimas las situaciones que tengamos que afrontar en la actualidad que los griegos no hubiesen incorporado a la Historia.

—¡Incluso una situación como la presente, señor! —dijo Lucas en tono humilde.

—En efecto —admitió Granite, con toda seriedad.

Lucas se dirigió a los demás concurrentes.

—La Historia enseña que el pasar a la oposición equivale a un suicidio político.

El alcalde hizo pucheritos con los labios, y luego se aclaró la garganta.

—Bueno —dijo con renuencia—, quizá no resultase tan terrible...

—Todos sabemos quiénes son —anunció Cosgrove—. Lenox, el ferretero; Benning, el de la Banca; Rankin, el monopolizador de los comestibles... Estos son los muchachos a quienes tú escuchas, ¿verdad, Henry?

—Y con éstos es con quienes tiene que andar del brazo. Usted se ve precisado a permitir que los gustos de esa gente dominen el criterio de usted —asintió Lucas, compadeciéndole—. Usted quiere agradar a todo el mundo. Y esto es muy difícil.

—Casi, casi tiene razón. No niego que me causa satisfacción el ser alcalde. Me roba el tiempo; podría ganar dinero durante las horas de trabajo que me da el cargo, pero me gusta. Y creo que tengo condiciones para ocuparlo. No existe razón alguna para no reconocer que deseo gozar de la consideración de ustedes, de la estimación del grupo aquí reunido.

—Además, usted tiene valor. Me figuro que todos podemos verlo claramente.

—Se necesita valor para hacer una confesión como la que acabamos de escuchar —secundó el doctor Castle, mirando a Lucas.

—Es cierto corearon los doctores Kauffman y Runkleman.

Los ojos de Lucas no se separaron de la faz de Granite.

—Por lo poco que he visto de esta ciudad, me da la impresión de que constituye una pequeña república; una república que sólo depende de sí misma.

—He procurado regirla de este modo.

—Estoy seguro de ello. Se descubren aquí destellos, casi sorprendentes, análogos a la excelsa república de Platón.

—¡Jamás ha existido un pueblo más excelso que los griegos!

—Es verdad. Yo me inclino, todos nos inclinamos, ante sus ideales. Los atenienses fueron grandes porque tenían un objetivo por el cual luchar. Debo decir, como forastero que soy, que me impresiona más de lo corriente encontrar a un alcalde tan familiarizado con las páginas más nobles de la historia de la Humanidad.

—Yo soy capaz de gastar muchas bromas, pero siempre te tuve en gran estima, Henry. Quiero que lo sepas —intervino Cosgrove.

Kristina, que miraba boquiabierta a Lucas, se volvió hacia el abogado.

—Me estaba preguntando, Henry —dijo el doctor Castle—, si al leer acerca de los atenienses...

Lucas entornó los ojos. Su faz se iluminó súbitamente.

—¡Adelante! —susurró Harriet Lang, viendo el brillo de su mirada.

—¡Es verdad! —encareció Lucas—. El punto a recordar, tanto para esta república como para la griega, es lo que ocurrió a la ciudad de Atenas.

El joven se interrumpió. Su mirada seguía fija en Henry Granite.

—¿Qué le ocurrió? —preguntó al fin mistress Kauffman—. ¡Lamento que no estemos todos tan versados como usted y Henry, doctor!

—¡Explícanoslo, Henry! —pidió Cosgrove, en tono respetuoso.

El alcalde sonrió feliz.

—El doctor Marsh tiene la palabra —contestó—. El se lo contará.

—Los atenienses —prosiguió Lucas—, los mejores pensadores que han conocido los siglos, se contentaban con las medidas sanitarias más elementales. Un día lucharon contra los espartanos. Perdieron una batalla, y se replegaron hacia su fortaleza, Atenas. Todo el país se concentró en la ciudad. Pero ésta carecía de saneamiento. Lo que Esparta no pudo conquistar, lo venció la peste. Atenas cayó. La Edad de Oro había terminado.

El doctor Castle observaba al alcalde. Los demás bajaron la vista.

—Tiene razón. —Granite se puso en pie. Le habían dado un objetivo por el cual luchar, un ideal tan grande como el mismo cargo que ocupaba, y se lo habían confiado públicamente, en una solemnidad y ante una masa.

—Mira, Henry... —advirtió nuevamente Shedd.

—Tiene razón, Bemis. ¡Tiene toda la razón!

Shedd contempló con atención la sonrojada faz del alcalde, se encogió de hombros y guardó silencio.

—Por lo tanto, acometerás la empresa —dijo Cosgrove, decididamente.

—Usted señalará el camino —afirmó el doctor Castle.

—¡Solón en persona no podría hacer más —exclamó Harriet Lang.

Todos miraban al alcalde, aguardando.

—¡Sí, acometeré la empresa! —gritó él—. ¡Estoy con ustedes en cuerpo y alma! —Y acercándose a Lucas, le dijo—: ¡Quiero estrecharle la mano! ¡Es una dicha para mí, doctor! Una verdadera dicha; un honor grande! —Y le sacudía la mano vigorosamente, luchando por contener su vehemencia.

—¿Tú te adhieres también, Bemis? —inquirió Cosgrove. Y todos los ojos se volvieron entonces hacia el periodista.

—No digo hasta qué punto —respondió Shedd, inquieto—. Yo colaboraré... Haré lo que pueda...

—¡Pero usted es el dueño de un periódico! —exclamó mistress Kauffman.

—Cálmate querida —protestó su marido.

—¡No quiero calmarme! El periódico es el órgano de la opinión pública. Más aún, es lo que moldea a una comunidad, es el responsable del pueblo!

—Es el responsable ante los anunciantes —replicó Shedd, brevemente.

—¿Será capaz de sentar esta afirmación tan tranquilo?

—Yo soy quien dirige el periódico. Y puede que sepa cómo van las cosas. Ustedes tienen periódicos porque yo tengo anunciantes. Y cuando a éstos no les guste lo que dice la publicación, no anuncian. ¿Qué utilizo yo en este caso en sustitución del dinero? ¿Cómo imprimiré ese precioso órgano de la opinión pública, ese moldeador de la comunidad? ¿Acaso lo pagarán ustedes?

—¡Vaya! —exclamó mistress Kauffman, mirando sucesivamente a

todos los que estaban allí, como poniéndoles por testigos de aquellas palabras.

—Pero, ¿colaborarás, Bemis?

—Publicaré las dos opiniones —declaró obstinadamente Bemis Shedd—. Y con ello ya pongo el cuello dentro del lazo. Aquí el alcalde, si no sale reelegido puede volverse a su negocio.

—Con lo que promete nos basta —dijo Granite, magnánimo—. Yo conozco los problemas de Bemis, amigos. El está de nuestra parte. A mí me basta con ello. —Y exhalando un suspiró confesó—: Estoy contento de haber tomado una decisión. Mañana tendré que iniciar las consultas para ver cuánto ha de costar todo esto... ¿Con cuántos miembros del Concejo les parece que podemos contar?

—Ya sabes en lo que te metes, ¿verdad? —insistió Shedd.

Cosgrove, Shedd y el doctor Kauffman rodearon en un momento a Henry Granite.

El doctor Runkleman se repantigó pausadamente en su sillón. Durante toda la intervención de Lucas había permanecido con la vista fija en sus propias manos. El desasosiego que le dominaba fue la causa de que adoptara tal actitud. A su parecer lo que Lucas había dicho tenía tan pocas probabilidades de producir un cambio en los hechos políticos como el dirigir una arenga a un bacilo.

Ahora miraba incrédulo y confundido a Granite, y miraba también a Lucas. Sus ojos decían todo lo que callaban los labios. Y en sus ojos había una leve expresión de hastío.

Por su parte, Kristina dirigía a Lucas una mirada de temor, de espanto. La pobre Kristina contemplaba al ser superior cuya superioridad acababa de demostrarse. Luego miró tímidamente a los demás, y poco a poco el orgullo desterró al miedo, y Kristina se envaneció, contenta por su marido, contenta por sí misma, sintiéndose realzada por el parentesco.

Mistress Kauffman se levantó decidida y fue a sentarse al lado de la esposa del joven.

—Es una falta inexcusable que no fuésemos a visitarles —dijo formalmente—. Pero ya conoce usted la vida de la esposa de un médico.

—Me figuro que soy afortunada; no tengo nada que hacer en todo el día. Casi nada en absoluto.

—¿De veras? En este caso, quizá le interesará formar parte de nuestro grupito de arte... Se reirá de nosotras, estoy segura; somos unos pocos nada más en este rincón encantador que leemos un libro de vez en cuando y necesitamos un medio de expresión para nuestras humildes manifestaciones artísticas. Nos proporcionará un gran placer contar con usted.

—A veces me encuentro muy sola. Pero no sé pintar. Jamás aprendí estas cosas. Sólo estudié para enfermera.

—Supongo que se pasa el tiempo leyendo. Tenemos un pequeño grupo de estudio. Actualmente estamos con la *Remembranza de las Cosas Pasadas*. ¿No adora a Proust? Tan intrincado..., tan teutónico...

—No leo mucho. Alguna que otra vez miro las ilustraciones, leo revistas. Creo que jamás adquirí el hábito de la lectura.

—¿No? De todos modos debería venir. El jueves por la noche, cuando quiera. A veces las personas que nunca lo intentaron quedan sorprendidas al ver las obras que producen en un campo en el cual no habían pensado nunca.

—Las noches resultan muy aburridas. Puede ser que vaya alguna vez si no tengo que pintar ni cosa parecida, sino mirar sencillamente. Y si estoy segura de que Lucas no me necesita.

—Sé lo que es la soledad, ¡créame! ¡Usted no tiene mi problema! Cuando vinimos a esta población... Usted sabe que somos judíos, ¿verdad?

—¡Ah! ¡Sí, claro! ¡Por el nombre: Kauffman! ¡No sé cómo es la gente! ¿Les trataron mal? Los judíos son excelentes personas. En el hospital teníamos al doctor Aarons, ¡un hombre bonísimo! Y era judío. No se apure; con los suecos pasa lo mismo.

—Apenas puedo creer que pase lo mismo.

—¡Ah, sí! Lo mismo. Igual. De niña me crié en Minnesota; allí todos eran suecos. Pero un día vi a una enfermera con su capa, y desde aquel momento quise ser enfermera, llevar aquella capa, ser tratada con la atención que todo el mundo la trataba a ella, orgullosos de conocerla. —Kristina se encogió de hombros. Ante sus ojos apareció el aula de las enfermeras, la capa nueva—. De modo que fui a conquistar mi capa. Pero durante los estudios, todo el mundo se burlaba de mí; no tuve una sola amiga; les avergonzaba el ser amigas de una sueca. Muy bien, pues trabajé con más ahínco. Un día pensé: "No tendréis que avergonzaros de mí". Y me puse a trabajar, a trabajar y más trabajar. Sí, esto fue lo que hice, lo que los suecos saben hacer: trabajar. Y un día, al poco tiempo, me nombraron encargada del quirófano.

Y ahora sus ojos veían los departamentos de las enfermeras, veía a sus compañeras evitando el mirarla, el cuarto solitario que ocupaba, las veladas y los largos paseos, siempre sin compañía.

—Nada ocurrió —dijo, con un gesto desalentado—. Seguía siendo una sueca. Por tanto, sé lo que significa. —Kristina miró a mistress Kauffman y movió la cabeza afirmativamente, con la expresión de una persona enterada—. Lo sé bien. Lo que ignoro es el motivo. ¿Qué tienen los suecos de particular? Mi padre me enseñaba siempre: "Kristina, trata a todo el mundo igual!" Y es lo que hago. A todos menos a los noruegos, naturalmente. Y quizá también tengan cosas buenas..., puede que algunos sean muy buenos..., ¿Conoce usted algún noruego? ¡Quizá he dicho una tontería! ¡Dios mío!

—No, no —replicó mistress Kauffman—. Comprendo exactamente lo que quiere expresar. ¡Aunque, se lo aseguro, el problema no es el mismo!

—¿Quizá allá en Suecia no quieran a los americanos?

—Veo que sus contactos con el problema judío han sido más bien limitados. Pero, se lo aseguro, nosotros estamos mucho peor de lo que ninguno de su nacionalidad llegaría a imaginarse. Y desde mucho, muchísimo antes de que existiera América, ¡se lo garantizo! ¡Puede creerme sobre mi palabra!

—No se exalte —suplicó Kristina, en voz baja—. Yo sólo quería que fuésemos amigas, no me proponía...

—No estoy enojada. Lo que ocurre es que este tema me toca en lo vivo. Yo jamás lo saco a colación. Pero cuando usted ha dicho...

—Lo siento —dijo Kristina, humildemente.

—¡Oh, ese es el mundo! ¡Lo odio, lo odio profundamente! —exclamó mistress Kauffman, con pasión.

—¿Cree usted que existe algún país donde nadie odia a nadie por ser lo que sea? —preguntó Kristina, tímidamente.

—¡Jamás! —prosiguió mistress Kauffman, con la misma vehemencia—. ¡Jamás! ¡Me alegro de no tener hijos! No sabría desencadenar sobre ellos semejante maldición. ¡No podría arrojarles a un mundo tan corrompido por la intolerancia!

—Lo sé... Yo solía llorar por las noches. Una vez me enfurecí. ¿Sabe qué? ¡Le contaré una cosa! Me enfurecí tanto que una vez dije a una chica: "¿Qué pasa? ¿No te gustan los suecos?" Después me arrepentí. ¿Sabe qué? Me dije a mí misma: "Kristina, si no te gusta la in... intolerancia, ¿quién es ahora la intolerante? ¿Para qué eres tan intolerante?".

Mistress Kauffman pestañeó.

—¡Vaya, en nombre del cielo!

Kristina dirigió una rápida ojeada a Lucas, al otro lado de la habitación.

—¿Qué ocurre? ¿He dicho algo? Yo no quería...

—No seas intolerante con la intoleracia. Esto es lo que ha dicho, ¿verdad?

—¿Qué sucede por aquí? —preguntó alegremente el doctor Kauffman.

—¡Abe! ¡Oh, Abe! ¡Mistress Marsh acaba de pronunciar la frase más admirable! Oye, Abe. Si odias la intolerancia, no seas intolerante a tu vez. ¡No seas intolerante ni con la intolerancia!

Y sin acordarse de Kristina, la mujer miraba fijamente a su marido, unidos los dos por el lazo de la judería, de la repulsión de la eterna censura, el desamor, comprobando la nueva llave, comprobando si serían aquellas las palabras para el sortilegio, para el escudo, aquel escudo buscado con desesperación; las palabras que serían el Mesías de todas las frases, el Salvador de todas las actitudes. ¿Era aquello? ¿Sería aquello? La judía miraba a su marido con luminosa esperanza.

El doctor Kauffman adelantó el labio inferior.

—¡Es todo un pensamiento! ¡Tienes aquí un magnífico pensamiento.

—¡Ha dado con la solución, Abe! ¡Lo noto! ¡Lo sé!

—Quizá sí —asintió él, sonriendo meditativamente—, quizá sí. Parece que usted y su marido se llevan muy bien, mistress Marsh.

—¿No ha estado maravilloso, Abe?

—Debo decir francamente que jamás esperé que el alcalde se decidiera a comprometer su precioso cuello clásico y político por nada. ¡Ea, todavía no hemos terminado! Falta mucho rato.

—Y mistress Marsh vendrá la primera noche de jueves que le sea posible. ¿No es magnífico, Abe? ¡Procura que un día te cuente cómo tratan a los suecos en esta parte del mundo!

—No tan mal como tratan a los judíos, supongo —dijo Kristina, noble, obedientemente.

—¡No, pero tienes que escucharla, Abe! ¡En verdad te interesa!

El grupo que rodeaba al alcalde se había reducido a Bemis Shedd y Cosgrove.

Por una especie de presentimiento, Kristina dirigió la vista al otro lado de la estancia, buscando a Lucas, cuyo asiento estaba en aquellos momentos vacío. Su esposo se encontraba en un ángulo, hablando animadamente con Harriet Lang. Mientras ésta le miraba, él sonreía subyugadoramente. Miss Lang levantaba la barbilla, y poco a poco, correspondía, sonriendo a su vez. Kristina recordó entonces su propio vestido, que le pareció desaliñado; sus manos y su cabello, que se le antojaron vulgares. Y casi al mismo tiempo, experimentó una sensación de mareo; el miedo le oprimió las entrañas. Pero no podía mirar a otra parte.

—El doctor Kauffman me ha contado unas cosas asombrosas de usted —le decía el doctor Castle.

Kristina tuvo un sobresalto y levantó los ojos como pidiendo perdón.

—Al parecer, ha conquistado por completo al matrimonio Kauffman —añadió afablemente el doctor—. ¿Le sabrá mal que me siente?

—¡No, no! ¡Siéntese, por favor! ¡Queda mucho sitio!

—Quizá incluso sepa conquistarme a mí. —Y sus ojos la miraban afectuosos, tranquilizadores. Luego, el médico miró en dirección a Lucas y Harriet—. Por lo visto, el doctor Marsh ha descubierto a nuestra miss Lang. Es una joven muy notable. ¿Quiere que le hable de ella?

—¡Ah, sí, se lo agradeceré! —Y el malestar se reprodujo, ahora con mayor intensidad.

CAPITULO XXIX

—Es una joven muy notable —repitió el doctor Castle—. Llegó a esta ciudad sin un céntimo; según tengo entendido, no es que viniera aquí, iba de paso. Nació en un lugar de New England, estudió arte y se fue a Nueva York a continuar los estudios. Pero vio que no llegaría a ser pintora, por lo menos una pintora verdadera, sobresaliente, como anhelaba. Entonces se decidió por la escultura. Pero aquí le ocurrió la misma historia.

El doctor Castle movió la cabeza, admirándose de que las personas cifraran todas sus ilusiones en determinadas cosas.

—Es una muchacha verdaderamente bonita —afirmó Kristina, observándola atentamente.

— ¡Oh, la mitad de los hombres de la ciudad han intentado cortejarla! A ella no le interesan los hombres, ni el hogar. Quiere otra cosa. El día que vio la fábrica de ladrillos paró el coche y entró para hablar con Bill Dood. Allí se fabrican tubos; tubos para albañiles, para el agua, toda clase de tubos de arcilla cocida. Algún día tendré que llevarla a que lo vea, y le enseñaré todo aquello...

—Muchas gracias —Kristina seguía observando cómo Lucas y Harriet Lang hablaban animadamente.

—¿Y qué pensaría usted que hizo?

Kristina se volvió hacia él, confundida.

—Dispénseme...

—No importa. ¡Convenció a Bill Dodd para que iniciase una sección de loza! Alquiló una habitación y se quedó aquí durante un mes hasta que Bill le permitió por fin que hiciera un par de fuentes, tazas y otras piezas, y le dejó utilizar el horno. Ella le entregó los cacharros totalmente decorados... y así empezó la cosa. Y según me dijo Bill Dodd, ¡actualmente la mitad de lo que fabrican es vajilla basta, decorada!

—Ha de ser muy inteligente —admitió Kristina, con ansiedad. Y sin querer volvió a observar a la pareja.

—Dígame, ¿no tienen ustedes ningún hijo, mistress Marsh?

— ¡Oh, a mí me gustan los pequeños! —exclamó Kristina, volviéndose rápidamente hacia su interlocutor—. ¡Quisiera tener un millón!

—Nada como los hijos para afianzar un hogar. Son como una especie de cemento, podríamos decir. Es un recurso que está al alcance de toda mujer.

—¡Es cierto! ¡Lo sé! Sólo..., sólo que Luke se pone furioso... si me atrevo a mencionarlo nada más...

Kristina volvió la cabeza para mirar a Lucas. Y se advertía un amor tan evidente en su mirada, una sumisión tan absoluta en su actitud, parecíase tanto a un niño pobre que espiara la fiesta dada por un niño rico, anhelando gozar de lo que veía, pero sabiendo en todo momento cuál era su puesto, que el doctor Castle volvió la vista también hacia Lucas. Y cuando notó que había olvidado por completo a su esposa, que se encontraba a un mundo de distancia de ella y que de este modo se sentía completamente feliz, el doctor Castle, en vez de hablar, se limitó a coger la mano de Kristina. La muchacha se volvió hacia él, sonrojada y sorprendida. El médico la miró fijo a los ojos y sonrió.

—Le diré lo que hará usted —le explicó, como si estuvieran conspirando—. Mientras él esté fuera todo el día, ¿por qué no va usted al Condado? ¡Usted está habituada a moverse en un hospital, suba allá y entreténgase en la sala de los pequeños!

—¿Sí? —Kristina consideró aquel proyecto esperanzada—. ¿Cree usted que no le sabrá mal?

—¡Claro que no! ¡Siempre tienen más bebés que enfermeras para cuidarlos! ¡Mire, la mitad de aquellas criaturas, ni siquiera tienen padres! —El doctor Castle acentuó la última frase de una manera especial.

—¡Oh, pobrecitos! —susurró Kristina.

—Ha encontrado usted a un hombre que vale...

—¡Oh, Luke es admirable! Lo sé. Soy muy afortunada. ¡Que un hombre como él se encuentre atado a una mujer que sólo sabe ser encargada de un quirófano! Lo comprendo... La esposa de un médico debería ser de modo que su marido la mirase satisfecho... Debería vestir bien... Yo ni siquiera hablo un buen inglés.

—Hace más de treinta años que soy médico y puedo contar con los dedos de una sola mano las personas que he conocido que no desearan ser distintas de como eran.

—Bueno, entonces, ¿qué quieren ser? —preguntó el doctor Runkleman.

—¡Hola, Dave! Le decía a mistress Marsh que en todos los años que llevo de médico jamás he tenido un paciente que estuviera contento con lo que era.

—¡Canastos, esto es verdad!

—Todos se obstinan en mirar al vecino, todos quieren ser lo que es otro. Si uno desciende hasta el fondo de la cuestión, nadie quiere ser una persona humana. ¡He ahí el *verdadero* problema! ¡La gente no quiere competir consigo misma!

El anciano médico miró, significativamente y con todo afecto, a Kristina. Ella correspondió a su mirada, esperando que dijera más.

—El doctor Castle ha expresado la idea exacta —afirmó el doctor Runkleman, con una sonrisa que se transformó en bostezo—. No me siento tan joven como solía —excúsose—. He tenido un día ocupadísimo.

Los ojos del doctor Castle se quedaron inexpresivos un momento, y escudriñando rápidamente la faz del doctor Runkleman. Luego, la frialdad desapareció de ellos y miraron nuevamente a Kristina, sonriendo.

—Hemos estado tramando una pequeña diablura, Dave. Aquí, mistress Marsh, como usted le mata de trabajo al marido, se encuentra sola todo el día. Yo le decía que fuera al Condado cuando tenga tiempo y quizá le permitan ocuparse de los pequeñuelos.

—¡Caramba! ¡Es una excelente idea! ¿Le gustará?

—Me encantaría —contestó sencillamente Kristina.

—Mañana hablaré con las enfermeras. ¡Vaya siempre que le plazca! ¡Naturalmente!

—Tendré que decírselo a Luke.

—No se preocupe por el doctor Marsh. ¡Yo me encargaré de él!

—Le estuve hablando de miss Lang...

—¡Vaya, es una joven de prendas!

—El doctor Castle me ha informado —dijo Kristina, en tono firme.

—Sí —encareció el doctor Castle—. Le he informado...

La conversación en la que Lucas y Harriet Lang se recreaban con tal pasión, versaba sobre ellos mismos. Se habían olvidado de los demás contertulios porque cada uno de los dos concentraba su pensamiento en espera de lo que diría el otro. Y cada uno absorbía ávidamente lo que le decía el otro porque la conversación era un medio de contacto, y aquella clase de contacto estaba permitido.

Se informaban mutuamente de cómo había sido que fueran a parar a Greenville, se relataban su vida anterior. Y en todo momento, fuesen cuales fueren las palabras que pronunciaban, se observaban uno a otro con satisfacción, con franca complacencia, llenos de esperanza.

—Pero, ¿le *gusta* estar aquí? —preguntaba Lucas.

—*Vivo* aquí. En realidad, no importa mucho el lugar donde viva.

—Excepto New England —recordóle Lucas.

—No. No quisiera volver allá. Me identificaría con lo que era antes y aceptaría sus limitaciones. Y las mías.

—¡Me encuentro en el mismo caso que usted! ¡Experimento la misma sensación! Ambos tenemos un objetivo que nos proponemos alcanzar...

Y se miraban uno a otro excitados. Lucas casi experimentaba un dolor físico al fijar la mirada en el cutis de la joven. Esta tenía la boca más bien grande. Sus ojos eran grises, y en determinados momentos, Lucas creía casi con toda certeza que le estimulaban a continuar. Al principio tuvo el presentimiento de que Harriet le concedería un tiempo limitado, de que en cualquier instante le dirigiría una luminosa sonrisa y se alejaría para distribuir su presencia entre todos los concurrentes. Y hablaba incesantemente, estrujándose el cerebro en busca de frases que la retuvieran.

"Me gustaría tocarle —pensaba ella—. Me gustaría posar las manos sobre su chaqueta, subirlas hacia los hombros, rodear su cuello, acariciar sus adorables mejillas. Tiene unas pestañas de muchacha. Me gustaría ser suya...

"Y aquella es su esposa, aquella joven sosa, con aire de sueca, que está allá. ¡Cómo diantre pudo casarse con ella! ¡Cómo es posible! ¿Qué tiene que yo no sé ver? Pero entre ellos no hay nada; todo se ha disipado, no queda la menor afinidad. Si existió alguna... Pero, ¿por qué? ¿Por qué pudo existir en un principio? Ella mira hacia acá. Seamos prudentes".

—No sé en qué posición se encontraría usted, pero cuando yo era niña me imagino que seríamos la familia más pobre de New England. Si no hubiese fallecido una tía mía no creo que hubiese terminado la segunda enseñanza, y no hablemos siquiera de la Universidad.

—*Usted* se lo figura que era pobre!

—¡Ea, no me diga que usted hizo la carrera trabajando para pagarse los estudios.

A Lucas se le pusieron las mejillas repentinamente encarnadas.

—No, no lo hice trabajando —admitió con repugnancia—. Sólo el preparatorio...

Esto era, pues. Ella le había pagado los estudios. Sí, se los había pagado. Así ocurrieron las cosas. Ella tenía seguramente algún dinero ahorrado y continuó trabajando. Y él, que estaba desesperado, se casó con ella, y de este modo pudo terminar. Harriet miró a Lucas, valorándole nuevamente. De modo que no eran sólo palabras en este caso. He ahí cuánto significaba la Medicina para aquel joven. Por ella era capaz de todo. Y como Harriet sabía bien cuán infinitamente miserable, cuán infinitamente risible resultaba todo lo que el mundo exaltase como grandes valores, y todo lo que el mundo legislase, puesto en parangón con lo que una persona quisiera verdaderamente, tan verdaderamente que lo quisiera ya desde el momento de nacer, sintiéndose formada únicamente para ello, experimentó en su interior una corriente de intimidad que la unía a Lucas. Percibió entre ambos una consanguinidad que borraba los días, las semanas y los meses del pasado, y le daba una base de familiaridad con todo lo que él pudiera hacer o decir, que le proporcionaba la sensación de que entre ambos existía una realidad establecida, conocida y aceptada, la sensación de una hermandad, una especulación placentera, incestuosa...

Harriet volvió a mirar a Kristina, y esta vez con ojos de comprensión, con disimulada piedad. Las mujeres no formaban parte de su mundo si no eran mujeres dotadas de una fuerza propulsora, mujeres que lucharan por algo, que se propusieran un fin. Pocas había de esta clase. Las otras constituían una masa desamparada, estúpida, una cofradía de hembras, un rebaño regido por determinadas normas. Muchas de estas normas resultaban extravagantes, increíblemente complejas y vacías, increíblemente guardadas con toda devoción por cada miembro del rebaño, de un rebaño en que cada una de sus componentes vigilaba a su vecina, siempre recelosa, siempre abrumada por el miedo.

Sin los adornos y las reglas de aquel gran juego, las mujeres no podrían por menos que reconocer que formaban una gigantesca clase de sirvientes, educadas para tales, que servían incansable, incesantemente, y sin la menor finalidad; que vivían sin objetivo y morían sin objetivo, siempre cuidando a los hombres.

Y éstos eran tan presuntuosos y tan vacíos como las mujeres.

Excepto que hasta en el hombre más obtuso se descubría, por lo menos en potencia, un mayor dinamismo. Ellos poseían también sus normas, que les distraían de su propia y descarnada inutilidad, de su mediocridad pasmosa, de la puerilidad de todas sus acciones. Todos ellos asumían la seriedad de un niño jugando, y ni uno entre un millón se ocupaba en algo más importante que los juegos que absorben de tal modo la atención del niño.

Causaba inmensa sorpresa encontrar a otra persona dotada de perspectiva y de propósito, de una perspectiva y de un propósito completos. Y mucho más aún que el encuentro tuviera lugar en aquella población, en semejante estancia, entre parecidos concurrentes. La joven sentía el deseo de no separarse de Lucas, de retenerlo con fuerza, de conservar su compañía. Entonces vio que Kristina se ponía en pie, y volvió a mirar a Lucas complacida. Aquel hombre lo haría todo para servir a su objetivo, lo haría automáticamente, sin la menor vacilación... Además, era joven y guapo, y su persona, su traje, su cutis, su cabello, tenían contexturas que hacían estremecer los dedos de Harriet.

Lucas la miraba desamparado. La quería, era evidente, no cabía la equivocación. Pero sería preciso conservarle en aquel estado durante algún tiempo; la situación creada no debía resolverse de un modo brusco, sino que convenía prolongarla peligrosamente, avivando anhelos y estimulando sentimientos insospechados.

Y entretanto, su faz mostraba aquella expresión especial. Y su esposa se acercaba.

—¿Le gusta trabajar con el doctor Runkleman? El bueno del doctor ha de estar abrumado por la fatiga, camina tan encorvado...

Lucas desvió la mirada rápidamente, y hubo de reprimir un estremecimiento de culpabilidad al ver que el doctor Castle, el doctor Runkleman y Kristina se dirigían hacia ellos.

—Kristina está pasando una velada muy divertida —dijo gozosamente el doctor Runkleman.

—Le conviene salir de vez en cuando —asintió Lucas—. ¿Todo va bien, Kris?

—No llego a comprender cómo mujer alguna quiere ser la esposa de un médico —exclamó Harriet Lang, moviendo la cabeza compasivamente.

—No es tan terrible —contestó Kristina—. Me he acostumbrado. ¡Acaban de hablarme detalladamente de usted, sin embargo! ¡Dios mío! ¡Qué inteligencia la suya! No he conocido a muchos artistas, pero...

—¡Pero una vez en Minnesota conocí a una chica que pintaba porcelanas! —concluyó Lucas.

—¡Es verdad! —maravillóse Kristina—. ¿Quién te lo ha dicho, Luke? ¿Te lo había contado alguna vez?

—No, pero sabía que Minnesota había de salir por alguna parte —respondió él, suspirando.

—Mi marido me toma como objeto de burla —confesó Kristina—. Me figuro que está en lo cierto; que no soy más que una escandinava de Minnesota.

—Yo creo que nadie llega a más —intervino el doctor Castle—. Todos somos algo que procede de alguna parte.

—Siempre sentí el deseo de ir a Minnesota —dijo Harriet Lang—. Tengo entendido que es una región maravillosa, cubierta de lagos.

—¡Oh, sí, hay muchos lagos! —afirmó vivamente Kristina.

—Confío que algún día me dará detalles de su país. Me gustaría volver a verla con frecuencia, y también a su interesante marido.

—¡No se marchará ya! —dijo el doctor Runkleman.

—Me temo que debo marcharme. Ya saben que soy una obrera. La fábrica me llama. —Harriet desvió los ojos con aire indiferente, pasando por alto la mirada de protesta de Lucas.

—La llevaré allá —dijo el doctor Runkleman. Lucas le miró sorprendido, pero en seguida recuperó su autodominio.

—Se hace tarde —dijo—. Nosotros nos iremos también.

—No, no. Es temprano. La hora no es avanzada ni mucho menos. Quédese aquí, diviértase. Es la primera vez que mistress Marsh asiste a una reunión. No se fije en mí. Lo que ocurre es que he tenido un día fatigoso.

—¿Se encuentra mal? —preguntó Lucas, con ansiedad.

—¡Me encuentro muy bien! ¡Absolutamente bien! Me siento cansado, únicamente. ¡Ustedes quédense aquí! Vamos... Miss Lang, por una vez, esta noche la acompañará un galán bastante maduro.

Y mientras Harriet y Lucas se miraban indecisos, el médico cogió a la joven del brazo, y entonces fue ya demasiado tarde para protestar. El doctor Runkleman y Harriet se marcharon.

—¿Han trabajado intensamente en estos últimos tiempos? —preguntó el doctor Castle.

—No más intensamente que de costumbre —contestó Lucas. Pero mientras se desvanecía el eco de sus palabras, comprendió que su interlocutor no le había dirigido una pregunta formularia. Lucas miró al doctor Castle con interés.

—Dave estaba un poco ronco esta noche —dijo afablemente el doctor Castle.

Ronquera..., ronquera, tos, disfagia, dolor...

—No tose —contestó Lucas.

—Ultimamente, no.

—¿Qué ocurre? preguntó Kristina.

—Le decía a su marido que ha descargado un gran peso de los hombros del doctor Runkleman —explicó con una sonrisa el doctor Castle—. ¡Caramba, antes de venir usted estaba agotando a ojos vistas! ¡Tosía incluso! Pensábamos que sería preciso atarle y llevarle a un sanatorio a descansar.

—Trabaja en exceso —exclamó Kristina, moviendo la cabeza, indignada—. ¡Debería decírselo!

—¡Decírselo! —repitió como un eco el doctor Castle.

Lucas meditaba. El no había advertido ninguna anormalidad. Ronquera... Sí, ronquera, y, además, he ahí lo que dijo unos segundos antes el doctor Castle. Sabía el significado de aquello: ronquera y tos...

—¡Uno no puede decirle a un hombre como Runkleman que abandone el trabajo! —estalló con un bufido el doctor Castle— Debería saberlo, mistress Marsh. ¡Fíjese en su marido!

Kristina miró ansiosamente a Lucas.

—Están demasiado agobiados de trabajo —exclamó amedrentada.

—Creo que no he perdido peso —dijo Lucas, en tono indiferente.

—Come con buen apetito —admitió su mujer.

—No me ando con remilgos al comer. Me trago todo lo que me ponen delante.

—Bien, me figuro que ésta es la mejor solución —dijo amablemente el doctor Castle— Pero al doctor Runkleman le he visto comer como si le dieran asco los manjares, como si verdaderamente sufriera en el momento de deglutir... Tampoco yo soy muy comilón.

—Pero es preciso que uno se conserve erguido— amonestó Kristina.

—Es verdad —contestó el doctor Castle—. ¡Y me figuro que con relación al doctor Runkleman y a su esposo usted es la persona capaz de conseguirlo!

Ronquera, tos, disfagia... ¿Dolor? Sí, también probablemente. Lo que hizo, sin duda, fue no demostrarlo... El corazón de Lucas aceleró sus latidos, alarmado. Y el doctor Runkleman sin decirle una sola palabra. Ni una sílaba. Luego aquellas pausas durante una operación. No es que meditase... Descansaba. O esperaba que se le pasase. He ahí el caso, claro como la luz del día. Lucas miró al doctor Castle y se dijo que éste lo supo desde un principio. Y Runkleman se preocupaba por Castle. Mientras él...

—Me figuro que deberé obedecer a Kris antes de que sea demasiado tarde —dijo intencionalmente—. Ella siempre se empeña en que coma más.

—No me hace caso —asintió Kristina.

—Ahora —dijo Lucas, mirando al doctor Castle—, ahora le prestaré atención.

—No estará de más —convino el otro médico. Y dirigiéndose a Kristina, le dijo—: Hay personas terriblemente listas. ¿Se ha dado cuenta, mistress Marsh? Conocen la manera de manejar a la gente. Incluso a la gente inteligente. Y si no, fíjese aquí, en su marido. Apuesto a que nadie ha maniobrado jamás a otra persona del modo que lo ha hecho él.

—¡Me ha dejado sorprendida, no lo dude! —exclamó la joven—. ¿Dónde aprendiste tantas cosas, Luke?

—Una vez abrí un libro por la página precisa —sonrió Lucas.

De modo que el doctor Castle había intentado ya examinar al doc tor Runkleman. Y éste lo había tomado a chacota. Sería preciso mucho ingenio para poder apoyar el estetoscopio sobre su ancho y velludo pecho. Se necesitaría verdadero ingenio... Y probablemente él sospechara algo..., quizá lo supiese..., lo sabía, sin duda..., pero no quería tener una confirmación..., quería continuar, seguir adelante y nada más...

Aneurisma del arco de la aorta: ronquera, tos, disfagia, dolor... La mente de Lucas recopilaba los sonidos que oiría con el estetoscopio, los sonidos que los centros de asociación de su memoria conservaban inalterados, siempre dispuestos a ponerse en fila y a prestar sus servicios: pulso fuerte, soplo diastólico, y resonancia aórtica acentuada, estertor traqueal, palpitación, opacidad en la línea transversal del segundo espacio intercostal, pulso distinto en una muñeca que en otra...

—Será conveniente que me preste el libro que abrió —dijo el doctor Castle—. Hace dos años que trato de plantar en mi calle un rótulo prohibiendo el paso.

—Bien —dijo Lucas—. Creo que.es hora de irnos.

—¡No, no! —protestó Cosgrove—. ¡Usted no se nos escapa tan fácilmente! Usted es quien ha puesto el asunto en marcha.

—¿Nos necesita a nosotros? —inquirió el doctor Kauffman.

—Ahora, no. Váyanse, si quieren.

—Me gustaría hablar con usted, doctor Marsh, si no le importa —dijo Granite—. Y con usted también, doctor Castle.

Todos se sentaron. Kristina se colocó indecisa al lado de su marido, en el sofá. Cosgrove se acomodó a horcajadas en una silla. El alcalde entrelazó los dedos y se inclinó hacia adelante desde las profundidades de su sillón.

—A mí no me importa —dijo el doctor Castle—. No me importa en absoluto.

—Lo sé —asintió Henry Granite—. Por eso quería hablar con ustedes dos.

—Y aunque a usted le importase —intervino Cosgrove, dirigiéndose a Lucas—, sería lo mismo, porque dado el rumbo que han tomado las cosas, se verá obligado a cargar con parte de las responsabilidades inherentes al paso que daremos.

—Lo que Ben quiere expresar es que, habiéndose comprometido todos, por así decirlo, hemos de elegir a un representante.

—A una víctima —aclaró Cosgrove.

—A una persona que pueda presentar oficialmente al alcalde una solicitud reclamando que tome las medidas necesarias. Una persona de carácter a la que no le importe lo que piense la población. Con lo cual, quedamos usted y yo. Yo, porque a mí no me importa lo que opine la gente. Y usted, porque siendo tan nuevo en la población muchos le perdonarán el hecho de haber pedido que saquen el dinero para una cosa tan incomprensible como una conducción nueva de agua.

—Imagino que Kauffman no sería indicado —dijo Granite.

—Binyon y Blake son demasiado prudentes para poner su cuello en peligro.

—Yendo al fondo de la cuestión, ¿qué les importa a ellos?

Cosgrove meditaba.

Lucas se sonrojó. El que hablaba era un lego.

—¿Que le pasa? ¿No le ha gustado mi manera de expresarlo? —preguntó el abogado.

—No mucho— dijo Lucas, mirándole con fría cólera. Las desilusiones sufridas durante los meses pasados le habían preparado a enfrentarse en cualquier momento con insospechados enemigos.

—¿Qué es lo que le gusta de ella? —inquirió Cosgrove?

—No sé qué derecho tiene usted de presumir que conoce los objetivos del doctor Binyon o del doctor Blake —dijo Lucas, en tono glacial.

—¡Ea, caballeros! ¡Ben, sé más comedido! —pidió Granite.

El doctor Castle se arrellanó en su sillón. Kristina le miró atemorizada. El anciano médico le guiñó el ojo sin disimulo, pero ella desvió la vista, todavía inquieta.

—Muy pronto nuestro joven recién llegado levanta la cabeza como portavoz de la profesión médica —protestó Cosgrove—. Si puede considerarse a Binyon y a Blake como miembros de la profesión médica...

—Tengo entendido que usted también es un profesional —replicó Lucas—. Ignoro cuál sea la ética de los abogados.

—¡Ah, no, la conoce muy bien! —contestó serenamente Cosgrove—. Son todos unos pestilentes, y yo otro cochino buscalíos.

—Esta es una cosa que, naturalmente, puede definir usted mejor que ninguno de nosotros.

—Y yo me doy perfecta cuenta del pobre concepto en que nos tienen los exaltados seguidores de Hipócrates. Nosotros defendemos a una parte, lo mismo que defenderíamos a la parte contraria, ¿verdad, doctor? He ahí lo que les saca de quicio. Demasiados de ustedes nos consideran seres inferiores a los que no hemos estudiado Medicina y no hemos constituido una asociación de defensa mutua.

—No comprendo muy bien sus... sentimientos respecto a la Medicina —replicó Lucas, saboreando el placer de la contienda razonada—, pero me parece que, procediendo de un miembro de una profesión, sus observaciones relativas a los doctores Binyon y Blake tienen un matiz de irresponsabilidad.

—¿Te cobran demasiado, Ben? —dijo sonriendo Granite.

—¿A mí? Yo no tengo nada contra ellos. Es Marsh quien por lo visto se cree obligado a defenderlos sobre la noble palestra que sea preciso. Sería capaz de hacerlo, ¿verdad, Marsh? Fuera cual fuese lo que personalmente supiera de él (aunque acabara de verle matando una persona), se sentiría obligado a defender a cualquier compañero, ¿verdad? Sólo por su condición de médico. Aun suponiendo que no supiera su nombre, y que fuese un sujeto totalmente inepto para ejercer la Medicina, usted le guardaría las espaldas del modo que pudiese. Eso es cierto, ¿no?

—Un médico está condenado a incurrir en equivocaciones —dijo el doctor Castle—. Yo sé que las he cometido, y a docenas. Es posible que con mis equivocaciones hubiera podido llenarse un cementerio.

Pero si hubiese cumplido condena por los que he matado, tampoco hubiera podido salvar a los que he salvado. Y apuesto a que son en número suficiente para poblar una ciudad.

—Este es el caso de usted —dijo Cosgrove, frunciendo el ceño.

—Yo no puedo hablar por otros médicos... —empezó Lucas, con acritud.

—Doctor, usted vive en un mundo irreal —le interrumpió Cosgrove, en tono compasivo.

—Debería saber las horas que trabaja un médico. ¡Debería saber cómo trabaja, cómo estudia, lo esclavo que es, las cosas que tiene que soportar! —exclamó Kristina, enojada.

—Pero le pagan bien —replicó suavemente Cosgrove— Y para él, el trabajo resulta un placer que saborea hasta el último minuto. Y en el momento que no le proporcione placer puede dejarlo.

—Muchos lo hacen, ya lo sabes —observó el doctor Castle—. Abandonan la carrera y se dedican a otras actividades, actúan de agentes de Seguros, trabajan en laboratorios, puede que hasta algunos estudien para abogado.

—Seguramente —dijo Cosgrove—. Es un comercio como otro cualquiera. Uno de los mejores que existen. En realidad, no es un comercio, es una industria. No hay ningún mal en ello. Con tal de que no se tomasen a sí mismos tan en serio...

—¿Conoce algo más serio que la vida y la muerte? —preguntó Lucas, con calor.

—No voy a dirigirle preguntas porque de tanto oírle "No lo sé", me aburriría. Me limitaré a enumerarle lo que no sabe. Usted no sabe por qué late el corazón. No sabe por qué deja de latir. No sabe por qué se regenera el hueso, ni dónde se fabrica la sangre, ni por qué trabajan los pulmones, ni dónde está la mente, ni qué es el apetito, ni por qué perciben sensaciones los nervios, ni por qué la mujer llega a su plazo en nueve meses y no en seis o en doce, ni qué es lo que pone en marcha el alumbramiento. Usted no sabe casi nada de todo el sistema endocrino, ni siquiera cuál es el resorte principal que provoca la muerte.

El abogado hizo una pausa mirando a Lucas con expectación.

—¿Posee las respuestas a todos los enunciados anteriores?

—Sabemos muchas cosas de todos ellos.

—Pero ignoran la fundamental. Ignoran cuántos sentidos existen, e incluso qué es lo que constituye un sentido independiente. Ignoran cómo actúa un anestésico. Toda su llamada ciencia está llena de "es probable" referidos a estas cuestiones. Pero no saben ninguna en realidad y de verdad. Y éstos no son pequeños detalles que importan mucho, que se dejan de lado para resolverlos otro día. Son los hechos básicos de la vida misma. Los elementos, los factores vitales.

Lucas tenía la garganta seca. Miraba a Cosgrove con odio. Intentaba desesperadamente hallar un argumento, confundirle por completo.

—Con mucha frecuencia me siento asqueado por este concepto de protección mutua y de omnisciencia. Se me atraganta. Me da náuseas ver cómo un médico sube a la tribuna y defiende a otro médico estando seguro de que ha matado, ha dañado o robado a un paciente. Me asquea que, en Medicina, los culpables salgan absueltos libremente. Me asquea que los inocentes les protejan. ¿Piensan, quizá, que el público sabe cuánto ignoran ustedes? Y todavía no he empezado. Podría continuar órgano por órgano, indefinidamente, y sin fijarme en pequeños misterios.

—La diferencia entre tú y yo está en que yo podría escribir una lista más larga todavía que la tuya —dijo el doctor Castle—. Y lo mismo podría hacer el doctor Marsh. Pero no es lo que ignoramos lo que te molesta. Y, en cambio, lo que *sí* sabemos te sirve de mucho.

—Esto es cierto. Pero no comerciamos con ello. ¡Y no me digan que no lo hacen! Ustedes negocian con la ignorancia humana. Son los dueños del cuerpo humano. El paciente no es dueño de su organismo, lo son ustedes. Les pertenece a ustedes. Y él hará bien teniendo la boca cerrada, pues de lo contrario le negarán el auxilio que ha venido a pedirles arrastrándose. Han montado un gran negocio. Y regulan el número de comerciantes que dejarán entrar para dedicarse al mismo. No quieren otra cosa sino mucho negocio para todos. Y protección completa. De lo contrario, no quieren jugar. Ustedes alientan la ilusión de la omnisciencia. A veces se llaman científicos; otras, artistas. Nunca han decidido por completo qué frente quieren ofrecer a la estimación del público. No se atreven a ello. Saben demasiado lo que les conviene. Ustedes prefieren que no les entiendan. De este modo han hecho millones. Han llegado a ocupar posiciones temidas, elevadas y respetadas en la sociedad. Pero que Jesucristo les ampare cuando el público les conozca a fondo. Cuando llegue el momento en que no dispongan de nuevos descubrimientos para distraer a la gente de pensar en lo que verdaderamente son ustedes, en lo que realmente han hecho...

El silencio fue absoluto. La cólera de Lucas hacía rato que se había diluido en el asombro que le producía la vehemencia de Cosgrove, el apasionamiento de sus convicciones, la obstinación de su asalto.

Cuando abrían la puerta de su morada, sonó el teléfono.

Kristina se desplomó en una silla.

—Vete a la cama —le dijo Lucas, cogiendo el maletín.

—Era en ti en quien pensaba.

—¡Bah, es mi trabajo! —contestó el joven, sombríamente.

Y la puerta se cerró a su espalda.

Kristina se quedó tal como él la había dejado al salir. Sus ojos no se apartaban de la puerta recién cerrada. Sus ojos guardaban el recuerdo de los de Lucas y sus oídos, el tono de la voz de su marido. Kristina permaneció inmóvil, escuchando.

El hospital tenía encendidas las luces del cuarto para los casos de urgencia. Un policía de servicio de noche estaba de pie en la puerta, con aire importante.

—Está dentro, doctor. La hemos traído nosotros.

La mujer tendría unos cincuenta años, su pelo era gris. Llevaba un albornoz sobre la camisa de noche y los pies calzados con unas zapatillas. Estaba sentada e inmóvil, con las manos juntas. Cuando entro él joven médico le miró fijamente con sus ojos grises inteligentes.

La enfermera de noche se puso al lado de Lucas.

—Se ha tragado un alfiler —susurró.

Lucas asumió su sonrisa profesional.

—Veamos, ¿qué clase de alfiler era?

—Un imperdible, doctor —dijo la mujer, con toda calma—. Me llamo Sylvia Phelps y me creo en el deber de advertirle que pertenezco a los Cristianos Científicos. Como me encontraba agitada, me he levantado para hervir un vaso de leche, y cuando me disponía a sujetarme el albornoz con el imperdible, me lo puse un momento en la boca. Pero entonces, me pasó un ratón por encima del pie y al abrir la boca por el susto me lo he tragado.

—De acuerdo —contestó Lucas—. Está bien. Son muchas las personas que se tragan alfileres. ¿Lo siente? ¿Puede enseñarme dónde?

—Aquí. —La mujer se llevó la mano inmediatamente al punto en que el cuello se une con el pecho—. Soy una cristiana científica, doctor...

—Comprendo. Y no cree en mí. ¿Que le parece si nos vamos a la sala de Rayos X?

La mujer le siguió obediente.

—Pero en un caso como éste...

—Sí, comprendo. No se le puede reprochar nada. Pero no quiero que diga ni una palabra más. ¿Entendido?

La paciente asintió con una cabezada y le sonrió serenamente, agradecida.

El alfiler apareció claramente en el fluoroscopio. Se había detenido cerca de la rama ascendente del bronquio derecho.

—Utilizaremos el quirófano pequeño —ordenó Lucas, brevemente.

—Sí, señor —contestó la enfermera. Pero se detuvo en la puerta. Lucas se le acercó.

—¿Qué ocurre? —preguntó en voz baja.

—No sé mucho de estas cosas —susurró la muchacha, abatida—. No soy enfermera con título.

Por un momento, Lucas pensó en llamar al doctor Runkleman. Era la medida lógica, reglamentaria. Luego se dijo enojado que no, confiado en su propia habilidad. "Lo haré solo", decidió. En la inseguridad en que se había sumido su mundo resultaba una pequeña satisfacción pasar revista de aquel modo a la confianza en su propia habilidad, una confianza que Lucas calificó, con una sonrisa huraña y orgullosa a la vez, de plenamente justificada. En ella tenía un punto de apoyo firme, a pesar de todo.

—¿Hay alguna enfermera de servicio?

—Sólo está miss Paget, pero no de servicio. Está sentada a la cabecera de Oscar Glaimer, el paciente del cáncer de recto. Lo siento, doctor, si supiera ayudarle lo haría muy contenta. No es culpa mía, en realidad.

—Llame a miss Paget.

Mientras la muchacha estuvo ausente, él transportó en la camilla a miss Phelps al quirófano pequeño, encendió las luces y conectó el fluoroscopio portátil. Miss Paget llegó en el momento preciso para ayudarle a colocar a la paciente sobre la mesa.

—Aquí tenemos un alfiler en el conducto respiratorio —dijo tranquilamente Lucas—. Sé que no está de servicio, pero tanto la paciente como yo le quedaremos muy agradecidos por su colaboración.

—¿Debo lavarme? —preguntó fríamente la enfermera.

—Primero vamos a poner esa pantalla donde la necesitamos. —Diciendo lo cual, acomodó el fluoroscopio—. ¡Ahí! ¿Lo ve?

—Sí, señor. —Sus inclinadas cabezas se tocaron.

—Bien, ahora nos lavaremos rápidamente, prepararemos unos cuantos instrumentos y entretanto miss Phelps se quedará tendida aquí, perfectamente quieta... Así. Luego les diré lo que haremos.

Y Lucas dirigió una sonrisa tranquilizadora a la paciente, que correspondió con otra serena e inalterable.

—¿Lo hará solo, doctor? —le preguntó miss Paget mientras se lavaban—. ¿No necesita al doctor Runkleman?

—Creo que nos arreglaremos. He ahí el procedimiento que vamos a emplear. ¿Tiene usted unas pinzas fórceps muy largas, verdaderamente largas?

—Tenemos unas especiales. La última vez que el doctor Snider sufrió un contratiempo al practicar la anestesia dejó que el paciente se tragara...

—No se apure —le interrumpió Lucas, tranquilamente—. Todo esto llevamos de adelanto. Bien, utilizaremos las pinzas esas y nos contentaremos con una anestesia local. Yo practicaré una abertura encima del esternón hasta el tubo respiratorio. Entonces necesitaré cocaína para espolvorear los bronquios. Luego introduciré las pinzas. Usted no apartará la vista del fluoroscopio. Cuando los dientes de las mismas lleguen al punto preciso, es decir, se abran a uno y otro lado del alfiler, usted dirá: "¡Ahora!" ¿Me comprende?

—Sí, señor. Pero, ¡Dios mío, doctor! ¿Y si la paciente tose?

—Es una cristiana científica.

—No me importa lo que sea, pero casi es inevitable que tosa.

—Esta noche verá la fe en acción, miss Paget. No hay paciente mejor que un cristiano científico. Ella es cristiana científica y no toserá.

Miss Paget se encogió de hombros y fue a preparar los instrumentos.

Lucas entró sonriendo en la sala de operaciones. Miss Phelps correspondió con una sonrisa cortés.

—Vamos a extraer el alfiler ese —le dijo Lucas, cogiéndole una mano—. Pero todo depende de la colaboración que usted nos preste. ¿Quiere concedérmela?

La mujer hizo un signo afirmativo.

Miss Paget llegó con la bandeja de los instrumentos, y, además, con unos guantes de goma. Lucas rehusó éstos con un ademán. La enfermera descubrió aquéllos.

—No sufrirá dolor. Un poco de molestias, quizá.

Miss Phelps le guiñó el ojo y expresó con una mueca el desprecio que le inspiraba el dolor.

El joven médico desinfectó el área en la base del cuello de la paciente. Luego pellizcó la piel y le dio la inyección.

—Le haré una abertura aquí. Meteré un instrumento dentro. Y con él cogeré el alfiler.

Pronunciadas estas frases, miró inquisitivamente a miss Phelps esperando unos instantes para que se hiciera cargo de lo que le había dicho.

La paciente asintió, cerró los ojos despacio y los abrió de nuevo sin alterarse.

—Cuando el instrumento penetre dentro, usted sentirá un deseo imperioso de toser. No sé cómo podrá dominarlo. —Lucas hizo una pausa—. Pero sé que lo dominará. Si tose cuando el instrumento entre, puede perforarle un bronquio. Y entonces nos daría un disgusto. —Y él sonrió con la más cordial de sus sonrisas.

La paciente abrió los labios.

—No toseré —dijo.

Lucas se apresuró a ordenarle silencio, poniéndose el dedo sobre la boca. La paciente asintió con un movimiento de cabeza. Luego miró unos instantes al techo.

—¿Preparada? —preguntó el médico, en voz baja.

Miss Phelps hizo un signo afirmativo y cerró los ojos.

Miss Paget puso un bisturí en la mano extendida de Lucas. Este practicó muy despacio una pequeña incisión. Luego volvió a cortar. La tráquea estaba abierta. Lucas miró a miss Paget. La enfermera hizo un signo de asentimiento y le entregó las pinzas. Después de observar unos segundos a la paciente y viendo que continuaba con los ojos cerrados y el rostro sereno, Lucas abrió la incisión. Las pinzas penetraron en la tráquea. Miss Phelps continuaba inmóvil. Lucas introdujo las pinzas hacia abajo con movimiento lento, pero incesante. Ahora fijó los ojos en la pantalla mientras las pinzas descendían con cautela, casi imperceptiblemente. Las pinzas eran sus manos, eran unos dedos largos que se movían poco a poco descendiendo, descendiendo más, más, más..., un poco a la derecha..., hacia atrás...

—¡Ahora! —dijo miss Paget.

Lucas cerró las pinzas. Y notó que el metal mordía sobre metal. Entonces sujetó las ramas con fuerza y emprendió pausadamente la retirada hacia arriba. El alfiler iba a engarzar el tejido... Con infinita lentitud, Lucas hizo dar a las pinzas un giro infinitesimal. El alfiler volvía a quedar libre. Entonces, otra vez para arriba, poco a poco, lentamente..., debajo de la levantada barbilla de miss Phelps habían emergido seis pulgadas de pinzas..., después siete.

Por fin salieron por completo.

Las pinzas se abrieron con un leve chasquido.

El alfiler tintineó ligeramente al chocar contra el metal de la bandeja y quedó allí, sanguinolento, junto a las pinzas abiertas. Miss Phelps abrió los ojos perezosamente. Lucas le dedicó una sonrisa.

—Todo ha terminado —le dijo—. Todo, menos los lamentos.

Miss Paget le entregó una aguja y le miró con admiración.

—Ahora sólo le daré un par de puntos aquí..., no tan bien como se cierto que los daría usted..., y apenas se habrá enterado... entre fijarse en una cosa y en otra..., la tendremos a usted... casi lo mismo que nueva. —Y en aquel momento anudó el último punto, sujetó una compresa encima de la herida y retrocedió un paso.

Miss Phelps se llevó un dedo a los labios con aire interrogativo.

—¿Hablar? No le puede acarrear ningún perjuicio, verdaderamente. Se lo habría dicho tan pronto como hubiese descansado usted.

—¿Verdad que no me he movido?

—No —dijo Lucas, oprimiéndole la mano—. No se ha movido. Ni yo temía que se moviera.

La enfermera de noche apareció y los miró temerosa.

—Encárguese de miss Phelps, acomódela en una cama bonita y bien cómoda, y cuídela bien. Y a usted, miss Phelps..., la veré por la mañana.

La paciente sonrió. La enfermera empujó la camilla hacia la sala.

—Ha sido un gran trabajo, doctor —le dijo miss Paget.

—Usted lo ha hecho a la perfección —contestó él, sintiéndose feliz—. ¡Y recuerde siempre lo que voy a decirle! ¡Si alguna vez puede escoger sus pacientes, quédese con las madres que tengan hijos pequeños o con los cristianos científicos.

Lucas gozaba de un humor excelente. De una manera oscura, pero lógica, acababa de refutar a Ben Cosgrove.

Luego se dirigió hacia los lavabos y empezó a lavarse. Miss Paget no sabía qué hacer.

—Doctor Marsh... Se trata de Oscar Glaimer...

—¡Ah, sí! Cáncer de recto.

—Doctor Marsh, nadie lo sabe todavía... —La enfermera se interrumpió para apartar unos mechones de lacio cabello de su achatada faz—. Pero vamos a casarnos...

—¿Se casarán?

—En efecto.

—Pero usted sabe..., usted debe saber... El paciente... ¡Caramba, usted sabe muy bien qué perspectivas tiene!

—Lo hemos discutido detalladamente. Y hemos tomado una decisión. No sabemos cuánto tiempo nos queda, pero sea poco, sea mucho... ¡Doctor! ¡Tenga compasión! ¿No podría decirle algo al doctor Runkleman? ¿No le convencerá para que opere por fin? Míster Glaimer lleva cerca de tres meses aquí, y doctor se limita a mirarle un momento y a salir en seguida...

—¿Me pide usted que ponga en duda el criterio del doctor Runkleman? Usted es enfermera, miss Paget. ¡Debería tener una idea más exacta de las realidades! Si el doctor Runkleman estima que míster Glaimer puede ser operado dentro de...

—¡Oh, ya sabía yo que me contestaría así! ¡Lo sabía!

—¿Qué otra cosa puedo contestar? ¡Vamos, mujer! Usted ha permitido que sus sentimientos oscurecieran su buen criterio. Ha cometido la tontería de enamorarse de un paciente.

—¿Lo hará? ¡Nosotros confiamos en que usted! ¡Sabemos que puede hacerlo! ¡Si existe una posibilidad, usted es el único que puede aprovecharla!

Los ojos de la enfermera se llenaron de lágrimas, sus labios temblaban implorantes.

Lucas movió la cabeza en un gesto de desaliento.

—Lo siento —contestó—. Usted sabe que es completamente imposible... Aunque yo no estuviera de acuerdo con el parecer del doctor Runkleman... —Y se secó las manos desviando la vista.

—Gracias, doctor —dijo miss Paget, con voz apagada.

—¡Esta noche se ha portado usted de una manera formidable! —exclamó Lucas, sinceramente—. Y..., ¡medite un poco! ¡Examine bien las cosas!... ¿Se encuentra bien míster Glaimer? ¿Siente algún dolor?

—No —respondió ella, con la cabeza baja—, no, está muy bien... No sufre en absoluto... —concluyó con voz apagada.

—Siendo así, mañana nos veremos. —Y saludando a la enfermera con una inclinación de cabeza, salió al pasillo andando de prisa y se dirigió hacia la puerta.

La enfermera de noche fue a su encuentro.

—¿Miss Phelps? —inquirió Lucas, parándose inmediatamente.

—No, es un tal Gunnis. Tiene dolor de estómago... Han llamado aquí.

—¿Gunnis?

—Aquí tiene la dirección. Ha de ser un paciente del doctor Runkleman.

Hasta en la oscuridad, la casa de Gunnis se distinguía de las acicaladas compañeras que tenía a uno y otro lado. Lucas pasó por entre las hierbas, tropezó una vez con un bote vacío, la puerta se abrió, y a la luz interior apareció una mujer de poco más de treinta años que le miró atemorizada, y tratando de sonreír sin conseguirlo por completo, le acompañó hasta la habitación.

—¡Está bien! ¡Tú lárgate de aquí! —ladró desde el lecho míster Gunnis. Estaba sin afeitar; de una de las comisuras de su boca se escurría una estrecha cinta de jugo de tabaco. Mistress Gunnis se marchó a toda prisa.

—Bien, veamos —dijo placenteramente Lucas, abriendo el maletín—. ¿Qué es lo que parece molestarle, míster Gunnis?

—Me duelen las tripas —contestó brevemente el interrogado, mostrando unos dientes amarillos y negros—. ¿No se lo han dicho?

—Es cierto. —Lucas extendió el brazo para bajar la colcha, y hubo de reprimir un estremecimiento de aversión al observar la suciedad de la misma. Luego desabrochó la larga camisa de noche en la parte correspondiente al estómago de míster Gunnis. Cuando empezaba el reconocimiento oyó el ruido de un choque líquido. Por la pared descendía lentamente un escupitajo de jugo de tabaco. Lucas miró a míster Gunnis. Este sostuvo su mirada, imperturbable.

Lucas arrugó el entrecejo y se inclinó de nuevo. Sus dedos interrogaban los tejidos que oprimían. El paciente lanzó un gemido y se encogió.

—¿Le duele aquí?

Míster Gunnis volvió a escupir en la pared, al lado de su cabeza. El escupitajo escurrió hacia abajo.

—Bastante —respondió entonces. Y volvió a escupir.

—¡Basta ya! —ordenó Lucas, con acento incisivo.

—Basta, ¿de qué?

—¡De escupir en la pared!

Míster Gunnis recogió toda una bocanada, levantó la cabeza y despidió contra la pared una mezcla repugnante de jugo de tabaco y de moco.

—Es mi casa, ¿verdad?

—¡Es su casa, pero si lo repite le restregaré su cochina nariz contra la pared! —Lucas se había puesto súbitamente a temblar de rabia—. ¡Continúe! ¡Hágalo otra vez nada más! ¡Una sola vez! ¡Siga! ¡Estoy aguardando! —Y se inclinó sobre el individuo, ardiendo de furor, ciego de rabia, esperando.

Míster Gunnis le miró fijamente también, pero no volvió a escupir.

Lucas se apartó de mala gana y terminó el reconocimiento. Luego sacó un puñado de píldoras.

—Tome esto —le dijo fríamente—. ¡Y si no se encuentra mejor, llame a otro médico! ¡Son tres dólares!

Míster Gunnis le dirigió una mirada malévola, metió la mano bajo la almohada, cogió su ajada cartera y, sin despegar los labios, contó tres arrugados billetes, que dejó sobre la mesa. No hizo ningún movimiento para abrocharse la ropa, ni para cubrirse con el cubrecama. Lucas cogió el dinero con repugnancia, hizo un breve signo de conformidad y salió. Mientras se cerraba la puerta de la calle llegó a su oído el choque despectivo de un escupitajo. El médico respiró con placer el aire puro de la noche y se dirigió a buen paso hacia el automóvil. Con gesto maquinal echó una ojeada al reloj. Había transcurrido menos de una hora. Con un poco de suerte, a las doce estaría durmiendo.

La ciudad descansaba. Las oscuras calles se extendían ante él. La suave brisa de la noche se enredaba en los árboles, cuyas hojas susurraban discretamente; uno se sentía dueño del espacio y del sosiego, del frescor húmedo y del tiempo. Lucas se adormecía. Al entrar, la limpieza, la pulcritud de su hogar, le sorprendieron. Hasta entonces nunca se había dado cuenta. En la cocina había luz. Sobre el inmaculado fogón hervía levemente la cafetera. Y en la mesa, de una blancura brillante, se veía una taza, un platillo y una cuchara.

Lucas se sirvió una taza de café y apagó el fogón. Luego se sentó, suspiró fatigado y se puso a pensar.

Al cabo de un rato, sin haber probado el café, apagó la luz de la cocina y entró de puntillas en el dormitorio. Se desnudó en la oscuridad y se deslizó con cuidado al lado de Kristina. Esta se movió sin acabar de despertarse. Lucas permaneció absolutamente inmóvil. Su esposa siguió durmiendo. Lucas sentía el calor de su cuerpo. Y se puso a pensar en Harriet Lang.

Pero ahora no se sentía culpable. Su mundo había cambiado. El otro, el anterior, jamás fue un mundo de verdad, era una fantasía de su imaginación. Al mundo real, al que existía de verdad, Lucas lo detestaba. Era un mundo en el que las frases se reducían a fórmulas mojigatas y las miradas, a movimientos estudiados; pero debajo de las fórmulas mojigatas se oían los alaridos de los moribundos, de los aterrorizados, de los castigados, y detrás de los estudiados movimientos y de la sonriente gravedad con que la gente distraía la atención de los demás de sus verdaderas intenciones y de sus maniobras, estaba el simio desnudo de la selva, cruel, implacable, sujeto al único imperativo de sobrevivir.

Ese era el mundo verdadero, junto al cual la amabilidad, la clemencia, la dignidad, el ingenio y la civilización mismos eran un puñado de virtudes raras, que se encontraban de tarde en tarde y cuya presencia llamaba la atención por el vivo contraste que formaban con la sombría faz de las cosas tal como eran realmente.

Era preciso mirar la realidad cara a cara. Era necesario, por fin, afrontar cada hecho, aceptarlo, enojarse quizá, pero fríamente, con desprecio, sin afectarse; era necesario no rechazar nada de los mismos, ni aun el menosprecio.

Así era el mundo. Lucas podía brillar aún en aquel mundo, podía brillar hasta a sus propios ojos, podía hacer lo que quería. Y ahora podía alcanzar lo que anhelaba. Podía laborar para conseguirlo, sin conciencia y sin piedad; era libre, no le ataba nadie; no estaba ligado más que a su propia vida, a sus propias normas, a sus propias necesidades y a sus propios deseos.

Y Lucas volvió a pensar en Harriet Lang. Pensaba en ella sin la menor sensación de culpabilidad, libremente; redimido y alborozado por la libertad. Harriet Lang era suya y él la haría suya. Esto sería el comienzo. Lucas conquistaría aquello que quería. Quería a Harriet. Y la tendría. Tan pronto como fuera posible. La quería. La quería. La quería desesperadamente.

Y la Medicina que practicase sería su Medicina.

Lucas se durmió encolerizado.

142

CAPITULO XXX

—Te has levantado temprano —le dijo Kristina durante el desayuno. Lo dijo en plan de tanteo; en realidad, quería hablar de muchas cosas. Le quedaba poco tiempo. Dentro de pocos minutos él tendría que estar en el consultorio; cuando abriese la puerta de comunicación, el océano de la Medicina se lo engulliría y desaparecería sin dejar rastro, su hogar quedaría vacío de su presencia, como si jamás lo hubiera ocupado—. Lucas —insistió la mujer—, ¿has fumado una pipa alguna vez?

El joven médico miró a su esposa, atónito.

—No fumo —empezó, exasperado. Pero se contuvo y la miró con ojos penetrantes—. ¡Creo que tienes razón! —exclamó entonces—. ¡Te encuentras sola! Primero me lo dice Runkleman, luego Castle.

Kristina no respondió.

— ¡Pero tienes el día entero para ti! ¡Todo para ti! ¡Cuántas horas! ¡Puedes hacer lo que te plazca! Podrías leer, pillina afortunada, podrías leer, leer horas y horas...

Ella movió la cabeza despreciativamente.

—Nunca sentí mucha afición por la lectura.

— ¡Lo sé! Pero, ¿no lo comprendes? ¡Ahora se te brinda la ocasión! ¡Oh, Kris, pruébalo! No puedes imaginarte el placer que causa, ni lo que te pierdes. ¡Qué no daría yo para poder leer y estudiar y volver a leer!

—No es lo mismo para mí que para ti —contestó Kristina con desgano.

— ¡Está bien, está bien! —exclamó Lucas impaciente. Y fijó los ojos en su faz, exaltado, resentido—. No te gustan los libros, no te gusta la música, no te gusta el arte, nunca te ha interesado ningún juego, y tampoco te gustan... Bueno pues, y la gente ¿qué? ¡La ciudad está llena de gente! ¡Sal y relaciónate con alguien!

—Te diré de lo que se trata, Luke... —Pero entonces se interrumpió. Kristina se esforzaba por encontrar palabras. Su personalidad íntima volaba hacia Lucas, tratando de establecer una comunicación, un contacto, de hacerle advertir su presencia. "Yo no sé mucho, no anhelo lo que tú anhelas, pero me alegro de que lo anheles y estoy orgullosa de ti. Dame un hijo, Luke. Entonces seré feliz. Entonces te dejaré en paz. Solo te pido un pequeñuelo, que es aquello por lo que claman mis entrañas, y entonces tendremos un verdadero hogar; entonces, poco a poco tú cambiarás, dejarás de caminar por las nubes, vivirás conmigo, con el resto de tu especie. Y serás feliz, Luke. Lo sé. Reirás y serás feliz".

—Continúa —le ordenó él irritado—. ¡Puesto que has empezado, continúa, Kris! —Y con una mirada al reloj, añadió—: No tengo todo el día para ti! ¿De qué se trata?

—Hay personas... —dijo Kristina precipitadamente, aguijoneada por las palabras de su marido—. Yo no sé las cosas que tú sabes, Luke, sólo soy una muchacha. No todo el mundo tiene las mismas inclinaciones. Yo quiero tener un hogar, y un hombre, y... —Kristina se detuvo a tiempo. En los ojos de Lucas veíase un centelleo peligroso—. Y quiero que tú estés orgulloso de mí —corrigióse, abrumada—, como yo lo estoy de ti...

Lucas sintió que un zarpazo de compasión le oprimía las entrañas. Engullóse la saliva con esfuerzo.

—El deseo de gozar de la consideración de los demás es normal, Kris —le dijo, conteniéndose—. Todas las personas lo experimentan. Pero a nadie se le da gratuitamente ese bien. Hay que conquistarlo.

Kristina asintió calladamente. "Sigue hablando, dime algo, lo que sea, ahora que estás cariñoso. Sigue hablando, algo se te escapará, algo me dejarás que me acompañe...".

—Ayer noche conociste a algunas personas interesantes. Te sirven muy bien para empezar. Reúnete con ellas, no tienes que pasarte todo el día sentada aquí.

—Ya sabes cómo soy —objetó la muchacha humildemente—. No quiero ponerte en ridículo.

—Pero, ¿cómo aprenderás nunca? ¿Cómo? ¡Di!

—Lo probaré —dijo ella desamparada.

—¿No te invitó mistress Kauffman a ingresar (démosle este nombre) en una escuela de arte?

—Ella está tan atemorizada como yo —objetó inesperadamente Kristina—. ¿Podría ir al Condado de vez en cuando, Luke?

—¿Al Condado? ¿No has oído una sola palabra de lo que te he dicho? ¡Dios mío! ¿Es que jamás podré establecer contacto contigo?

—Te escuchaba, Luke. ¡No he perdido una sílaba! Cuando nombraste a los niños, me acordaba...

—¡Kristina!

—¡No me refiero a nosotros! ¡No para nosotros, Luke! Pensaba en el Condado, en los pequeños que hay allí... Quizá podría ayudar en algo..., emplear mis horas. Ya sé que no me darían nada...

—Sólo les estorbarías —dijo Lucas, tratando de pensar.

—¡No, no! Sabes muy bien que soy enfermera oficial. ¡Dios mío, Luke! ¡Una cosa conozco bien: los hospitales! El doctor Castle fue quien me lo indicó.

—¿El doctor Castle?

—Y el doctor Runkleman dijo que era una excelente idea.

—¿El doctor Runkleman dijo esto?

—¡De veras! ¡De veras, Luke!

Kristina miraba a su marido con ojos desorbitados, la boca abierta y conteniendo la respiración.

Lucas se encogió de hombros.

—Si el doctor Runkleman dijo que no había inconveniente... —concedió de mala gana.

—¡Oh, Luke! —Kristina se puso de pie de un salto y le abrazó.

—No armes tanto alboroto —le dijo él malhumorado.

La joven volvió a sentarse prontamente.

—¿Crees que puedo ir hoy?

—Claro —respondió el marido en tono indiferente, mientras se ponía la chaqueta—. Pero quédate en un puesto discreto.

—Ya sé... Fue muy interesante la reunión de anoche, ¿eh, Luke?

—Estuvo bien.

—Y tu fuiste el autor de que Greenville tenga un nuevo servicio de agua. ¡Oh, Luke! ¡Me sentía orgullosa de ti! ¡Qué manera de hablar!

—¡Fue una gran victoria, lo fue! Un *snob* intelectual de una ciudad pequeña que piensa en Grecia una vez al día, un periodista de aldea que negocia con papel y tinta... ¡Y Cosgrove! ¡Vaya victoria! ¡Un alcalde aldeano, un periodista aldeano y un abogado aldeano!

—¡Estuviste formidable, Luke!

Lucas la miró detenidamente, sonriendo y movió la cabeza.

—No entendiste ni una palabra de lo que dije!

—¡Sí, Luke, sí! ¡De veras! Y aquella chica... —Lucas se dirigía ya hacia la puerta—. ¿Verdad que era inteligente, Luke? La llamada Lang, la de los cacharros de alfarería... A mí me pareció muy bonita, Luke. ¿No te fijaste? ¿No te pareció hermosa?

Lucas se encogió de hombros.

—¡Ah, sí!... —encareció Kristina, observándole.

—¿Tienes que decirme algo más?

—Pues, déjame pensar...

Pero la puerta se cerró tras el médico.

Kristina se quedó mirando a la puerta, sin quejarse, rememorando las palabras, el acento, la expresión de su esposo, y procuró alejar toda idea de su mente para que éste le dijera su veredicto. Pero antes de conocer la respuesta desterró vigorosamente todas aquellas especulaciones, considerándolas como un castigo que se infligía por su propia mano. En tal estado de ánimo representóse a sí misma camino del Hospital del Condado, yendo a ver a los pequeños.

Inmóvil en medio de la estancia, Kristina gozó de un instante de éxtasis, de elevación del espíritu.

Miss Snow les detuvo en la puerta. El doctor Runkleman cogió el teléfono.

—¡Agnes! —Al cabo de unos instantes sonrió—. ¿Qué se le ha ocurrido? —Luego se quedó escuchando, hizo una mueca y su rostro se puso serio—. En este caso, tráigala... Sera mejor... Esta mañana... Está bien... Hay que resolverlo... —Y colgó el aparato.

—¿Recuerda a aquellas dos enfermeras?

—La endoarteritis...

—Me figuro que hoy es el día.

—La paciente ha conservado la pierna mucho más tiempo del que tenía derecho a esperar.

—Lo sé. Pero me fastidia que a las personas agradables les ocurran cosas así. —Lucas sonrió maquinalmente. Ambos subieron al coche—. Siempre he sentido una oculta afección por esas dos mujeres —dijo el doctor Runkleman—. No son..., no son como el tipo habitual de pacientes.

—¿No ha pensado alguna vez que todos los pacientes parecen iguales? —preguntóle bruscamente Lucas.

—Por supuesto, me figuro que podría decir también que todos son individuos distintos.

—Sí. Cada uno se aproxima al tipo general de una manera diferente. Esto es verdad. Y sin embargo, todas las diferencias son mínimas.

—Yo creo que éste es el punto importante.

—Para mí, no. Para mí el punto importante está en que las diferencias resultan tan pequeñas que carecen de significado clínico. Si uno probase a emitir un diagnóstico a base de las mismas, esas diferencias no le servirían para nada.

—Debo decirle una cosa, doctor. Con respecto a los pacientes, uno ha de vivir su propia vida —afirmó en tono estimulante el doctor Runkleman—. A ellos les da lo mismo que usted sea de un modo o de otro. Usted edifique su propia existencia y siga su camino sin decirle nada a nadie. Recuerde este consejo. No digo que no haya de encontrar personas agradables. Pero recuerde lo que le he dicho. Y otra cosa: existe un amigo que nunca le abandonará. —El doctor paró el coche, bajó y se dio unos intencionados golpecitos sobre el bolsillo.

—El dinero —dijo Lucas soltando la carcajada.

—¡En efecto! ¡Y no lo olvide!

—Uno puede perder el dinero —objetó Lucas—. En cambio, no le pueden robar la mente, ni el objetivo que se propone.

—Pero también necesitará dinero —replicó confiado el doctor Runkleman.

—No lo creo —dijo sinceramente Lucas.

El doctor Runkleman le miró inquieto. Luego su cara se serenó y sonrió con afecto.

—Usted es un gran bromista —dijo moviendo la cabeza admirado.

Al entrar en el hospital el doctor Snider les interceptó.

—¡Tenemos a su esposa aquí! —exclamó—. ¡Qué señora tan simpática! Nos ha explicado que usted le había dicho que viese si podía ayudarnos en algo en la sala de los niños. —El doctor Snider se pasó el bocado de tabaco de una mejilla a otra—. ¡Diablos, no tenemos sino a uno, un italiano! Ella es enfermera, ¿verdad?

—Sí —contestó escuetamente Lucas—. Es enfermera.

—Es lo que ha dicho.

—Fue una idea mía —aclaró el doctor Runkleman.

—¡Naturalmente! ¡Naturalmente! ¡Encantado de que venga!

—Gracias —dijo Lucas con desgana.

—Allá está en estos instantes jugando con el nene...

—¿Ha venido una tal miss Mason? —le interrumpió el doctor Runkleman.

—Ha llegado alguien hace un rato. Iban dos. Me parece que las han instalado en la sala de mujeres.

El doctor Runkleman hizo un gesto de conformidad y se alejó, seguido de Lucas.

—¿Me necesitan? —les gritó el doctor Snider.

—No —respondió el doctor Runkleman sin volverse—. Creo que nos bastaremos los dos.

Como si hubiera presentido su llegada, Agnes salió al pasillo a recibirles.

—Está preparada —les dijo. Se la veía pálida—. Tiene el estómago vacío. He tomado todas las precauciones. Esta mañana le he dado un enema. Y ha orinado. Acaso quieran sondarla...

—Vamos, cálmese —recomendóle el doctor Runkleman poniéndole la mano sobre el hombro.

—Gloria es todo lo que yo tengo. Ha sido tan desgraciada...

—¿Quiere ayudarnos? —preguntóle gravemente el operador.

—No lo creo. Me parece que no podría resistirlo.

El doctor Runkleman bajó la vista.

—Todos sabíamos que era inevitable...

Agnes cerró los ojos y movió la cabeza tristemente.

—Ahora ya no queda la menor duda.

Los tres entraron en la sala. Desde su lecho, Gloria les saludó como si estuvieran todos en su casa del bosque.

—¿Van a cortármelo esta mañana?

El doctor Runkleman hizo subir la colcha.

—Parece que sí —dijo con acento cariñoso.

—No sufrirá mucho —aseguró Lucas.

—¡Diablos, no me sabe mal perderlo! ¡Desde que no me sirve para nada es como si no lo tuviera!

—Ese es el espíritu —dijo Lucas sonriendo.

—¡Qué espíritu ni qué demonios! ¡Esa es la realidad!

—No jures tanto —recomendó Agnes.

—Mientras esté aquí voy a pervertir a todos los pacientes que puedan oírme.

—Gloria —dijo Agnes tímidamente—, ¿quieres que actúe de ayudante?

—¡Tú no te metas en esto! ¡Quiero que lo haga una persona que sepa lo que lleva entre manos!

La enfermera extendió la suya y oprimió la de su amiga.

—¿General? —inquirió.

—Espinal —dijo el doctor Runkleman.

—Vamos, pues. Terminemos pronto.

Nunca existieron muchas dudas acerca de la pérdida de aquel pie. Pero mientras miraban sus tejidos purpúreos, encarnados y blanco-amarillentos, y el rojizo tobillo, el doctor Runkleman vaciló. Después miró a su ayudante. Lucas le miró a su vez y con el enguantado índice señaló la rodilla, al mismo tiempo que movía la cabeza decididamente en sentido afirmativo. El doctor Runkleman reflexionó. Luego asintió también con el gesto.

Entonces se acercó a la cabecera de la mesa.

—¿Cómo se encuentra?

—Perfectamente —contestó Gloria—. No siento nada...

—Bien... Puede que hayamos de amputar un poco más de lo que teníamos proyectado...

—Déjeme un poco —murmuró la mujer.

El doctor Runkleman volvió a su puesto e hizo un signo a la enfermera.

—¿Lo hago yo? —preguntó Lucas.

—No... Conozco el pie desde hace tanto tiempo...

El bisturí golpeó su mano y comenzó la operación.

—¿No era Dieffenbach, o unó de nombre parecido, quien hacía esto en noventa segundos? —murmuró Lucas a través de la mascarilla.

—La cadera —contestó el operador—. Calculo que esto lo habría terminado en cuarenta segundos.

Luego reinó el silencio.

—¿Terminaron? —preguntó Gloria inesperadamente. Su voz, baja, ahogada, resonó con estremecedora potencia en medio del silencio.

—Casi —respondió Lucas para tranquilizarla.

La sala quedó callada de nuevo.

Y después:

—¿Preparado? —El doctor Runkleman levantó los ojos inquisitivamente.

—Preparado —contestó Lucas.

Oyóse el ruido de una sierra.

Y se apagó de súbito.

Y luego, un ligero golpe.

—¿Ya está? —murmuró Gloria amodorrada.

—Ya está —murmuró el doctor Runkleman.

La enfermera cogió la pierna cortada y la puso con el pie hacia adelante en la batea debajo de la mesa. El recipiente tenía el fondo demasiado estrecho; los dedos del pie se curvaban sobre su borde. La batea se volcó.

El choque del metal contra el suelo les causó un sobresalto. La pierna rodó sobre las blancas baldosas. La enfermera se apresuró a poner la batea vertical otra vez y embutió nuevamente la pierna en ella, apretando con fuerza.

—Déjala de costado —ordenó fríamente el doctor Runkleman.

—¿Se le ha caído el reloj? —murmuró Gloria.

—Se acabó —dijo Lucas.

—¡A casa! —suspiró Gloria.

El doctor Runkleman se acercó a la cabecera de la mesa.

—Ha quedado muy bien, Gloria. —Y acentuó la afirmación con un gesto—. ¿Me oye?

—Le oigo, lo he oído todo.

—Ha quedado muy bien,

La camilla con ruedas la transportó por el corredor, devolviéndola a su cama.

Agnes interrogó con la mirada a los dos médicos, sin hacer caso de sus tranquilizadoras frases y se volvió para inclinarse sobre su compañera.

—¿Estás bien, querida? —le susurró.

Gloria dio un ronquido.

—Se duerme rápidamente —comentó Lucas—. Es una gran mujer. Se ha portado de una manera formidable.

—El pie...

—Todo ha salido muy bien —afirmó el doctor Runkleman gravemente.

—Es... es que... ella quería conservarlo... Ya saben cómo es Gloria... quería conservarlo.

—Pues, debo decírselo... Hemos tenido que subir un poco más arriba... Hemos cortado al nivel de la rodilla.

—¡De la rodilla! —exclamó Agnes con un esfuerzo.

—No creo que tengamos una botella bastante grande —lamentóse Lucas.

—No —dijo el doctor Runkleman—. Gloria no querría conservar el trozo cortado...

—¡Por la rodilla!

—Quedará muy bien...

—Por algún tiempo...

—Esto es... Por algún tiempo.

—Encárguese de la paciente —ordenó Lucas.

La enfermera empujó la camilla más allá. Los dos médicos salieron al pasillo. Andaban silenciosos.

Después abandonaron el hospital y subieron al coche.

—¿Qué le parece? —preguntó el doctor Runkleman, alterado.

—En verdad que es una mujer de temple —admitió Lucas.

—Si nada más un diez por ciento de los pacientes fuesen como ella... ¡Oh, qué pena! ¡Qué pena, Dios mío! —gritó sin poder contenerse—. Me siento mal.

Parte de aquel grito nacía de la piedad, de la compasión por el paciente, de la indignación por las miserias de este mundo, de la pena por la pérdida de aquel miembro. Pero la mayor parte nacía de la cólera contra los arteros, los mentirosos, los falsos, los mezquinos, los cobardes... que tenían las dos piernas.

Al escuchar, analizando sus significados, Lucas procuraba sentir lo mismo que, con respecto a Gloria, sentía el doctor Runkleman; lo intentaba poniendo en ello sus cinco sentidos. No consiguió experimentar una emoción parecida. Tal fracaso le confundía, le producía una sensación de culpabilidad. "Bien, vamos ahora", pensó rápidamente. En primer lugar, había que tener en cuenta el sufrimiento; los meses, los años de presenciarlo. Luego la atmósfera dramática de la operación. Pero había personas que chillaban y se desmayaban por una simple inyección. Efectivamente...; pero, ¿no sería que Gloria tuviera una dosis de orgullo? Acaso esto la volviera tan indiferente al dolor. Quizá no tenía la misma sensibilidad que otra gente. O tal vez se había habituado a sufrir.

Quizá...

Pero, ¿y su compostura? ¿Y su actitud?

Se trataba de una enfermera, ¿verdad? Pero precisamente los médicos y las enfermeras no solían ser muy buenos pacientes. De todos modos, una enfermera...

Lucas sacudió la cabeza irritado.

¡No, no! Nunca podría predecirse nada respecto a las reacciones de las personas. Lo único que podía predecirse, que podía esperar de ellas, era cobardía, especulación y una escondida y asquerosa mezquindad. Esto sí, era previsible. No falta nunca. Podía confiarse en ello. Lo único que no podía adivinarse era si los que parecían verdaderamente buenos lo eran en realidad.

¡O sí hacían teatro! Si su conducta no pasaba de ser una representación que más tarde o más temprano hubiera de defraudarle a uno. O si uno se engañaba a sí mismo, otorgándoles ciegamente una bondad de la que carecían, hasta que un día se ponía al descubierto su genuina naturaleza y se sufría un fracaso estrepitoso, estremecedor.

He ahí probablemente el caso de Gloria. Era casi seguro que no sufría. No existía ningún motivo verdadero, irrebatible y positivo para afirmar lo contrario.

Además, era enfermera. No había de experimentar el miedo de una persona corriente. Ella sabía lo que estaba ocurriendo, lo había visto a menudo. Para Gloria aquello no era un misterio, un acontecimiento desconocido.

Por lo demás, sin duda venía representando aquel papel toda su vida, hablando malhumorada y groseramente, como una verdadera mujer varonil. Era muy probable que la entusiasmara aquel ambiente dramático, que sintiera un vivo placer interviniendo como personaje principal; en su interior, detrás de la pantalla, de la comedia de vivir en el bosque, se descubría casi con toda seguridad una vida mediocre, un horizonte limitado, una personalidad obtusa y vulgar... Y la idea de que pudiera ver confirmadas aquellas suposiciones le causaba un malestar físico a Lucas.

—Sí, señor —le decía el doctor Runkleman—; ante un par de mujeres así, uno se ve obligado a descubrirse. ¡Ha encajado el golpe exactamente igual como yo esperaba!

Lucas movió la cabeza en un gesto admirativo.

—Pacientes como ella no se ven a menudo —declaró, obediente.

El día siguió su curso. Empezó la procesión de enfermos. A media tarde, mientras examinaban rápidamente a un niño que tenía un sarpullido, el doctor Runkleman levantó los ojos de súbito para mirar a Lucas.

—¡Nos hemos olvidado de pasar a ver qué hacía mistress Marsh!

El joven médico le miró durante unos segundos completamente desorientado. Luego recordó que Kristina no estaba en casa, que estaba en el hospital. Y se encogió de hombros.

—Estará perfectamente —dijo con indiferencia.

—¡Me olvidé por completo!

—¡Bah! O no conozco a Kris o ha de sentirse dichosa.

—Supongo que algún día tendrán ustedes un pequeño para que su esposa esté ocupada a todas horas.

—Quizá —contestó Lucas, tranquilamente—. Puede que algún día. Queda mucho tiempo para esto...

—No espere demasido —le aconsejó jocosamente el doctor Runkleman—. Si estuviera en su puesto... —Pero aquí se interrumpió, arrugó el entrecejo, aclaróse la garganta y desvió la cara.

Lucas le observaba atentamente, sin saber qué hacer.

El momento pasó. Ambos reanudaron el trabajo.

Había terminado la jornada.

—¿Qué tal ha resultado, Kris? —preguntó Lucas aquella noche.

—¿Sabes qué te digo? ¡Te compadezco! ¡Si aquello es lo que absorbe todas tus horas de trabajo, te compadezco!

Lucas miró a su esposa sobresaltado. Kristina hablaba, caminaba, se movía enérgicamente, haciendo en todo un derroche de vigor.

—¿De que se trata? ¿Qué te ha ocurrido?

—¡De modo que aquello es el Condado! —exclamó sarcástica—. ¡Aquello es el famoso Condado! ¿Y a eso le llaman un hospital?

—¿Qué esperabas? ¿El de Bellevue?

—¡He visto hospitales pequeños! ¡Créeme!

—El presupuesto no permite tener enfermeras con título.

Kristina le miró especulativamente.

—¿Tú crees que no, Lucas?

—Sé que no.

—¿Tú te figuras que el doctor Snider es pobre, acaso? ¿Lo mismo que la encargada de las enfermeras?

—¿De qué estás hablando, Kris? ¿Lo sabes?

—¿Yo? No sé nada. Lo único que sé es que todo el hospital está enterado. He pasado allí un solo día y todo el mundo ha venido a contármelo...

—A contarte, ¿qué? ¿Qué murmuraciones corren ahora?

Kristina se encogió de hombros.

—Quizá sean murmuraciones.

—¡Explícamelo!

—El doctor Snider y mistress Gaunt están de acuerdo desde hace años...

—¿Y qué significa esto, exactamente?

—No es un asunto mío —dijo con desprecio Kristina, indiferente al tono de amenaza de Lucas—. Pero cuando el hospital entero sabe que

151

durante años han obligado a los enfermos acogidos a la beneficencia a dar dinero, cuando todo el mundo lo repite, cuando los llevan al hospital que es como una pocilga para cerdos, cuando cada enfermera hace su politiquilla y pertenece a uno u otro grupo... ¡Y no me digas que es porque hay muchas mujeres ¡ —La muchacha miraba con firmeza a su marido—. No es esta la causa, Luke. —Y en su voz vibraba el acento de la sinceridad, de la convicción, Kristina hablaba pausadamente.

Por unos momentos, Lucas quedó impresionado, estremecido.

—¿Qué dicen, concretamente?

—Te conviene abrir los ojos, Luke. Y al doctor Runkleman también. Antes de que os encontréis en un conflicto. Cuando todo el mundo dice lo mismo y se ha dicho lo mismo durante años...

—Ya sabes que el doctor Snider tiene una pequeña clientela particular...

—Lo sé. Me lo han explicado todo.

Lucas suspiró.

—Se lo diré al doctor Runkleman —asintió con aire de cansancio—. Seguramente existirá una explicación plausible y razonable para todo ello. Por lo demás, ¿qué tal fue el día?

—Hice poca cosa. Sólo había un pequeño.

—Ya lo sé.

—Es terriblemente listo. Pero estoy acostumbrada a ver tantos a la vez que al encontrarme con uno solo casi no sabía qué hacer. —Kristina hizo una pausa, rememorando—. He dado un vistazo a los ancianos... Lucas, una vez me dijiste... ¿Te sabría mal que escribiese a mi padre? ¿Qué le pidiese que viniera?

—De ningún modo —contestó Lucas—. No tengo inconveniente. Escríbele. —Entonces se acordó de Carlile Emmons y sintió una opresión en las entrañas—. ¡Sí! ¡Sí! ¡Escríbele!

Tres días después, las visitas de la tarde fueron interrumpidas por la llegada de un viajante de una de las casas proveedoras de específicos y artículos médicos. El doctor Runkleman interrumpió su trabajo inmediatamente, cerró la puerta del despacho y se sentó. Lucas no tardó en reunirse a los dos, escuchando con placer al recién llegado, examinando los artículos, contento de descansar un poco.

El viajante era un hombre bajito y acicalado, que vestía con la seriedad que convenía a una persona relacionada continuamente con médicos y que representaba a una casa tan importante. Era regordete, llevaba los zapatos un poco sucios, un diente de ante en la cadena del chaleco y un emblema masónico en la solapa. Debajo de su escaso y negro cabello se le veía el cráneo, como una roca bruñida, inclinada hacia atrás. En el dedo anular llevaba una sortija de los Caballeros de Pythias.

El recién llegado les traía noticias de la comarca. Mencionaba a médicos que Lucas jamás oyó nombrar al doctor Runkleman, pero que éste había conocido durante los treinta años, largos, que llevaba de ejercicio en Greenville, y todas las noticias resultaban más o menos, interesantes, algunas parecían más bien sosas, pero todas merecían ser escuchadas y hasta despertaban en los dos médicos una ligera animación. Eran las noticias de la familia médica, de una familia numerosa de la cual Lucas formaba parte. El viajante no cesaba de hablar y de preguntar. El doctor Ames de Clarkeville, había ayudado a un granjero a sacar del vientre de una vaca, una ternera de dos cabezas. Probablemente la verían, si seguía viviendo en la feria del condado. ¿Y qué tal estaba el asunto del agua? ¿Había logrado el doctor Runkleman que se inutilizaran los pozos sustituyéndolos por una conducción nueva y desterrando así la tifoidea?... Y los dos médicos le hablaron al alcalde, le explicaron la reunión celebrada. Y el doctor Runkleman le contó muy ufano cómo Lucas había dado con la forma de convencer a Granite... Y el viajante dirigió una sonrisa al médico joven y movió la cabeza admirado. Y almacenó todas aquellas informaciones para contarlas en la primera población que se detuviese. "El doctor Runkleman, de Greenville, se ha buscado un ayudante; un joven listo bajo todos los conceptos. Runkleman le tiene en gran estima; dice que el joven ese fue quien dio en el clavo y que gracias a él ahora tendrán un servicio de aguas nuevo...".

El viajante traía una anécdota relativa a un *coroner* del condado vecino que se había pasado cinco horas buscando una bala en la cabeza de una mujer asesinada, y luego el encargado de las pompas fúnebres la había encontrado entre el cabello. Y con mucha precaución expresó su pesar por el hecho de que el doctor Barnard y su esposa quisieran separarse, al parecer. Sí, y en Arancy —una población tan lejana que el doctor Runkleman apenas la recordaba— había un médico nuevo. Y se hablaba de abortos en relación con un callista de Wendelberg y su mujer. Y, ¿no había ocurrido por allí algo parecido? Creía haber oído alguna cosa. Y como uno, aunque humilde, estaba en contacto con el mundo médico, el viajante movió la cabeza disgustado y sonrió con aire de superioridad a la sola palabra de "callista".

Y todavía les comunicó otras noticias y se murmuró un poco y, luego sabiendo con la aproximación de un segundo el tiempo que podía prolongarse una suspensión del trabajo, enfocó el tema, pidiendo mil perdones, de los artículos que traía.

—No —dijo—, es inútil visitar al doctor Snider. Allá en el Condado no han comprado nada. Pueden creerlo, por lo menos desde diez años a esta parte.

Pero traía algunas cosas nuevas que se figuraba que el doctor Runkleman y el doctor Marsh querrían ensayar...

—Algún arsenical de cien años atrás —refunfuñó el doctor Runkleman, mirando la botella.

—Lo cierto es que tiene una composición nueva. El doctor Brewster, por ejemplo, se hace lenguas de su bondad. Y el doctor Rankin, de Lepton... —De todos modos, allí les dejaba una docena de muestras—. ¿Quieren más? ¡Tengo a montones! ¡Cojan todas las que quieran! Y aquí hay otros específicos nuevos...

La mesa estaba cubierta de muestras.

—¡Diantre, todo esto en recetas le costaría sus buenos treinta dólares al paciente! —exclamó Lucas.

El doctor Runkleman y el viajante contemplaron aquella pequeña exposición.

—Cerca de los cincuenta —dijo el segundo, complacido—. Donde estaban éstas quedan muchas más. Me ahorro el transportar peso de un lado para otro. Naturalmente, si ahora quieren *pedir* algo...

—¿De qué estamos escasos? —le preguntó a Lucas el doctor Runkleman.

Y pidieron otras cinco libras de inofensivas píldoras estomacales, unas libras de tabletas para la garganta, media libra de laxantes suaves. ¡Ah, y también se terminaban las pastillas para la tos!

—Ahora traigo unas con un sabor nuevo.

—No, no, continuaremos con las antiguas.

—Y de equipo, ¿cómo están? ¿Qué tal un aparato de Rayos X?

—No, no necesitamos uno nuevo. Este marcha bien.

—Esta semana puedo ofrecer una verdadera ganga. En Anadale murió un médico y la viuda vende el equipo baratísimo...

—¿No tendría acaso una buena centrifugadora? —preguntó Lucas vivamente.

—¡Es cierto! —exclamó el doctor Runkleman—. Usted deseaba una centrifugadora decente.

—Pues no, que yo sepa no tenía tal aparato. Pero, ¿qué les parece esto? ¿Habían visto nuestra nueva sección? —El viajante abrió ante sus ojos un catálogo precioso—. ¿Qué tal ésta? —preguntó señalando una página de centrifugadoras, y luego otra y otra, todas de mucho precio.

Lucas suspiró y movió la cabeza negativamente.

—Demasiado dinero.

El viajante dirigió una mirada de inteligencia al doctor Runkleman.

—¿Cuál? —el doctor Runkleman cogió el catálogo y lo repasó gozosamente—. ¿Esta? ¿Esta es la que quiere?

—Sí, y además me gustaría tener un yate, también! —dijo Lucas.

—¡Mándela! —ordenó su jefe al viajante.

—¡Sí, señor! ¡El médico que quiere una centrifugadora quiere la mejor de todas! ¡Lo sé bien!

Pero él sabía también el lugar que le correspondía; nunca presumía sirviéndose del lenguaje médico, como si quisiera elevarse de este modo a un nivel de igualdad con los doctores, porque sabía cuánto les irritaba a éstos que un profano utilizara sus modos de expresión, aunque se tratase de un viajante de artículos médicos.

Pero el doctor Runkleman estaba ya hojeando las páginas del catálogo. El vendedor hizo un guiño a Lucas y un gesto de satisfacción con la cabeza.

—Me gustaría tener uno ·· ésos —decidió animadamente el doctor Runkleman—. ¡Diantre! ¿Dónde escondía esto, Joe? ¡Es precisamente lo q·· yo precisaba!

—Muy adecuado para cosas de cadera —dijo el viajante inclinándose sobre el tomo—. Un nuevo tipo de clavo. Un equipo completo... —Entonces miró a Lucas—. ¿Ha visto esto, doctor?

—Los estaban probando en el hospital —recordó—. Creo que dijeron que daban un resultado estupendo.

—No pone el precio —comentó el doctor Runkleman—. ¿Cuánto?

—Ochenta y cuatro dólares el juego completo. Escoplos y tornillos perfectamente cromados, fáciles de esterilizar, juegos de clavos, y llave.

Lucas dio un silbido.

—¡Lo compro! —Los ojos del doctor Runkleman brillaban.

—¡Sí, *señor!* —El viajante acabó de anotar el pedido—. ¿Por qué no se queda el catálogo, doctor? Siempre va bien tenerlo a mano.

—¿Esto? Vaya, usted no querrá andar regalando catálogos como éste. Tendra un millar de páginas magníficas. Habrá costado una fortuna.

—¡La costó! —contestó alegremente el vendedor—. Quédeselo. Creo que a la casa le resulta a veinte dólares. Me complace que lo guarden. —Y volviéndose hacia Lucas, le dijo—: Usted me ha dado suerte, doctor Marsh. Hoy no he tenido que sudar mucho con el doctor Runkleman. Sonriendo, dichoso, insistió—: Y ahora, ¿qué acordamos en relación con el aparato de Rayos X?

—¡Psit! —interrumpió el doctor Runkleman, digiriendo una rápida mirada al reloj—. ¡Mire qué hora es! ¡Y tenemos la sala de espera llena de pacientes...! —Su voz volvía a sonar ronca. El doctor hizo una pausa para toser.

Siempre sonriendo, el viajante empezó a embutir instrumentos, píldoras y botellas en la enorme cartera.

—Espere un momento —exclamó Lucas, inclinándose para coger un trozo de tubo que sobresalía de la cartera.

—Es para el estetoscopio —explicó el representante.

—¡Ya lo sé! ¡Pero fíjese en el diámetro! —contestó Lucas, enseñando el tubo al doctor Runkleman, que lo miró con cara inexpresiva y sonrió cortésmente. Y a continuación, exclamó—: ¡Es el tipo de diámetro pequeño! Dicen que con diámetro pequeño se oye mucho mejor. Yo lo tenía en el mío no hace mucho tiempo... —Diciendo lo cual arrancó el tubo de su propio estetoscopio.

—¡Aguarde! ¡Le ayudaré! —El viajante sacó unas tijeras para vendas y dio un par de cortes. Lucas adaptó los extremos del tubo a las piezas para las orejas y a los enchufes del diafragma.

Luego miró al viajante y al doctor Runkleman.

—¡Ahí! —dijo. Y se acercó al maduro doctor colocándose los auriculares—. Déjeme ver. ¡Permítame que pruebe con usted!

—¿Conmigo? —Pero el doctor, lleno de confusión y aunque con alguna renuencia, empezó a desabrocharse los botones del chaleco. Lucas se le había adelantado ya. El diafragma descansaba ahora sobre el pecho del médico.

Al instante oyó un soplo diastólico... El diafragma se movió. Una fuerte resonancia aórtica secundaria... una vibración... una zona apagada en el segundo espacio intercostal... Resultaba claro, inconfundible, no cabía la menor duda, ninguna en absoluto...

Lucas se enderezó y dirigió una sonrisa entusiasmada al doctor Runkleman.

—¡Es magnífico, señor! Se oye mucho mejor que con el diámetro antiguo. ¡Pruébelo! —Y le entregó el aparato.

Sonriendo amigablemente, el doctor Runkleman auscultó muy cortés el pecho de Lucas, abrió mucho los ojos, movió la cabeza asintiendo y adelantó el labio inferior para demostrar sorpresa, para indicar que respaldaba la opinión de su ayudante.

—¡Muy claro, Joe! ¡Mucho más claro!

El viajante exhaló un suspiro de felicidad.

—¡Cielos, doctor, usted está al día en los adelantos técnicos, no cabe duda! ¡No son muchos los que se han dado cuenta del detalle! ¡Casi podríamos decir que este nuevo diámetro no ha salido al mercado!

—¿Cuánto vale?

—No, diantre, esto es para mí! ¡Esto lo pago yo! —le interrumpió Lucas.

—Le diré una cosa, doctor, se lo regalo. Por haberme sido tan útil.

El viajante cerró la cartera, estrechó la mano a los dos médicos y salió del despacho.

Miss Snow asomó la cabeza.

—¿Han terminado de jugar los niños? —preguntó impasible.

—¡Hemos adquirido un montón de juguetes nuevos! —anunció jovialmente el doctor Runkleman.

—Me lo supongo.

La enfermera se acercó a la mesa. Al ver las muestras dejó caer los brazos con gesto de desaliento.

—¡Oh, doctor! ¿Dónde pondré todo esto, ahora?

—Lléveselo a casa y abra un establecimiento.

—Tiene ya una camionada. En los sótanos hay cajas enteras de muestras...

—Encárguese de colocarlo en alguna parte —replicó el doctor Runkleman en tono desafiante—. Venga, doctor.

En el pasillo se separaron. Lucas cerró la puerta de un cuarto de reconocimiento. El doctor Runkleman entró en otro del lado opuesto.

Una mujer de treinta y cinco años, con el pelo teñido de un amarillo incierto y la cara muy empolvada le miró tristemente.

—¿Sabe usted el rato que estoy esperando?

—Lo siento infinito —contestó Lucas—. ¿Qué es lo que no funciona bien?

—¿Lo que no funciona bien? ¡He venido aquí para saberlo precisamente! Dejar a una persona esperando encerrada en un cuchitril cerca de media hora! —Sus ojos se dilataron—. ¡Oh, en este tiempo podía haber muerto!

—¿Sufre? ¿Le duele algo en algún punto del cuerpo?

La mujer se puso el dedo sobre el abdomen.

—Y además tengo dolor de cabeza. Jaquecas. Y no duermo por las noches...

Pronto se vio con toda claridad que las causas del dolor en el colon, de las jaquecas y del insomnio no radicaban en su colon, ni en su cerebro, ni en su tálamo óptico. Mientras escribía la receta, un calmante suave, y sacaba de un frasco unas cuantas píldoras laxantes y de otro una docena de tabletas de aspirina sin marcar, Lucas se preguntó inquieto cómo podrían eliminar el verdadero mal de la paciente las hojas de una planta y los productos químicos pulverizados.

—El pasado miércoles estuve a punto de morir— dijo quejumbrosa la mujer mientras recogía con mano reverente las envueltas tabletas y la receta.

"A punto de morir —pensó Lucas—. Estuvo a punto de morir, ¿verdad?... Choque diastólico..., soplo diastólico, fuerte resonancia sobre la aorta... disnea... ronqueada..., tos. No, ahora no cabía ninguna duda. El doctor Runkleman iba de aquí para allá con una compañía trágica, con la muerte en el pecho. Y no cesaba de trabajar. ¿Lo sabía él? ¿Se lo había figurado ya?".

—¿De veras? —preguntó cortésmente a la enferma—. ¿Tan terrible fue?

—Durante un minuto creí que iba a morir. Le dije a mi marido (porque en aquel momento estábamos en la cama...) —Y las comisuras de sus labios se contrajeron hacia abajo por un instante y sus párpados pestañearon revelando claramente cuál era su caso. La mujer siguió hablando. Lucas la escuchó atentamente. Luego se levantó, le sonrió, movió la cabeza tranquilizándola... La puerta se cerró tras ella.

Lucas salió al pasillo. Meditaba. Si a la paciente le quedaba algún vestigio de vida sexual, suponiendo que alguna vez la hubiera tenido, su esposo la fastidiaba sin duda; para ella aquello era una ordalía y una indignidad. El médico se dijo que la mujer habría pensado sin duda en abandonar a su marido. Pero naturalmente, no podría hacerlo. ¿Qué dirían los vecinos...? En realidad, si alguien le hubiese dicho que a la mujer se le había ocurrido semejante idea, Lucas se habría sorprendido... He ahí una pareja que se encontró, durante un tiempo la vida les arrastró uno al lado del otro y se casaron. A ninguno de los dos le interesó jamás excesivamente el otro, ni a nadie. Era gente apagada, insignificante; y así, apagados e insignificantes, se veían recíprocamente, pero estaban presos en la misma trampa, atados el uno al otro, y tenían que sufrir indefinidamente aquella situación... Y, por tanto, ella sufriría con su jaqueca, su insomnio y su dolor en el intestino...

Pero, ¿qué importaba que fuese así? En nombre de Dios, ¿qué importaba que fuera de aquella manera y no de otra?

En primer lugar, la mujer era biológicamente inadecuada.

Insignificante.

Ni siquiera estaba verdaderamente enferma...

Lucas se obstinaba en especular sobre aquel caso para no acordarse

157

del doctor Runkleman. Porque en el de éste no cabían las especulaciones. La realidad era insoslayable. Aneurisma del arco de la aorta.

Lucas volvió al despacho y telefoneó al doctor Castle.

—Usted tenía razón —le dijo escuetamente.

El otro extremo del hilo continuó en silencio.

—¿Cómo ha conseguido examinarle? —preguntó por fin el doctor Castle, suspirando.

Miss Snow asomó la cabeza por la puerta.

—Tenemos a una chica simpatiquísima —anunció.

—Esta noche le veré a usted —dijo Lucas por teléfono.

—Estoy citado en casa del alcalde. Y usted también.

—Procure que la enferma tome dos cucharaditas casa hora —dijo Lucas en tono cortés. Y colgó el aparato.

—Venga, que verá a su encanto —dijo miss Snow, abriendo la marcha.

—¿Quién es?

—Nunca la había visto. Es forastera.

No era una, eran dos. Estaban mascando goma. Una de ellas le miró aterrorizada y se deslizó hacia la mesa de reconocimiento. La otra continuó sentada en la silla y le miró tranquilamente, sin interés.

—¿Cuál de ustedes es la paciente?

Sin abrir los labios, la delgada, la que tenía un miedo tan grande, se apresuró a señalar a su compañera.

—Usted venga conmigo, querida —dijo miss Snow a la aterrorizada muchacha.

—Vamos a ver, ¿qué le pasa a usted? —Lucas sonreía. Sus ojos recorrían el rostro de la paciente, procurando que no le pasara inadvertido ningún detalle, y consiguiéndolo casi en absoluto. Aquella chica tendría unos veinte años, pesaría unas ciento veinticinco libras, si no llegaba a las ciento treinta; la cubría un vestido basto, estaba sana, aparecía tranquila, sosegada, mascando goma...

Posible clorosis leve, moderada hidropesía, aspecto de cansancio...

—Bueno —dijo la muchacha, indecisa. Y se levantó.

Lucas interrumpió el examen.

—Convendría que subiera aquí —dijo apartándose a un lado y señalando la mesa.

La chica tenía las manos limpias; su rubio pelo aparecía enmarañado, pero limpio. También llevaba limpia la ropa interior. Zurcida, pero limpia... "No sabía que las chicas llevasen prendas interiores zurcidas..., pero limpias...", pensó Lucas.

—Siento dolor —dijo la muchacha en voz baja y sin perder la compostura.

—¿Dónde? —preguntó el médico. Y oprimiéndole el vientre insistió—. ¿Aquí?

—Sí.

Los dedos de Lucas fueron examinando. La muchacha permanecía inmóvil. De pronto, el médico se irguió y la miró fijamente.

—Usted ya sabe lo que pasa, ¿verdad? —inquirió.

La joven le miró a su vez, pero sin contestar.

—Tendrá un niño. Lo sabía ya, ¿no es cierto?

—Me lo figuraba —contestó ella pausadamente, como si entonces ya no existiera problema.

—Usted está embarazada. Los dolores que siente son los del parto. Tendrá un hijo, quizá esta noche. ¿Sabe dónde está el hospital? —La muchacha hizo un signo negativo—. Les telefonearé. Les diré que la envío a usted allá. —Lucas miró la tarjeta—. Bien, miss Townsend... Este es su nombre, ¿verdad? ¡Ah, ya veo! Usted no vive aquí. ¿Usted no es de Greenville?

—Soy de la parte meridional del Estado —contestó la chica.

—Comprendo... Tendrá que darnos su dirección; la necesitamos.

La muchacha bajó los ojos. Lucas se quedó aguardando. Luego ella levantó la cabeza pausadamente.

—¿Por qué?

—Es el reglamento. Por si le pasa algo a usted... Me sabe mal, pero...

—Beltville —comentó la muchacha en tono inexpresivo—. R.F.D.1. Beltville... ¿Se propone informar a mi familia?

—No nos proponemos informar a nadie. Los doctores no hablan. ¿Dónde está su galán? ¿Por qué no se encuentra aquí?

—¿Por dónde se va para ir al hospital? —preguntó la joven tranquilamente.

—Les llamaré —dijo Lucas. Médico y paciente salieron al corredor en dirección al despacho.

—Usted sabía que iba a tener un hijo, ¿verdad?

—Me lo suponía —convino ella—. La semana pasada ya lo consideré absolutamente seguro. Pero no sabía cuándo.

—¿Su amiga está enterada?

—¿Ella? ¡Oh, cielos, no?

—¿No está enterada siendo por lo que se ve, tan íntimas?

—Se figura que estoy engordando. No lo distingue. Ambas somos de la misma población. Las dos estábamos buscando trabajo. —La muchacha hablaba con el médico calmosa, serena, cordialmente.

—¿Y el padre?

—¡Oh, él no está enterado!

—¿No se lo dirá?

La muchacha se encogió de hombros.

—¿Para qué? —Luego de meditarlo un momento, declaró—: Tampoco aceptaría su participación.

—La veré esta noche... Buena suerte... —concluyó Lucas.

La chica le dio las gracias gravemente. Después se cogió del brazo de su amiga, que la asedió a preguntas. Ella contestaba despacio, sosegadamente, sin traicionarse. A los oídos de Lucas llegó bien distinta la palabra "apendicitis"

"Townsend", se repetía el médico para sus adentros.

Lucas llamó al hospital particular.

Media hora más tarde le llamaron a él desde el citado establecimiento.

—¡Va a tener un niño! —protestó el superintendente.

—Así lo espero —exclamó Lucas.

—¡Pero no puede tenerlo aquí! ¡De ningún modo, hombre de Dios!

—¿Por qué no?

—¡Doctor Marsh! ¿No le ha confesado su edad? ¡Esa chica es menor! ¡Tiene veinte años! Nos cargaremos con su hijo...

—Su familia la recogerá.

—¡No dará con su familia ni en un millón de años! Hay cien probabilidades contra una de que le ha dado una dirección falsa, y ni aplicándole el tormento le haríamos revelar la verdadera.

—Bien, en este caso será...

—Y no puede entregarlo a nadie. No puede autorizar que lo adopten otros. Es menor de edad, doctor.. Nosotros no queremos meternos en un lío. Otra cosa, además...; no quiero decir que importe mucho..., pero no tiene un centavo. Ella y su amiga se escaparon de sus casas; sólo les quedan cinco dólares y un montón de chatarra... ¿Qué le parece si fuera al Condado?

—Envíenla allá, pues —contestó fríamente Lucas. Y colgó el aparato. Diez minutos más tarde volvió a sonar el teléfono. El superintendente le hablaba otra vez.

—¡Ahora su amiga se ha ido!

—¿Qué significa eso de que se ha "ido"?

—Se ha puesto a gritar que ella no sabía que se tratase de un niño, le ha dado una especie de ataque histérico y ha dicho que salía a recoger algo, pero no ha regresado; se ha ido. Y con ella el viejo automóvil.

—Iré a buscar a la paciente —contestó Lucas. Colgó de nuevo.

—Es una muchacha —le explicó al doctor Runkleman—. Una de sus Glorias. Una chiquilla en realidad. No sabía que fuera a tener un hijo, no obstante encontrarse ya en los dolores del parto. Una chiquilla simpática —exclamó el joven médico súbitamente—. Terriblemente simpática. Y limpia como un armiño. Ahora su amiga la ha abandonado y los del Valley...

—No la pueden admitir en el establecimiento —asintió el doctor Runkleman—. Es menor de edad.

—Por lo tanto, voy a buscarla y la llevaré al Condado.

—Como el mismo "doctor Cigüeña" en persona —exclamó el doctor Runkleman sonriendo con aire de aprobación.

Cuando entraba en el Hospital del Condado con la muchacha, Lucas encontró a Kristina que salía. Su esposa tenía cara de cansancio, pero al verle se le iluminaron los ojos.

—¿Todavía aquí? —preguntó Lucas, sorprendido.

—Ahora me iba a casa. La cena estará a punto como siempre. Las compras y todo lo demás que debía hacer lo tengo hecho ya.

—Te presento a miss Elizabeth Townsend. Miss Townsend, está es mi esposa. ¿Quieres acompañarla a la sala de maternidad, Kris? ¿Quieres decirles que la envío yo?

Entonces Kristina se dio cuenta. Su rostro se dulcificó y dedicó una sonrisa a la muchacha.

—Encantada de conocerla —le dijo.

—Lo mismo por mi parte —contestó la chica sonriendo.

—Venga conmigo. Yo cuidaré de que la atiendan perfectamente. No se preocupe.

—No estoy preocupada —replicó la futura madre, sosegadamente.

—Encárgate de ella, Kris. Yo me vuelvo al consultorio.

—Gracias, Luke —le dijo Kristina mientras él se alejaba ya—. Venga, querida. Mire qué sol tan hermoso. ¡Cuán bello día para tener un hijo —exclamó cogiendo del brazo a la paciente. Las dos jóvenes entraron sonriendo gozosas en el hospital.

A su regreso, Lucas encontró al doctor Runkleman en el despacho, hojeando las páginas del catálogo que les regaló el viajante. El maduro doctor le miró con aire de culpabilidad.

—¿Todo resuelto?

Lucas contestó con una cabezada.

—Es probable que dé a luz esta noche... ¿Está cansado?

—¡Bah, un poco...! Me gusta mirar estos catálogos. —De pronto su voz se había puesto mucho más ronca. Antes de hablar de nuevo, se aclaró la garganta—. ¿Qué impresión le ha causado Joe?

—¿Joe? ¡Ah, sí! Es un vendedor perfecto, no cabe duda. Puede ganar una fortuna con Binyon y Blake. —El doctor Runkleman carraspeó de nuevo—. ¿No se ha puesto usted un poco ronco estos últimos días? No me saldrá ahora con un resfriado, ¿verdad?

—¿Yo? ¡No, caramba! Estoy más fuerte que un caballo.

—Usted lo sabrá...

—¡Claro que sí! ¿Qué le ha parecido el asunto de los Rayos X? Me refiero al aparato de segunda|mano de que nos hablaba Joe.

—Debo darle las gracias por la centrifugadora. Ha sido muy amable, doctor.

—¿Yo? Es un instrumento para el consultorio, ¿verdad? ¡No, no! Ahora estaba pensando en aque aparato de Rayos X. —El doctor Runkleman sufrió un ligero acceso de tos.

—¿Cree usted que necesitamos un aparato nuevo?

—¡Ah, no lo sé! El nuestro está un tanto pasado de moda, quizá... Es más viejo que Matusalén... Me preguntaba quién sería el médico que falleció. ¿Verdad que no lo dijo? Probablemente no le conocíamos... Acaso la viuda se encuentre en un problema con todo aquel material en sus manos... y probablemente su marido no le dejó mucho dinero.

—¡Una cosa! —le interrumpió Lucas—. ¡Por lo visto no vende la clientela! —El joven había pronunciado la última frase con evidente satisfacción. El doctor Runkleman le dirigió una mirada inquisitiva. Lucas estalló de nuevo—: Me dan asco esos anuncios. ¡Cada vez que los veo me pongo furioso! ¡Vender clientelas como si fuesen pastas dentífricas, o setas, o fincas rústicas! —En este punto se dominó y preguntó con una sonrisa—. ¿Cómo es posible vender a una clientela? Bonito espectáculo figurarse a los médicos atropellándose unos a otros, viendo quien puja más, como un tropel de comerciantes en una subasta.

¿Qué es lo que venden, la Medicina? ¿Cómo es posible vender el ejercicio de la Medicina?

—Creo que nunca me había parado a pensarlo —contestó dubitativo el doctor Runkleman—. Parece que si un hombre se ha pasado toda la vida haciéndose una clientela, ganándose las simpatías del público, asegurándose la afluencia de pacientes... Yo no sé... ¿Usted cree que debería abandonarlo todo, sencillamente?

—Si nosotros somos hombres de ciencia, los anuncios deberían decir: "Un científico domiciliado en una población de tres mil habitantes, vende a los que le presten su apoyo y a sus experimentos. Ingreso bruto anual, seis mil dólares". Si somos artistas: "En venta, parroquia cada día mayor en ciudad de cinco mil habitantes. Incluidos varios mecenas ricos, diversas cuentas corrientes considerables, reputación, etc. Debe rendir cinco mil dólares al año".

—Acaso los redactan mal.

—No deberían aparecer.

—No obstante, es preciso vender de la forma que sea...

—Yo no sé qué, pero aquí hay algo que no funciona bien. Sé únicamente que no se puede vender el ejercicio de la Medicina. A menos que Cosgrove esté en lo cierto y nosotros no seamos otra cosa que unos comerciantes como cualquier otro... No sé..., no consigo comprenderlo... —El doctor Runkleman le observaba desconcertado. Lucas sonrió con aire de fatiga y dijo—: Fin de jornada. No me haga caso, doctor.

—En cierto modo, tiene razón.

Lucas abrió la puerta del segundo cuarto de reconocimiento, cerrándola tras sí. Estaba en su vivienda. El joven se dirigió hacia la reducida cocina. En aquel momento Kris ponía la mesa.

—¡Tiene cinco hermanos y cinco hermanas! —anuncióle enseguida—. ¡Te hablo de la muchacha que ha de dar a luz!

—¡Oh! —exclamó Lucas—. He ahí una familia numerosa, ¿verdad? —Y se quitó la americana con gesto fatigado.

—Ella y el hermano mayor son los que sostienen a los demás. Pero de pronto se presentó este contratiempo. Entonces huyó. Es una buena chica.

—¿Te ha dicho algo?

—Ahora te lo estaba contando. Cinco hermanos, cinco...

—¿De dónde procede? ¿Cuál es su verdadero nombre...?

—No. Esto no me lo ha dicho —afirmó Kristina, volviéndose.

—¿Qué hará con el niño?

—No lo sé —contestó ella en voz baja.

Durante un rato comieron en silencio.

—Luke... Si nadie se queda con el pequeño... Quiero decir si nadie lo quiere... y si a ti te pareciera... quizá nosotros..., quizá yo... quiero decir...

Lucas dejó el tenedor y clavó en su esposa una mirada glacial.

—Sé lo que quieres decir. Lo sé exactamente. Y tú sabes que la respuesta es: ¡No te atrevas!

—Sí —respondió Kristina con voz apagada.

Lucas dirigió los ojos al plato y se quedó mirándolo fijamente sin verlo, al mismo tiempo que se esforzaba por dominar su cólera, que había crecido excesivamente hasta ahogarle. De pronto se levantó de un salto.

—¡Maldita seas! —gritó—. ¡Dios te mande al infierno! ¡So estúpida, so cabeza de palo! ¿No puedes ni aun dejarme cenar en paz? —Y temblaba, agitado por el furor, a punto de descargar un golpe contra su esposa.

Kristina le miró con ojos desorbitados y le vio lívido, estremecido por la rabia y por el odio. Ella desvió los ojos y bajó la cabeza.

Lucas se precipitó fuera de la habitación.

Hasta que no se sintió más apaciguado no paró el coche, después de haber corrido un buen trecho por entre las sombras. Entonces se puso a contemplar el confuso paisaje, pero de pronto se acordó de que tenía una reunión en casa del alcalde y miró el reloj. Pasaba de la hora. Lucas se dirigió inmediatamente hacia la vivienda del alcalde.

El doctor Castle se había marchado ya. Bemis Shedd se marchaba en aquel momento. El alcalde entró en la cocina a prepararle un combinado.

—Siéntese —le dijo Harriet, dejándole sitio en el sofá—. Le contaré cómo se ha desarrollado la reunión. De todos modos ha ocurrido poca cosa.

—Gracias —contestó Lucas con acento inseguro. Apenas verla, su corazón se había puesto a martillear intensamente y se le habían secado los labios.

—¿Le ocurre algo? —preguntó Harriet. Lucas se movió y el dorso de su mano rozó el muslo de la joven.

De pronto en los ojos de Harriet brilló una mirada tierna, suave, profunda como un lago. La muchacha se inclinó hacia Lucas y sus labios se posaron un instante en la boca del médico. Luego volvió a su posición inicial, mirándole.

—Ayudaré a Henry a prepararle un coctel dijo levantándose en el momento preciso en que Lucas intentaba rodearla con el brazo—. Usted quédese aquí. Vuelvo en seguida.

Lucas recordaba poca cosa del resto de la velada. Se había limitado a esperar calladamente que terminase, aguardando la hora de acompañar a la joven a su casa. No se atrevía a pensar en algo más. Contentábase con aguardar.

A las once sonó el timbre del teléfono. Llamaban del Condado.

Lucas salió colérico a la oscuridad.

Dos horas más tarde Elizabeth Townsend había dado a luz un niño.

Lucas la hizo llevar a su cama y se despidió dándole una palmadita en la cabeza.

Entonces regresó a casa del alcalde. Estaba a oscuras. Se alejo de allí y pasó despacio con el coche por delante de la morada de Harriet

163

Lang. No se veía ninguna luz. Cruzó de nuevo a poca marcha por delante del edificio. Todo continuaba a oscuras. Lucas paró el automóvil y permaneció indeciso en su asiento, pensando qué debía hacer. Por fin decidióse a tener valor, y saltando del coche, se acercó sin ruido a la puerta, mirando a derecha e izquierda. No se veía a nadie por la calle. Llamó con precaución. No le contestaron. Esperó un poco. Continuaba el silencio. Volvió a llamar suavemente, y esperó otro rato. De nuevo se quedó sin respuesta.

Lucas recorrió la acera con paso furtivo dirigiéndose hacia el coche y procurando permanecer entre las sombras. El ruido del arranque retumbó con estrépito en la quietud. El joven médico se alejó.

Al cabo de un rato condujo el automóvil hacia su casa.

CAPITULO XXXI

La ciudad de Greenville, un punto de la superficie de la Tierra dotado con un nombre propio, se tendía abandonada a la luz de la luna. Abandonada por los humanos que se habían congregado allí y que, junto con sus normas, planes, decisiones, costumbres e historias, estaban ahora durmiendo. La ciudad se tendía inmóvil, cobijando el sueño de sus moradores. Su terreno no se distinguía del que componía sus también denominados límites; sus árboles, su aire, sus aguas, su suelo, sus elementos todos eran idénticos a los árboles, al aire, a las aguas, al suelo, a los elementos todos de la comarca anónima que la rodeaba.

Pero para los humanos no era ya una extensión cualquiera de la superficie terrestre, porque le habían dado el nombre (el de Greenville), unos límites y una forma, y el tiempo y el uso la habían matizado con una nota diferencial, con un carácter, con una individualidad. Y aunque algunos de tales atributos eran sencillamente imaginarios, todos los humanos que vivían en aquel lugar los habían aceptado.

El área de su residencia fue bautizada. Con ello había adquirido la primera de las normas del hombre. Las demás la sucedieron rápidamente. Eran normas aprendidas en otras partes; muchas, necesarias; muchas más, completamente inútiles, verdaderos obstáculos que dificultaban su vida, pero normas a pesar de todo; normas cuya misma complejidad y volumen parecían darles paz y tranquilidad, propósito y fin en relación a lo incomprensible, a lo desconocido.

...Y se hizo de nuevo la luz, y los humanos despertaron, y las preocupaciones de la comunidad volvieron a poseer un sentido, la madera, la piedra, el metal, todos los demás objetos que daban un testimonio de vida recuperaron el significado, el ascendente, la importancia que ellos les habían concedido.

Y como todos los demás humanos del planeta, los de Greenville se levantaron a una jornada menos de distancia de la muerte.

En la espaciosa casa donde vivía solo, si se exceptuaban los muebles que le acompañaban con su presencia, el doctor Runkleman se levantó temprano, preparóse el café y se puso a sorberlo pausadamente esperando con paciencia a que sus semejantes de aquella población empezaran a agitarse y pudiera mezclarse entre ellos.

El médico pensó brevemente en el día que comenzaba y repasó las tareas que le reservaba: las operaciones preparadas para la mañana en el Condado, las del Valley, la docena de pacientes que morirían durante el transcurso de sus horas, o que quizá seguirían viviendo, los dos o tres cuyo fin era casi absolutamente seguro... Luego pasó revista rápidamente a lo que se había hecho por aquella docena y por aquellos dos o tres, para asegurarse de que no había olvidado nada de lo que tuvo la obligación de hacer por ellos, de que había hecho exactamente lo que tenía que hacer, según las normas de su profesión, de aquella sociedad y de aquel punto concreto de la misma.

Había ejercido la Medicina demasiados años para poner excesiva confianza en los conocimientos reunidos por el hombre en lo concerniente a sí mismo, y sabía que morirían todos aquellos cuyas características de moribundos habían descrito mucho tiempo atrás sus maestros y él había aprendido a identificar desde entonces; sabía que no se producían milagros y que ni la ciencia ni los descubrimientos alteraban sensiblemente las perspectivas del hombre. Sabía que por su parte él había hecho todo lo que se le pidió que hiciese.

El maduro doctor pasaba revista a las perspectivas de éxito que tenían los pacientes que había de operar aquel día, meditando minuciosamente para asegurarse de que ninguno moriría en la mesa del quirófano o inmediatamente después, y despreciando lo completamente imprevisible.

Por lo demás, pensaba casi con indiferencia, sin el menor interés, en el pequeño ejército de enfermos y achacosos, unos orgánicos, otros funcionales que durante el día, con la voz, el acento, los ojos y la expresión de la cara, suplicarían que les ayudase. Aquella parte del día la consideraba atendiendo a su volumen, al tiempo invertido, y se decía que incluso podía conseguirse un éxito o dos, que acaso un medicamento administrado reiteradamente provocara una sorprendente mejoría que hiciera sus delicias y las del enfermo; pero que en su mayor parte resultaría una procesión continua, indistinta, de gente apática, apagada, excitada por el miedo o aterrorizada por el dolor, todos un día más próximos a su fin, todos presentándole órganos que él no podía reconstruir, cuerpos en lenta destrucción, que ni él otro ser viviente comprendía por completo, ni a medias tan sólo, y, sobre los cuales haría actuar fuerzas físicas: drogas, presiones, electricidad, cuyo efecto ni él ni ningún ser viviente podían garantizar en absoluto, porque tan sólo se comprendían en parte.

Y sabía que, al acudir a él, los pacientes se acercaban a una figura intrigante, admirando con temor su habilidad en definir qué parte de su organismo se había estropeado, admirando temerosos el hecho de que supiera cómo debía recomponerlo, y admirando todavía con mayor temor su conocimiento del mayor de los misterios del hombre: la anatomía y la fisiología del hombre mismo.

Un conocimiento al que el enojo y la desilusión podían desacreditar, que podía sufrir el desprestigio de unas medicinas que no surtieran efecto. Pero en tal caso, el médico se convertiría en un ser humano que les había defraudado, en otro ser humano como ellos mismos. Y los pacientes irían a otro médico, y quizá a otro y otro más, acudirían a ciento incluso, pero su fe continuaría firme, obstinada; morirían creyendo que habían visto a una colección de simples semejantes suyos, pero que existía alguien, que en alguna parte del mundo había un hombre capaz de curarles.

El doctor Runkleman aceptaba con indiferencia sus reproches y hasta en ciertos momentos sus elogios, porque sabía que éstos no iban acompañados necesariamente por la gratitud. Interiormente sentía una gran deferencia por las personas ricas e importantes y trataba sus dolencias con la mayor atención, pero, en fin de cuentas, por medio de las mismas fuerzas físicas de que disponía, los únicos recursos de que podía echar mano tanto para aquéllos a quienes odiaba como para aquéllos a quien amaba, para aquéllos que despertaban profundamente su interés, como para los que sólo merecían su indiferencia. La notable pobreza en medio de la cual transcurrió su juventud le había infundido un profundo respeto por el dinero y por las personas que lo poseían.

Por lo demás, velaba por su propia reputación, ansiosa, devotamente. Daba gran importancia a la buena opinión que espontáneamente o de mal grado sus colegas médicos expresaran sobre su manera de ejercer la Medicina. Y se recreaba con el alborozo de los pacientes a los que sus medicaciones habían sacado de una situación apurada. Pero siempre les dejaba en la ignorancia sobre la naturaleza de los medicamentos gracias a los cuales se habían restablecido.

Lucas le inspiraba un profundo afecto. El joven superaba infinitamente todo lo que él se atrevía a esperar cuando publicó el anuncio solicitando un ayudante. Era un chico con ideas propias e inflexibles sobre la Medicina, según el doctor Runkleman advertía perfectamente. Pero la practicaba como él, el doctor Runkleman, exigía que se practicase; amaba evidentemente, sinceramente, el trabajo, para el cual poseía una capacidad extraordinaria; era fuerte, era eficaz, callado, sorprendentemente hábil, y admiraba y respetaba su criterio, el del doctor Runkleman, y se entusiasmaba con las técnicas y las habilidades de las que el mismo doctor Runkleman se sabía en posesión y se enorgullecía.

Al pensar en Lucas se acordó del motivo que le impulsó a pedir un ayudante, recordó su enfermedad. Estaba completamente seguro de cuál era su dolencia. Daba por seguro que tenía aneurisma de la aorta.

Y se preguntó cuánto tiempo de vida podía quedarle. Este pensamiento despertó en su mente la tranquilizadora certeza de que disponía de tiempo sobrado para retirarse, para irse a Australia, a cazar, a manosear unos rifles centelleantes, maravillosos. Más allá de lo cual, el futuro se desvanecía fácilmente en el tiempo, en lo desconocido, en una apaciguadora vaguedad.

Entonces se acordó de sus inversiones, con un relámpago de entusiasmo. Era rico. El, que fue de muchacho un labrador que odiaba la granja; él, que un día se dio cuenta del futuro monstruoso y horrible que le aguardaba: trabajo interminable, pobreza, frío, inseguridad, incertidumbre, muerte temprana, temprana invalidez, y con sombría decisión se puso a estudiar Medicina, para ser rico, para ser respetado, para gozar de una posición segura... Mil dólares mensuales. Una renta vitalicia de mil dólares mensuales. Estaba ya muy cerca de tan bonita suma.

El doctor Runkleman saboreaba por anticipado el placer que experimentaría al regalar la clientela a Lucas. Ni más ni menos. Le regalaría el despacho, la casa: todo. Se recreaba con aquella idea; veía la mirada de Lucas, se regocijaba con su felicidad. Sus pensamientos habían huido demasiado lejos, pero al final retrocedieron renuentes. Uno no podía dejar de pensar en sí mismo, tenía que ser prudente, velar por su propia seguridad; era posible que uno tuviera que hacer frente a muchas contingencias y salvar muchas situaciones difíciles; mejor sería que cobrase algo, una pequeña cantidad que Lucas le pagaría como pudiera, pero en fin, algo. Probablemente Lucas se rebelaría contra cualquier clase de compromiso. A pesar de lo cual tenía que aprender a sujetarse a ellos. Necesitaba un compromiso.

El doctor Runkleman movió la cabeza disgustado sobre la fría taza de café. "Aquel asunto del Condado, por ejemplo —se decía—. ¡Mira que pasarse toda la noche en vela por un anciano que de todos modos estaba condenado a morir! ¡Luchar con tal ferocidad contra lo invencible! He ahí un magnífico combate... desperdiciado. Librado para nada. Uno no podía curar a nadie oponiéndose a la realidad".

El tiempo se encargaría de limar las aristas de Lucas. El joven se olvidaría de la Medicina como a tal y la convertiría en un medio de vida, tan intrascendente como otra actividad cualquiera. Y entonces abriría los ojos y *vería* a su esposa, que en la actualidad no era para él más que una especie de mueble, como un objeto. Y empezaría a pedirle a la vida un poco de diversión de vez en cuando; quizá incluso se entregara a un pasatiempo o acariciaría algún proyecto, lo mismo que él, el doctor Runkleman, acariciaba el de irse a Australia. Y ahorraría para poder realizarlo. Para permitírselo, junto con su esposa. Entonces la vida tendría un objetivo, aquella clase de objetividad, la recompensa que uno mismo se señalaba. Entonces la vida se convertiría para el joven médico en una coraza ligera, protectora, en un par de zapatos fuertes y cómodos; y Lucas sería feliz, y las cosas le parecerían apetecibles.

He ahí la recompensa de la Medicina.

El doctor Runkleman exhaló un suspiro y dirigió una mirada al reloj. Luego se levantó precipitadamente, salió de la casa y se encaminó al despacho a comenzar la nueva jornada.

En otra parte de Greenville, Harriet Lang se preparaba para el trabajo del día mediante una *toilette* rápida y nada minuciosa, sabiendo que los rasgos de su faz, así como su figura y su personalidad, hacían innecesario un arreglo personal excesivo. Conocía el programa del día demasiado bien para detenerse a meditarlo; aquel día sería un día más y su fin la dejaría veinticuatro horas más cerca del momento en que tendría un taller propio en el cual, bajo su dirección hábil, impuesta de todos los detalles, se originaría una corriente de conceptos que retornaría en forma de riquezas, y junto con el acatamiento de las riquezas, una incesante admiración y el reconocimiento de su mérito, por parte de las gentes.

La joven se puso a pensar con impaciencia en la vida de Greenville. Y se acordó de Lucas. Entonces empezó a reflexionar sobre su encuentro la noche anterior. Por fin ahuyentó con un estremecimiento aquellas divagaciones y se preparó para emprender el trabajo.

Al levantarse el doctor Castle notó que le dolía el corazón. Tomó dos píldoras que había encima de la mesita de noche y se tendió, esperando que produjeran su efecto. Sabía que en la actualidad seguía viviendo por la virtud de aquellas píldoras, que sin ellas moriría seguramente muy en breve y en medio de terribles sufrimientos. Entonces se acordó de la dolencia cardíaca del doctor Runkleman. Desde hacía bastante tiempo, él sabía lo que tenía su colega, pero agradecía el contar con Lucas para confirmarle sus temores. El anciano médico se preguntaba si a Lucas se le habría ocurrido pensar en el acontecimiento, perdido en el pasado, que condenó al doctor Runkleman a sufrir en un futuro remoto un aneurisma de la aorta.

Lucas lo sabía sin duda. Aquel joven sabía mucho. Bastante más de lo que solían saber los de su edad, según le había enseñado la experiencia al doctor Castle. Uno se quedaba asombrado al comprobar la profundidad de sus conocimientos en Medicina. El y el doctor Runkleman lo habían comentado maravillados. Pero Runkleman ignoraba la verdadera magnitud de los conocimientos de Lucas y el porqué eran tan grandes. Runkleman se figuraba que el paso del tiempo los borraría parcialmente, se imaginaba que aquello era un fenómeno común a los jóvenes recién salidos de la Universidad, que lo querían todo perfecto, todo igual que en la Universidad. Runkleman era un buen hombre. Fue una suerte que Lucas hubiese ido a parar a manos de un superior como él. Porque Runkleman era bondadoso. Y Lucas podría aprender mucho con él, porque Runkleman conocía una cosa a fondo: la Cirugía. Al operar era rápido, seguro, no hacía pausas, no sufría indecisiones; abría y cerraba el cuerpo del paciente en pocos minutos, sin entretenerse en florituras, sin dar margen a que se produjeran hemorragias ni (dentro de lo evitable) a que sobrevinieran infecciones. Su trabajo podía compararse al bisturí que sostenía su mano: incisivo, limpio, brillante, preciso. ¡Oh, y además, poseía un extenso saber! Sobre todo, naturalmente, el saber nacido con el paso del tiempo, lo que la gente llama madurez o experiencias. Pero esta era una propiedad común a todos ellos, a todos los médicos en ejercicio que habían alcanzado la edad de Runkleman. Uno no podía dejar de asimilar aquella clase especial de sapiencia. Hasta el mismo Snider, con su notable falta de conocimientos, era capaz de dejarle asombrado a uno de vez en cuando. Los jóvenes sabían todas las reglas. Los viejos, todas las excepciones.

Runkleman debió tomar alguna medida respecto a Snider tiempo ha. Pero Runkleman era así. Se limitaba a dejar que las cosas siguieran su curso. El jamás comprometía su propia tranquilidad. Era, verdaderamente, un hombre de perlas. Había realizado su trabajo, y lo había realizado bien. En verdad, había trabajado como un animal bueno, de confianza. Aparte de la Medicina, su visión era más bien limitada. ¿Qué haría un sujeto como él con todo el dinero que había acumulado? El doctor Castle trataba de imaginarse al doctor Runkleman con un traje de paño inglés, pidiendo en París una comida de *gourmet*, bebiendo cerveza en una terraza de Viena, tendiéndose en una playa de La Florida, conduciendo un coche extranjero... Pero su figura resultaba fuera de tono en todas partes. Menos en una granja. Y Runkleman no volvería jamás a una granja, en ninguna parte del mundo.

Y no solamente desentonaría, sino que no gozaría del ambiente; sería un espectador, un extraño que estudiara el programa para darse la impresión de que se estaba divirtiendo. En este punto de sus divagaciones, el doctor Castle suspiró.

Sí, Runkleman se divertiría, gozaría mucho, precisamente porque jamás sabría lo que se había perdido, lo que le podía pasar por alto. Hiciera lo que hiciese, nunca se sentiría desazonado, gracias precisamente a su falta de experiencia en este aspecto. Runkleman tenía que abandonar la Medicina, y sin tardanza, en aquel preciso momento. Tenía que ponerse a recoger algunas de las recompensas que constituyeron el objetivo de cuarenta años de vida. Ya no recogería muchas. Disponía de un plazo demasiado corto.

El doctor Castle notó que el dolor del corazón se le había aliviado un poco. Entonces tomó un sorbo de agua y se dijo que pronto sería hora de levantarse y de atender a los primeros pacientes. Ahora no tenía muchos, gracias a Dios. No tenía más de los que podía atender. ¿O podía atenderlos realmente? ¿Trataba sus dolencias como era debido? El anciano médico se contestó con un movimiento de cabeza afirmativo. Sus enfermos marchaban satisfactoriamente. ¿Y si Runkleman se iba? ¿Cómo resolvería el problema de la cirugía? Marsh le daría la solución. Trabajarían juntos. No existiría tal problema. El seguiría sin contratiempo hasta el fin. No le amenazaba ningún gran problema. El no se convertiría en un inválido. Un día le daría un ataque que pondría punto final a su vida, y habría terminado. Sin alborotos. Sencillamente, habría terminado. Ni se enteraría. Entretanto...

El doctor Castle pensó detenidamente y con cierta ansiedad en sus pacientes y su corazón se llenó de compasión por ellos. ¡Veíales tan desamparados, tan ignorantes de todo lo que se refería a sí mismos, caminando a ciegas, tropezando con toda clase de conflictos, siempre amedrentados, siempre desamparados, absolutamente desamparados...! ¡Y era tan sencillo el ayudarles! Ellos lo consideraban muy difícil, pobres diablos; les atormentaba la convicción de su propia impotencia, del misterio de la magia encerrados en su interior, y por ello se figuraban que un médico era un hombre muy grande. Era una vergüenza. El se había esforzado siempre por hacerles comprender la simplicidad de las cosas, lo poco que sabía nadie verdaderamente, pero no le escuchaban. Pobres diablos, se limitaban a sonreír como indicando que conocían la treta...

Pero, además, seguían siendo unos desconocidos. Después de veinte años de residencia en aquella población, sus pacientes continuaban siendo para él unos extraños. Y la ciudad, un rincón ajeno. Durante los últimos tiempos deseaba cada vez con más ahínco el volver un día a Winnipeg, aunque sólo fuera para echar un vistazo a todo aquello; ansiaba realizar un corto viaje, pasear por la Universidad, volver a ver a su antiguo hogar.

Mirándolo bien, la ciudad de Greenville era un rincón de mundo insulso. Allí no había nada. Sólo gente... Nunca tuvo otra cosa...

Pero, ¿y Europa...? Quizá pudiera volver a Europa, visitar de nuevo París, pasear por los campos de batalla que recordaba, detenerse en mitad de ellos y retroceder veinte años, escuchar de nuevo las explosiones, revivir la profunda conmoción de ver a los hombres destruyéndose mutuamente. No era la infinidad de muertos lo peor, sino los destrozos que se causaban unos a otros, las heridas absurdas, inesperadas, espantosas, horribles unas heridas tan improbables que a uno no le servía de nada su experiencia anterior, y, sin embargo, tenía que servirles a ellos que miraban al médico con ojos implorantes. Y el médico examinaba la herida, y no sabía qué hacer, pero era preciso hacer algo, a pesar de todo... A su mente volvió la figura del hombre que se presentó un día en el puesto de socorro con el vientre abierto por un bayonetazo y la boca rasgada en una sonrisa trágica, después de haber caminado una milla por lo menos, sosteniéndose las entrañas con las manos, presentando su desnudez interior sobre sus desnudas manos, mientras se pintaban en su faz la angustia y la extrañeza. Todos eran igual. Cuando estaban enfermos o caían heridos, todos tenían en los ojos la mirada de un niño; todos aparecían humildes, expectantes; todos se entregaban en sus manos...

...Ahora estarían muertos probablemente..., muertos desde hacía mucho tiempo...

Todo habría muerto menos aquella mirada. La mirada seguía viviendo. La mirada tenía un secreto especial... El doctor Castle frunció el ceño. Luego su faz se iluminó. ¡Naturalmente!

Era la mirada que aparecía en ciertos momentos en los ojos de Marsh, la mirada del joven Marsh..., ¡la misma mirada! La que mostraban sus ojos el día que pescó a Henry Granite con aquella perorata sobre los griegos, dándose cuenta, contristado, de que el alcalde mordía el anzuelo, de que el destino de toda una comunidad podía depender de una cosa tan incidental como una parrafada de la historia de Grecia.

Era la mirada del hombre con las entrañas al descubierto, sosteniéndolas con sus manos, suplicando que alguien corriera en su ayuda... La mirada que tuvieron sus ojos durante muchos días después del episodio del anciano que murió en el hospital...

¿Cuántas veces habría mirado de aquel modo? ¿Sería por la gente? ¿Sería por la Medicina? ¿Sería por los médicos?

Los ojos de Lucas alumbrarían a menudo aquella manera de mirar. No la perderían jamás. Aquel joven era un fenómeno raro, era algo que el doctor Runkleman no sospecharía nunca. Era un hombre dotado de un solo medio de expresión ya desde su nacimiento. Era un extranjero en el mundo, que vivía completamente solo, que no vivía para nada más, que no conocía límites.

Era un enfermo. Cierto que la normalidad es un mito, que sólo existen puntos de referencia. Pero en él no existían ni puntos de referencia. Y con respecto al mundo, a las diversiones posibles, a las cortas vacaciones durante las cuales pudiera alejarse con un suspiro del dolor, del miedo y de la fatalidad, indudablemente, Marsh estaba tan mal dotado como Runkleman.

El doctor Castle manoseaba distraídamente la solapa de su albornoz, que en otro tiempo fue de color marrón. Y se decía que el mundo está lleno de gentes a las cuales los placeres mundanos no les decían nada. Cierto que el placer no es el fin, sino un medio, pero ahí estaban todas esas maravillas: la música, los conciertos... Sólo que todos decían: "música", "conciertos" con aire reverente, pero a nadie le interesaban mucho, como no fuera a los que sentían una atracción especial por la música, lo mismo que Marsh por la Medicina, o, más que sentir una atracción, habían nacido para ella; la música formaba parte de algún sector de su mente... El anciano médico reflexionó que él también había mentado los conciertos toda su vida, pero que las únicas veces que había ido a escucharlos fue en compañía de alguna mujer que no había gozado del concierto más que él mismo, sino que ambos habían representado una comedia, dándoselas de amantes de la música, de poseedores del distintivo intelectual..., porque así justificaban el apetito del sexo. La cosa parecía más respetable si primero se asistía a un concierto. Con ello se salía de la esfera puramente animal. Una pareja se sentía unida por un amor innato hacia un objeto espiritual, como la música, y entonces todo se elevaba a un plano superior que le proporcionaba a uno un excelente punto de partida... "¿Qué representaría si alguien quisiera explicar lo referente al sexo a un animal? —preguntábase el doctor Castle—. ¿Cómo enfocaría la cuestión? ¿De modo qué razonaría para el irracional un acto que no necesitaba razonamientos"? Pero el hombre es un animal razonador. Cree que está en este mundo por una razón determinada y necesita una razón para todo. Incluso para el sexo. En este sentido quien razona más es la mujer. Cuando una mujer ve a un hombre y le quiere para sí...

En este punto, el doctor Castle se acordó de Harriet Lang. De modo que por fin había caído..., no cabía la menor duda... El joven Marsh tendría tarea en abundancia... "Me gustaría saber —antojósele al anciano doctor— si se acordará de su condición de médico. ¡Tengo que recordarlo! Debo buscar la oportunidad para hablar con su esposa, para decirle que le conviene tener un hijo...".

Quedaba tiempo, mucho tiempo. Se extendía hacia adelante como una estrecha, interminable cinta, sobre la cual se desenvolverían poco a poco los acontecimientos y desaparecerían después para dejar paso a otros nuevos.

El anciano médico sintió otro zarpazo de dolor en el corazón. Miró la hora; tenía que empezar la jornada. Tomóse otra píldora y mientras la engullía y sorbía un poco de agua, pensó que la primera de aquel día era mistress Appley, para la cual había llegado el momento de perder un riñón. Hoy tendría que notificárselo... Ella se horrorizaría, y él le explicaría que también tenía uno nada más, aunque no era preciso que la mujer supiera que el otro lo había perdido a consecuencia de un balazo en Mons...

Aquel pensamiento le hizo incorporarse. Sacó las piernas fuera de la cama, contrayendo el rostro en una mueca de sufrimiento, y buscó las zapatillas con los pies. Durante unos segundos sufrió un vértigo intenso. El dormitorio giraba vertiginosamente. El doctor Castle observaba desapasionado el fenómeno. Luego se le despejó la cabeza y se puso en pie con decisión. Con toda seguridad, la paciente no había dormido en toda la noche, esperando la llegada de aquel día penoso. El le infundiría ánimos. Aún ignoraba de qué medios se valdría para ello. Pero fuese como fuere, se constituiría en su Peñón de Gibraltar. El doctor Castle entró en el cuarto de baño, se vistió rápidamente, tomó otra píldora y se encaminó hacia el consultorio.

Los habitantes de la ciudad de Greenville se levantaban, miraban el reloj para ver si había dado la hora de sentir apetito, devoraban la primera comida del día, e impacientes o de mala gana, despreocupados, ensimismados, alegres, irresolutos o como autómatas abandonaban su cobijo para librar la batalla por la vida correspondiente a las horas de aquella jornada.

El padre O'Connor discutía el matrimonio de una chica católica con un joven protestante, hasta que por fin decidió llevar a cabo el ritual en una estancia contigua al templo, y no ante el altar de las solemnidades.

Bemis Shedd miraba complacido las galeradas que sus operarios sordomudos le habían proporcionado y pensaba satisfecho en los salarios no sujetos al Sindicato mediante los cuales un sordomudo le rendía un cincuenta por ciento de trabajo más que un hombre normal. El periodista se acercó a su mesa, recortó cuatro editoriales del material publicable que le enviaba la agencia, cruzó la puerta inmediata para tomar otra taza de café en la droguería, preguntó con escarnio a la camarera por qué se le veía tan cansada aquella mañana, se enteró, sorprendido, de que un antiguo convecino se había puesto enfermo, contribuyó con cinco dólares a la suscripción abierta para pagarle una cama en el Valley Hospital, y correteó por la calle Mayor, soltando el cierre del cajón de la charlatanería dispuesto a conseguir sendos anuncios en la tienda de cueros, en los dos mercados, en las dos tiendas de confecciones, en la gasolinera y en la pequeña tienda de novedades.

Bemis Shedd había nacido y se había criado en Greenville. Conocía hasta el último nombre, el último gato y al último dólar de la población. Repartió periódicos cuando no medía aun mayor altura que aquellos. Entró de aprendiz de imprenta, y al cabo de un tiempo, a la edad en que la mayoría de niños jugaba a la pelota, él empezó a componer. Poco a poco aprendió a manejar las linotipias. Y vino aquel terrible verano cuando el empleado nuevo organizó el establecimiento, y junto con él, otro linotipista y un sujeto loco que se había quedado como impresor fue al encuentro de míster Kuneo; fueron los tres muy excitados, diciéndole que querían formar el Sindicato, que no admitirían elementos extraños, que todos deberían estar sindicalizados y pidiendo, como primera providencia, un aumento de sueldo.

Salían a la hora del crepúsculo, como tres ladrones consumados; se aprovechaban del hecho de que trabajaban en un diario de la noche, escogiendo la hora como un grupo de bolcheviques. En cambio, míster Kuneo les trataba siempre muy bien; quizá le gustara que hicieran una jornada intensa, completa; quizá no les pagaba un gran sueldo, pero siempre hablaba amablemente y cuando llegaba algún circo les repartía pases gratuitos, distinguiéndose de otros editores que los distribuían entre sus amigos y familiares.

Aquel día, él y míster Kuneo compusieron el periódico. Los dos solitos. A las tres de la mañana, mistress Kuneo y una de sus hijas les llevaron café caliente y se quedaron a doblar los ejemplares.

Pero el caso es que el periódico salió. Al día siguiente había tres empleados nuevos. Y el viejo míster Kuneo no le olvidó. En adelante, Bemis cobró un dólar y medio más por semana. Poco después salía definitivamente del taller para dedicarse a la caza de anuncios. Entonces fue cuando aprendió de veras. Y cuando míster Kuneo murió, naturalmente, la viuda le confió la dirección del negocio. Un negocio que ahora le pertenecía por completo, aunque —no podía ser de otro modo— mistress Kuneo no le saludase y cambiase de acera al verle por la calle. Pero uno no se lo podía tomar en cuenta; las mujeres son así, no entienden nada de negocios, jamás entendieron y jamás entenderán.

Tomemos como ejemplo el caso de los anuncios. Antes de convencer a otro, uno había de convencerse completamente a sí mismo. Examinando la cuestión a fondo, al pasar por la calle Mayor todo el mundo veía que Charley Ferris procedía a una liquidación; nada ocurría en la ciudad que todos sus habitantes no se enterasen. Pero cuando uno entraba en el establecimiento de Charley, sabía que le arrancía un anuncio diciendo que liquidaba los géneros. Lo único que se ignoraba era cuántos querría gastar en él. Pero, mayor o menor, ponía uno. Y esto porque el que se lo proponía estaba tan convencido que le convencía también a él. Todo el mundo sentía pasión por los anuncios. Por aquel entonces todo el mundo estaba convencido de la necesidad de anunciar.

Bemis se detuvo un momento delante de la tienda de Charley Ferris, sonriendo con aire tolerante. ¡Ah, claro, siempre había que educar a unos cuantos, recién llegados en su mayoría, sujetos incapaces de ver la luz, gentes que no comprendían la utilidad de tener en la Redacción del periódico un amigo siempre dispuesto a protegerles, a no poner en letras de molde que el hijo de Fulano se había emborrachado, o que Mengano había sufrido un desastre, a no extenderse en detalles sobre la fiesta que había dado la esposa de Perengano, a no hacer figurar a la hija del otro en la columna de sucesos. Y hasta, de tarde en tarde, se topaba con uno al que había que capear de otro modo, procurando que no fuera admitido en ciertas asociaciones, o que se le negara la entrada en la Cámara de Comercio; y aun así, algunos se mostraban tan tercos que era preciso hablar un ratito con el inspector de Sanidad o el de la Vivienda, a la elección de los cuales uno había colaborado, y éstos le hacían una visita... Y, por lo general, después todo marchaba bien.

Eran sencillamente personas de mollera dura. Por lo común se volvían tan agradables como uno se atrevía a desear. Todo el mundo había de vivir. He aquí una cosa que se les olvidaba. Bemis tenía tanto derecho a la vida como cualquier otro. Y la única forma de que viviese consistía en que todo el mundo sintiera una predilección especial por insertar anuncios. Quizá no tan especial como la suya propia. Pero una predilección, por lo menos. Aquello era puramente americano. El defecto de Europa y de los demás revueltos países nacía de ahí, de su falta de fe en lo americano. Por eso se quedaban rezagados, por esto les azotaban las ideas extremistas, el sindicalismo, todo aquello que olía a extranjero.

Era preciso creer.

Era preciso vivir y dejar vivir.

Era necesario tratar bien a la gente.

La naturaleza de su medio de subsistencia le dejaba tiempo para la política. Bemis se embelesaba con los insospechados poderes de su jurisdicción, y se complacía presentando la apariencia de hombre cauto que sabe mucho más de lo que dice, como una Mona Lisa de los poderes locales.

Conservaba una fidelidad invariable para aquéllos que le ayudaban a ganar dinero, les dedicaba un afecto sincero, de hermano; tenía fe en ellos, les consideraba gente de bien.

Henry Granite, a quien de niño habían deslumbrado los resplandores de la Edad de Oro de Grecia y que muchos años atrás habían subyugado su impetuoso amor, su afán por revivir aquellos dorados días, limitándose desde entonces a cultivar la estimación y la admiración de sus semejantes sólo por los conocimientos que poseía de tan singular período, veía ahora, por vez primera en su vida, una asombrosa, una totalmente increíble oportunidad para unir un tributo consagrado a un mejoramiento cívico, concreto, de los tiempos presentes; para convertir lo inexistente, lo no relatado, en materia viva, narrada, traducida. A través de los años el atributo que le diferenciaba un poco de los demás había llegado a cansarle, y por ello empezó a ocuparse del negocio de la madera. Ahora su amor primero se renovaba, a punto de verse plena, sorprendentemente reivindicado; como una nueva utilidad descubierta en una escopeta usada constantemente y que conquistó premios en tiempos pasados, aquel nuevo impulso le empujaba a salir de caza.

Conocía bien a los conciudadanos. Sabía que no se dejarían conquistar por una descripción de las glorias de la Grecia antigua. La ciudad de Greenville jamás soltaría el dinero para un servicio de aguas sobre la base de la caída de Atenas, y si fuera capaz de hacerlo, Henry

Granite llegaría a temer que no se hubiese propagado un ataque colectivo de locura. Apenas abrió los ojos, el alcalde se puso a buscar mentalmente los medios para situar al Concejo de la ciudad en una posición insostenible, en una posición en la cual si no votaba en pro de la nueva conducción, se convirtiese en el blanco de los electores, los cuales reclamarían airada e instantáneamente sus derechos. Granite exultaba de gozo. Todas sus facultades entraron en una febril actividad. Sería preciso un esfuerzo óptico, homérico, pero el alcalde acogió la idea de la lucha con exaltado entusiasmo, con una confianza sonriente.

Como aquel día había de informar ante el tribunal, Ben Cosgrove se vestía apresuradamente, sin interés, dominado por el afán de encontrarse en el Juzgado, de hacer subir a un individuo al estrado de los testigos, de sentir cómo le invadía gradualmente, hasta sofocarle, un imperioso desprecio mientras zahiriese el patán que le había reservado el Destino, mirando de reojo al Jurado adverso e inquieto, mientras se burlase sarcásticamente del juez rural sentado en aquel sillón rural.

Ben Cosgrove se mostraba sarcástico por costumbre; empleaba el arma del escarnio del mismo modo que un púgil adelanta automáticamente la izquierda. Había perdido hacía mucho tiempo la facultad de creer. Conservaba algunas creencias, pero no se forjaba ni aceptaba otras nuevas. Sus convicciones nacían de la necesidad de no sentirse herido, de no ser engañado, de no verse aplastado, de no sufrir ya nunca más una desilusión. Creía que los hombres eran estúpidos por mutuo acuerdo, por libre elección y que habían instaurado como norma general la idea de que podían confrontarse sin temor unos con otros, y creía también que a todos los que se quedaban por debajo de esta norma los despreciaban un poco menos que a los que se elevaban por encima de ella.

Creía que todos los hombres eran ladrones natos, que habían promulgado leyes para legalizar los latrocinios necesarios a fin de que todos supieran lo que podían esperar y quedaran protegidos contra lo inesperado. Creía que no existía verdad alguna que no resultara falsa, ni falsedad que no fuera verdad. Poseía un sentido finísimo para descubrir tosquedades e imperfecciones y había aprendido sin lugar a dudas, indeleblemente, que más tarde o más temprano todas las personas que le inspirasen afecto revelarían una suciedad o una imperfección que le turbarían y vedaría el paso a todo ulterior respeto para aquél que antes habría gozado de sus preferencias, pero que entonces se convertiría en un ser horrible. No quería amigos ni tenía ninguno y experimentaba un placer malsano derribando el pedestal de aquéllos a quienes corría el peligro de apreciar, antes de que madurase entre ellos una amistad que necesariamente había de poner al descubierto nuevamente alguna grosería, alguna estupidez, una inevitable imperfección.

No le gustaba la soledad, por lo cual frecuentaba a veces alguna reunión, a la cual acudía tan decidido, animado y expectante como se sentía ahora al prepararse para comparecer ante el jurado. Veíase claramente a sí mismo, conceptuábase desterrado voluntario. Teníase por un hombre cuyo supremo afán se cifraba en ser un desterrado, que incluso trataba de conquistar la estimación del prójimo por medio de tal condición, que se sabía cruel y se mostraba más afectuoso con los más estúpidos, que era capaz de defender al hombre más necio contra él más brillante de la sala. Mientras durase la velada se constituía en el padre y el defensor del necio, depositaba en él un cariño batallador, aunque desde aquel momento en adelante evitaba su contacto, a menos que le viera en algún conflicto.

Por aquel entonces era comunista, no porque creyese que el comunismo pudiese resolver de una manera permanente los problemas del mundo, sino porque era el polo opuesto de las religiones, los gobiernos y los sistemas de creencias que imperaban entre los hombres, y porque el comunismo provocaba el descontento y el furor de sus propios súbditos. No se hacía ilusiones respecto a los hombres ni a su modo de regir cualquier sistema de gobierno, pero detestaba el mundo en que había nacido con un odio tan implacable que hubiera dado la vida para aplastarlo, para regocijarse entre sus ruinas y para prepararse luego a destruir también al que le sustituyera.

Ben se adhería al comunismo porque no pertenecía ni quería pertenecer a la sociedad, al grupo de gentes que le rodeaba y porque allí no había comunistas que le desilusionasen, como no dudaba que le desilusionarían. En realidad, secretamente, sólo se pertenecía a sí mismo, aunque aquella fuera su última ilusión, para arrancarle la cual hubiera sido preciso matarle. Los dogmas del comunismo fascinaban su mente leguleya; Ben se reía a carcajadas, regocijadamente, del desprecio de que hacía gala el comunismo en relación con la justicia, de la clara visión de aquel sistema respecto a las religiones organizadas, de su modo de ridiculizar el concepto de sagrada atribuido a la propiedad particular. Le alborozaba su acertado concepto del hombre, al que miraba sin ilusión. Y emprendió apasionadamente la defensa de aquella doctrina. Se había divertido incesantemente haciendo morder el anzuelo a las personas menos apropiadas: a banqueros, jueces, a sus colegas abogados, a sacerdotes y ciudadanos de cierto relieve, comprobando que las armas de todos ellos eran pobres, obtusas, que no sabían manejarlas con habilidad, que las mentes que las gobernaban se dejaban empujar ridículamente hasta una trampa cualquiera y que al terminar la discusión se les veía pálidos de ira, o bien refunfuñaban trastornados, vacilantes, inquietos o se retiraban resentidos y amedrentados. Pero tal deporte había perdido su encanto. No quedaban ya nuevas víctimas. Tenía al médico nuevo, al doctor Marsh... Probaría con él, a pesar de que el final era perfectamente previsible. Después de los primeros escarceos, el juego no le proporcionaba ya ningún placer auténtico.

Ben Cosgrove, que se obstinaba en construir una vida intrincada dentro de la vida, un planeta dentro del planeta, se había señalado un objetivo. Un objetivo más ambicioso que la pura argumentación, más estimulante que todas las palabras. Sería un triunfo que dejaría petrificada a la ciudad. Quería ganar un prosélito. Y se puso a considerar las posibilidades de aquél recién llegado, el doctor Marsh...

Tom Pierce, hijo del conserje del Instituto, puso sesenta y cinco centavos sobre la ventanilla del cajero del Greenville Bank y luego una delgada y flamante libreta de ahorros. El cajero, a quien le había costado veinticinco años el llegar al puesto que ocupaba y que tenía en depósito seiscientos veinte dólares, movió la cabeza aprobando el gesto del niño.

—Un penique ahorrado es un penique ganado. —Y entornaba los ojos para dar más énfasis a la frase.

—Ya tengo ocho dólares —explicó orgullosamente el joven Pierce.

—¡Sigue por este camino, y nunca te olvides de que vales tanto como hayas ahorrado! —exclamó el cajero, como si le impartiera una bendición.

—Mi padre dice que el que coloca su dinero en el Banco siempre tendrá éxito, porque si viene un día de lluvia sabe dónde encontrará un paraguas —dijo Tom, intoxicado por el interés que por sus negocios mostraba un hombre tan sabio y empleado en un lugar tan sagrado como aquel Banco.

—¡Exactamente! —contestó el cajero, sellando la libreta y entregándola a su propietario—. ¡No abandones este proceder y nunca te verás abandonado!

Era una tibia mañana de septiembre. Camino del Hospital del Condado, Lucas observaba al doctor Runkleman, cuyos pensamientos giraban alrededor de la chica que había venido no se sabía dónde y que ahora se negaba resueltamente a dar su nombre verdadero y la dirección de su familia.

—Naturalmente, lo que deberíamos hacer —dijo el doctor Runkleman con un suspiro— sería dar parte a las autoridades y poner el asunto en sus manos.

—Siento afecto por esa muchacha.

—Es agradable de veras. ¡Y limpia!

—Me sabe mal entregarla a ninguna autoridad.

—Sí, pero más tarde o más temprano tendremos que tomar una decisión respecto a la criatura. Y cuanto más tarde lo notifiquemos... Fíjese bien, nos presentarán cómo hemos dejado transcurrir tanto tiempo. Que me cuelguen si sé lo que vamos a contestarles.

—Es una criatura preciosa —dijo Lucas.

—¿No es una niña, sin embargo? No..., es un varón...

—¿Quizá hoy la madre nos diga algo.

—Veremos...

Mientras lavaba los platos, Kristina oyó sin el menor interés que el cartero introducía la correspondencia por debajo de la puerta. Seguramente serían circulares comerciales, prospectos de específicos patentados y de específicos nuevos, y procedimientos impresos para ganar dinero enviados por gente que se aprestarían a ganarlo para sí misma si los tales procedimientos tuvieran alguna eficacia.

Al terminar de lavar los platos, la joven limpió cuidadosamente la cocina. Luego se detuvo a contemplar satisfecha el trabajo realizado. Después, de paso hacia la sala de estar, recogió el correo, únicamente para librar el pulcro umbral de aquella confusión de papeles.

Casi al instante vio la carta de Minnesota. No conocía la letra. No era de su padre, sino de mistress Swenson, la mujer que hacía de enfermera. Le hablaba de su padre, a quien estaba cuidando. Le decía que se encontraba bien, pero que había sufrido un ataque, y que, de todos modos, seguía guardando cama. El ataque sobrevino al día siguiente de recibir la carta de Kristina. El buen hombre se excitó demasiado. Quería empaquetarlo todo al instante y corría a despedirse de las personas a quienes conocía desde toda la vida, y no podía decirle nada más de momento, excepto que el día anterior su padre había despegado los labios para pronunciar su nombre, Kristina, con toda claridad, y que quizá ahora sería conveniente que ella fuera a su casa.

Kristina preparó su equipaje. Sus dedos temblaban al meter los diversos objetos dentro del saquito que la habían acompañado de Minnesota a la escuela de enfermeras, de allí al hospital del Estado, luego al aposento que alquilaron con Lucas después de casarse, y por fin al hogar que tenían ahora. La joven sacudió ligeramente la cabeza intentando recordar lo que debía llevarse. Se trataba de su padre, de un moribundo que en tal circunstancia se convertía en una figura grandiosa, de un hombre en cuya compañía no había vivido desde hacía muchos años, pero que al encontrarse en tan grave estado despertaba en su hija todo el amor que había sentido por él, por aquel hombre que, después de su difunta madre, la conocía mejor que nadie en el mundo, por aquel último eslabón de su otro yo, por la persona que le había dado la existencia, la había protegido y amado y cuidado en medio de la soledad del mundo.

El saco de viaje quedó lleno muy pronto. Kristina cogió cien dólares que guardaba en un cajón de la cómoda. Y mientras se cambiaba de vestido quiso decidir si iría al Condado para avisar a Lucas, si le telefonearía, o si le dejaría una nota. Si iba al hospital, su marido quizá estuviera operando, si le telefoneaba podía estar operando también.

Podía decir que se trataba de un asunto urgente. En caso de que Lucas se hallara en la sala de operaciones tendría que lavarse de nuevo. A pesar de lo cual seguía tratándose de un asunto urgente.

Pero, entonces, ¿y si le dejaba una nota?

Kristina trató de redactarla mentalmente y fracasó. Por último cogió el teléfono y llamó al Condado.

Lucas estaba operando. Su voz tenía el acento de la sorpresa y de la irritación más evidentes. Pero cuando su esposa le dio la noticia, se apaciguó, avergonzado.

—Márchate al momento —encarecióle—. No te preocupes por lo de aquí. Avísame en cuanto llegues a tu casa y cuéntame como has encontrado a tu padre. ¿Tienes dinero suficiente? Oye, Kris, si necesitas algo, sea lo que sea, ¿comprendes?, llámame al instante por teléfono. Corre al teléfono y avísame...

Entonces Kristina se puso a llorar. Las lágrimas empezaron a fluir en el instante de colgar el aparato y continuaron deslizándose por sus mejillas durante el trayecto hasta la estación, mientras se mantenía muy erguida mirando por la ventanilla del taxi que la llevaba.

La paz del corazón de la mañana descendía sobre Greenville. Sus habitantes se ocupaban en sus tareas diurnas habituales. En el hospital, cuando se disponía a vendar una quemadura, Lucas empezó a pensar pecaminosamente en su hogar, que ahora quedaba vacío, experimentando una profunda sensación de alivio, y pensó también en Harriet Lang.

Obedeciendo a un impulso repentino, mezcla de gratitud y de vergüenza por la pasajera libertad de que disfrutaría, Lucas enderezó la espalda, sonrió al paciente y se alejó de la asombrada enfermera y de la bandeja para el tratamiento.

—Lo haré más tarde —dijo cuando se encontraba ya en el pasillo. Un instante después cruzaba la puerta de doble hoja, cerraba la portezuela del coche y enfilaba el vehículo hacia la estación.

CAPITULO XXXII

Lucas no gozó en seguida de una libertad completa, sino únicamente de la sensación de ser libre. Se sentía desligado, muchísimo más ligero, libre y solo, sin que tuviera que hacerse responsable de otra persona que de sí mismo. Ahora que no tenía esposa al lado para señalarle, ahora que no era el miembro de una pareja caminando por la ciudad, y que nadie podía deducir su talla, sus pensamientos, su posición en la vida, el estrato social de que procedía, por la simple observación de la criatura que caminaba a su vera, el ojo de la censura miraba hacia otra parte.

Lucas se recreaba alborozado con aquella especie de vacaciones, comprendiendo que lo mejor era vivir solo. De todos los destinos posibles bajo la bóveda del cielo, el mejor que podía tocarle en suerte a un hombre era el caminar sin compañía.

"He ahí una verdad que siempre conocí —pensó—. ¡Pero con qué claridad se destacaba ahora! Hacer lo que quiera, dormir como quiera, estudiar cuando se me antoje, amar cuando me parezca bien. Esto es lo mejor que puede ocurrirle a un hombre. Así puede realizar la obra que deba llevar a cabo de la forma más adecuada. Así puede ascender más alto que el sol.

"Ella no está aquí. Me encuentro solo en medio de esta gente. Kristina se ha ido. Soy libre".

De súbito, le dieron ganas de gritar. Tuvo que reprimir el impulso, porque sus cuerdas vocales se habían puesto ya en tensión.

Se sentía tan separado de Kristina como de un desconocido con quien hubiese intercambiado el galimatías de frases sin interés ni significado que los seres humanos que no tienen nada en común intercambian, siguiendo las conversaciones sociales, cuando deben decir algo por qué obrar de otro modo equivaldría a una prueba de hostilidad.

No obstante, a medida que el tren se alejaba, la tristeza diluyó su gozo. Lucas deseaba que el convoy se detuviera y que con él se detuviera el tiempo en aquel instante preciso. Ahora veía de nuevo, con una inquietud en las entrañas, la cara de Kristina, los ojos de su esposa escudriñando su rostro sin mucha esperanza, descubriendo únicamente en sus facciones una contracción de fingida simpatía, viendo nada más que la faz de una persona extraña con la cual se hallaba estrechamente asociada. Y no pudo ver otra cosa, pues tal era la faz que le presentó, y no había nada más debajo de la máscara de la compasión. Lucas se daba cuenta de ello y revivía la escena, volvía a ver la mirada interrogante de Kristina, comprendía que la pregunta de su esposa había recibido una contestación negativa y la veía otra vez bajando los ojos, quedándose sola con su dolor, que nadie compartía ni consolaba.

En aquel momento, Lucas recordaba la faz de su esposa con una especie de amor, apesadumbrado por la tristeza que revelaba, dolorido y desesperado al comprender lo que sentía ella y al notar que carecía de medios para cambiar sus propios sentimientos, para ofrecer algo más que una fingida simpatía.

Lucas se amonestó a sí mismo, diciéndose que aquella mujer era Kristina, la Kristina a quien había admirado de todo corazón por su destreza, la que le había pagado los estudios en la Facultad y se le había entregado agradecida, la joven se sentía orgullosa de su marido, que le adoraba y le retendría a toda costa. Y, en cambio, él no podía ofrecerle otra cosa sino el desprecio. Todas las tentativas de acercamiento que Kristina realizase, él las cortaba con instintiva repulsión.

Pero aquel ser dispuesto a dar por él todo lo que una persona pudiera dar por otra, tenía un padre al cual quería entrañablemente. Y el padre estaba enfermo, y ella tenía que correr a su vera, con el corazón oprimido a causa de la gravedad de la dolencia y de sentirse impotente y abandonada. Sí, interiormente, Kristina tenía que enloquecer de pena.

Lucas se representó el estado de ánimo de su esposa con todo detalle y con la mayor sencillez; trató de sentir lo mismo que Kristina sentía. Quiso hacer objeto de parecidos sentimientos a su propio padre, a Job, pero rechazó el recuerdo instantáneamente con un estremecimiento de aversión. Entonces intentó evocar el concepto de padre según el de Kristina, probó de herir su propia sensibilidad con todas las máximas, todas las convenciones sociales, todas las actitudes referentes al padre, con todos los movimientos emotivos que la palabra "padre" pudiera suscitar.

Pero en su interior no se encontraba nada equivalente a un padre.

Todas aquellas convenciones, períodos, actitudes, cuadros y sonidos se le antojaban cual una multitud de gentes que le murmurasen una palabra, aguardando confiadamente su respuesta, sin apartar los ojos de su faz. Pero la palabra que pronunciaba al unísono, convencidas de la evocación que despertaría en su mente, para él pertenecía a un lenguaje extraño, ininteligible; se reducía a un sonido que no evocaba nada.

Lucas cesó con sus esfuerzos, contentándose con aceptar el sufrimiento de Kristina. Luego intentó pensar en su madre, Ouida, al morir y una vez muerta, pero sólo logró recordar la desolación que había experimentado. En un nuevo esfuerzo para conciliar la pena, se imaginó la muerte de Avery, tratando de medir el pesar que le causaría, y comprobó, con el corazón oprimido y con profunda sorpresa, que no sufriría un dolor ilimitado. En cuanto al fallecimiento de otras personas por las cuales sentía afecto, notó que sólo experimentaba un sentimiento superficial.

El joven médico advertía, estremecido, atemorizado, que no existía ningún ser humano cuya defunción provocara en él un dolor incontenible, una tristeza que le anonadara como a otras personas. Ante la enfermedad mortal de ningún ser humano, él jamás sentiría lo que sentía Kristina corriendo al lado de su padre.

Y de pronto se vio pequeño, abandonado, distinto de los seres de su especie. Y envidió a Kristina. Recordaba sus ojos azules, las ligeras arrugas que se insinuaban en su fina piel partiendo de los ángulos de los párpados, el aroma de su cara, de su cutis, cuando le besaba los salientes pómulos que tanto le atraían, su boca grande, que le dejaba solitario, su puntiaguda barbilla y su cálido cuello. Según la recordaba en la plataforma al partir el tren era más menuda de lo que solía considerarla, estaba más delgada que cuando se casó con ella. Lucas sintió una opresión dolorosa y cruel al rememorar su vestido que con ser viejo era el mejor que tenía.

Entonces sacudió la cabeza airado, enojado consigo mismo. Quería hacer algo por Kristina. No sabía qué, exactamente; algo que le proporcionase lo que ella deseara con mayor intensidad. Deseaba complacerla de todo corazón.

Lucas volvió la vista hacia la ciudad sintiéndose derrotado. Las casas de la población no le parecían tales casas, se habían desordenado como si uno revolviese las letras de una palabra y las dejase dispersadas, privadas de sentido. Se le antojaban simples amontonamientos de maderos de diversas clases y formas, pilas semejantes entre sí, formadas por un madero cabalgando sobre otro, pero no hogares ni aun casas, sino maderos caídos.

Y veía a los moradores de Greenville dirigiéndose a sus ocupaciones, andando con decisión, como si la tierra que pisaban y sus propios movimientos estuvieran investidos de objetivo y de significado, como si no fueran únicamente células disperas. Y le dominó una profunda tristeza, le invadió una infinita compasión. Deseaba extender el brazo para confortarles, para darles una palmadita amistosa, para satisfacer la arrebatadora tristeza, la intolerable simpatía que le inspiraban, que oprimía su pecho.

Y se decía que todo era tristeza, que hasta el propio ser de aquella gente era triste, que sobre sus pensamientos y sus esfuerzos pesaba una condenación.

Es triste ser hombre. Pero hasta "triste" es una palabra a la cual el hombre mismo ha dotado de un significado, por lo cual ese morador de la tierra se convierte en dueño de la palabra y de lo que significa.

¿Es posible que exista otra cosa distinta? ¿Una meta que proponerse? ¿Un estado en el cual transformarse? ¿Algo en que convertirse?

Lucas, suspiró, experimentando de pronto el imperativo de marchar de allí, y empuñando el volante del coche, se alejó. Jamás se había considerado a sí mismo como un aliado de aquellos hombres ni de otro alguno, ni siquiera unido a ellos por algún lazo común, pero ahora le daban pena, les contemplaba como a seres que le inspiraban cierto afecto.

Camino del consultorio le atormentaba la visión del llanto de Kristina mientras el tren emprendía su marcha indiferente, y se estremecía al comprobar su propia pobreza de recursos para tranquilizar a su esposa. Entonces tomó la decisión de esforzar su mente, cuando Kristina regresara, para averiguar de qué modo podría proporcionarle una existencia más feliz. Luego sacudió enérgicamente la cabeza a fin de alejar el alud de pensamientos acusadores que le asaltaban, y bajando del coche entró en el despacho sintiendo por adelantado una inmensa ternura por todos aquéllos a quienes encontrase.

Aquella misma ternura le trajo a la mente el recuerdo de Harriet Lang. Lucas lo rechazó airado. Prefería estar solo. Sentíase un hombre completo. El consultorio y el equipo médico le infundieron energía; en aquel terreno se creía protegido, seguro. Entonces, acordándose del doctor Runkleman, se levantó rápido, cogió un libro de texto y leyó precipitadamente todo lo que decía referente a los aneurismas aórticos. No era mucho, unos cuantos párrafos nada más. A pesar de lo cual siguió leyendo por si el azar quería que su mente sacara partido de algún conocimiento vulgar, o descubrir algo que no se le hubiera ocurrido antes a otros.

Poco después oyó unas pisadas en la sala de espera y levantó los ojos, aguardando. Como no se reproducía el ruido, emprendió nuevamente la lectura. Pero pronto le interrumpió. Con el ceño fruncido se puso en pie y abrió la puerta del despacho.

La muchacha se le acercó indecisa.

—Lo siento, no es hora de visita. ¿Quería consultarme algo? Vuelva esta tarde. Vea a miss Snow para que le señale hora. ¿Cómo ha entrado?

—No quería venir a la hora de visita —contestó la muchacha.

Lucas miró el reloj. El doctor Runkleman aún no había llegado.

—¿Sufre alguna dolencia grave? ¿No puede volver después?

—No estoy enferma —dijo por fin. Y dio media vuelta para marcharse.

—Venga esta tarde.

—No —replicó ella—. Quería verle a solas.

Lucas la examinó con la mirada. No se le apreciaba enfermedad alguna. Era una muchacha delgada, rubia, bonita, joven, pero toda su persona tenía una expresión implorante, un aire de desamparo inexpresado, infantil.

—Está bien —dijo Lucas—. Entre.

Sí, seguramente estaría encinta.

El joven médico giró sus talones y abrió la marcha hacia el cuarto de reconocimiento. La joven le siguió dócilmente.

Pero el examen de aquella supuesta paciente, de puro satisfactorio, dejó estupefacto a Lucas, que acabó por increpar airadamente a la joven.

Entonces, ésta tomó la palabra. Hablaba en voz baja, monótona; de sus labios manaba una historia libre y repugnante, una prueba del extremo de bestialidad y de artería a que puede llegar el hombre.

Cuando se hubo marchado, después de satisfacer tímidamente el importe de la visita, el joven médico se puso a meditar sobre su problema; a la mente de Lucas acudían mil preguntas que podía y debía haberle dirigido. Y se maravillaba de que no fuera capaz de recordar su rostro. Conservaba una vaga impresión de blancura y delgadez. Al fin, a copia de concentrar su atención en estos dos detalles concretos, se le apareció súbitamente la faz de la muchacha, una faz infantil.

—Lamento haber llegado tarde —dijo el doctor Runkleman.

—Empezaba a preguntarme si le había pasado algo —contestó Lucas, poniéndose en pie—. Yo he comenzado ya las visitas de la tarde. Acaba de salir una paciente.

—Dispénseme por un minuto. —La mole humana del doctor Runkleman pasó entre Lucas y a la mesa con el movimiento que solía hacer cuando había algo que hacer que dependía de él exclusivamente. El doctor cogió el teléfono y pidió un número. Tenía la voz un poco ronca.

—He de hacer una visita —disculpóse, sonriendo.

Y Lucas, que había empezado a sacar a colación el caso de la muchacha con el tono ligero y el despego profesional, asintió turbado, apresurándose a dar la sensación de que concedía la merecida importancia a la visita que acababa de mencionar su jefe. Mientras el doctor Runkleman hablaba, él se volvió de espaldas y se puso a examinar los lomos de los volúmenes alineados en las estanterías de la biblioteca médica con una atención que creía había de tomarse por un intencionado desinterés. Con todo, no podía dejar de oír lo que decía el doctor Runkleman. Pero aquello, realmente, no le interesaba en absoluto. La conversación versaba sobre acciones, participaciones, obligaciones, dinero, cuentas corrientes, incluso sobre un trozo de terreno; sobre todo el laberinto de actividades que absorbía la atención de los hombres y que a él le interesaban tan poco como el saber si la Luna tenía un cráter más o menos. Cuando oyó que el doctor Runkleman colgaba el auricular, permaneció todavía de espaldas un momento, para hacerle notar que no se había fijado en la conversación.

—¡Ya está decidido! —gritó gozosamente su superior. Lucas se volvió, sonriendo dubitativo—. ¡Veinte días más joven, y usted verá su sueño realizado!

—¿Yo?

—¡Usted! ¡Yo estaré en camino!

—¿En camino?

—¡Le regalaré los cojos, los mancos y los ciegos! ¡Le regalaré el levantarse cuando uno preferiría dormir, las comidas engullidas a la carrera, los pacientes agradecidos y los desagradecidos, todo el paquete, en fin...! ¡Y yo me iré por mi camino! ¡Al extranjero! ¡Escríbame a lista de Correos de Sidney, Australia!

El maduro doctor se levantó bruscamente, con el cuerpo tenso y los labios dilatados al máximo en la más ancha de las sonrisas, que sólo una larga disciplina impedía que se convirtiese en grito.

—¡Usted tendrá lo que quiere! ¡Confiéselo! ¡Esto es lo que ha querido siempre! ¿Verdad, hijo mío? Ejercer completamente independiente.

—¿De qué se trata? ¿Ha muerto alguien y le ha dejado un tesoro? —Pero el corazón de Lucas saltaba y galopaba porque el doctor Runkleman no andaba desacertado. Era verdad, lo notaba por más que quisiera desterrarlo de su pensamiento y no se atreviera a nombrarlo, aquel anhelo, aquel deseo, o lo que fuese, volvía irremediablemente, y ahora iba a convertirse en realidad.

—¿Ha visto cómo está la Bolsa? —El doctor Runkleman le dirigió una mirada de compasión, sabiendo que no la había visto, pero precipitándose a discutir con el joven lo mismo que si éste se hubiera fijado realmente—. ¡Dios mío, muchacho, es una cosa terrorífica, tremenda! ¡Siempre en ascenso, arriba, *arriba!* ¡Ahora estoy por encima del tope! He dado orden de vender. Lo vendería todo hoy mismo, pero no hay necesidad de despreciar la ganancia; en diez días el aumento que se producirá equivaldrá a la mitad de lo que hubiera pedido a usted. Dentro de veintidós días —aquí el doctor se besó el dorso de la diestra, curtida por tantos lavatorios sufridos—, ¡me habré marchado ya!

—Veintidós días —replicó Lucas, deslumbrado, tratando de acompañar sus pensamientos con los del doctor Runkleman, aquel hombre corpulento y silencioso que ahora se comportaba como un escolar torpe.

—Ya se lo expliqué. Espero desde hace muchos años. Destinaba una pequeña cantidad a compras, y otra pequeña cantidad la ponía aparte... Hace tres años el mercado dio un salto arriba, y desde entonces no ha cesado de ascender siempre, siempre. ¡Haga usted lo mismo! ¡Tan pronto como le sea posible!

Miss Snow asomó la cabeza por la puerta.

—¿Qué son esos gritos? —preguntó severamente.

—¡Le presento a su nuevo patrono, miss Snow! ¡Estreche la mano del doctor Marsh! ¡Dentro de tres semanas ya no estaré aquí!

—¡Por fin llegó el momento! ¿No es verdad? —La enfermera entró en la estancia—. Usted nos dejará. Por fin ha llegado el momento.

Miss Snow lo sabía hace años. Estuvo en el secreto desde el principio.

—Es una realidad. Yo solía intentar que se dejase de aventuras. ¡Qué tanto poner su buen dinero en aquellas acciones y obligaciones y tonterías!

—¡En esto tiene razón! Escoja siempre valores sólidos, muchacho. ¡Nada que venga de esas sociedades que se forman y se deshacen como pompas de jabón! Cada vez que enviaba un cheque al corredor de comercio, solía decirle: "Toma ahí van quinientas visitas nocturnas; quinientas veces me he levantado por la noche y he aventurado mi reputación por un billete de un dólar; quinientas veces que me levanté más temprano que cualquier granjero o cualquier mujer de la limpieza, para ir a ver pus, orines o vómitos". Esto era lo que significaba cada cheque; esto era lo que ponía dentro del sobre que mandaba a un desconocido. Usted escoja los buenos, le daré el nombre de mi agente de Bolsa, a quien llamaré e informaré debidamente.

—Y ahora se marcha a su Australia. ¡Ya no sabré nada más de sus progresos! ¡Mañana, mediodía y noche, usted, a sus años, galopará por Dios sabe dónde con la escopeta al hombro, matando todo lo que se le ponga por delante! —La enfermera movió la cabeza admirada— Yo pensaba que jamás llegaría el día.

—¿Verdad que sí?

—¡Muy cierto! Al principio pensaba... ¡Bueno! Después creí que se trataba de un sueño vano, de una manía que hacía para un hombre la misma función que el ganchillo para las mujeres, de un motivo de conversación.

—¡Veintidós días! —gritó entusiasmado el doctor Runkleman—. Les escribiré tarjetas.

—¡Será mejor que me las escriban desde el Valley! Hoy se han retrasado ustedes dos. Mire al doctor Marsh; se figura que tanto usted como yo estamos locos.

—¡No, no! —protestó Lucas—. ¡Sé lo que esto significa para usted! ¡Usted ha trabajado toda su vida para llegar a este momento! —Pero en realidad, todo aquello le era ajeno. Y tenía que realizar un esfuerzo para no pensar en lo que significaba para él. Y como acogía cariñosamente todo lo que despertaba en su corazón un cálido afecto por el doctor Runkleman, se daba cuenta, acongojado, de la comunidad de apreciaciones entre el maduro médico y miss Snow, y advertía que él quedaba excluido de aquella comunidad.

—También para usted significa algo, joven —encareció el doctor—. ¡Qué más hubiera querido yo que encontrarme a su edad lo que usted se encuentra ahora!

—Hereda una clientela formidable —asintió con reverente acento miss Snow.

—¡Ella lo sabe bien! —afirmó el doctor Runkleman, con un movimiento de cabeza.

—¡Ha trabajado toda la vida para conseguirla! ¡Estoy muy contenta! ¡Me siento orgullosa de usted, doctor!

—¡Me dan la sensación de que estuviera escuchando la lectura de un testamento! —protestó Lucas, con una carcajada. Pero de pronto se disipó la sonrisa. El doctor Runkleman se había desplomado en una silla. Sus labios se habían contraído. Sus ojos permanecían fijos en la puerta. El anciano médico no les oía en absoluto. De pronto habíase llevado la mano al nudo de la corbata. Su antebrazo se apoyaba contra el pecho. Y Lucas se convirtió automáticamente en un instrumento; vio el dolor, vio el proceso, se representó la aorta con el aneurisma y catalogó toda la variedad de acontecimientos.

—¡Oiga! —dijo dando un paso adelante.

En aquel momento sonó el teléfono. Miss Snow cruzó entre los dos hombres y cogió el receptor.

—Es el Valley —dijo resignadamente, cubriendo el micrófono. No se había fijado en lo que le pasaba al doctor Runkleman—. Se están preguntando si han muerto los dos, o si les ocurre algo. —Luego quitó la mano y contestó—: Al momento va —y colgó el aparato. Entonces advirtió que Lucas miraba al doctor Runkleman y le miró también, sorprendida.

—¿Se encuentra bien? —preguntó Lucas, sin hacer caso de la enfermera.

El doctor Runkleman movió la cabeza afirmativamente y dejó transcurrir unos minutos. Luego lanzó un profundo suspiro y con gesto remiso apartó el brazo del pecho.

—Ha sido un poco de acidez en el estómago —asintió. Luego explicó con una sonrisa—: ¡Ya sabía yo que anoche no debía comer aquellas tortitas!

—Lo que usted necesita es una mujer que le cuide —dijo miss Snow, en tono severo. El doctor Runkleman hizo una mueca y se puso en pie—. ¡Ahora váyanse los dos! —Y mientras ellos cogían sus maletines y se dirigían a la puerta, preguntó—: ¿Quién estaba esta mañana en el cuarto de reconocimiento?

El doctor Runkleman se detuvo, mirando interrogativamente a Lucas.

—Más tarde le daré el nombre —prometió éste, y seguido de su jefe cruzó el umbral.

—¡Más tarde! ¡Siempre más tarde! ¡Nunca puedo anotar en los libros la mitad de los nombres, y luego vienen ustedes y me preguntan...

Perseguidos por la voz de la enfermera, los dos hombres salieron a la calle y subieron al coche. Lucas, que había procurado sentarse al volante, puso rumbo al Valley.

—¡Qué mañanita! —suspiró el doctor Runkleman, dando a su cara la más perfecta expresión de contento.

"¿Debo preguntárselo? —pensaba Lucas—. ¿Debo abandonar el disimulo y decirle claramente lo que sé que tiene? ¿O hemos de continuar los dos ignorándolo? No sé qué decir. No puedo hacer nada. Debo esperar a me diga algo. Pero...".

—¡No le convienen estas emociones! —estalló en voz alta.

—No convienen a nadie —asintió tranquilamente el doctor Runkleman—. En cambio, la causa que las provoca es algo que recetaría a todo el mundo.

—Me lo figuro —contestó Lucas, maquinalmente—, ¿se... encuentra bien ahora?

—Estupendamente —respondió el doctor Runkleman, con un tono de voz que se cerraba el paso a todo ulterior comentario, que parecía decir: "Este es un asunto de mi exclusiva incumbencia. Cuando quiera saber su opinión, se la pediré. Y no se ofenda"—. Fue un poco de acidez en el estómago —añadió cuidadosamente.

—Por mi parte, no hay nada que objetar —dijo Lucas—. Pero compréndalo, póngase en mi sitio. Yo estaba de pie delante de usted y he visto su cara de sufrimiento.

—Tengo que hablarle de un asunto —le interrumpió el doctor Runkleman—. Conduzca despacio; coja el camino más largo. Quiero hablarle.

—Es tarde...

—No, está bien. A esta marcha nada más... Lo primero que quiero decirle es que tenía que haber fijado hace algún tiempo las condiciones que voy a exponerle ahora. Los acontecimientos se han producido con demasiada rapidez. Aquí está mi punto de vista: el despacho, el equipo y la casa valen unos doce mil dólares. Veámoslo por partes. la casa, ocho mil, el despacho, cuatro mil Ya tenemos el total.

—¡Valen más! Sólo para sustituir el equipo...

—Doce mil dólares. Esto es lo que valen y lo que reportarían si usted fuese mi viuda. No me diga los miles que costaron, ni cuánto tendría que pagar por ello. Esta es la cantidad que sacaría si fuese mi viuda. La clientela..., no lo sé. Usted querrá poner un precio bajo, probablemente. Sin probablemente. Sé cierto que querrá fijarlo muy bajo. Yo estoy en deuda...Voy a decirle... le diré una cantidad. Le diré lo que haremos... ¿Qué le parece veinticinco mil dólares en total?

—Si creyera que lo dice en serio, le llevaría a un siquiatra.

—Lo digo en serio. Esta es la cantidad que quiero. Usted me da veinticinco mil dólares ¡y quedamos en paz!

—En primer lugar, no los tengo. Ni dos mil quinientos. No sé cuánto tengo. Kris lo sabrá. Unos seiscientos, quizá como máximo.

—Cuando vine aquí tenía ochenta y cinco dólares —dijo el doctor Runkleman, con aire complacido.

—Lo sé. Y nadie le ayudó. Pero yo no sabía... ¡Canastos, no puedo empezar con una instalación semejante! Usted puede sacar muy bien el doble de lo que me pide... vendiéndolo a uno que tenga dinero.

—Tengo dinero. Tengo todo el que necesito. Cobraré mil dólares al mes durante el resto de lo que pueda vivir. Un millar de dólares. Cada mes. Todos los meses. --El doctor Runkleman espaciaba intencionalmente las palabras, como para meterlas dentro de la mollera de Lucas—. Aunque llegase a los doscientos años. —Y volviéndose hacia su ayudante, le miró fijamente—. Y no le pido dinero, quiero que lo comprenda bien. No es preciso que me explique su situación, porque la sé. Sé con quién trato. Sé la clase de individuo que es usted.

Pero...

—Quiero que usted pague veinticinco mil dólares, pero puede pagarlos de lo que gane y de la forma que mejor le plazca. Quiero que destine el dinero a sostener en la Facultad a los dos muchachos que le dije, y que cuando salgan, distribuya el resto entre los dos, para que puedan abrir su tienda donde se les antoje. Pues bien, esto es lo que se me ha ocurrido. Y ahora, ¿qué me dice usted?

—Doctor Runkleman, ¡yo no sé *qué* decir!

El doctor Runkleman dio una palmadita en la rodilla de Lucas y se apresuró a desviar la vista de las lágrimas que llenaban los ojos de su ayudante.

—¡Está bien, pues! ¡Hemos cerrado el trato. Ahora estamos todos en paz. Ahora todos tenemos una garantía. —Lucas hizo un esfuerzo para tragarse la saliva. En aquel instante amaba al hombre que se sentaba a su lado con un amor más intenso que el que hubiera dedicado a cualquier otra criatura viviente desde el día que vio la luz de este planeta. Amaba con todas sus fuerzas a aquel hombre real, de carne y hueso, a aquel don de Dios.

—Me gustaría que su esposa estuviera aquí —dijo el doctor Runkleman, con la sonrisa de un niño. Y luego, en tono serio, preguntó—: ¿Resistió el golpe?

—Muy mal. Aunque nunca me hablaba de su padre, comprendo que estaban muy unidos, mucho más de lo que me había figurado.

—Supongo que ella sabe lo que pasa —dijo gravemente el maduro doctor—. Los padres se hacen viejos. No es otra cosa que la edad. Y cuando son viejos sobreviene lo más imprevisto. ¿No se lo explicó usted?

—Le dije que no se hiciera ilusiones.

—Está bien. Kristina sabrá comprender...

—¡Doctor Runkleman! ¡Si supiera cómo expresarle...!

—No se esfuerce. Sé perfectamente lo que pasa. No es por el regalo que le hago. Usted no concede mucho aprecio a ningún bien material. Lo sé. Lo conozco a fondo. Sé cómo es usted ahora y cómo será en el futuro. Me consta que con mi decisión le permito ser lo que ha de ser. Lo comprendo. —El anciano médico exhaló un suspiro—. Ojalás las cosas se me hubiesen presentado a mí como se le presentan a usted.

—¡Pero también usted es un enamorado de la Medicina!

—No es preciso que se muestre generoso. Basta con la realidad. Soy uno más de entre un millón. Hacemos nuestro trabajo. Poseemos condiciones para el mismo. Tenemos un título. No es una vida tan mala, por otra parte. Y le diré una cosa. —El doctor Runkleman se volvió para mirarle cara a cara—. ¡No me cambiaría por usted por nada del mundo! —Y recostándose de nuevo en el asiento, insistió—: ¡No, señor!

Hubo un momento de silencio.

—¿Tan malo soy?

—¿Malo? ¡Yo no hablé de ser malo! ¡Hombre de Dios! No lo decía en ese sentido. Me refería, sencillamente, a que yo podía escoger.

—¿Usted no cree que yo pudiese escoger?

—Ni más ni menos, que no era libre de nacer con dos cabezas —replicó alegremente el doctor Runkleman—. Y los pacientes pueden dar gracias a Dios por ello... ¿Sabe una cosa? Voy a decirle algo que quizá no debería, y no se lo digo con el fin de herir sus sentimientos... ¡Caramba, muchacho! Ni que fuera hijo mío no estaría más orgulloso de usted... No lo tome a mal... Pero a veces no puedo dejar de sentir una cierta pena por mistress Marsh.

—¿Por Kris? No, no me ofendo, pero, ¿por qué lo dice? ¿Qué ve en Kris? ¿Por qué motivo ha de sentir pena por ella usted, u otra persona?

—Comprendo lo que quiere expresar. Siendo una simple enfermera se casó con un médico. Y su esposo es un hombre digno, y ella puede andar con la cabeza bien alta delante de todo el mundo, y es la señora del doctor Marsh. Y usted no le pega, y ella dispone a su antojo de sus horas... Lo sé, lo sé... Pero preocúpese de ella, Luke. ¿Lo hará? Piense en ella, no le pido más.

—¡Naturalmente! —Lucas miraba al doctor Runkleman con una

sonrisa maquinal en los labios y la frente surcada por las arrugas de la perplejidad.

—Resulta difícil explicárselo —prosiguió el doctor Runkleman, afirmando con la cabeza—. A mí, que soy un solterón, me resulta difícil explicarme con claridad... Sólo que con lo que he visto durante todos estos años, observando a toda clase de gentes... Es algo que la vida le hará comprender si ya no lo comprende, algo que está más alto que todas las normas; la esposa es persona con quien uno puede contar, aunque desapareciera el mundo entero y sólo quedaran los dos. Y uno puede contar con ella, con la mujer, sólo porque esta mujer le ha entregado su corazón. No porque uno posea esta o aquella cualidad..., sino porque ella le ama. He aquí lo que quería expresar. No lo digo muy bien. Pero más o menos viene a ser esto. Y esto es lo que usted ha de aguantar y cultivar. Esto quería expresar al decir que pensara en su esposa... ¡Cielos! —gritó súbitamente—. ¡Miren como charlo! Qué diablos de hora tenemos?

Lucas dio un silbido.

—¡Nos hemos retrasado! ¡Nos hemos retrasado *de veras!*

—¡Ea, vámonos! Nos esperarán. Para este mediodía no teníamos mucho que hacer, ¿verdad que no?

—Sólo una apendicectomía en el Condado, una peritonitis, dos amígdalas y vegetaciones en el Valley.

—En una hora habremos terminado. Yo no creo que el de la peritonitis salga a flote. ¿Y usted? De todos modos... les conviene aguardar un poco. Así nos conceden más importancia.

—¡Naturalmente! ¡No temo sino que Snider se haya figurado que no iríamos...! ¡Y no tema por el de la peritonitis! —Lucas exultaba de contento. En aquellos instantes habría salvado a cualquier enfermo.

—¿Snider? ¡Jamás operará! ¡Destierre todo el temor en este sentido! ¡No sabría por dónde empezar! ¡Y no crea que a él no le conste!

Lucas movió la cabeza y apretó los labios.

—Treinta años de experiencia —exclamó con odio y desprecio.

—No —replicó pausadamente el doctor Runkleman—. Un año treinta veces... —Lucas le miró pasmado—. Es cierto —insistió su acompañante—. Un solo año repetido treinta veces... ¡Ea —dijo presuntuosamente—, me figuro que encontraríamos a muchos como él!... ¡Sí, señor! ¿Quién estuvo allí esta mañana?

—Una tal miss Challis.

—¿Irene Challis?

—Una chica rubia, delgada, de unos veintidós años.

—Yo la vi nacer.

—¿De veras?

—La conozco de siempre. Una familia modelo. ¿Que quería?

—Si conoce a su padre, sería conveniente que le hablase.

—¿A Tom? ¿Qué ocurre con Tom? ¿Acaso la muchacha está preocupada por su padre? Es una chica excelente. Da lecciones en la escuela dominical. El viejo es una especie de diamante en bruto, pero Irene adora hasta el mismo suelo que pisa su madre. A ésta le falta un brazo;

no goza de buena salud. —El doctor Runkleman arrugó el entrecejo— ¿Cómo ha sido que viniera esta mañana tan de improviso?

Lucas le repitió la lamentable historia que le había contado la joven.

El doctor Runkleman le miraba petrificado. Intentaba buscar palabras, pero su pensamiento se negaba a funcionar, no encontraba nada que decir. Su faz se congestionó.

— ¡Dios les maldiga! —estalló, desalentado—. ¡Dios mande sus almas al infierno! ¡Uno les remedia, uno les salva, uno les conserva la vida y lucha por ella hasta cuando ya no hay esperanza! ¿Para qué? ¿Qué ha salvado? ¿De qué sirven tantos esfuerzos?

—La chica no quería verle a usted. No quería que usted se enterase. He intentado hacerle comprender que usted era la persona adecuada para hablar con su padre.

— ¡Claro que le hablaré! ¡Le diré que merece algo más que el presidio! Yo vi nacer a esa muchacha, he sido siempre el médico de la familia. Usted conoce a Tom, ¿verdad? ¿Le ha visto? Es un sujeto alto, vanidoso, cordial; pertenece al Rotary Club, al Lions, a la Cámara de Comercio, trabaja en la Administración de Correos... y siempre va de un lado para otro como una persona de suma importancia.

Lucas movió la cabeza despectivamente. El doctor Runkleman prosiguió:

—Para usted no son nada, de momento por lo menos. Espere hasta que haya vivido aquí algún tiempo, hasta que todos le pertenezcan a usted y usted les pertenezca a ellos, ¡y que entonces uno le salga con una treta como esta! Una vez Tom tuvo el tifus, y verdaderamente, le salvé la vida. Todavía no sé cómo lo conseguí. Y hete ahí para qué se quedó entre los vivos.

Lucas le observaba, preocupado por las consecuencias que pudieran derivarse de su excitación.

Entretanto, habían llegado al Valley. Bajaron del coche. El doctor Runkleman se detuvo en las escaleras del edificio; Lucas se detuvo también obediente a su lado. El maduro doctor contemplaba la parte visible de la ciudad, los tejados, los árboles, los alrededores... Y Lucas le miraba a él, comprendiendo que pensaba en Australia, en aquel momento cambiante de su vida, en la hora que emprendería el viaje, en el abandono de las obligaciones, en la libertad, en aquel continente desconocido donde él sería también un desconocido.

Después entró gravemente en el hospital, detrás de su superior.

Poco más tarde les llamaron para que fueran al Condado.

Terminada la difícil operación de peritoneo y apéndice, pasaron visita rápidamente.

—No sé como salvarle —le decía el doctor Runkleman.

— ¡Le salvaré! —prometió Lucas—. ¡Ya verá usted! siempre que el doctor Snider haga lo que le he pedido.

Cuando llegaron a la sala de las mujeres, el doctor Snider salió a su encuentro con la faz encarnada, furioso, y señalando la puerta con el pulgar, exclamó:

—¡Será mejor que cures a tu paciente aquí mismo! ¡Tú no te habrás dado cuenta de que ella estará asolando el hospital!

Y siguió su camino antes de que el doctor Runkleman pudiera contestarle.

No era necesario preguntar de qué paciente se trataba. Apenas entraron en la sala, Gloria les llamó a gritos.

Los dos médicos se le acercaron sonrientes.

—¿Dónde diablos está Agnes? —preguntó ella, sin acordarse de los demás pacientes.

—Veamos, ¿qué barbaridad ha cometido? —reprendióla dulcemente el doctor Runkleman—. ¿Qué ha dicho para dejar al doctor Snider tan enojado? —Pero mientras hablaba, sus manos no descansaban. Lucas le ayudó a poner al descubierto el muñón de la rodilla. La carne de los bordes de la incisión había empezado a tomar color oscuro, ominoso. Los dos médicos evitaron el mirarse. Cuando hubieron vendado la rodilla y la hubieron cubierto con las sábanas, ambos miraron a Gloria, sonriendo.

—¡Ya está otra vez en el departamento de los bebés! —exclamó ésta, inspeccionando al mismo tiempo sus rostros—. Es inútil mirarles tratando de descubrir algo. Y si se lo preguntara mentirían descaradamente.

—Progresa muy bien.

—Vayan a buscar a Agnes, ¿quieren? Estará de nuevo con el pequeño. Queremos hablar con ustedes.

—Yo iré —dijo Lucas. Y se marchó a buen paso.

—Vamos, Gloria, usted sabe que no está bien armar tanto alboroto —la amonestó tímidamente el doctor Runkleman.

—¿Ha visto a Snider? ¿Le gustaría ser examinado por él?

—Es el director del hospital —dijo con voz suave el doctor Runkleman, mirándola fijamente.

—Lo sé —replicó ella, moviendo la cabeza para demostrar que le entendía—. Y yo soy enfermera, continúo formando parte del equipo, y he de pensar en los otros pacientes. Lo sé, doctor —exclamó entonces, en tono serio—, pero he perdido ya los modales de buena chica. Tengo en mi cuerpo un montón de carne que se corrompe, me falta una pierna... y usted sabe quién es Snider y yo también lo sé. No quiero que me manosee la herida.

El doctor Runkleman acercóse una silla y se sentó.

—¿La ha molestado mucho el muñón esta noche?

—Tendrán que volver a cortar, seguramente. ¿Verdad?

—¿Quién le ha metido semejante idea en la cabeza?

—Doctor, el hijo de la chica esa que no quiere decir nada es la cosa más graciosa de este mundo. Agnes y yo queremos hablarle de él.

—¿Es muy intenso el dolor lancinante?

—Un poco... Deje de pensar en mi pierna, por un minuto. ¡Escuche, doctor! He aquí el proyecto que nos hemos forjado.

En el departamento de los bebés, Lucas encontró a Agnes sentada junto a una camita. Al verle entrar, la mujer levantó la cabeza, le sonrió distraídamente y se púso de nuevo a contemplar al pequeño. El joven médico se quedó de pie a su lado, observando el cuadro. El niño, combinación anónima de rasgos humanoides, cuya faz no expresaba afinidad con ningún amigo, con pariente alguno y sí solamente con el tiempo de la gestación, completamente ajena al mundo exterior y a todo el tejido recién nacido de cualquier parte del mundo, dormía profundamente, dormía ajeno a todos los demás.

—¿Verdad que es hermoso? —murmuró Agnes.

Lucas asintió. El niño no era hermoso ni feo; lo mismo que todo recién nacido, completo y terminado para las entrañas, aparecía incompleto, no terminado para el mundo al que fuera expelido. La cabeza de Lucas era el reconocimiento de la uterina reverencia que las mujeres sienten por esa función de la mujer, en cuya realidad ninguna de ellas llega a creer por completo.

—No es el primero que ha visto —dijo secamente Lucas.

—¡Los adoro! ¡Eran lo mejor de mi vida de enfermera!

—¡Qué pena que no tuviera ninguno!

—Sí —replicó ella con firmeza, mirando a lo lejos, a los años pasados, a los que habían de venir—. Sí, es una pena.

El joven médico sonrió cortésmente. Agnes se levantó, escudriñó su sonrisa, cogió de la silla la bata blanca sobre la cual se había sentado y la echó descuidadamente encima del respaldo. Lucas se indignó. Trataba de encontrar una manera diplomática de decirle lo que ella ya sabía, o sea que la bata aquella habría que llevársela, sería preciso quitarla definitivamente de allí. Inspeccionando a la mujer disimuladamente, vio que llevaba pantalones azules descoloridos, con la tela arrugada, deshilachada y en los bordes de los bolsillos, rota; una camisa de hombre, destrozada, sin planchar, con las mismas arrugas que tenía al salir de la lavadora; unos gastados zapatos masculinos, con los tacones torcidos; las manos no muy limpias; el cabello muy corto, sucio y despeinado y no obstante, no quería herir los sentimientos de aquella individualidad, sentía pena por ella, aunque al mismo tiempo le daba vergüenza sentirla y notaba que entre ambos existía cierta camaradería. Agnes era enfermera, o lo fue tiempo atrás. Muchas de las cosas que él había visto, ella las había visto también, y esto creaba un sentido de familia.

—Bien —le dijo sonriendo—, creo que nos conviene marcharnos antes de que la enfermera de esta sección nos coja aquí.

Agnes le miró dubitativamente, se encogió de hombros y le siguió hacia la puerta.

—Aquí no prestan mucha atención a estas cosas —dijo con sarcasmo—. Apuesto a que soy la primera que ha llevado bata desde que construyeron el edificio.

—A pesar de todo... —insistió Lucas, en tono suave.

La mujer se examinó a sí misma y asintió.

—Supongo que parezco un vagabundo —dijo con acento indiferente. Y dirigiendo una mirada especulativa a Lucas, concluyó—: Se acostumbrará a verme. ¿Qué tal, le gusta este terreno?

Lucas la miró a los ojos, para desviar la vista de sus destrozadas ropas.

—Estupendamente —dijo de todo corazón—. Es una comarca formidable.

—¿Qué opina del doctor Runkleman? —le preguntó bruscamente Agnes.

—No encontraría otro mejor —contestó con voz solemne.

—Es lo que creemos nosotras —La mujer hizo pucheritos con los labios y le miró fijamente. Lucas experimentó un desasosiego especial.

—Es un hombre excelente —dijo con energía.

—Y un médico excelente —añadió ella, con énfasis.

—No hay mejor —coreó el joven.

Agnes siguió mirándole todavía un momento. Luego se encogió de hombros.

—Muy bien —le dijo—, no me haga caso. He hablado solamente por curiosidad. —En tono de disculpa, concluyó—: A veces las personas despiertan mi curiosidad.

—¿Qué esperaba que le dijese? —inquirió Lucas.

—Lo que ha dicho exactamente... Esta muy bien...

—¿Ejercitaba un poco la intuición femenina?

—Quizá... Le he visto mirando al niño. Y como he tenido la mente cerrada a las demás personas durante tanto tiempo...

—Supongo que la guerra la predispuso mucho en este sentido.

—Creo que sí. y otra cosa; nos indujo a dejar de engañarnos mutuamente por ningún concepto.

Lucas expresó su conformidad con una cabezada.

—Y usted, ¿qué opina de mí?

—No lo sé. —Agnes le miró reflexivamente—. Unos años atrás hubiera intentado hacerme una idea. Creo que sólo me recuerda cómo eran los hombres en la guerra —concluyó con una sonrisa que desarmaba—. ¿Le ha pedido Gloria que me llamase?

—Su amiga es todo un carácter, ¿no es cierto?

—Gloria es el único ser humano a quien he conocido y amado de verdad. —La mujer pronunció esta frase sencillamente, describiendo el país en que se había nacionalizado, describiendo la vida tal como ellas se la organizaron.

—Supongo que conoce su situación.

—Sí.

—El diagnóstico...

—En el plazo de seis meses habrá muerto.

—Acaso un año.

—Acaso.

—¿Y entonces?

—Cuando llegue el momento, lo pensaré.

Lucas hizo un gesto de asentimiento.

Agnes se volvió de cara al pequeñuelo.

—Quiero adoptarlo —dijo.

—¿Al niño? ¿Quiere decir que usted y...?

—La madre no lo quiere. ¿Qué será del pobrecillo? Queremos llevárnoslo y criarlo, y...

—Es imposible que lo diga en serio. ¿No tiene ya bastantes quebraderos de cabeza? Viviendo las dos allá, solas y estando un tan mal...

—Gloria lo quiere.

—Comprendo.

—¿Cuándo cree que podremos llevárnoslo?

—¿Yo? ¡Espere un poco, caramba! No soy la persona a quien tiene que consultar.

—Ya lo sé. Pero, ¿se pronunciará usted en contra?

—No es cosa mía. Personalmente hablando, creo que usted tiene trabajo de sobra.

—¿Quién quiere a un recién nacido? Usted sabe muy bien lo que harán con él. ¡Le consta! ¿Verdad?

—Creo que será mejor que vayamos a ver a Gloria.

En el pasillo, Lucas separóse de la mujer. Después entró en la sala de maternidad. La chica, la madre del pequeño, miró vivamente a su alrededor al verle entrar. Estaba sentada en una mecedora, al lado de la cama.

—¿Cómo se encuentra hoy? —le preguntó por costumbre el joven médico.

—Muy bien —respondió ella. Y le miró con atención.

—¿Todo va bien?

—Perfectamente —sonrió la muchacha.

Acabo de ver a su hijo. —Ella siguió mirándole calladamente y sonriendo—. ¡Qué pequeñuelo tan precioso!

La madre no dijo nada. Su silencio desconcertó a Lucas. Su cordialidad le hacía perder el aplomo.

—¿Se ha trazado algún plan? —le preguntó bruscamente.

—¿Un plan?

—¿Qué piensa hacer? ¿Lo comunicará a sus familiares? ¿A dónde llevará al niño? ¿Le permitirán que se quede con él?

—No me lo permitirán. —La joven sonrió, moviendo la cabeza con aire entendido.

—Quién sabe.

—¡Ah, no! Soy menor. —Y por su manera de hablar, se hubiera dicho que discutía el problema de otra persona.

—¿Por qué no nos da su dirección, en este caso? ¡Vamos, decídase! ¿Por qué no? Su madre podría encargarse del niño y de este modo lo criaría usted misma.

—¡Ah, no!

—¿Por qué no? Vamos, mujer, esto no es ninguna vergüenza. Aquí todos formamos una sola familia.

—Mi madre es una borracha.

—¡Ah! —Lucas desvió los ojos confundido.

La joven movió la cabeza afirmativamente.

—Somos seis. Papá hace lo que puede, pero también se emborracha.

Lucas la miró entornando los ojos. Pero la muchacha sostuvo la mirada serenamente como persona que conoce la realidad y se dice que sería inútil querer ignorarla, que es preciso partir de aquella base. Luego suspiró levemente y le explicó:

—Un pequeño más...

"Y tú no llegas a los veinte años —pensó Lucas, con amargura—. Pero eres mayor, muy mayor. ¿Consiste en esto el ser mayor? ¿Equivale a la ausencia de pánico?".

—¿Qué diría el padre? —preguntó entonces.

La joven movía la cabeza negativamente y sonrió sin reparo.

—No lo querría —afirmó—. Jamás.

—Pero el niño...

—Ya lo sé.

—¡Es su hijo!

La muchacha contestó con un movimiento de cabeza.

—¿Usted no le ama?

Ella repitió el signo afirmativo.

Y siguió mirando a Lucas, expectante, como si fuera a decir algo, a dar una solución para aquel problema, a proporcionarle un medio para resolverlo todo.

—Bien —concluyó el médico, sin mirarla—. Veremos... Veremos...

—Tendré que abandonarlo —dijo ella, en tono firme—. Es mío... Pero es la ley... Me lo arrebatarán... Mi propio hijo...

—Veremos... —Lucas se encaminó hacia la puerta. Había intentado dar un acento de confianza a su voz.

—¿Tiene hijos usted? —le preguntó ella, de súbito. Y se quedó con la boca entreabierta. La sonrisa había desaparecido.

—No —contestó el médico—. Yo no.

—¿Es casado?

—En efecto.

—A mí... a mí no me importaría que se lo quedase usted. Es un niño precioso. Tiene el cabello como el suyo. Vi a su esposa, fue muy amable con nosotros... Yo podría trabajar aquí; quizá encontrase trabajo en la ciudad y pudiera verle de vez en cuando... Quiero decirle que no les daría molestia, no iría a verle demasiado a menudo...

—¡Oh, caramba! ¡Espere un poco!

—¿Tiene doncella? Yo podría ser su doncella, señor. Soy muy hábil para los trabajos caseros... De este modo podría cuidar al niño; su esposa no tendría que preocuparse por él.

Lucas veía su faz animada por la esperanza, dispuesta a no abandonar su propósito, esforzándose por hacerle comprender. Y desvió los ojos atemorizados, con pesar, sintiéndose en peligro, buscando una escapatoria. Luego sonrió y dijo, intentando dar a su voz un tono ligero:

—¡Diantre! ¿Qué haría yo... qué haría si todas las chicas que pasan por aquí me ofrecieran todos sus pequeños? ¡Yo que soy médico joven que lucha para subsistir! —Entonces se puso serio—. Gracias de todos modos. Quiero que sepa que la comprendo, que me doy cuenta de su intención... Sé lo que significaría para usted... —Y asintió con la cabeza en un gesto vivo, rápido, que quería expresar un sincero agradecimiento. En seguida sonrió cordialmente y abrió la puerta.

—Yo encontraría el medio para pagarle —insistió la joven—. Podría trabajar de noche, quizá. Lavaría ropa... ¿No hay una bolera aquí? Podría plantar los bolos. Hay muchas maneras de ganar dinero... A usted le gusta el niño, ¿no es cierto? ¿Verdad que la proposición no es mala? No vale mucho pero...

—Vamos, no se apure —repuso Lucas, con voz animada—. De momento piense en usted y repóngase.

—Yo creí que a su esposa le gustaba —contestó la joven, sometiéndose—. Dijo que era muy hermoso. Venía a menudo. Tuve mucha pena cuando supe que su padre estaba enfermo.

—Sí... Bueno, cuídese bien —le recomendó Lucas, con un gesto vivamente afirmativo y sonriendo.

—Estoy muy bien —contestó ella, en voz baja. Y luego, acordándose mientras cerraba la puerta: Gracias, doctor.

En el pasillo, sintiéndose a salvo, Lucas respiró profundamente; luego vio al doctor Runkleman y se le acercó sacudiendo la cabeza.

—Por hoy he disfrutado ya de *mi* dosis de diversión —le dijo.

—¿Sí? ¡Le hubiera regalado la mía! ¿Sabe qué se proponen ese par de mujeres? —Lucas asintió, sonriendo compasivamente—. ¡Quieren ahijar al pequeño! Al de la chica...

—Lo sé —interrumpió Lucas—. Agnes me lo ha contado. Hemos discutido el proyecto.

—¿Qué le ha dicho usted?

—Le he dicho que debía hablar con usted.

—¡Gracias! ¡Muchas gracias!

—Lo siento... ¡Esto no es nada en comparación con lo que me ha ocurrido a mí! ¡Esa chica pretende darme su hijo!

—¿De veras? —El doctor Runkleman no parecía sorprendido. Observando atentamente a Lucas, le preguntó—: ¿Qué le ha contestado?

Lucas miró incrédulo a su superior. Había esperado que soltase la carcajada. Y no se reía. Al contrario, parecía muy interesado.

—Se lo había comunicado a usted, quizá? —preguntóle entonces, puesto ya en guardia.

—Me indicó algo. ¿Qué le ha contestado?

—Le he dicho que no, por supuesto.

—¿Le ha dicho que no?

—Naturalmente. ¡Qué diantre! ¿Qué otra cosa...?

—Yo no pensaba avisarle. Quería ver cómo lo tomaba usted. ¿Sabe qué pienso? Pienso que mistress Marsh le tiene cariño al pequeñuelo.

—¿Kris?

—Creo que le encantaría quedárselo. Es una idea mía, solamente.

—¡Oh, vamos, doctor!

—¡Lo digo en serio!

Lucas movió la cabeza y se echó a reír para disimular un acceso de cólera.

—Algún día quizá podamos tener uno nuestro —dijo con indiferencia.

—Es un chiquillo precioso —insistió el doctor Runkleman.

—Ciertamente lo es. Y, en serio, ¿qué le parece el proyecto de sus dos solteronas?

El doctor Runkleman hizo un signo negativo.

—No muy bien —contestó lacónicamente.

—Lo mismo le he dicho yo. ¿No tenemos que ir al consultorio?

—Estoy esperando a Agnes. —Y ante la sorpresa de su ayudante, le explicó—: Regresará dentro de pocos minutos. Ha ido a su casa a buscar un par de uniformes y alguna otra cosa. He hablado con Snider para que la deje actuar de enfermera por algún tiempo. Más que nada para que cuide a Gloria... —Y como Lucas le miraba con ojos desmesuradamente abiertos, exclamó—: ¡Aquí será de mucha utilidad! No vale la pena que viva sola entre los bosques.

—Es cierto tiene toda la razón.

—Las dos saldrán beneficiadas. Gloria sabe que falta otra enfermera. ¿Conoce a miss Paget? ¿La del paciente canceroso? ¿El que tiene un cáncer en el recto?

—¿La que quería casarse con él?

—Exactamente. Pues se casará, no cabe duda. Hoy se lo ha llevado a casa.

—¡Imposible!

—Ha venido hace un momento, ha renunciado al empleo, le ha dicho a Snider lo que pensaba de él, les ha dicho a todos los demás lo que pensaba de ellos, me ha esperado un rato para decirme en mis propias barbas lo que pensaba de mí; ha dicho que se había cansado de esperar, y se ha llevado al paciente a su casa.

—¡Dios mío! ¿Cuánto tiempo cree que le vivirá? ¿Cómo es posible que una mujer se enamore de un paciente con un cáncer en el recto? ¿Cómo puede casarse con él?

—Por lo tanto, nos falta una enfermera. Mirándolo bien, nos faltan diez...

Lucas recordó los destrozados vestidos y la figura de espantapájaros independiente de Agnes.

—Me estaba preguntando qué tal le gustará volver a ponerse los arneses —dijo con aire discreto.

El doctor Runkleman sonrió y le contestó:

—No es preciso que se inquiete por Agnes.

—Claro que no —protestó Lucas.

La puerta de la calle se abrió y se cerró. En el vestíbulo se oían unas voces.

—Es la nueva enfermera —aseguró el doctor Runkleman.

Luego se abrieron las puertas interiores. Una figura blanca entró en el pasillo y se dirigió hacia ellos. El doctor Runkleman sonreía. Lucas miraba pasmado.

—¿Me está bien, doctor? —preguntó Agnes. Y se quedó de pie silenciosa, aguardando, sin la menor expresión en el rostro.

—¡Magnífica! —exclamó ruidosamente el mayor de los dos médicos—. ¡Magnífica! ¡Sencillamente magnífica! —Y volviéndose hacia Lucas, le preguntó—: ¿Qué opina de nuestra enfermera, doctor?

Agnes llevaba zapatos blancos, medias blancas, el uniforme impoluto, la capa, la cofia...

—¡Loado sea Dios! —consiguió decir Lucas, por fin.

—Ustedes, las inglesas, usan una cofia muy elegante —admiróse el doctor Runkleman.

—¿Esta es... la cofia inglesa? —inquirió Lucas, desorientado y contento de encontrar un tema de conversación.

—La del Guys —contestó lacónicamente Agnes.

—Usted habrá oído mentar el Guys, doctor —explicó el doctor Runkleman.

—¡Sí, ciertamente! —se apresuró a declarar Lucas—. ¡Uno de los mejores hospitales de Londres!

—Lo era —dijo Agnes.

—¡Lo es todavía! —protestó su amigo.

—Me figuro que esa cofia resulta extraña, comparada con las de aquí, que son las que ustedes están habituados a ver. La capa está un poco arrugada, quizá. Supongo que no debía traerla, pero... como todo ha estado arrinconado tanto tiempo...

—Parece usted exactamente lo que es —exclamó gozosamente Lucas—. ¡Una enfermera de pies a cabeza!

—Gracias —contestó la mujer en voz baja.

—¡De verdad! —encareció el doctor Runkleman.

—Bien, creo que debo ir a presentarme a Gloria...

—¡Estarán muy bien! —prometió con palabra torpe el doctor Runkleman—. Si se les presenta algún contratiempo, si ocurre algo, no tiene más que avisarme.

—Gracias, doctor —contestó gravemente la enfermera. En seguida dio media vuelta y se alejó con paso firme por el corredor. Había ingresado de nuevo en filas, era una figura más de la serie, un instrumento humano. Vestía el uniforme, y el ligero y gracioso vuelo de su capa parecía un ademán tranquilizador, reconfortante, dirigido a sí misma y a los que la observaban. Sin volver la vista atrás, Agnes abrió la puerta y desapareció.

—¿Qué? —preguntó el doctor Runkleman, e inspiró profundamente.

—¡Pasmosa! —exclamó Lucas con acento sincero. Los dos médicos se sonrieron mutuamente.

—Es temprano. Vámonos al Valley un momento.

El hospital particular estaba en calma, no había operaciones. Los dos médicos pasaron visita. Dos caras nuevas habían penetrado por alguna hendidura del mundo exterior a ese otro, al mundo del hospital, se encontraban dentro de su concha: las valvas del hospital se habían cubierto; ahora vivían una nueva vida, como si la del exterior no hubiera existido jamás. Lucas revolvió el archivo de la memoria para clasificar sus rostros: una litiasis biliar y una mononucleosis infecciosa, y las incorporó a su mente. Luego salieron y se detuvieron en las escaleras del edificio.

—¡Tenemos tiempo sobrado! —exclamó el doctor Runkleman, mirando sorprendido y contento, al reloj—. ¿Damos un paseo en coche? —propuso inesperadamente.

—Tenía, en cierto modo, el compromiso de entrar a ver al doctor Castle cuando estuviera de paso —contestó Lucas—. Me gustaría acompañarle, pero, si no le sabe mal...

—¡Vaya, sin reparo! —Y mientras se acercaba con paso vivo al automóvil, añadió—: Le veré en el despacho. Suponiendo que no quiera que le lleve.

—¡No, no! ¡Será un paseo agradable!

—Ya sabe a dónde voy, ¿verdad? —El anciano médico hizo una mueca de chiquillo—. ¡Voy a ver a Sears, en Roebuck! —Lucas sonrió por cortesía. Estaba desorientado—. ¡Para examinar escopetas! ¡Tengo cuarenta y cinco minutos de tiempo y los aprovecharé revisando todas las escopetas que estén a la venta!

—¡Pobre Australia!

—¡Australia, espera, que voy! —gritó el doctor Runkleman. Las ruedas patinaron un momento levantando polvo; luego el coche arrancó bruscamente.

Lucas lo miró hasta perderlo de vista. Poco a poco desapareció la sonrisa de su cara. El joven médico exhaló un suspiro y con severa decisión arrinconó todos aquellos pensamientos en los cuales no podía detenerse sin correr el riesgo de ponerse frenético y se puso a pensar en el doctor Runkleman, ordenando a su mente que trabajara de una manera fría, profesional. Después descendió a buen paso por la calle, en dirección al domicilio del doctor Castle. Una hoja de otoño dorada, carmesí y parda, cayó sobre la acera, corrió un corto trecho, se detuvo inquisitivamente y volvió a moverse indecisa. Lucas la pisó distraído, ausente, y penetró en una calle bordeada de árboles pasando por en medio de sus imprecisas formas, y, viendo el coche del doctor Castle parado junto al bordillo, suspiró aliviado.

Al entrar en el edificio pasó por su lado, saliendo del mismo una mujer de unos cuarenta años, con la cara tan descolorida como un casero vestido, inexpresiva, una cara igual a otras diez mil y un vestido igual a otros diez mil atuendos de andar por casa. La mujer le miró con una curiosidad mezquina, como si quisiera arrancarle el secreto, el drama de la enfermedad que le llevaba al consultorio del médico, para mascarlos como una fruta caída del árbol y chupar el zumo mientras regresaba a su hogar. Lucas la miró fríamente. La mujer siguió andando sin advertir su enojo, despidiendo un leve olor a gabinetes mohosos y a cacharros húmedos.

En la sala de espera no había nadie. El doctor Castle asomó la cabeza; al ver a Lucas sonrió afectuosamente y con expresión de sorpresa.

—¡Entre, entre! ¿Qué le trae? La enfermera se ha ido a comer.

—Quería discutir con usted un pequeño detalle.

El doctor Castle le miró detenidamente; sus ojos grises recorrieron por un instante la faz del joven con la mirada impersonal del médico que busca los signos que han de iluminarle, pero no viendo ninguno, se apaciguaron.

—¿Ha notado síntomas en Dave? Coja esta silla, es más cómoda. ¿Qué hace ahora?

—Creo que está empeorando —dijo simplemente Lucas.

El doctor Castle hizo un gesto de asentimiento.

"Me ha regalado su consultorio —pensaba gritar Lucas—. ¡Ahora es completamente mío! Dentro de poco él se habrá marchado, estará en Australia! ¡Yo seré el dueño absoluto, poseeré la Medicina".

—En primer lugar —dijo dominándose y pronunciando palabra por palabra— quiero decirle lo que ha ocurrido.

Y habló despacio, con la frente arrugada, exponiendo el caso punto por punto, presentándolo sin ninguna emoción, con cuidado y exactitud. El doctor Castle le escuchó sin interrumpirle. Entornaba los ojos, absorbiendo todas sus palabras. Cuando Lucas hubo terminado, se alejó unos pasos y se puso a mirar por la ventana.

—Ya sabe lo que esto significa para usted, naturalmente. Es usted el joven más afortunado que ha visto la luz del sol.

—No lo esperaba. Jamás lo había soñado siquiera. Yo pensaba que algún día, si todo marchara bien, quizá dentro de cinco, de diez, o de un sinfín de años podría establecerme. Pero encontrarme con todo esto, sencillamente, regalado; ver que un hombre te entrega el trabajo de toda su vida, ¡ni soñarlo!

El doctor Castle asintió. Luego se le nubló el rostro.

—¡Jesús, Dios mío! —exclamó súbitamente—. ¿Ha escuchado en toda su condenada existencia una cosa más triste? ¿Es posible? ¡Que una desgracia como esta le ocurriera a un hombre semejante y que tenga que arrastrarla toda su vida!

Lucas bajó los ojos y movió la cabeza con desaliento.

—Si por lo menos pudiera llegar a Australia —dijo. Sus palabras resonaron lúgubremente, llenado todo el ámbito de la estancia.

—No llegará —objetó el doctor Castle—. Quedaba una esperanza, sin embargo. Pero expresándose de este modo uno quizá escamoteara las probabilidades adversas, o las alejase un poco, quizá distrajera la atención del destino, y le hiciera apartarse ganando la batalla.

—Si se cuida bien puede que sí.

—Usted le auscultó. Según lo que oyó, ¿cuánto tiempo le queda?

—Puede acabar en cualquier momento. Esta es la verdad. Pero puede durar algunos meses.

—No le palpó.

—No tuve ocasión.

—Tiene la voz más ronca que nunca. Usted no lo sabía. Y aquella tos... En fin, nos pasamos los días charlando de cosas indiferentes, pero nosotros lo sabemos y él lo sabe también...

—Toma yoduro potásico.

—¿Abiertamente? ¿Quiero decir si lo toma delante de usted, sin disimulo?

Me fijo en la botella. Nosotros no usamos muy a menudo el yoduro, y si un día lo usamos yo lo sé. Pero la botella desciende, desciende cada día... Y creo que también toma bromuros...

—Me pregunto: ¿Quién sería ella? —exclamó el doctor Castle. Lucas bajó la vista—. ¡Me gustaría saber cuál fue la sucia indecente! —El anciano médico hundió un abrecartas en un montón de sobres y levantó nuevamente la mano, dispersando algunos y haciendo girar los que se habían ensartado en el instrumento—. ¡Una vida! ¡Toda una vida! ¡Destrozada! ¡Excluida, desterrada de su esfera normal! ¿Quién le contagió la sífilis? Me gustaría saberlo. Me gustaría ver cara a cara a la responsable, nada más que para observar...

—Pudo ser otra cosa. Pudo ser... sí, pudo ser...

—¡Sífilis! ¡Qué desgracia para un hombre como ése! Porque usted no cree que fuera otra cosa, ¿verdad que no? Sabe tan bien como yo cuál es la causa de los aneurismas aórticos. Sabe que novecientos noventa y nueve casos de cada mil es una consecuencia de la sífilis, y no le importa un comino, como no me importa a mí, ¡pero fíjese en lo que ha significado para él! ¡Fíjese! Runkleman habría formado una familia. Sabiendo lo que tenía, ha vivido solo, como un anacoreta, anhelando formar una familia. Y si ha existido un hombre adecuado para la vida de familia, ese es Runkleman.

—¿Cuánto tiempo hace que lo sabe usted? —preguntó Lucas por fin.

—Mucho.

"Y en cambio no podía hacer nada", reflexionó Lucas. "Usted lo sabía, pero no podía decírselo. Ni aún, por miedo a que se diese cuenta de que usted lo sabía, podía decirle que llevase una venda sosegada. La mayoría de los médicos... Pero éste, lo tomó muy a pecho, éste ha sido un paria ante sus propios ojos. Quizá se debiese a la educación que recibió, el caso es que para él no existía lo impersonal, no existía la enfermedad como ente independiente de la persona; para él la enfermedad era el hombre. Tal fue su manera de pensar, su manera de vivir, y nada podía cambiarlas. Ni aun el ser médico. Ni aun la Medicina. Para él la sífilis era... la sífilis".

El doctor Castle suspiró.

—A menudo he pensado en su caso, lo he meditado una y mil veces. Quizá le ocurriera cuando estudiaba; quizá antes, siendo un muchacho. Y tuvo que ocultar su enfermedad. Acaso después se marchó y se trató con los recursos que conocía. Entonces no sabíamos mucho... ni sabemos mucho ahora. Y quizá la enfermedad desapareció, o pareció que desaparecía. Aunque, por supuesto, no desapareció. A veces he forjado mil suposiciones. Me sentaba aquí y pensaba: "Quizá fuese una gran aventura, digna del riesgo; quizá fuese un gran sueño, quizá se la contagiara una chica a quien él quería con todo su corazón...". ¿Cree usted que ha conocido jamás a muchas chicas? Quizá fuera una mujer por la cual sintiera una pasión loca...

—Un segundo de mala suerte.

—Pero de todos modos se va a su Australia, a otro mundo. A un continente que no conoce... Ha llegado a la meta, ¿no es cierto? ¿Ha llegado por fin a la meta?

—Sí... Y nosotros hemos hecho todo lo que podíamos: nada. Porque con todo nuestro poder no podemos hacer nada.

—Si se decidiera a un reposo absoluto.

—Imposible. Usted sabe que no descansará. Ahora es demasiado tarde. Lo mejor que podría ocurrirle a ese hombre... lo mejor, sí, sería que se volviese loco. Con ello, con una locura pacífica, podríamos condenarle a la inmovilidad. Y él ni siquiera se daría cuenta.

Los dos médicos se miraron.

—¿Cuántas hemorragias habrá tenido?

—Jamás lo sabremos... Dentro de un rato iré a verle. Quizá pueda apaciguarle un poco. Aunque lo dudo. Supongo que esta noche asistirá a la reunión. Sí, al pleno del Consejo, que seguramente, volverá a rechazar nuestro proyecto de renovación del servicio de aguas.

—Me proponía asistir.

—Sí, vaya. Yo me encargo de que él no asista. Esto puede hacerlo, por lo menos. Me fingiré muy preocupado por un caso... ¿Ha visto a la mujer que salía cuando usted ha entrado?

Lucas contestó con un signo afirmativo.

—Soy capaz de tenerla hablando de su enfermedad toda la noche. Dolores en el pecho. Vértigos en ciertos momentos. Dolores abdominales. Una ligera anemia. La presión de la sangre baja. Y si le pregunto qué es lo que la molesta más no lo sabe. Sólo sabe que no se encuentra bien. Siente un malestar en todo el cuerpo. "¿Le duele aquí"? "Sí, un poco". "¿Y aquí?" "Sí, de vez en cuando". "¿Le despiertan por la noche los dolores?" "Acaso sí, alguna vez".

—¿Ganas de no trabajar?

—¡No, no! ¡No es holgazanería! Ni pensarlo; uno encuentra miles, millones de casos parecidos. Gente que está siempre un poco enferma, aquejada continuamente por algún dolor... Bienaventurados los pobres, porque ellos verán a Dios. ¡Caramba, no pueden verle bastante pronto! Porque éstos son los verdaderamente pobres; los pobres de cuerpo. He aquí una pobreza innegable. Y por el mundo abundan más que cualquier otro tipo. Los riñones, los tejidos todos, pobres; pero no verdaderamente enfermos, sino de material inferior, del que les dieron. Todo el organismo pobre. Las paredes del estómago de inferior calidad; los músculos, la piel, los ojos, las arterias, todo deficiente. Todos tejidos de segunda o tercera clase. Nunca están enfermos, nunca están bien, jamás son nada. Desechos. ¿No los ha visto? Los verá. Algún día se dará cuenta.

—Esta mañana se nos ha presentado una joya. No le habré servido de mucho al doctor Runkleman. Por lo visto él conocía a la familia. Se llama Challis. Incesto.

—¿Tom Challis? ¿Pretende decirme...?

—El doctor se ha transtornado profundamente.

—¡Conociendo a Dave sé que había de transtornarse! ¡Con su moral, Dios mío! la gente siempre da sorpresas, ¿verdad?

—Es el segundo incesto con que me encuentro.

—¡Ah, no será el último! Con el tiempo verá de todo. De todo lo que existe. A los quince años de ejercicio ya no le sorprenderá nada.

—No obstante, en una ciudad pequeña como ésta... —objetó Lucas con un ademán triste.

—¿Una ciudad pequeña? No existen categorías de población. Todo es gente. Permita que le cuente una anécdota que me ocurrió a mí que quizá deje atrás todo lo que usted pueda ver en mucho tiempo. Fue en Gran Bretaña, durante la guerra. Vino a verme una chica, una profesional, una de las que cazan arriba y abajo de Piccadilly. Joven, bonita, no tendría más de veinticinco años... No recuerdo qué enfermedad le trataba. Sé que no tenía nada que ver con su negocio. Quizá fueran juanetes. —Lucas se echó a reír—. ¿Qué acaso era una farsa? Sí, probablemente. Pero no me desvíe del tema. Bien, fuera lo que fuese, en el curso del tratamiento me contaba detalles de su profesión, que siempre resultaban interesantes. Y me habló de su amante. Era Montgomery Welland.

—¿El...?

—¡En efecto! El hijo de uno de los banqueros más potentes de Inglaterra. Miembro del Parlamento y todo lo demás. Un día la encontró por la calle, sintió un capricho por ella, le compró vestidos y la instaló en un piso. Le daba cinco libras semanales. Cinco libras y todos los gastos pagados. Ella no tenía otra obligación que la de estar allí. ¿Y qué cree que hacía él cuando iba a verla? En cuanto entraba, la joven tenía que correr a freír un huevo. Bien frito. Cuando estaba frío se lo sujetaba con pasadores sobre el pecho izquierdo. Entonces Montgomery sacaba la estilográfica, apuntaba al huevo y se ponía a temblar. Luego sacudía la pluma convulsionadamente. Unas gotas de tinta caían sobre el huevo. El galán repetía la operación una y otra vez, hasta que no quedaba más tinta.

—¿Y entonces...?

—Se había terminado. La saludaba con una inclinación de cabeza, se ponía el sombrero y salía sin pronunciar palabra.

—¿Eso era todo? ¿Todo en absoluto?

—Cinco libras a la semana, un piso para ella, y el hijo de uno de los mayores banqueros de Inglaterra. Y eso era todo. En absoluto. Después él se cansó de su amiga. Ella volvió a su profesión. Supongo que se buscaría otra. Bueno, esto lo digo yo. De modo que cuando se le presente un caso raro, saque este a la memoria y repáselo.

—¿Qué decía ella? ¿No decía nada? Me refiero a si se producía alguna reacción.

—¡Oh, ella pensaba que se trataba de un caso extravagante! Esta clase de mujeres se encuentran siempre con tipos raros. Se parecen a nosotros.

Lucas hizo un gesto de disgusto y de profunda extrañeza. Los ojos del doctor Castle tenían el brillo de la risa. El joven médico se calmó.

—A usted no le gusta que nadie desacredite la profesión, ¿verdad? Acabaría por acostumbrarse. Créame, se acostumbrará a todo. Al cabo de un tiempo prescindiría de todo, soltará el bagaje inútil y andará por el mundo sin nada más que su sonrisa y su maletín. Bien, muchacho, ¿qué sensación le causa? O sea, ¿qué sensación le causa ejercer el ejercer por su cuenta.

—Casi por mi cuenta.

—Casi.

—No puedo decírselo. —Lucas movió la cabeza negativamente— No sabría empezar a explicárselo...

—Comprendo. Sé lo que experimentaba yo. Dave experimentaba, probablemente, lo mismo. Pero... pero no espere... —el doctor Castle se encogió de hombros—. Nada. Trabajaremos juntos perfectamente bien. —Y le tendió la mano. Lucas se la estrechó. El doctor Castle oprimía la suya con fuerza—. Le pondremos en el barco. Quizá podamos hacerle llegar a Australia... ¿No me han dicho que tenían un pequeñuelo sobrante en el Condado?

—En efecto, sobrante —respondió Lucas, mientras se acercaba a la puerta—. Y no voy con cuidado... ¿Sabe que la chica aquella quería dármelo a mí? ¡A mí!

—¿A usted? —dijo el doctor Castle en tono precavido.

Esta noche le veré a usted un poco'tarde —dijo Lucas. —Tengo que salir de exploración.

—Explore —convino el doctor Castle.

La puerta se cerró. El doctor Castle abrió el maletín y sacó una píldora de un frasquito. Después de examinarla se la puso pausadamente en la boca y bebió un sorbo de agua. Luego se sentó, miró el reloj y contempló el otoño desde detrás de la ventana. Sus ojos vagaban amorosos entre los colores, entre las hojas, acariciando las ramas de los árboles, la neblina, la hierba amarillenta. El ambiente respiraba paz. El anciano médico permanecía completamente inmóvil. Dentro de pocos minutos habría llegado el momento de comenzar las visitas de tarde.

—Han estado buscándole —le dijo miss Snow.

—¿Para qué? —preguntó Lucas.

—¿Tienen una peritonitis? El doctor Runkleman salió para ver a esa tal Glass... y, ¿sabe dónde estaba? ¡Estaba en el Sears, en Roebuck, mirando escopetas! He llamado al doctor Castle, pero me ha dicho que usted había salido.

Alrededor de la cama rodeada de cortinas había tres figuras silenciosas: el doctor Snider y dos enfermeras. No hacían nada; cuando Lucas se unió a ellos, levantaron la cabeza un segundo y luego volvieron a contemplar la callada figura del lecho.

El estetoscopio de Lucas había saltado automáticamente a su mano; el negro cono del mismo se deslizó sobre la pared torácica. El joven oyó el sonido más elocuente: nada.

—¡Ah, está muerto! —dijo el doctor Snider—. Muerto como una momia.

—Yo hice lo que me mandaron —protestó atemorizada una de las enfermeras.

—Denme la gráfica —pidió Lucas.

—No sé cómo tolero su tono —exclamó con acento suave el doctor Snider—. Procuro no dejarme llevar por el puntillo; hago concesiones continuamente. ¡Pero esto, Dios mío, no da motivo para que se me menosprecie delante de dos enfermeras! ¡Ni por usted, ni por nadie!

Lo que Lucas debía decir era: "Lo siento, doctor. No tenía la intención de dar un acento ofensivo a mis palabras". He ahí la conducta prudente. Snider era más viejo, y en lo de las enfermeras tenían razón. Pero las palabras se ahogaron en la garganta de Lucas. Ni aun bajo la forma vacía de unas palabras podía presentar excusas a aquel hombre ignorante, sucio, que degradaba el mundo de la Medicina, en el cual por alguna oscura razón se le permitía morar.

El joven fijó la vista en el lecho para esconder la ira que llameaba en sus ojos.

—He dado orden de que se le cortaran los vómitos.

—Nosotros sabemos que cada vez que muere un paciente suyo hemos de tener un disgusto; y esto ha llegado a tal extremo que, en tratándose de un caso que dependa de usted, aquí nadie se atreve a respirar.

Era precisamente lo que ocurría a él en aquellos momentos, delante de las enfermeras; de modo que resultaba tan culpable como el mismo Lucas. Este levantó la vista y se dominó, tratando de conservar la sangre fría.

—¿Qué ocurre? —exclamó indignado el doctor Snider—. Este pobre hombre tenía una peritonitis galopante. ¡Ni usted ni nadie podía salvarlo!

Lucas aguardó. "El ni siquiera lo sabe. No sé por qué ha de parecerme increíble, aunque se trate de una cosa tan sencilla. El no lo sabe. No sabe que hoy en día, en caso de peritonitis, hay que cortar los vómitos, que la morfina ofrece menos peligros que el vomitar; por mucha que se le administre, siempre es preferible ésta que aquéllos. Si el paciente muere a causa de la droga, antes hubiera muerto a causa de la enfermedad. Y, en cambio, administrando bien la morfina, cabe una posibilidad de salvación.

—Yo he dado orden de que a este hombre se le administrara la morfina necesaria para cortar en absoluto los vómitos. Creo que lo dije bien claro, doctor.

Porque en este terreno no podían retarle. Estaba en su derecho; el reglamento imperaba y él actuaba dentro del reglamento. Y sabía que todo lo que se dijera caería sobre la cabeza del doctor Snider, que no entendería una sola palabra. Dados sus conocimientos sobre los vómitos, la morfina y la peritonitis, habría sido lo mismo hablar con un lego. Pero Lucas lo dijo sin rodeos. Y lo que dijo era verdad. Además, se sentía un frío alborozo al observar la indignación y la indecible sorpresa del otro.

—¡Se le ha dado morfina! ¡Vea! —El doctor Snider arrancó el papel de las manos de una de las amedrentadas enfermeras—. ¡Deme la gráfica! ¡Mire! ¡Vea su maldita gráfica! ¡Morfina! ¿Lo ve? Un cuarto de *grain!*[1] ¡Y luego un sexto más!

—Ya lo veo —replicó Lucas—. Pero veo también vómitos sobre las sábanas, vómitos en la riñonera. Y la única forma de salvarle consistía en impedir que vomitase. ¿No lo sabía doctor? ¿Verdad que sí? ¿Está de acuerdo? —Ahora iba a destruirle; iba a destruirle de una vez para siempre, y por completo.

Y entonces, por vez primera, el doctor Snider miró indeciso a las enfermeras. Luego dirigió una mirada de inteligencia a Lucas. En seguida se esforzó por sonreír y volvió a mirar al joven como si quisiera recordarle algo, con una mirada que quería excluir a las enfermeras.

—En nombre de Cristo, ¿cuánta morfina quería usted, doctor? Por amor de Dios, ¿no pretendería que le matase yo en lugar de la peritonitis? —exclamó en son de broma.

—Y opio —insistió Lucas.

—Dos *grains.* Aquí están en la gráfica. —Ahora hablaba confiado, había pasado el peligro, no eran sino dos médicos discutiendo airadamente, nada que las enfermeras no hubiesen visto más de una vez en ocasiones anteriores, nada que fueran a divulgarlo si sabían lo que les convenía. En fin, nada serio.

—El caso es, doctor —decía Lucas con aire remoto, sonriendo a su vez—, que queríamos mantener el ritmo respiratorio no más arriba de catorce. Queríamos sostenerlo en este punto.

—¡Lo sé! —asintió rápidamente Snider. "¡Qué ha de saber!", decía la mirada despectiva de Lucas—. Es lo que hice. Usted no se ha dado cuenta, probablemente. Se le dio toda la morfina que podía tomar, le hemos dado dos *grains* de opio, uno cada vez, poniéndoselo sobre la lengua... Supongo que usted no pedía más...

—Porque el ritmo respiratorio —proseguía Lucas en tono benévolo— es el índice del ritmo peristáltico. En casos semejantes los movimientos peristálticos se interrumpen cuando el número de inspiraciones sube por encima de catorce minutos.

—¡Naturalmente!

"No lo sabía. Si alguna vez lo supo, lo había olvidado. Y las enfermeras ven que no lo sabe. Ni siquiera se da cuenta de que ellas ven que no lo sabe".

Lucas miraba fijamente al doctor Snider y aguardaba cortés. El muerto era su aliado. Ambos, el médico y el hombre que no tenía que morir, peleaban codo a codo y ambos miraban fijamente al doctor Snider, distinguiendo lo verdadero de lo falso. Ambos aguardaban.

—Bien —replicó tranquilamente el doctor Snider, suponiento que el asunto quedaba cancelado—. bien, me figuro que no podemos salvarlos a todos. Usted ha hecho cuanto podía, nadie le reprochará ni por un segundo... Creo que todos sabemos el enorme interés que *usted* pone en su trabajo ¿eh, chicas? —Y a guisa de punto final cubrió el rostro

---

1. Un cuarto de *grain* equivale a 0'015 gramos.

del difunto con la sábana. El compromiso estaba salvado. No había que decir más.

—Lo que trato de hacerle comprender —dijo Lucas—, y me temo que debo insistir sobre ello, doctor... —Quizá ahora le hiciera estallar, acaso fuera este el momento, acaso hiciera algo, dijera algo que se cayese por su propio peso, quizá dijese algo que no pudiera rectificar después. Y en verdad, poco a poco el rostro del doctor Snider volvía a ponerse encarnado. El ignorante médico empezaba a dejarse inflamar por la cólera, pero aunque pareciese extraño, la incredulidad dominaba el furor—. Lo que quiero que quede claro es que (como dije en presencia del doctor Runkleman), el impedir que vomitara era la única posibilidad de sobrevivir que tenía este hombre. Era ciertamente una posibilidad desesperada conservarle a catorce, respirando tan despacio, respirando apenas; por esto tenía que estar alguien aquí, vigilándole continuamente, haciendo de modo que no se le parase la respiración, pero que no pasara de ahí. ¿Lo recuerda? Quizá esto resulte nuevo para usted, doctor. Estoy seguro de que lo habrá leído; no medimos el opio, medimos la respiración. Y controlamos los efectos acumulativos. Por lo menos en la actualidad... He ahí lo que quería poner en claro.

"Todavía no se le ha pasado —decíase el doctor Snider, incrédulo—. Ese loco maldito seguirá en sus trece: ¿Estará demente?" Y miraba fijamente a Lucas, tratando de tomar una decisión, expectante, mudo; seguía mirándole con la mirada que se dirige a un ser extraño, raro. "¿No sabes nada de errores todavía? ¿No conoces de la existencia de los dos mundos: el que afecta a los pacientes y por el cual nosotros nos movemos sabiendo lo que ellos no saben; y el mundo de las equivocaciones, eso que compartimos todos, el mundo en que cada hombre navega en la barca de sus propios fracasos, que para ello nació y fue, para cometer los errores que un hombre, no importa quién sea, grande o pequeño, ha de cometer como una cosa tan natural como el respirar, cual una fatalidad que no puede eludirse?

"¿Tan estúpido eres? ¿Acaso no has nacido todavía, no formas parte todavía de lo que se mueve a tu alrededor y ni tan sólo has *visto* nada? Donde estuvieras antes, ¿qué te pasó que no *viste* nada, que no sabes lo que *sabe* cualquiera, grande o pequeño, tanto si posee toda la ciencia, como si ha olvidado la mitad, afortunado o desafortunado, *no importa cuál ni quién?* Tú sabes que existen las equivocaciones? ¿Habrás sido perfecto toda la vida?

"¡Pues bien! Entra en el club, únete a los de tu clase, al grupo a que perteneces y del cual formas parte quieras o no quieras. Tú te equivocarás también, y el más torpe de nosotros se convertirá en tu defensor; tú y los más listos incurriréis en grandes errores y el más estúpido de nosotros mirará cara a cara a los que os acusen y mentirá por vosotros y seguirá mirando despectivamente, fríamente, a los demás, hasta dejarles confundidos, hasta que se aparten a un lado, y quizá incluso les obligue a pedir perdón. Y sabrá, no obstante, que nos equivocamos, que nos equivocamos continuamente. Pero los demás no pueden demostrarlo. Y conocen su incapacidad. Pero nosotros las conocemos también".

El viejo continuaba mirando a Lucas, mientras se hacía estos pensamientos, considerándose miembro de una banda, conociéndose a sí mismo, sabiendo cuán poco sabía o pretendía saber, estremeciéndose, levemente indignado contra aquel hombre enterado de las reglas del juego, pero que no quería aplicarlas, que no había aprendido todavía a ponerlas en acción. Porque de otra forma, obrando de otro modo, todo habría terminado. Se devorarían unos a otros. Snider miraba a Lucas confiadamente, sin la menor sensación de culpabilidad, porque no se trataba ya del enfermo, sino del juego, de todas las normas, de todo. Y una parte de su confianza descansaba en el hecho de haber visto con sus ojos la vergüenza, la culpa, la desesperación; haberles visto deseando morir y ser enterrados lejos de todo el mundo por su estupidez, por su descuido, por su ignorancia, por un error del momento. Y en haber visto entonces a toda la manada rodeándoles sin dejarles un segundo fuera de su alcance, limitándose a darles a entender con la mirada que lo sabían y haber visto que luego, fríamente, por solidaridad profesional, ignoraban su error, tanto si se trataba de un hombre de fama, como de un médico insignifcante o de un don nadie. Descansaba en haberlos visto después saliendo a enfrentarse con el público, cerradas las filas, al frente sólido, inquebrantado, sin pestañear. Y descansaba también en el hecho de saber lo que sentía uno cuando ocurría una cosa así, lo que sentía el individuo afectado y lo que sentiría durante toda su vida.

Porque así tenía que ser. Al cabo de un tiempo ya ni producía emoción alguna; era, sencillamente, un hecho normal, incuéstionable, y a uno ni siquiera le divertía el ver a un hombre famoso cogido en la trampa, si le indignaba descubrir en la misma situación a un hombre insignificante. Simplemente uno formaba el cuadro, junto con los demás.

El único que podía sentenciarte era uno de los tuyos.

Y no existía uno solo que pudiese sentarse en el banco de los testigos libre de culpa que no supiera, al verse sentado allí, que en algún momento del pasado, del presente o del futuro, no pudiera ser él quien escuchara la declaración testifical de otros.

Todos navegaban en el mismo barco. Todos. No había ninguno que no hubiese cometido una equivocación, que no la estuviera cometiendo quizá en aquel mismo instante, que no hubiera de cometerla mañana.

—Creo que últimamente no he seguido la marcha de la ciencia —confesó llanamente—. Nosotros, los viejos, hemos de confiarnos a ustedes, los jóvenes. —Snider pronunció estas palabras como si no le afectaran, sin enojo, sabiendo en qué bando militaba y qué tenía que decir, hablando no en su nombre únicamente, sino en el de todos, en el de todos los médicos que existieran—. En mi tiempo no empleábamos este recurso —añadió en voz baja—. Quizá debí seguir estudiando.

Los pensamientos de Lucas sufrieron un cambio de rumbo. El joven bajó los ojos. Le sorprendía que el doctor Snider tuviera tanta disciplina, tanta prudencia; se sonrojaba al verle en una actitud tan abatida. Se trataba de un arma muy antigua, lo sabía bien, pero no podía hacer nada para contrarrestarla.

—De ningún modo, doctor —protestó, sin atreverse a levantar la vista—. Se me había ocurrido hacer la prueba, nada más... Estoy seguro que usted la ha hecho en más de una ocasión...

Pero estas palabras eran para las enfermeras. Ahora no podía hacer nada, nada...

—Bien —concluyó, otra vez tendremos más suerte.

—¡Sin duda! —exclamó el doctor Snider, devolviéndole la sonrisa. Luego se volvió súbitamente—. ¡Eh, muchachas, sacudíos la pereza! ¿En qué pensáis? ¿En quedaros aquí todo el día? ¿Habré de explicaros lo que tenéis que hacer?

CAPITULO XXXIII

Estaba sentado al lado de Ben Cosgrove. Al otro lado tenía al doctor Kauffman, junto al doctor estaba mistress Kauffman y a la vera de esta se sentaba Harriet Lang.

¿Es la primera vez que asiste a una reunión de los representantes de la ciudad? ¿Había visto el Concejo reunido alguna vez?.—Los ojos de mistress Kauffam imploraban que fuera la primera vez, una virginal primera vez, para que así lo que iba a suceder fuese como un regalo que ella le hacía.

La sala del Concejo estaba llena de gente, y del nerviosismo, de la ira contenida, de las intenciones y el enojo de aquella gente. Mientras aguardaban en aquella estancia sus pies no dejaban de golpear el suelo, como si fueran un solo animal con múltiples patas o una persona con multitud de piernas. Una sola persona dotada de muchas cabezas y de muchas voces, pero a pesar de todo una sola, indiscutiblemente.

Lucas percibió la violencia del ambiente y se retrajo a un punto de observación puramente científico.

—No sé qué habrán visto ustedes anteriormente, pero cuando hayan contemplado a nuestros muchachos, cuando hayan visto a los nobles ciudadanos de Greenville y observen cómo se pusieron en pie la semana pasada excitados por Bemis Shedd... A propósito, ¿leyeron el editorial de ayer?

—¡Usted no habrá visto nada hasta que no haya presenciado una de *nuestras* reuniones públicas! —dijo el doctor Kauffman con penosa satisfacción. Un hombre sentado más adelante les oyó y volvió la cabeza para mirarles, asintiendo con una sonrisa regocijada.

—¡Las masas! —exclamó Ben Cosgrove en voz baja—. El proletario esperando su propio desastre. Ganado en un corral, revolviéndose incapaz de encontrar a su enemigo y corneándose unos a otros.

Aquí y allá, Lucas reconocía la cara de muchos pacientes. Algunos le reconocían a él al cabo de unos instantes de mirarle, pero casi inmediatamente el nerviosismo se adueñaba nuevamente de sus rostros.

Delante de los apretujados asientos se levantaba una barandilla de madera, al otro lado de la cual se veía la larga mesa de roble y sentados ante ella los cinco concejales y el alcalde.

—Mírenle, a Granite —mofóse Cosgrove—. ¡Miren cómo suda, el bastardo!

Lucas le miró, y luego desvió la mirada embarazado. Aquel hombre que había convertido el cargo de alcalde en una profesión, cuya fisonomía era una máscara a la cual el conocimiento previo de los hechos daba una expresión serena, que reflejaba la victoria previamente preparada y cuyos ojos tenían la mirada tolerante de los que pertenecen al bando que triunfa, ahora presentaba la faz y la conducta de una persona nerviosa e incierta que trata de aparentar confianza.

Cuando se levantó, el pataleo y las conversaciones aumentaron como si le desafiaran. Granite continuó de pie, mirando a la turba y sonriendo con cara de paciencia. El ruido decreció poco a poco.

—El Concejo se da cuenta de que el tema principal para esta noche provocará muchas controversias —empezó diciendo. Aquí hizo una pausa. El ruido cesó totalmente. Granite aguardó un momento más—. Nos alegrará oír los puntos de vista de ustedes. Les pedimos nada más que observen las normas habituales de orden, que no hablen sin darse a conocer y que limiten sus discursos a tres minutos.

El alcalde se sentó. El ruido empezó de nuevo. El secretario fue pronunciando los nombres de los miembros del Concejo. Mistress Kauffman dirigía furiosas miradas a los que armaban ruido. Harriet Lang observaba con rostro inexpresivo. El doctor Kauffman tenía la misma cara que cuando atendía a los pacientes en su consultorio. Cosgrove sonreía despectivamente. Lucas empezaba a sentirse contagiado por el nerviosismo.

Henry Granite resumió la historia de los intentos para dotar a Greenville de un servicio de agua nuevo. Sus observaciones eran subrayadas de vez en cuando por los sonidos de burla o de disgusto del público, los cuales provocaban la repulsa indignada de los partidarios del nuevo servicio o de los que sentían alguna animadversión a los que se oponían a él.

Apenas hubo terminado, levantóse vivamente un anciano que llevaba un descolorido tupé amarillo.

—¿Cuánto costará esto? —preguntó.

—Se ha anunciado profusamente el importe —dijo Granite en tono conciliador—. Ciento veinte mil dólares.

—¡Lo ha publicado el periódico! —dijo otra voz.

—¡Quería precisamente oírlo de labios del gran señor —dijo torvamente el viejo. Acto seguido se sentó y se cruzó de brazos.

En Lucas se desvanecía rápidamente la sensación de ser un extraño, un observador. Aun a pesar suyo, la influencia de la masa le invadía, le arrastraba, él pasaba a formar parte del conjunto, compartiendo su cólera, su miedo, su odio, su tormento. No sabiendo a qué bando pertenecía el anciano le dirigió una mirada de resentimiento y luego se fijó ansiosamente en los del Concejo, tratando de adivinar su reacción.

—Creo que todos estamos suficientemente enterados de los motivos que inducen a pensar que deberíamos tener una conducción de aguas nueva —dijo Granite—. Pero quizá la palabra de uno de nuestros médicos viniera muy bien a cuento en este instante. ¿Está ahí el doctor Runkleman?

Las cabezas se levantaron y algunas voces informaron a la presidencia que el doctor Runkleman no se encontraba en la sala.

—¿El doctor Castle? —Henry Granite estaba desconcertado. Mientras las cabezas se levantaron de nuevo, el alcalde divisó al doctor Kauffman—. ¡El doctor Kauffman! —gritó entonces, aliviado.

Ahora todos los ojos se fijaron en el doctor Kauffman, que se había levantado, y Lucas, sentado a unos pies de distancia, sentía el fulgor de las miradas junto con el aguijoneo del pánico.

—Creo que hemos discutido ya el problema de la tifoidea muchas veces —empezó confiadamente el doctor Kauffman.

—¡Déjelo, pues! —gritó una mujer a su espalda.

Mistress Kauffman volvióse en su asiento, con los ojos despidiendo odio hacia donde había surgido aquella voz.

—Esa es el clarín de Greenville —declaró Cosgrove—. Es la mujer más chillona y mal hablada de todo el Estado.

Lucas conservó la vista al frente.

—Lo que yo quisiera hacerles considerar esta vez son los niños —prosiguió impertubable el doctor Kauffman. Alguien quiso emitir un sonido de mofa, pero ahora una oleada de indignación lo ahogó—. Los pequeños son particularmente vulnerables por la tifoidea. Nuestra población escolar es doble que la última vez en que se debatió este asunto. Y yo no recuerdo un solo año en que los escolares de esta ciudad no hayan sido víctimas del tifus. Hasta el momento hemos tenido suerte. No sé a qué otra cosa puede ser debido, creo que sólo podemos atribuir a una buena suerte excepcional el escaso número de defunciones. Pero quiero decirles, y creo expresar la opinión de la mayoría, si no de todos, los médicos de Greenville, que este año... que este año no creo que seamos tan afortunados.

Y se sentó. La sala se quedó en silencio.

De pronto, una voz de mujer, aguda, enojada, casi en un chillido, inquirió:

—¿Quiere decirnos únicamente en qué se funda para afirmarlo?

—La presidencia le reconoce todos sus derechos a tomar la palabra; pero, ¿quiere hacer el favor de que podamos ver de quién se trata?

—¡Díganos nada más en qué se funda! —La increpadora se levantó. Era una mujer cuarentona, gorda, de ojos prominentes, hipertiroidea. Lucas notó con sombría complacencia que denotaba anemia, quizá estuviera en la menopausia. Y la miró con frío odio.

—Nosotros somos los médicos de ustedes. Tratamos hondamente de poner de relieve todos los factores posibles, lo que sabemos, lo que creemos...

—¡Usted no es mi médico! ¡Venir aquí intentando atemorizar a la gente, tratando de aterrorizarnos con la amenaza de nuestros hijos!

—Por favor... Granite se puso en pie.

—En primer lugar, ¿quien le ha pedido que viniera? Dónde está el doctor Runkleman, ¿eh? ¿Por qué no está aquí?

—Los doctores Runkleman y Castle me han delegado para que

hable en su nombre. —El doctor Kauffman se sonrojó y bajó la vista hacia Lucas—. Creo que hablo también en nombre del doctor Marsh.

Lucas hizo un signo afirmativo. Entonces todos los ojos se volvieron hacia él; sintió en su cara una cálida oleada de miradas. Lucas volvió a mover la cabeza afirmativamente y bajó los ojos.

Un hombre achaparrado, de cabello gris, se había puesto en pie.

—Amigos, de nada servirá acalorarnos demasiado por esta cuestión; podemos discutirla sin perder la cabeza. Creo que debemos dar gracias a los médicos por decirnos lo que piensan sin cobrarnos la visita... —una salva de carcajadas apaciguó la sala—, y no tenemos que hacer otra cosa sino calcular si la tifoidea resulta más barata que un servicio de aguas.

El hombre se sentó entre un ligero murmullo de aprobación.

—Amos Shockley —informóle Cosgrove a Lucas—. Shockley Street, Shockley Park; antiguos vecinos de esta población. Ahora están sembrando. No son ricos. Pero son viejos en la ciudad. Cuando él habla la tribu ha de escucharle.

—¿Cómo diablos saben que esto ha de costar ciento veinte mil dólares? ¿Quién lo ha calculado?

Un hombre pelirrojo, rayando en la cuarentena, miraba con ojos inflamados uno por uno a los miembros del Concejo. Granite se puso en pie, y dio lectura a los detalles preliminares y a los importes, concepto por concepto. El público escuchaba ávidamente.

—¿Qué opina de ellos? —preguntóle Cosgrove a Lucas—. ¡Ahí los tiene! ¡Aquí está la raza humana, dentro de un cascarón de nuez! ¡Mírelos! —Lucas miró disimuladamente a su alrededor—. Aquél es Fowler; trabaja en la compañía del gas. ¿Cómo puede saber usted lo que quiere o lo que cree? El siempre votará según le ordene la Compañía. Así votará mientras viva. No importa de lo que se trate... Aquél de allá es Joe Barker, un sujeto agradable como a uno le gusta encontrarlos, hijo del dueño de la mayor granja de Greenville, pero que ha de suspender el trabajo a ratos para conducir el coche escolar; su padre no quiere gastar un cuarto y Joe tiene cuatro hijos en la escuela... El otro es Ames, el borracho de la población. Le he visto sacar una carreta de la carretera solamente con sus manos. El votará contra aquél que le enfurezca más... Vea a Mark Wilson, una familia tan antigua como los Shockley. Mark es invertido (mucha gente lo es, pero el caso está en que él no lo disimula), se pinta como una mujer, se arregla las cejas... ¿Ve aquel viejo con la cabeza como una moneda romana? Es Waverley, uno de los ciudadanos cuyos antepasados fundaron esta población. A los sesenta años, su mujer es el refugio de los jornaleros; su hija tiene ya dos bastardos, pero nadie se lo echa en cara a él... ¿En qué sentido votará?... Y Wilfred Hillman, que asiste a todas las asambleas y escucha todos los temas boquiabierto... Y Jennifer Jessup, a quien este año nombraremos presidente de la P.T.A. y en su primer discurso dijo que las chicas se tornaban negligentes y que en adelante, cuando comieran sandwiches, habían de quitar la corteza.

Granite iba leyendo.

Cosgrove se ensañaba con todos los presentes unos tras otros, un mordisco a éste, una dentellada al otro, y luego arrojaba la osamenta...

Habíase levantado un hombre e interrumpía a Granite con los ojos fijos en él.

—El año pasado perdí un hijo, un niño. —Hablaba sin levantar la voz, sencillamente. Aquí hizo una pausa y movió la cabeza—. Si tuviese suficiente dinero, construiría la nueva conducción de aguas yo solo. Yo diría que lo que importa no es lo que cueste, lo que importa es el hijo. —El hombre reflexionó un momento—. Los que todavía los tenéis... Yo quisiera que lo meditárais bien. Quiero decir... que no se trata de un gasto tan grande; quizá nos hemos puesto un poco tercos en este sentido. Pero perder a un niño... por nada... cuando no debía... Quiero pedirles: ¡pensemos en ello! No vale la pena que Granite lea todo esto...

Y se levantó vacilante.

Los reunidos movieron los pies sobre el suelo. Estaban turbados.

—Todos conocemos la tragedia de míster Jeffers —dijo Granite después de unos momentos de silencio—. Y todos sabemos... yo... sé lo que siente su corazón. En la actualidad es absolutamente inexplicable que tengamos tifoidea. Hoy se ceba en un niño, mañana en un adulto; también aquí hay personas que han perdido familiares que ya no eran niños... Comprendo cuán poco interesante ha de parecerles esta relación de gastos a estas buenas personas... Pero confío que ellas también me comprenderán... Es mi deber. Seguiré leyendo. Ya queda poco...

Lucas se dijo que todos estaban allí, juramentados, y si no todos, estaba la mayoría de los que propugnaban la nueva conducción de aguas, cuyos detalles él no conocía, como tampoco los conocía, ni se los imaginaba seguramente, el pequeño grupo dirigente del que formaba parte. Fuera de la sala la ciudad de Greenville seguiría su ritmo confiada en la historia del pasado, convencida de que el número de representantes que asistía a la reunión haría lo que en Greenville se hizo siempre: rechazar el proyecto. O acaso confiaba, a impulsos de su propio optimismo, en que esta vez sería aprobado.

La lista de Henry Granite llegó a su fin.

El alcalde levantó la vista, aguardando. La asamblea murmuraba indecisa.

El anciano delgado, el del tupé amarillo descolorido, se levantó vivamente

—¡Lo que quiero saber es ¿cuánto costará todo esto? —replicó inexorablemente.

Otras voces se levantaron, y con ellas sus dueños.

—¡Siéntese, viejo loco!

—¡Se lo han dicho ya, maldito idiota!

—¡Si no quiere pensar en usted, piense en los niños!

—¿En los niños de quién hemos de pensar? ¿En los de los chinos y los italianos que viven junto a los caminos? ¿Para ellos han de pagar nuestros hijos?

—¡Dónde estará su orgullo cívico, por amor de Dios! ¡Qué se den estos casos de tifoidea en estos días, en este siglo!

—¿Pagará usted el costo?

—¡Hay gentes en esta ciudad que *mejor* sería que muriesen!

—No mató a mi padre, no me ha matado a mí...

—Piense en los pequeños, en ese caso.

—¡No tengo hijos!

—¡Yo tampoco!

—Maldito sea si se trata de inferir...

Y se levantó el trastornado murmullo de las mujeres, el piadoso horror obedientemente expresado.

—¡Caballeros, caballeros! —Henry Granite se había puesto de pie. Entonces vio que se levantaba Cosgrove y le cedió la palabra, agradecido.

—Estamos armando mucho barullo —dijo Cosgrove, con palabra fácil—. Hacemos tanto ruido que mañana, cuando encontremos por la calle a nuestros convecinos, cuando nos miren cara a cara, lo lamentaremos... Lo que hay que discutir aquí es si se necesita una nueva conducción de aguas, cuánto costará, si el costo es adecuado a...

—Nadie nos hará tragar lo que no nos guste...

—Nadie quiere hacerles tragar lo que no les guste. Pero aquí se dan casos de tifoidea. Nadie niega este hecho. A todos nos consta. Cada año tenemos tifoidea. Y cada año tenemos un poco más. Todo el mundo lo sabe. Nadie se atreve a negarlo. Y cada año irá en aumento, hasta que se produzca una epidemia. Esto no son simples palabras para amedrentar a la gente. Es una realidad que ustedes conocen muy bien. O que deberían conocer. Es un hecho que se ha dado en todas las ciudades de los alrededores. En todas las que tenían un servicio de aguas malo. De modo que ya tenemos un punto de partida. No cabe la discusión sobre si se dan casos o no casos de tifus. Se dan. Y un día se producirá una epidemia. Será preciso aislar a la ciudad. Quizá se nos imponga una cuarentena que abarcará una zona de muchas millas alrededor. Esta es una realidad. ¡Lo hemos visto, lo sabemos, es una realidad innegable!

La sala se quedó en silencio. Cosgrove prosiguió:

—Por lo tanto, necesitamos un servicio de aguas nuevo. ¿Tenemos el dinero necesario? ¡Sí, lo tenemos. El presente ha sido el año más próspero de toda la historia de la nación. Tenemos dinero y en abundancia, lo tenemos recogido, en valores sanos que suben cada día al compás del mercado. Gastémoslo, pues, por amor de Dios. ¡Por el dulce amor de Dios, empleémoslo en una conducción de aguas adecuada y eliminemos de una vez el peligro!

El abogado paseó una mirada llameante por la sala, y se sentó.

—Creo que míster Cosgrove nos ha dicho unas cuantas verdades —afirmó Granite con palabra fluida. Ahora hablaba con seguridad—. Como ustedes saben, siempre que se había planteado anteriormente esta discusión, yo pensaba con calma en el coste de las obras, me inclinaba a minimizar el peligro, y ayudaba a derrotar la proposición. Pero este año... este año hablé con los médicos de la localidad, hablé con las autoridades del condado, hablé con las del Estado. Y lo cierto es que nosotros no queremos ser una vergüenza, una especie de oprobio para el Estado; no ha de serlo esta ciudad por la cual yo hice tanto, y vosotros sabéis muy bien lo que hice y si estuve acertado o equivocado... y dejémoslo... Bien, todo lo que puedo decir es que este año no tengo otra alternativa, es lo único que hay que hacer, es lo conveniente, y no sólo por los niños, sino por todo el mundo... De modo que yo digo: *¡que se lleve a cabo!* ¡Y en este sentido doy mi voto!

La sala guardó silencio.

Un hombre rollizo, vestido con un descolorido mono, se levantó lenta, pausadamente. Todo el mundo levantó la cabeza.

—¿Qué pasa? —preguntó Lucas, impaciente—. ¿Quién es este? ¿Qué ha ocurrido?

—Es Slocum. Usted no está enterado. Es el maestro de la logia de agricultores. La mitad de la logia está convencida de que robó tres mil dólares de la tesorería. Nadie comprende cómo sale tan bien librado de este asunto. ¡Ahora nos divertiremos! ¡Ahora se disparará la traca! ¡Ahora se nos presenta la posibilidad! Bastará con que él...

Al ver a Slocum, cuando la gente le reconoció, un apagado murmullo recorrió toda la estancia.

—Lo que yo quiero saber, lo mismo que aquí, el hermano Gilkey —y con el ademán indicó al viejecito del tupé amarillo—, es por qué hemos de gastar dinero en una cosa que antes no necesitábamos y que tampoco necesitaron nuestros padres.

El hombre miró indignado a su alrededor y se sentó con la misma solemnidad que se había levantado.

Un individuo bajo y enjuto, con el rostro picado de viruelas y de pobladas cejas, se puso en pie de un salto.

—Lo que yo quisiera saber —replicó con una sonrisa de lobo— es por qué al hermano Slocum le interesa tanto el modo cómo se administre el dinero de los demás.

Se levantó un coro de protestas indignadas, de maullidos, una oleada de risas, de carcajadas rabiosas.

Un comerciante, un droguero, se puso en pie, con aire amenazador.

—Han circulado un montón de murmuraciones por esta ciudad. Si no tenemos un poco de cuidado, alguno se verá delante del tribunal...

—¿Quiénes presentarán los cardenales? —mofóse una voz.

Slocum se levantó solemnemente otra vez, con la cara roja como un ladrillo.

—El año pasado, escuelas nuevas; el otro, luz en las calles, dos caminos nuevos por donde no hacía falta ninguno... Votad dinero para esto, votad dinero para lo otro... ¿A dónde iremos a parar? ¿Cómo terminaremos? ¿A ustedes les gustan los impuestos? ¡A mí, no! He bebido el agua que tenemos durante cincuenta años. ¡Cincuenta años!, y mi padre la bebió antes que yo. Un agua tan sabrosa como la mejor del Estado...

Un torrente de maullidos, una gran ola de sonidos, mezcla de burla, de exasperación y de indignación, pero dominando la nota de escarnio, ahogó su voz.

El hombrecillo de la cara picada de viruela se levantó, le miró y preguntó vivamente:

—¿Usted se pronuncia en contra, Slocum?

La cabeza del aludido subió y bajó pausadamente.

—¡Sí, en contra —contestó en tono solemne.

—¡Con esto me basta! —replicó sonriendo. Y se sentó con aire de haber tomado una decisión.

otra voz le secundó, zahiriendo:

—¿Por valor de tres mil dólares, Slocum?

—¿Qué se hizo de los tres mil dólares, Slocum? —gritó otra voz a su espalda.

—¡Yo me pronuncio en contra! —repitió Slocum, encarnado, y terco, sin doblegarse. Y se sentó.

—¡Se pronuncia en contra!

—El viejo Slocum está contra los tres mil dólares.

La concurrencia rugía y se mecía en sus asientos.

—¡Voto! —gritó súbitamente Cosgrove, dominando la algarabía.

—¡Voto! ¡Voto! —Otras voces corearon el grito.

—¡Tres mil dólares! —gritó Cosgrove. Otra oleada de risas y de rencor se abatió sobre la sala.

—¡Voto, voto! —chilló una mujer de pelo gris, levantándose.

Henry Granite sonrió y levantó la mano en un gesto que tenía un curioso parecido con el de la bendición.

—Se ha presentado una moción por tres mil dólares... —aquí se interrumpió con fingido y burlesco desaliento—, digo, ¡por un *voto!* —corrigióse palmariamente. La carcajada fue estruendosa y general. El alcalde sonrió excusándose. Y se sentó.

Al final no fue una cuestión de los ricos contra los pobres, de los inteligentes contra los estúpidos, de las enemistades buscando una compensación en la riña y pegando a ciegas; no fue por los niños, ni por los ancianos, ni por el orgullo, ni a causa de la evidente necesidad. No se resolvió por nada de todo esto. Resolvióse en parte porque el año había sido bueno, porque tuvieron un año próspero, libre de preocupaciones, maravilloso, tranquilizador. Fue en parte porque el impulso agresivo de la masa se había excitado, se había puesto al rojo, derramándose fuera de su recipiente. Fue un poco también porque el reducido grupo de concejales, viéndose relegados por el tumulto al papel de observadores, comprendieron que aquella gente era incapaz de pensar por sí misma, de emocionarse de verdad por motivos propios. Fue un poco a causa de esa vieja comprobación reafirmada entonces, con todas las galas, ante sus ojos.

Hubo un poco de todo lo dicho, pero principalmente fue por la arremetida de la gente contra Jack Slocum, contra un antiguo delito, no probado, sobre el cual se había meditado repetidamente y que por fin provocaba un estallido. Ese fue el factor principal. Y también entraba un poco de masoquismo, la tendencia a realizar un acto porque el realizarlo causaría un sufrimiento. Sí, esto intervino también, junto con Jack Slocum. Y las carcajadas; la ruda crueldad del pueblo, que se vengaba entonces, para no ser olvidado, satisfaciendo incluso a los que no eran miembros de la logia. Y, no obstante, cuando se supo el resultado, pareció como si siempre hubiese sido indiscutible, esperado, perfectamente profetizable, como si jamás hubiera habido lugar para la menor duda.

Cada uno emitió su voto.

Los favorables fueron ciento setenta y cuatro; los contrarios, noventa y tres.

El Concejo votó.

Cuatro contra uno.

Greenville había votado contra sí mismo, contra su cartera, contra aquello que cada uno había acumulado con tanto esfuerzo para asegurar su existencia individual y protegerle de la muerte repentina y en favor de un nuevo servicio de agua. Había votado contra Jack Slocum, que quizá, sí, quizá, no hubiese robado los tres mil dólares de la logia de labradores.

Cosgrove sonreía dichoso, con una sonrisa de desprecio. Mistress Kauffman se esforzaba, sin saber por qué, en ordenar su revuelto cabello y pestañeaba para librar los ojos de lágrimas. El doctor Kauffman le dio una palmadita en la espalda, respirando con la respiración acelerada del triunfo. Harriet Lang dirigió una mirada a Lucas; los hombros de la joven se levantaban ligeramente en un gesto de tolerancia. Lucas le sonrió.

—Vamos, ¿qué opina de ellos ahora? —Le preguntó Cosgrove—. ¿Qué me dice de su raza humana? ¿Qué piensa de su gente?

—Pienso que han actuado muy bien —contestó escuetamente—. ¿Y por qué *mi* gente?

—¿Cree que vale la pena conservarles la vida? ¿Cree que merecen que se desvele uno por ellos?

Mistress Kauffman, que había serpenteado entre los cuerpos que le cerraban el paso, acercóse lo suficiente para hacerse oír.

—Ahora nos iremos a mi casa —dijo—. Todos. —Y con un movimiento de cabeza indicó a su esposo y a la joven Harriet Lang. Luego se volvió, antes de que Lucas pudiera excusarse.

—Yo quería ir a casa —dijo Cosgrove—. Pero creo que me quedaré con ustedes. —Y contemplando las caras que se agolpaban a su alrededor y los cuerpos que se apretujaban hacia la puerta, añadió—: Puedo muy bien apurar este brebaje hasta las heces.

Al llegar a la morada de los Kauffman, estaban ya encendidas las luces en todas partes.

—Tengo que hacer unas cuantas visitas, primero —dijo Lucas Marsh.

—He hablado ya por teléfono —gritó mistress Kauffman—. El doctor Castle estaba con él y se ha puesto al aparato. Le he informado del éxito y no podía creerlo. Ha dicho que lo explicaría al doctor Runkleman, y que no había ninguna visita pendiente, que podía usted quedarse y divertirse un rato.

—No puedo quedarme mucho rato —anunció Lucas. Y en seguida se dirigió hacia la sala de estar.

—Yo tampoco —dijo Harriet. El joven levantó la vista los ojos de ambos se encontraron. A Lucas le pareció que el choque de las miradas había producido incluso un estrépito; le zumbaban los oídos.

Había resultado sorprendentemente fácil, como si los demás hubieran querido ayudarles. Ahora Lucas acompañaba a la joven a su morada. Harriet se sentaba a su lado, y él percibía el calor de su cuerpo. La joven se le acercó más.

—Son una gente muy simpática —le dijo distraídamente—. Un poco entrometidos, pero muy simpáticos.

—Yo creo que exceptuaría a Cosgrove de la definición.

—¿A Ben? ¡Oh, Ben es inofensivo! ¡Completamente inofensivo! ¿No se da cuenta de lo que es? No pasa de ser un abogado de una ciudad pequeña que se agita y aguza el ingenio para retener las ambiciones que uno va perdiendo paulatinamente en las ciudades pequeñas.

—Siendo así, ¿por qué no se va? ¿Por qué no se va a una ciudad grande?

—¿Por qué no se va usted? —replicó la joven inmediatamente.

—¿Yo? Usted no creerá que me agito y que aguzo el ingenio, ¿verdad que no?

Harriet se revolvió de forma que el cuerpo de Lucas percibió su movimiento. El joven médico la miró por el rabillo del ojo.

—No creo nada —contestó Harriet, lánguidamente—. Sé únicamente que es una pena que usted se malogre en una pequeña población, que malogre sus esfuerzos cuidando a la gente. Claro, sin gente no existiría la Medicina, ¿verdad?

—No... Es cierto..., no existiría... Nunca pienso en la Medicina enfocándola desde este punto de vista.

—¿No? —preguntó ella, en voz baja, incitante—. ¿Desde qué punto de vista la enfoca?

—Se lo he dicho a Cosgrove esta noche: mi campo es la Medicina, no la sociología.

—Usted, es el médico a secas, ¿verdad?

—Sí... Lo soy.

—No me lleve a casa, médico a secas...

—No.

—Suba un poco hacia los montes..., un poco nada más...

—Perfectamente —asintió él, con voz torpe—. Lucas sentía un martilleo en las sienes. La carretera era una cinta confusa. Luego viro hacia las montañas.

—Sigue por ahí —le dijo Harriet, con voz que se le ahogaba en la garganta—. Sólo... sólo un poco más... Y se arrimó todavía más hacia su acompañante, y le rodeó el brazo con el suyo. Lucas notó el cálido contacto de su carne; el perfume y el olor del cuerpo de la joven hirieron vivamente su olfato. No pudo continuar. Cegado por el deseo, incapaz de ver claramente, detuvo el coche a la orilla del camino. El vehículo se metió con estrépito entre los matorrales, y quedó inmóvil. Lucas la rodeó con sus brazos.

—¿Qué haces? —dijo ella—. ¿Estamos seguros aquí?

Lucas se inclinó en la oscuridad.

—Más hacia acá —susurró Harriet, dejándole sitio—. Espera..., espera... —Lucas sentía en su rostro la respiración de la joven...

En el último momento, cuando todo parecía resuelto, inevitable, Harriet le sujetó las manos, rechazándole realizando un tremendo esfuerzo y le advirtió:

—¡Chist! —E hizo como que escuchaba, sin prestar atención a Lucas. Al mismo tiempo se ordenaba apresuradamente las ropas.

—¿Qué es esto? ¿Qué pasa? —Lucas tenía la voz alterada, inflamada de cólera.

—¡Viene alguien! —susurró ella, alarmada. Y sin darle tiempo a que hablase—: ¡Rápido! —Y le empujó, repitiendo—: ¡Rápido! ¡Luke! ¡De prisa!

Las manos de Harriet le empujaron frenéticamente hacia el volante. Todavía cegado, Lucas ocupó su puesto y pisó el pedal de arranque.

—¡De prisa!

Ya sereno, el joven manejó las palancas; el coche retrocedió, giró, estuvo nuevamente sobre la carretera y arrancó en dirección a la ciudad.

—¿No lo has oído?

—No he oído nada.

—¡Llévame a casa en seguida! ¡De prisa, Luke! ¡Quizá nos sigue! —Harriet volvió la cabeza para mirar hacia la oscuridad; su voz y su actitud demostraban preocupación y ansiedad profundas.

Lucas conducía en silencio, mirando aprensivamente de vez en cuando el espejo retrovisor.

—¿Estás segura? —Ahora estaban ya en la población, cerca de su casa.

Harriet se arreglaba la ropa nuevamente; se alisaba la falda con la mano.

Al mismo tiempo miraba a Lucas con aire serio.

Al joven se le cortaba la respiración. El automóvil se detuvo ante la vivienda de Harriet.

—Te acompañaré hasta la puerta —dijo él, turbado. Pero su acento significaba: "Te acompañaré hasta el interior, cruzaremos el umbral, cerraremos la puerta y...".

—¡No! ¡No, Lucas! ¡Los vecinos! Espían todos los pasos que una da...

—Pero, cariño...

—¡Bésame, Luke! ¡Corre! ¡Corre! ¡Bésame!

Luego la joven se liberó del abrazo. La portezuela del coche se cerró tras ella.

—Te acompañaré sólo hasta la puerta..., permítemelo, por favor. Sólo hasta la puerta...

—¡Márchate! ¡De prisa! ¡Márchate, Lucas! Mañana te llamaré.

Harriet giró rápidamente sobre sus talones, corrió hacia su casa, le dijo adiós con la mano y desapareció.

Cuando hubo cerrado se apoyó de espaldas contra la puerta, jadeando.

"¡No te muevas!", ordénose enérgicamente a sí misma.

Después oyó que el coche arrancaba. Oyó que se ponía en marcha.

Y se desnudó lentamente. En la oscuridad, Harriet sonreía.

Al llegar a su casa, Lucas se desplomó sobre una silla, y hundió la cara entre las manos, jadeando profundamente, aceleradamente. En su pecho se encendía poco a poco el coraje, el furor de los decepcionados. ¿Había oído algo, de verdad, Harriet? Entonces se levantó bruscamente y cogió el teléfono. A sus oídos llegaba el ruido del timbre, sonando repetidamente. No hubo respuesta. Por fin colgó el aparato. Sentóse confundido, sin apartar los ojos del teléfono, sin saber qué pensar, sin atreverse a pensar.

Luego se puso en pie, irritado. Cuando se volvía acordóse del hospital, y llamó allá.

No había novedad. Todo estaba en calma. Unicamente la joven, la que tuvo el niño y no quiso dar su nombre (sí, bien lo dijo; pero no el verdadero), había desaparecido.

¿Qué significaba aquello? ¿Qué había ocurrido? ¿Qué diantre...?

—¿Ha desaparecido, simplemente? —repitió Lucas. E hizo un esfuerzo para pensar, para comprender.

Nada más que levantarse y desaparecer. Se había evaporado. Cogió todo lo que tenía y se marchó. No, había dejado al niño. Sí, el pequeño estaba en su camita; todo marchaba perfectamente, por esta parte. Mañana la enfermera nueva, miss Agnes, lo reclamaría. Se lo llevaría a casa, junto con su amiga, con miss Gloria. ¡Dos mujeres vivir de aquel modo, solas entre los bosques!

—¿De qué me está hablando? ¿Lo sabe el doctor Runkleman?

Sí, el doctor Runkleman lo sabía. Había dicho que estaba bien. Y lo mismo el doctor Snider. Sí. La enfermera estaba segura. En absoluto. Tenía las órdenes en su poder. Por escrito. No, no había nada más... Todo estaba tranquilo...

Lucas colgó el auricular y sacudió la cabeza enérgicamente para librarse de la estupefacción. Era probablemente la mejor solución; por lo menos para el pequeño. Aunque un poco irregular, indiscutiblemente. Lucas admitía que el doctor Runkleman era muy capaz de correr el riesgo. ¡Pero Snider! ¿Snider jugándose el empleo? ¿Para qué? ¿Porque era la solución más humana? ¿Snider...?

"¿Por qué otro motivo: ¿Por cuál otro?", se preguntaba finalmente. Puesto que no podía existir otra razón. Y, sin embargo... Snider...

Lucas exhaló un suspiro de cansancio y se sentó en el borde de la cama. Había recordado que dentro de poco tiempo tendría que tratar con Snider directamente. Sucedería al doctor Runkleman. Fuese corto, fuese largo el tiempo que decidiera permanecer en Greenville, se acercaba el momento en que trataría con la vida según sus propias apetencias.

Todavía le resultaba imposible pensar en aquel hecho insólito, explosivo. Sólo conseguía reconocer que existía, que se convertiría en una realidad muy en breve.

Lucas se deslizó debajo de la sábana. Permanecía despierto en la oscuridad. Entre las tinieblas vino Harriet Lang. El joven médico pensó en ella y en que pronto ejercería por su cuenta, independiente. Y adornó a Harriet con todas las cualidades que deseaba en una mujer. Y la puso a su lado. Greenville se convirtió en otra población, nebulosa, no situada allí, poblada por otra gente. En aquella población vivía solo, ejerciendo la Medicina, elevándose sobre todos, sostenido por un grupo de médicos a quienes amaba, de los cuales se sentía orgulloso, y todos juntos caminaban delante, en una confraternidad superior, extasiándose en aquella sublime hermandad, extasiándose en su trabajo. Poco a poco las imágenes se alejaron de su vista, y Lucas se durmió.

Al día siguiente pensó a menudo en ella. Harriet no pertenecía a Greenville. No pertenecía al conjunto de mujeres que había conocido jamás. Era una extraña que se daba cuenta de su extranjería, que miraba con indiferencia a Greenville, a sus hombres y a sus mujeres. Pero no a él. Entre ellos existía una relación, y aún más, parecía que aquella relación naciera de lo más antiguo, como si ignorándolo los dos, se hubieran encontrado en algún lugar indefinido, intermedio, antes de venir por vez primera a Greenville.

Llegado el mediodía sin que Harriet le llamase, lo peor de la espera hubo pasado; Lucas se había habituado a ella, y aguardó hasta que la tarde desembocara en la noche. Entonces comprendió que la joven estaría ya en su casa y que podía llamarla sin faltar a las reglas de urbanidad. Mientras aguardaba muy sereno a que le contestase, no cesaba de hacer muecas con los labios. El timbre vibraba continuamente. Harriet no respondió. Lucas colgó por fin. No estaba irritado. Sólo sentía aprensión. Fruncía el ceño, dominado por la incertidumbre. Por un momento casi había poseído aquel ente raro y deseado, aquella mujer superior con la cual estaba en cierto modo emparentado, aquella semejante suya.

Pero al día siguiente no la llamó, ni, con tozuda decisión, al otro.

Ahora el despecho era suyo, casi absolutamente suyo, y él casi dominaba aquella situación, aquel estado de ánimo. Deseaba a Harriet con pasión ardiente, le aterrorizaba la posibilidad de perderla, pero no la llamaba. Ella esperaba serenamente, sonreía apreciando el valor de Lucas, sorprendida y satisfecha.

Al tercer día, como una interrupción inesperada, llegó el telegrama de Kristina. Su padre había fallecido, y ella regresaba a casa.

CAPITULO XXXIV

La vieja madera del andén, con sus células requemadas por el sol y el viento, estaba emparentada con la carbonilla, el orín, el hierro, el polvo y los pedazos de papel, que se acumulaban en ella como extrañas cenizas. En aquel cadalso de madera, aguardando la ejecución del tiempo y de la distancia, estaba Kristina de pie, al lado de su equipaje, de la descolorida tarde se septiembre, contemplando con avidez los horizontales campos para rellenar la alacena de su memoria con la imagen de un árbol, de una llanura, de una torre de elevación de aguas, de un cielo de su patria, de su hogar, pero sin ver nada, atontada por la soledad y la desesperación, inmovilizada en el umbral de su pensamiento, paralizada, traspasada por el relámpago de la terrible comprensión.

La joven, que estaba a su lado, guardaba un prudente silencio, sus ojos, dirigidos hacia el suelo, su cabeza, ligeramente inclinada, transmitían un mensaje de tristeza, así como esa mueca que no es una sonrisa, sino un paréntesis de los labios encerrando el consuelo de que el dolor no es independiente del tiempo.

Guardando la compostura exterior, la joven esperaba la llegada del tren con alborozada impaciencia.

Hubiera podido ser hermana menor de Kristina. Los ojos de ambas tenían el color azul de la raza; el cabello era del mismo lino, las mejillas habían sido moldeadas por la misma decisión de los genes; los rostros, los huesos, la piel, la actitud del cuerpo de ambas pregonaba su parentesco.

Si advertir apenas la presencia de su compañera, Kristina se aferraba al espacio de tiempo que tardaría en llegar el tren, al panorama que se divisaba desde la estación, ora lleno, ora suavemente ondulado, con el arbolado inclinándose bajo los primeros vientos fríos del invierno de Minnesota, en cuyo panorama aparecía una granja, luego el vacío, después, más lejos todavía, otra, un serpenteante camino, y allá, en el infinito, una fumarola de tierra parda confundiéndose con el cielo, inerte.

Por su mente desfilaban las caras de sus primos, espectadores del dolor, las de los demás asistentes y las de los hijos de éstos; rostros grabados en el recuerdo, contemplados un instante, pero ajenos ya a su ser. Y la faz de su padre, la faz familiar de su padre cuando ella era niña; sobre ésta, el rostro de su padre cuando era mayor, cuando abandonó su hogar; a continuación el rostro de su padre cuando regresó

225

para pasar en casa aquellos cuatro días que parecían ahora a un siglo de distancia; la desconocida faz transformada por la vejez, la enfermedad y el ataque sufrido, y abatida sobre la faz de la muerte desde la cual los ojos de su padre y la poca vida que quedaba en ellos la miraban sin verla. Kristina trató de nuevo desesperada, que esta cara condensase la esencia de su padre, la esencia del amor; que fuese la confirmación de la memoria, del hogar, de mil recuerdos inmutables, de un concepto de vida; que simbolizara el umbral acogedor que conoció el correr de sus pies, las manos que la habían curado, que habían acariciado su cabello, unas manos nudosas, seguras, protectoras; que reviviera la imagen de su andar pesado, de sus anchos hombros, de su inclinada figura, de la sonrisa que partía sus labios.

Ahora ya no estaba en este mundo. Había muerto sin conocerla, indiferente a sus lágrimas, a sus caricias, a sus rezos; murió ausente, pareció que meditaba, respiró más despacio, parpadeó y entregó el alma. Como la ceniza del árbol quemado, cual el orín del hierro brillante, así yacía ahora el hombre enterrado bajo la tierra, nueva como el luctuoso acontecimiento. La casa, las habitaciones que fueron hogar, habían perdido esta calidad. Y el mirarlas oprimía las entrañas de pena por lo que ya no volvería a existir.

El hogar había desaparecido, el ser que lo había formado, el último refugio, ya no existía. Kristina se había quedado sola; ahora no pertenecía a ninguna parte.

De la distancia venía, cual un toque de difuntos, el ruido del tren.

Kristina se estremeció. Miró cegada a su alrededor. Llenaban sus ojos lágrimas tan densas como la amargura de su corazón. Hizo un esfuerzo para engullirse la saliva, inclinó los ojos hacia el suelo y cerró los párpados con fuerza. La joven que estaba a su lado le oprimió el brazo tímidamente.

—Estoy bien —dijo Kristina, con un movimiento casi inconsciente de la cabeza.

—Yo... yo creo que está aquí el tren...

Kristina asintió, sin energía, desconsolada, desesperada; sus confundidas facultades se encadenaron al convoy, que aminoraba la marcha, se entregaron maniatadas al suceso que iba a producirse.

La huérfana subió los peldaños, asombrándose de su propio movimiento; sus rodillas se levantaron para la ascensión, lentas, bajo el peso de la resistencia a marchar de allí; los pies se arrastraban hacia arriba venciendo penosamente la marea, la corriente de añoranza que los empujaba hacia atrás. El tren arrancó con una sacudida. Sin saber cómo, Kristina se encontró sentada. Entonces dirigió una mirada a su alrededor. En aquel instante el tren avanzaba, ganando velocidad por momentos; la estación retrocedía, el andén había huido, el terreno conocido corría hacia atrás, se desprendía del convoy, se empequeñecía, se disipaba. Un matorral, un campo, una casa, un árbol... Kristina los retenía un momento, se aferraba a ellos, pero al momento siguiente se habían desvanecido, habían huido implacablemente.

Era de día. Reinaba la luz donde había de reinar la oscuridad; una claridad despiadada iluminaba la desierta comarca. Kristina apartó su deslumbrado rostro de la ventanilla.

—No ha cambiado mucho, supongo. —La voz de la joven manifestaba una añoranza por el terreno que ansiaba dejar atrás cuanto antes. Era una voz dulce, destinada a una persona afligida.

—No, no ha cambiado mucho —respondió Kristina, anonadada.

La joven engulló la saliva. Un pensamiento había cruzado por su mente. Su faz se animó.

—¡Tu marido estará contento de verte! —Y sonrió de buena gana—. ¡Estoy segura de que se sentía desamparado! ¡Me atrevo a profetizar que estará muy contento al verte a *ti*! —Kristina se volvió y miró a su compañera con expresión ausente—. ¿Verdad que lo estará?

—¿Qué?

—Me lo imagino esperándote, de pie en la estación. ¡Ojalá no tuviera que bajar antes! ¿Es tan guapo como en la fotografía que nos enviaste?

—¡Ah, sí! —asintió Kristina, siguiendo a disgusto la conversación—. Sí, esto es verdad.

Y pensó en Lucas. Ante sus ojos apareció repentinamente la figura de su marido, una imagen que venía a intensificar su pena. Una cara familiar pero ajena a sus sufrimientos, entristecida, pero sin pesar; un pecho que la recibiría y unos brazos que la rodearían obedeciendo a una fórmula; un hombre que era suyo por el regalo de las palabras. Pero que no era suyo. Y Kristina retuvo la imagen tozudamente. Sí, a pesar de todo era suyo.

—¡Me parece que le estoy viendo! ¡De pie en la estación, desamparado! —La joven miró a Kristina respetuosamente, admirándola.

El fantasma de una sonrisa dulcificó involuntariamente los labios de la huérfana.

—Desamparado, no —murmuró siempre con los ojos fijos en Lucas, en aquel hombre solitario en medio del mundo y contento de su soledad, aquel hombre que no necesitaba nada de ningún otro ser humano, que seguía su camino por un universo propio, distinto.

"El hogar", meditaba pausadamente Kristina.

Y aquella realización esperaba. Esperaba ansiosamente, como el día en que ella lo había constituido, el día que la unión quedó completada, el día que se llenaron todos los requisitos y fue un hogar. Pero seguía esperando. Continuaba siendo una palabra. Seguía siendo un tesoro encerrado, expectante, una esperanza.

Para Lucas, ¿llegaría a ser nunca un hogar? ¿Quién estuvo sin él desde que se marchó de la Universidad? ¿Quién continuaba sin tenerlo? ¿Para quién parecía no existir una sola morada?

¿Qué era lo que convertiría su vivienda en un hogar?

Algún día se haría la luz para ella. Algún día vería la luz...

Y entonces...

Las otras irían a verla... todas las demás..., las esposas de los otros médicos... las mujeres de los pacientes... las de los ricos y los poderosos... y ella las miraría, orgullosa, con el orgullo de la felicidad, porque sería allí la dueña. Y las otras estarían en su casa, de ella... Ya no volvería a estar sola... Y pasarían por alto su manera de hablar, además de que aprendería a expresarse mejor, y charlarían juntas, dichosas, riendo por nada, por todo, como las mujeres, las esposas que dejaba atrás, en el mundo dentro del cual había nacido, se había criado y había reído también. Serían amigas. El Universo estaría lleno de amigas. El Universo entero.

—¿Cómo es? ¿Cómo le llamas?

—Me cuesta trabajo hablar... Signe.

— ¡Esfuérzate, Kris! Vamos. Por favor.

Kristina suspiró.

—Bien...

—¿Es cariñoso? ¿Ríe mucho?

— ¡Oh, sí, es cariñoso, Signe! A veces se enfada por mi culpa y yo cometo alguna tontería... y entonces sus ojos... yo no puedo mirarlos, tengo que desviar la vista... Soy tan estúpida... ¡Me aborrezco de mí misma!

La joven se inclinó hacia ella impulsivamente.

—¿Te encuentras sola, Kris? ¡Dime! ¿Te sientes abandonada?

— ¡Lo que quiere él también lo quiero yo! —Y se puso a pensar sin llegar a ninguna conclusión. "¿Cómo puedo darle el calor de hogar? ¿Cómo puedo ayudarle? ¿Qué puedo hacer?" Y en voz alta exclamó irritada—: ¿Qué te figurabas, Signe? ¿Que la esposa de un médico descansa en la cama todo el día? ¿En un lecho de rosas?

—No, no...

Su marido está fuera; ella espera en casa. Su marido llega tarde; ella se acuesta tarde. El tiene que levantarse; ella ruega en su corazón que no caigan más enfermos que aquellos a quien visita...

"Su marido enferma más día por día, al ver lo que ve, al oír lo que oye, al creer que los hombres pueden ser santos, al creer en los médicos como cree en su propia alma, como los hombres creen en los sacerdotes y en Dios", pensaba amargamente Kristina. Y veía a Lucas, al creyente Lucas, con la fe firme, todavía firme, veía los días venideros ensanchando las heridas del presente, los días en que se renovarían, los descubrimientos realizados antes y en que recibiría heridas nuevas, y Kristina se estremecía pensando en la fe de su esposo, en el día...

Ella comprendía que entonces él se sentiría abandonado. Ella estaría allí sufriendo por ayudarle, pero carecería de medios. Entonces, cuando él la necesitara, ya no podría volverse hacia otra parte...

Porque si Lucas se lo permitía..., si la dejaba entrar en su interior... y desarrollarse... y rodearle... y hacer uno solo de los dos...

Entonces, en aquel día....

Cuando llegara... Ella estaría junto a él.

¿Cómo hacer que llegase? ¿Cómo, si en aquellos momentos marchaban a la deriva, separándose imperceptiblemente, de tal modo que podía predecirse que sólo con un mes más sería tarde, demasiado tarde...?

Quedaba un recurso.

Lo que necesitaba era un hijo.

No importaba lo que pensase Lucas. Los hombres no lo saben. ¿Cómo pueden saberlo? Esto habían de saberlo las mujeres.

Tenía que ser. Un hijo.

Lucas se pondría furioso; ella inclinaría la cabeza. El chillaría, le pegaría, maldeciría el día en que nació. Ella bajaría la cabeza. El no le hablaría, pero ella seguiría cuidándole pacientemente, procurando pasar inadvertida, y con la cabeza baja.

Porque era preciso que viniera un hijo.

Y el hijo vendría y Lucas lo amaría; sería parte del ser de Lucas. parte del de ella, parte de su padre y de su madre. Sería su hijo.

Y ella se lo daría a Lucas.

Y estarían unidos...

—Estamos en Greenville —dijo el mozo.

El convoy disminuía la marcha.

Y ella se estremeció, levantóse y le siguió, buscando con la vista a su marido.

Esta fue la Kristina que encontró Lucas.

Había ido a esperarla con la faz seria, desviando los ojos, con severa gravedad, con la fisonomía del marido que espera en la estación a la esposa, que regresa del entierro de su padre.

Y estaba seguro de que su hipocresía se vería a la legua, de que sus palabras sonarían a falsas y su acento resultaría insincero. Lucas temía la llegada de su mujer.

Pero la Kristina que bajó del tren y se arrojó en sus brazos como si la única finalidad de su partida hubiese sido el poder volver a él, era una Kristina muy diferente de la mujer a quien había dicho adiós hacía menos de una semana. Lucas lo advirtió al instante. La sorpresa le hizo olvidar su actitud, le hizo olvidarse de sí mismo; Lucas miraba a su esposa, la escuchaba confundido y aliviado al mismo tiempo.

Ahora Kristina poseía decisión. Una decisión que había puesto en pie sus facultades, que las dirigía, las apuntaba hacia su objetivo y llenaba su personalidad con un contenido sensible, una cualidad nueva, impresionante, que Lucas no sabía definir.

Fue más bien ella que él quien tomó la iniciativa al desprenderse del abrazo y después de inspeccionarle, breve pero minuciosamente, para comprobar si estaba tan bien como cuando lo dejó.

—¿Te has encontrado bien? —le preguntó ella para confirmar la deducción de sus ojos.

—Perfectamente, perfectamente... ¡Pero tú...! ¡Pobre Kris! ¡Lo siento infinito! Lo siento de veras...

—No te apenes. Ha concluido. Era un anciano. —Sus ojos se llenaron de lágrimas un corto momento, los rasgos de su cara se ablandaron. Kristina se secó las lágrimas con un movimiento rápido y decidido de las manos, sonrió levemente y volvió a examinar con la mirada a su marido—. Te veo más delgado. Habrás comido en los restaurantes estos días. No te apures, yo cuidaré de que te recuperes. —Kristina miró a su alrededor en busca del equipaje. Lucas se interpuso, apresurándose a cogerlo él.

—Bien, Luke —le dijo su esposa, bruscamente—, pienso que ahora estoy sola en el mundo. Lo único que me queda eres tú.

—No es mucho —contestó él.

—Es bastante, me figuro. Supongo que no son muchas las chicas que tengan más. —Y le miró con afecto.

—Estoy apenado por ti. En ocasiones como ésta hay que proceder de cierto modo, hay que decir ciertas cosas, hay que demostrar determinados sentimientos... Tendría que proporcionarte todo lo que necesites en este sentido. Pero yo no sé qué decir, ni qué hacer. Todo lo que sé hacer es recetarte un sedante.

Kristina le dio una palmadita sobre la mano.

—Lo sé, Luke. No te apures. Todo llegará. Sea lo que fuere que necesites, sea lo que fuere que te convenga más, llegará.

—Este es el momento en que una mujer ha de notar que tiene un marido. —Lucas la miró a los ojos.

—Yo te tengo a ti —contestó ella—. Esto es lo único que importa. Todo lo que quiera de ti lo encuentro en el hecho de tenerte por esposo. Lo demás es cosa mía, no pesa sobre ti. Todo el mundo está solo, Luke. Nadie puede sentir lo que siente otra persona. Todo lo que puede sentir uno es lo que siente por sí propio. Lo único que está a tu alcance es ayudar a los demás... como tú decías: darme un sedante.

—Habría podido venir a vivir con nosotros. ¿Recuerdas? Yo te lo dije, Kris.

Le hubiéramos mimado como a un animal favorito, igual que a un caballo viejo. Pero el padre..., la cualidad de padre se había disipado..., se había desvanecido hace mucho tiempo... Lo he comprobado en el tren, al regresar... Las personas se distancian con el tiempo unas de otras; tienen actividades diferentes, piensan de otro modo. Sólo conservan los nombres que les relacionaron. Como "padre". Pero el significado que encierra el nombre, eso desaparece... Era un anciano, Luke...

Lucas le interrumpió con el ademán.

Kristina dibujó una incierta sonrisa, a través de las lágrimas.

—¡Ahora tengo que cuidarte a ti! ¡Ahora vamos a verlo!

—Tengo que darte una noticia —dijo él, incapaz de seguir reteniéndola. Y en seguida, lanzándose de golpe—: Runkleman se retira...

—¡Lucas!

—Dentro de dos semanas estará camino de Australia.

—¡Dos semanas!

—¡Y me ha regalado su clientela!

—¡Oh, no! No, no, de ningún modo. ¡No puede ser!

—Me ha dado la clientela... Tengo que pagarle veinticinco mil dólares por ella.

—Luke...

—Pero a medida que lo gane; ni un penique al contado... A medida que venga el dinero, sin prisas, sin preocupaciones...

Kristina le echó los brazos al cuello. El coche se desvió peligrosamente. Lucas lo enderezó de nuevo, sonriendo a su esposa.

Aquella noche, despiertos en la cama, comentaron extensamente el acontecimiento, todavía excitados por aquel día saturado de novedades. Las lágrimas de Kristina, el doctor Runkleman rodeándole los hombros y dándole palmaditas para consolarla, mientras sus propios ojos se anegaban; las conferencias; la decisión de habitar la casa del doctor Runkleman y cerrar las habitaciones del consultorio que ocupaban ahora; el minucioso y entusiasmado examen de los mapas de Australia que el futuro viajero extendió sobre la mesa del reservado del restaurante chino; las armas que había comprado, la escopeta que adquirió con gesto pródigo para hacer un regalo de sorpresa a Lucas en aquel día; Lucas sosteniéndola con mano torpe, y el doctor Runkleman enseñándole, gracias a las instrucciones leídas en los libros, cómo se cargaba, cómo se apuntaba, cómo se disparaba casi por sí sola..., todos los confusos, caleidoscópicos acontecimientos del día desfilaban nuevamente ante ellos. Y mientras yacía al lado de su esposo, sintiendo el calor de su cuerpo, sabiendo lo que iba a ocurrir, como era lógico entre esposo y esposa, entre hombre y mujer. Kristina se humedecía los labios estremecida por anticipado de miedo y de placer, guardando temblorosa el secreto de que no se había preparado, de que había omitido este detalle deliberadamente para quedar abierta aquella noche, y todas las noches en lo sucesivo, a la concepción. Hasta que se produjera. Hasta que ocurriera aquello que había de fundirles a los dos en uno.

Y Lucas, que revivía de nuevo todo aquello, cesó de hablar, excitado una vez más por la excitación de Kristina, sintiendo el calor de su ser, notando que el cuerpo de ella se envaraba (al pensar en el hijo prohibido que había de venir), y de súbito le arrebató la pasión hambrienta que Harriet Lang había despertado en él, y perdió el dominio de sí mismo. Y Kristina se quedó atemorizada ante su ferocidad. Y su cuerpo recibió al esposo, compartiendo su pasión.

A la mañana siguiente, Lucas se decía que Kristina parecía una novia. La miraba con atención, perplejo, rememorando la intensidad de lo que había pasado entre ellos, preguntándose qué sería lo que la había transformado.

—Hoy iré al hospital contigo —decidió ella.

—¿Ah, sí?

Kristina terminó de lavar los platos.

—Primero te ayudaré a operar. ¿Tienes alguna operación hoy?

Sólo una apendicectomía.

—Seré tu encargada de quirófano.

Lucas no sabía si aquello le gustaba o no. El aire resuelto de su esposa le indujo a retraerse un poco.

—Será mejor que diga al doctor Runkleman que no llame a miss Otis.

—¡Ah, sí! Ten cuidado en este aspecto. Un día quizá yo no pudiera ayudarte y la necesitarías a ella... Además, no quiero quitarle el pan de la boca...

—No sé si es por la recompensa verdaderamente o si nos ayuda por favor. Sé que le hace mucha falta el dinero. Pero le sabe muy mal dejar a su marido.

—¡Consérvala! No la dejes marchar. Que no crea que ya no la necesitas... ¿Serás el operador del Condado cuando se vaya el doctor Runkleman?

—Así lo supongo. Sí. Seguramente. El Consejo de Administración tendrá que designarme. Me figuro que no surgirá inconveniente alguno. Ningún otro médico aceptaría. Uno ha de contar con la infinidad de pacientes con que cuenta el doctor Runkleman para consentir en desempeñar el cargo.

—¿Pero está recompensado?

—¡Indudablemente! Cinco mil dólares al año.

Kristina desbordaba de satisfacción.

—¡Pronto, bien pronto, tendremos lo suficiente para no pasar apuros nunca más!

Lucas le dirigió una sonrisa condescendiente.

—Hay que tener en cuenta el detalle de que ejerceré independiente. La clientela no es una propiedad, es la Medicina. A mi manera.

—¡Lo sé, lo sé, Lucas!

—¿De veras? ¿Lo sabes de verdad, Kris?

Pero su mujer había entrado con celeridad en el dormitorio, echaba el delantal sobre la cama y se despojaba del albornoz. Lucas se acercó al umbral y la vio poniéndose con experto movimiento el uniforme; vio que cogía el alfiler y que se sujetaba la cofia con él.

—¡Ahí está! —exclamó Kristina, plantándose delante de su marido.

—¡Tienes un aspecto magnífico! ¡El mismo de la muchacha a quien estaba acostumbrado a ver!

Kristina fue hacia el armario y descolgó cuidadosamente la capa. Luego la tuvo suspendida en el aire un momento y la dejó posar lentamente sobre los hombros.

—Ahora —dijo solemnemente.

—Sí —contestó él.

—Ahora, vámonos.

En la sala de operaciones, la diferencia resultaba asombrosa. Por más que las mal entrenadas ayudantes llevaran el uniforme, no eran enfermeras. Cada día cumplían bastante bien con lo que se les ordenaba, pero siempre había que hacer la vista gorda por algo, siempre ocurría alguna cosa que era preciso dispensar; una torpeza, un instrumento olvidado, el tener que interrumpir la operación para que corrieran a sacar compresas del autoclave. Algunas veces Lucas, y otras el doctor Runkleman, hacían lo que ellas habían olvidado, sin decir nada, porque nada podía decírseles.

Pero bajo la dirección de Kristina, el trabajo del quirófano se convirtió, en un abrir y cerrar de ojos, casi en un recreo. El cambio fue tan profundo y completo, que, por encima de la mascarilla, los ojos del doctor Runkleman miraban de soslayo a Lucas sonriendo atónitos. Cubierto por su propia mascarilla, el joven médico observaba el fenómeno, henchido de gratitud, de orgullo y de sorpresa. Luego se olvidaron de Kristina y la operación empezó.

Y al instante, los instrumentos golpearon sus manos casi antes de que éstas se apartaran de la incisión; siempre el instrumento preciso, sin necesidad de volver la cabeza una sola vez; fuera la que fuese la variación. Y los tres se sujetaron a una misma marcha: movimiento, corte, entrega, retracción, corte, secado, corte, aguja, pinza, sutura, cosido, tijeretazo, secado, corte, hemostasia, secado... El trabajo se hizo con un ritmo perfecto; el área quedó cubierta de compresas, el esparadrapo pegado a la piel.

Los tres miraron al reloj. Sus cabezas giraron a la vez como una sola.

—¡Once minutos! —gritó el doctor Runkleman, con los ojos desmesuradamente abiertos.

Luego miró a Lucas. Y ambos volvieron la vista hacia Kristina. Esta bajó los ojos. Los dos médicos se fijaron en la bandeja de instrumentos. Había en ella un par de cóagulos de sangre. Por lo demás, estaba tan limpia y ordenada como al empezar.

—¡Eh! —gritó el doctor Runkleman. Al mismo tiempo se había quitado los guantes y se hacía a un lado para dejar paso a la camilla que se deslizaba junto a la mesa. En seguida se desató la mascarilla—. ¡Eh! —repitió, dirigiéndose a Kristina—. ¿De dónde ha venido *usted*!

Lucas, ya libre de sus guantes y con la mascarilla desatada, la miraba también sonriendo. Ante ellos estaba una figura firme, blanca, impecable, con la cabeza severamente rodeada por el turbante de gasa, bajando los ojos al notar aquellas miradas saturadas de una confusión y un elogio demasiado intensos, demasiado vivos para poder reprimirlos.

—¿Qué piensa de Kristina? —preguntó Lucas henchido de orgullo. En aquel instante, la amaba con todo su corazón: no necesitaba otra cosa.

—¿Qué pienso de ella? ¿Quiere decirme por qué ha tenido todo este tiempo escondida esta joya? ¿Cuál era su propósito? Diga. ¿Cuál?

—Ahí esta la diferencia —envanecióse limpiamente Lucas—. ¡Esta es una encargada de quirófano! ¡Ahora puede usted decir que ha visto una en acción!

¿De Lucas? ¿Aquel elogio en labios de Lucas? Kristina se volvió rápida, para esconder sus humedecidos ojos, y se puso a reordenar enérgicamente los instrumentos de la bandeja de repuesto.

—¡No te entretengas jugando con estos cacharros! —ordenóle su marido.

—¡Vuélvase hacia acá! ¡Y rinda cuentas de su comportamiento! —exigió el doctor Runkleman, con fingido enojo.

—¿Qué le pasa a ustedes dos? —exclamó Kristina, en tono de reto, mirando de soslayo a las otras enfermeras.

—¡Chica, este es su puesto! —el doctor Runkleman añadió pensativo—: Y pensar que estaba allá en su casa, mano sobre mano. No... —prosiguió volviéndose hacia Lucas—, no, en mi vida había visto seme-

jante cosa. ¡Ah, sí, he visto enfermeras buenas! Muchas, desde luego'
Pero, ¿se ha fijado en su modo de trabajar con nosotros? ¿Se ha fijado?

—¡En esto me fijé en el primer momento de verla!

—¡No me extraña!

—¡Sí, señor!

—Mistress Marsh, divórciese ¡y cásese conmigo!

—¡Bah! —replicó Kristina—. Usted... usted es un pícaro. ¡He aquí
lo que ocurre! Todo este trabajo le ha salido de balde... y, claro... ¡Espere cuando se lo diga a miss Otis! ¡Muchachas! Lleven esa bandeja al
autoclave. Mistress Simpson, ¿quiere recoger esos guantes antes de que
los pisoteen?

—¡Sí, mistress Marsh! ¡En seguida! —Y las dos ayudantes se movían veloces, cuando el día anterior trabajaban lánguidamente, y hasta
parecía que no tropezaban, parecía que hubiesen adquirido una nueva
destreza...

En el lavabo, el doctor Runkleman le decía a Lucas:

—¡Bien, no sé si usted lo sabe o no, hijo mío, supongo que lo sabe
perfectamente, pero..., fíjese en ella... ¡Yo jamás lo hubiera creído!

—Lo sé —contestó Lucas—. Tenía que haberla visto en el Hospital
del Estado. No lo aprendió de la noche a la mañana, puedo asegurár-
selo. Cuando las otras estaban en el baile, o con sus galanes, divirtién-
dose, ella se practicaba. No pensaba en otra cosa, mañana, mediodía y
noche.

—Pero lo asimiló a la perfección, no cabe duda.

—Nunca hizo otra cosa.

—Parece una chica a quien le gusta divertirse.

Lucas permaneció callado un momento.

—Sí —dijo tímidamente—, tiene ese acento sueco, ya lo ha notado
usted...

—¡Dios mío!

—Sí..., y las otras chicas... la tratan como a un ser despreciable casi.
Me figuro que para ellas llegó a constituir un juego. Las chicas saben
ser crueles...

—¡Oh, no! No puedo creer que a una muchacha tan agradable...

—Así era, efectivamente. De este modo se portaban.

La hacían objeto de desprecio. Hasta las aspirantes solían burlarse
de ella, y no siempre a sus espaldas.

—¡Me gustaría tener una aquí, ahora! ¡Sólo un minuto!

Lucas levantó la vista, ansioso.

—¡Eh! ¡Cuidado, caramba! ¡Cálmese! —El joven inspeccionó rápidamente la encarnada faz del doctor Runkleman—. Ahora todo ha
pasado, todo está resuelto. ¡Y fíjese en el beneficio que le reportó!

—Es verdad... —El doctor Runkleman chapoteó brevemente bajo la
ducha—. ¡Ojalá pudiéramos tenerla siempre —gritó.

—Creo que a ella le gustaría —asintió Lucas—. Durante un tiempo
pensé que había colgado la capa definitivamente.

—No es como las demás muchachas —dijo el doctor Runkleman,
saliendo chorreante. Lucas le entregó una toalla—. Sólo se casan con

un médico para resolver su situación, y no tener que volver a su oficio, y se pasan los días leyendo libros y comiendo bombones. —El doctor Runkleman se secaba a toda prisa. Lucas le observó un momento antes de meterse a su vez debajo de la ducha, fijándose en el poderoso cuerpo, los menudos genitales, la velluda piel, el vientre mostrando la obesidad debida a los años, la recia armadura ósea, las gruesas muñecas, en una de las cuales se estaba colocando el reloj en aquel momento, y en el aspecto de desgaste de todo su organismo. La sofocación había desaparecido de su fisonomía. La tensión del quirófano habíase desvanecido; se le veía ahora tranquilo, refrescado.

El doctor Runkleman estiró el brazo para coger los pantalones y se le cayó el billetero al suelo. Lucas lo recogió. De tan lleno casi no podía doblarlo. El joven médico se lo entregó a su dueño soltando un silbido.

—¿Deja esto abandonado por aquí?

—¿Aquí? ¿Por qué no?

—Es mucho dinero.

El doctor Runkleman sonrió apocado.

—Estuve comprando cosas... No... Podría dejarlo en el suelo. Este hospital tiene una virtud, cuyo mérito hay que atribuir a Snider. En treinta años que estoy aquí, no he conocido sino a un ladrón. Alguien se llevaba el alcohol. Las chicas montaron la vigilancia y le cogieron ellas mismas. Era un paciente. ¡No, señor! Usted dirá lo que quiera, pero en todas partes pueden vanagloriarse de algo. Aquí pueden vanagloriarse de esto. Y entre todas las habitaciones, ésta es la más segura, más que el Banco de Inglaterra. Las chicas del quirófano no se marchan nunca hasta que nos hemos marchado nosotros y después de haber entrado e inspeccionado si hemos olvidado algo. Cuando me he dejado algo han venido corriendo al despacho a traérmelo. ¡Hasta por un pañuelo! —El anciano médico movió la cabeza—. ¡No, señor! ¡Esto hay que reconocerlo!

Lucas asintió con la cabeza.

Cuando se hubo duchado y vestido entraron de nuevo en el quirófano.

Encontraron a Kristina en el departamento de los pequeños, envolviendo en los pañales a un recién nacido.

—¡Nos la llevaremos a comer con nosotros! —dijo el doctor Runkleman. Después de inclinarse para contemplar al pequeño y enderezarse otra vez, añadió—: ¡He ahí lo que tendría que estar haciendo con un hijo propio!

—Algún día, quizá —contestó serenamente Kristina.

Lucas sonrió y no dijo nada.

—En cuanto lo tenga listo... —indicó el doctor Runkleman.

—¿Yo? ¡Oh, yo me quedaré aquí! ¡Hoy comeré aquí!

—El doctor Runkleman quiere que nos acompañes.

—No, no... Gracias, muchas gracias. Tengo que volver a entrenarme... Hoy será mejor que me quede.

Y como no consiguieron convencerla, al cabo de un rato se encogieron de hombros sonriendo desalentados y se marcharon. La tarea de la jornada los engulló: el Valley, dos casos de urgencia, el diluvio de visitas en el consultorio...

Aquella noche volvieron a reunirse a la hora de cenar. Fueron al consultorio del doctor Castle, le capturaron y se lo llevaron.

—Es una pena —dijo éste, en determinado momento— que no tengamos otro sitio donde celebrar algún acontecimiento sino un garito chino de ochenta y cinco centavos, donde se figuran que con cualquier cosa nos dan buena comida.

—¡Ali! —llamó en seguida el doctor Runkleman. La camarera transmitió la llamada y un pequeño chino salió sonriendo de la cocina—. ¿Tienen caracoles? —Li sonrió, inclinando la cabeza gozosamente—. ¿Tienen cachorrillos tiernos? —Li estalló en un torrente de inglés de la China—. ¿Tienen pulpos? Vaya a buscarlos. ¡El doctor Castle, aquí presente, quiere una comida china de verdad!

—¡Yo les combinaré el menú! —prometió Li.

Y poco después, la camarera llegó con cuatro raciones de morrillo de cerdo y una cacerola de arroz.

Fue una cena alegre, gozosa, y china, además, la mejor manera de celebrar la solemnidad. Y no hubo visitas de urgencia.

—Hoy he sabido muchas cosas —dijo Kristina, cuando estaban ya en la cama, horas más tarde...

—¿Qué has sabido?

—¡Oh, lo que dicen las chicas! Ya sabes cómo son los hospitales.

—No te mezcles con esas cosas. No te metas en habladurías.

—No hacía sino escuchar... No he dicho nada.

—No digas nunca nada.

—No. ¿Sabes aquel niño, el de la chica que no quería dar su nombre?

—¡Ah! Sí, sí...

—Se lo llevaron aquellas dos enfermeras.

—Lo sé.

—Es un acto contra el reglamento, incluso contra la ley. Pero el doctor Runkleman se mostró conforme... y el doctor Snider también.

—Lo sé.

—La muchacha también está allá...

—¿Qué muchacha?

—La madre..., la que tuvo el niño...

—¿Dónde está?

—Allá arriba..., con las dos enfermeras... —Lucas miró asombrado a Kristina—. La hicieron marchar primero, Agnes, la que goza de buena salud, le dijo dónde tenía que esperar, y después de haber dejado a su amiga enferma en la casa, volvió para recogerla. La chica esperaba en casa de Li, donde hemos cenado esta noche. Agnes se reunió con ella, se la llevó y...

—¿Quieres decir que vive allá arriba con ella? ¿Actualmente?

—En efecto. La muchacha, el niño y las dos solteronas. Una enfermera quiso avisar al doctor Snider, pero éste se puso a gritar como un condenado para no escucharla; no quiso enterarse de nada, la llenó de maldiciones ¡y la empujó fuera de la estancia!

—¡Vaya! ¡Que me cuelguen si lo entiendo!

—Podría costarle el empleo...

—No sé por qué diantre lo hizo.

—¡Oh, era un niño precioso, Luke! ¿No lo viste? ¡Oh, era un encanto! En cuanto a la chica..., no era mala ¡Pero el niño, Lucas! ¿Quieres que te diga una cosa? —Kristina prorrumpió en una risita picaresca—. ¡Querría que fuese mío!

—¡Aquella maldita chica quería dármelo a mí!

—¡No!

—¡Sí, diablos! Yo tuve que resistir hasta el límite... No sé por qué me imagino que Runkleman tenía algo que ver con aquel proyecto...

—¡Qué hombre tan agradable, Lucas! —dijo Kristina, con reverencia—. Tan limpio, tan cariñoso, tan simpático... Tenía que haberse casado... haber formado una familia... ¡Qué padre hubiera sido! Esto es lo que hace: ser el padre de los dos muchachos a los que paga los estudios... ¿Qué ocurrió, Luke? ¿Crees que alguna chica...? ¿Quizá ella murió? ¿Acaso le destrozó el corazón?

—Sí —contestó Lucas, muy serio.

—¿Murió?

—Le destrozó el corazón.

Kristina se puso tensa.

—¡Ojalá pudiera verla un momento! ¡Cara a cara! —exclamó furiosa.

—Me gustaría saber qué se ha propuesto Snider. —Kristina permaneció callada—. Algún provecho ha de sacar forzosamente... si no es que alguien podía obligarle...

—¡Oh, no es tan malo, Luke!

—Algo habrá.

—Lo hizo sencillamente porque a veces la ley es injusta y no lo prevé todo. El modificó la ley del modo que le pareció conveniente. ¡Lo mismo hizo el doctor Runkleman, Luke!

—Del doctor Runkleman lo comprendo perfectamente. Es muy comprensible. Obró según podía esperarse de él. Pero Snider, ¿arriesgar el empleo por una persona a quien no conocía, por una extraña? Aquí hay algo...

—Lo hizo por el niño, Luke. Y por aquella joven.

—¡No seas tonta, Kris!

—Pues lo hizo... Una chica me ha contado que en cierta ocasión compró un moisés para el pequeño de no sé quién... Se puso muy furioso cuando le acusaron... y amenazó con despedirlas...

Lucas exhaló un suspiro. Trató de digerir aquellas afirmaciones, suspiró de nuevo, intentó desconfiadamente, por unos momentos, encontrar una explicación y abandonó el empeño.

—¿Te encontrabas solo mientras estuve fuera, Luke?

—No en exceso. ¡Ah, claro! Te echaba de menos, pero estaba tan ocupado como de costumbre.

—Yo pensé que quizá mistress Kauffman.

—No, no. Nada de eso. Comía fuera... vi al doctor Castle un par de veces... El doctor Runkleman está muy mal... No creo que él se dé cuenta de la gravedad de su dolencia. Es el cansancio, principalmente —corrigióse, receloso.

—Lo sé... Las chicas me lo contaron...

—¿Las chicas?

—La enfermera del doctor Castle se lo dijo a una del Condado.

—¡Dios mío! ¡Dios mío misericordioso!

—Esta es una ciudad pequeña, Luke. Ya sabes lo que ocurre en las pequeñas poblaciones. Cada uno sabe lo de todos los demás. Incluso cuando se extravían por el campo. Vamos a tener un servicio nuevo de aguas, ¿eh?

—Es un milagro en el cual todavía no creo. ¡Tenías que haber estado allí, Kris! ¡Tenías que haberlo presenciado!

—Sí. ¿Acompañaste a miss Lang a su casa, Luke?

Lucas se incorporó, apoyándose sobre un codo, y miró fijamente a su esposa a través de la oscuridad.

—¿Te lo han contado las chicas también? —consiguió decir por fin.

—¡Oh, naturalmente! Siempre hay una que se apresura a contártelo. Como si no tuviera importancia. Pero mirándote con atención... Yo les contesté que tú me lo había explicado por carta...

Lucas se tendió otra vez. Su mirada se dirigía hacia el techo.

—Después de la asamblea nos fuimos a casa de los Kauffman —dijo—. El doctor Castle se quedó con el doctor Runkleman. Nosotros estuvimos un rato en casa de los Kauffman; el abogado ese, Cosgrove, vomitó su rollo habitual; la reunión se disolvió, y yo la acompañé a su casa.

—Me alegro.

—No hay por qué alegrarse. Simplemente, la llevé en el coche.

—Es una chica interesante.

—Sí, lo es. Trabaja mucho.

—Una joven como ella debe andar con cuidado... En una ciudad pequeña, todo el mundo la observará continuamente...

—¡Pues en relación a *aquella* noche, no pueden reprocharle nada! Salimos de casa de los Kauffman a las once, ¡y antes de las doce ya podía estar durmiendo! Yo regresé a acá directamente...

—Hiciste bien, Lucas. ¡Después de un día semejante! ¡Qué día tan largo!

—¡Todavía no lo sabes bien! —Y Lucas, agradecido por el cambio de rumbo, le contó lo que había ocurrido, le describió el curso de la asamblea y le explicó la discusión de Cosgrove. Al final se interrumpió, cansado de hablar.

—¡Oh, Lucas! ¿No te llamaron? ¡Confío que no tendrías que salir de visita!

—Me acosté a la una y media —Kristina chasqueó la lengua compasivamente—. ¡Y a las tres y media me llamaron del Condado!

—¡Pobre Luke! —La joven se arrimó a su esposo—. ¡Mi pobre, pobrecito doctor Luke!

Kristina besó a su marido en el cuello. La una y media... las once y... la una y media... Dos horas y media. Próbablemente con ella. Lucas se agitó. Kristina le abrió los brazos. El se entregó al abrazo, estremecido. Fue como la noche anterior...

Y después, cuando él se adormecía:

—¿Te gusta, Luke? —susurró su mujer.

—¿Quién? —murmuró él, soñoliento.

—Esa chica..., esa Harriet Lang...

—Duerme, Kris... Duerme...

—Sí —respondió Kristina en un susurro. Y se acurrucó junto a Lucas y le rodeó el pecho con un abrazo. El se durmió. Kristina escuchaba su acompasada respiración. Pensó en Harriet Lang. Pensó en el hijo. Luego suspiró, adoptó una postura cómoda y quedóse dormida al lado de su esposo.

Al día siguiente, miss Otis no pudo ir, y Kristina tuvo que actuar nuevamente. Esta vez se lavó junto con los médicos.

—¡De modo que ahora les haces trabajar a los dos! —Los tres se volvieron al oír la voz del doctor Snider. Los delgados labios del recién llegado exhibían su media sonrisa habitual, huérfana de alegría; en sus comisuras aparecían las manchas del jugo de tabaco.

—Sí —contestó el doctor Runkleman—, le hago trabajar a los dos. Es cierto.

—En este caso, no me necesitarás.

—No —respondió el doctor Runkleman—, creo que no.

—He visto que tenías señalada una operación de vesícula biliar y he pensado que quizá quieran dar *éter.*

—Sí —dijo el doctor Runkleman—. No, me parece que anestesiaremos por vía raquídea... Sí, en efecto...

Los tres siguieron lavándose en silencio. El doctor Snider los observaba.

—He visto que han empezado a abrir zanjas —dijo de pronto—. No pierden el tiempo,

—¡No! —El doctor Runkleman volvióse hacia Lucas—. ¿Lo oye, doctor? —Y riendo, concluyó—: Me figuro que Henry no quiere exponerse a una rectificación.

—Al ritmo que trabajan pueden tener toda esa conducción nueva concluida antes de la primavera. ¡Tubos, bomba y todo lo demás! He ahí una cosa que no me imaginaba que llegaras a ver, Dave —concluyó, malhumorado.

—No. Tampoco me lo figuraba yo. —El doctor Runkleman se volvió hacia Snider—. Y en realidad, no la veré.

—¡No, Dios mío! Estarás en Australia, ¿verdad? ¡Cortando el cupón! ¡No eres el único, a fe! ¡Hasta yo tengo unos cuantos!

—No lo sabía...

—¡Oh, tengo unos cuantos! No como tú, seguramente. Pero bastante para marcharme de aquí dentro de pocos años, si el mercado sigue por la ruta que emprendió hace tres semanas. ¿Y usted qué, doctor Marsh? ¿No ha empezado a cortar, todavía?

—Me temo que no —contestó Lucas.

—Se desenvolverá bien —dijo el doctor Runkleman.

—Sin duda. Basta que lo tome con calma y lleve las cosas como las ha llevado Dave, y no se habrá dado cuenta cuándo —Snider terminó la frase con un vago ademán—. No a todo el mundo se le presentan las oportunidades en bandeja de plata. ¡No, señor! Tú tuviste que levantarte muchas noches para conseguir tus acciones y demás valores, ¿no es cierto, Dave?

—Me las gané —contestó el doctor Runkleman, en tono ligero.

—¡Sí, señor! Siempre corriendo de aquí para allá en mitad de la noche, con nieve hasta los sobacos, calzando *skis*, zapatos herrados, empapado hasta la piel, y todo por setenta y cinco centavos, que muchas veces no cobraba. Mañana, mediodía y noche. ¡Durante treinta años!

El doctor Snider movió la cabeza de un lado para otro. Luego bajó de la mesa y prosiguió:

—Las cosas no están como antes... Los jóvenes de hoy son más afortunados... —Y volvió a mover la cabeza apesadumbrado. En la puerta se detuvo—. ¿Has hecho buenas ganancias, Dave?

—He terminado —gritó el doctor Runkleman, exultando de gozo—. ¡Para decirte la verdad nunca me gustó comprometer fondos en la Bolsa, pero dentro de dos semanas lo habré vendido todo!

Siguiendo el ritual, los tres hundieron sus antebrazos en las palanganas, uno tras otro. El doctor Snider les estuvo mirando otro momento. Luego se marchó silenciosamente.

—Usted compre los valores siempre a la luz del día —dijo el doctor Runkleman.

Lucas sonrió.

Kristina les miró a uno y a otro sucesivamente, giró sobre sus talones y entró en el quirófano. Entonces se terminaron las sonrisas. Los dos médicos la siguieron. Ambos se detuvieron silenciosos, doblaron los antebrazos, se pusieron la bata, se acercaron a otra enfermera, que les calzó los guantes, y ocuparon sus puestos a uno y otro lado de la mesa. Los únicos signos humanos en aquella sala de baldosas blancas, de blancas sábanas, esmalte blanco, blancas figuras y destelleantes instrumentos, eran los ojos alarmados del paciente, tendido boca arriba sobre la mesa, sobre el altar de la humana sabiduría, y su cuerpo, el cuerpo del paciente, cuyos misterios iban a ser explorados por gente que no conocían el misterio supremo y ni aun los grandes misterios inferiores, pero que harían todo lo que supieran.

Kristina hizo un signo con la cabeza.

Una enfermera puso al paciente descansando sobre un costado. Con un brazo le rodeó a la altura de los omoplatos, le pasó el otro por detrás de las rodillas y tiró hacia sí. El cuerpo del paciente se arqueó. La enfermera le retuvo con fuerza en aquella posición. Kristina humedeció la piel sobre las vértebras lumbares, con antiséptico. El doctor Runkleman inyectó el área con novocaína y retrocedió un paso. Aguardaron. Transcurrieron unos momentos. La enfermera se agitó y cogió al paciente con más fuerza. Los enguantados dedos del doctor

Runkleman tantearon en busca del punto blando. Al encontrarlo apoyó el índice sobre el mismo. Cuando retiró la mano, Kristina le puso en ellas una jeringuilla armada con una larga aguja y se le presentó una botella que contenía un líquido transparente. La aguja atravesó el tapón de caucho de la botella. La jeringuilla absorbió el líquido. Después permaneció un momento inmóvil sobre la carne del paciente, apuntada al espinazo. En seguida tocó la piel en el punto señalado por el doctor Runkleman. Al hundirse, el doctor Runkleman percibió la sensación. Notó que los tejidos daban paso. Los ojos del médico revelaron que había percibido aquella sensación. La sala respiró sosegada. Del extremo de la agua empezó a gotear el líquido espinal. Caía sobre las baldosas. El doctor Runkleman contaba. Las gotas caían. Lucas contaba. Todos estaban callados, contemplando el caer de las gotas.

—Ya casi está bien —dijo por fin el doctor Runkleman.

Lucas asintió.

El doctor Runkleman adaptó la jeringuilla a la aguja. Apretó el émbolo. Lo apretaba lentamente. Al cabo de unos momentos, la jeringuilla estaba vacía. El doctor Runkleman retiró lentamente jeringuilla y aguja. Cuando ésta quedó libre, Kristina estaba ya preparada para recogerlas. La enfermera que sujetaba al paciente le acostó de nuevo sobre la espalda.

—¿Cómo se siente? —le preguntó el doctor Runkleman, con aquel acento artificial, esforzado, con que podría dirigir a un extranjero una orden en inglés.

El paciente le miró, abriendo los ojos aprensivo.

—Me encuentro muy bien —respondió. "Pero no me encontraré así dentro de un momento, ¿verdad que no? Usted se meterá conmigo; usted me hará sufrir", decía su mirada.

—¡Ea, pues, descanse, sosiéguese y cuando sienta ganas de dormir, avíseme! No se le hará ningún mal; no sentirá nada.

—Nada en absoluto —aseguróle Lucas.

—Se encontrará como el pez en el agua —encareció Kristina.

—Descanse, nada más —dijo el doctor Runkleman. Y miró al otro lado de la mesa. Kristina tenía las pinzas preparadas.

—¿Le viene el sueño? —preguntó cordialmente Lucas.

El doctor Runkleman cerró las pinzas pellizcando ligeramente la piel de la barriga.

—Un poco... —admitió el paciente, con desgana.

—¿Una especie de somnolencia?

El doctor Runkleman volvió a pellizcar.

—Sí, una especie...

—¿Siente esto? —inquirió el doctor Runkleman.

Todos los ojos se fijaban en el paciente.

—No siento nada... Como si estuviera entorpecido, como... —Su voz era confusa; se apagó poco a poco.

El doctor Runkleman movió la cabeza vivamente.

Extendió la mano.

Kristina le golpeó la palma con el mango del bisturí.

El cuchillo descendió, Lucas extendió la mano, la carne se dividía. Kristina puso unas pinzas en la mano de su esposo, el cuchillo se hundió más, más, la sangre manaba tras él. Lucas extendió la mano, Kristina le puso una compresa en ella, él la pasó por encima de la sangre; la carne se partió, el bisturí siguió cortando, una nueva compresa, un momento de espera, unas pinzas hemostáticas en el pequeño vaso curvado que sangraba, secando, músculo, ora un corte...

El abdomen estaba abierto. La áspera piel permanecía tensa entre los gruesos retractores que separaban los labios de la incisión. La mano del doctor Runkleman, medio escondida en el cuerpo, iba tentando entre los húmedos tejidos. El operador levantó la vista, la mano había llegado a su objetivo.

—¡Son cálculos, en efecto! —le dijo a Lucas, con un signo afirmativo.

Y levantó la vesícula biliar, asomándola a la vista. Los dedos de Lucas percibieron la dureza de los cálculos.

—Veamos cómo está...

Y en seguida abrió la vesícula. Ensanchó la incisión. Ante los ojos de todos aparecieron bien visibles, mezcla de verde, pardo y negro, los tres cálculos, uno de los cuales era de gran tamaño.

El teléfono del quirófano sonó.

El operador hizo una pausa y volvió la cabeza, frunciendo el ceño. Otra vez miraba al frente. Las enfermeras se miraban indecisas.

—Veamos qué tenemos aquí —dijo el doctor Runkleman.

Kristina le entregó una compresa. Lucas abrió las pinzas y cogió un cálculo. Tiró de él. El cálculo golpeó ruidosamente la jofaina. Una de las enfermeras auxiliares se quitó los guantes y fue al teléfono. Descolgó, anunció su presencia y escuchó un momento.

Lucas se dispuso a arrancar el segundo cálculo.

—Pero está operando —decía la enfermera, indignada.

El doctor Runkleman observaba la vejiga de la hiel.

—No sé —dijo—. Esta bolsa...

—¡No puedo remediarlo! —gritó la enfermera. Su voz subió de tono—. ¡Le digo que está operando!

—¿Qué hay? ¿Qué pasa? —El doctor Runkleman volvía la cabeza, irritado.

Todos los ojos se clavaban furiosos en la bajita enfermera que estaba de puntillas delante del teléfono empotrado en la pared. Ella les miraba de reojo, acobardada.

—Un minuto —gritó enojada al teléfono. Luego miró al doctor Runkleman—. Dice que le diga que es corredor de comercio. Dice que ha reventado el infierno... (perdóneme, doctor), que es cuestión de vida o muerte... Cuestión de dinero, de más dinero o de... Yo le he contestado que usted estaba operando....

—¡Cuelgue!

La enfermera se apresuró a dejar el receptor sobre el soporte, volvió a la mesa y se puso otro par de guantes.

—Veamos ahora —dijo el doctor Runkleman, expeliendo el contenido aliento. Y dirigiéndose a la enfermera, le preguntó—: ¿Quién ha dicho que era?

—Una cosa así como el corredor de usted... No le he entendido bien. ¡Hablaba tan de prisa!

El doctor Runkleman refunfuñó. Pero se enfrentó de nuevo con la cavidad abierta.

—Yo creo que hay que extirparla —dijo al cabo de un instante. Y miró inquisitivamente a Lucas.

—Me lo estaba preguntando —musitó éste.

—Me sabe mal hacerlo.

—Es una pared muy delgada.

—Sí. El paciente ha sufrido por esta causa.

El operador reflexionó todavía un momento.

— ¡Bien! —exclamó, abriendo la mano.

La de Kristina le golpeaba ya la palma con unas pinzas. El médico las abrió.

Volvió a sonar el teléfono.

Esta vez, mientras la enfermera corría hacia el aparato con los hombros levantados en actitud beligerante, el operador no volvió la cabeza. Quedóse inmóvil; la mano quieta, las abiertas pinzas descansando alrededor del extremo de la vesícula, prestas a cerrarse.

La voz de la enfermera llegaba hasta elllos. La muchacha discutía con acento desesperado.

—¿Qué? —gritó súbitamente el doctor Runkleman, sin volver la cabeza.

—Dice que es cuestión de vida o muerte —tartamudeó la enfermera—. Dice que usted ya sabe de qué se trata, y que él no será el responsable de las consecuencias. Dice...

Pero el doctor Runkleman había enderezado la espalda bruscamente, se alejaba de la mesa, dirigiéndose hacia el teléfono y se quitaba los guantes, que dejó caer mientras andaba.

—Diga —exclamó, disgustado—, diga. ¿Quién es? Aquí, el doctor Runkleman. ¿Quién es usted?

Después se quedó escuchando.

En la sala, a su espalda, reinaba el silencio. Nadie se movía. Lucas miraba fijamente la abierta cavidad: sus manos continuaban en la misma posición de antes. Kristina tenía los ojos fijos en la bandeja del instrumental. Las otras enfermeras se miraron mutuamente, luego fijaron la vista en el suelo.

—¿Cuándo? —inquirió de súbito la voz del doctor Runkleman. Y luego—: ¡Le he oído! Le preguntaba: ¿cuándo?

Su cabeza se volvió rápidamente. Dirigió una mirada al gran reloj de la pared. En seguida acercó nuevamente los labios al micrófono.

—Estaré ahí —dijo. Inmediatamente colgó el auricular y se acercó a la mesa. Allí empezó a desatarse la mascarilla.

—Siga usted —le dijo a Lucas. El joven levantó la vista–. Substitúyame. Yo creo que extirparía esa vesícula. Algún día le dará un disgusto al paciente. Vuelvo pronto. Lo siento. He de irme. —Entonces miró al reloj y luego otra vez al paciente—. ¿Continúa bien?

—Váyase sin temor —contestó Lucas. Y rodeando la mesa, situóse donde estaba antes el doctor Runkleman. Las pinzas se cerraron con un ligero chasquido. Lucas extendió la mano. Otras pinzas se la golpearon.

— ¡Más fuerte! —murmuró.

El doctor Runkleman dio unas cabezadas. Su rostro parecía atontado.

—Lo siento —murmuró—. Esos locos malditos... —Permaneció allí unos momentos más; luego giró sobre sus talones y se fue bruscamente al cuarto de vestirse.

Kristina acercó la bandeja hacia el paciente y ocupó el puesto que Lucas había dejado vacante. Desde aquel momento hizo lo que antes hacía él. Lo que hacían entre los dos. Los minutos transcurrían...

Por fin levantaron los ojos.

Lucas se desató la mascarilla.

En la sala se produjo un activo ir y venir.

La camilla se acercó a la mesa.

—¿Qué tal se siente? —preguntó Lucas, levantando la voz. El paciente murmuró soñoliento.

—Duerme —dijo alegremente la enfermera—. Vamos —añadió con voz más fuerte—. ¡Vamos, míster Grass! ¡Ayúdenos a sacarle de la mesa!

El paciente volvió a murmurar unas palabras, semidormido. Luego estuvo sobre la camilla, y en seguida fuera del quirófano.

—Me has ayudado muy bien —dijo Lucas.

—Lo había visto tan a menudo... —excusóse Kristina.

—Ha sido un trabajo excelente. —Y mirándola cara a cara, concluyó—. Gracias.

La joven se sonrojó. Correspondió a la cortesía con una inclinación de cabeza.

El doctor Runkleman no apareció por el Valley. Lucas pasó visita solo. A la hora de comer, el doctor Runkleman no había regresado.

—Ha ido a la capital —dijo miss Snow—. Hubiera dicho que le perseguía el demonio. ¡Jamás había visto a un hombre corpulento moviéndose tan a prisa! —comentó, admirada.

Tampoco apareció para las visitas de la tarde. Durante un rato, Lucas intentó atenderles solo. Sin que se notara, miss Snow citó para otro día a los de menos importancia. Lucas desapareció, hundido, enterrado en aquella masa humana.

A las tres cogió impaciente el auricular que miss Snow le entregaba. Era el doctor Castle.

—No le pierda de vista —empezó inmediatamente el anciano medico.

—¿A quién? No le...

—A Dave. ¡Vigílele como un halcón! ¡Se lo advierto!

—¿Qué ocurre? ¿Dónde está? ¿Qué le ha pasado? Estoy aquí, solo...

Mientras operábamos..., a mitad de la operación... ¿Está bien? ¿De qué se trata? ¿Está ahí?

—Es cosa de la Bolsa.

—¿Qué ha sucedido?

—El mercado ha estallado por completo. El tenía comprometido hasta el último dólar. Ahora está allá. ¡No sé qué hace! Vender su sangre, probablemente... usted no sabe a dónde fue. ¿verdad? ¡Los periódicos no hablan de otra cosa! ¿No se había enterado? Si supiera dónde se encuentra, podría irme con él, estar a su lado.

—Iremos juntos.

—Usted quédese donde está.

—Pero...

—¿Se ha llevado el maletín? ¿Tiene algo al alcance de la mano. por lo menos?

—¡No lo sé! Creo que sí. El maletín no está aquí. Supongo que lo tendrá en el coche.

—He de encontrarle. Llamaré a los despachos de los agentes de Bolsa, uno tras otro. La arteria no resistirá esta emoción. No la resistirá.

El doctor Castle colgó bruscamente.

Pero entre él y Lucas, llenando la media milla de espacio. se levantaba el arco de la aorta, turgente, tal como ambos habían visto un arco de aorta hinchándose, adelgazándose, resquebrajándose, a punto de reventar.

Lucas de quedó un momento mirando fijamente al auricular. Luego lo colgó. Apoyó la barbilla en la mano. Sus dedos se cerraron con fuerza alrededor del mentón. Su corazón latía acelerado, la alarma desorbitaba sus ojos. Después se puso en pie y empezó a pasear por el despacho. Inconsciente, aceleraba el paso.

Por la noche, ya tarde, con todas las luces encendidas, el doctor Castle, el doctor Kauffman, miss Snow, Lucas y Kristina aguardaban. La puerta se abrió y el doctor Runkleman penetró con paso tardo en la habitación.

Lucas corrió a ponerle una silla detrás. El recién llegado se dejó caer en ella pesadamente. Su faz, habitualmente rubicunda, aparecía lívida, sus ojos estaban sin vida, su piel arrugada. Luego hizo un ademán de indiferencia y dejó caer la mano hacia atrás.

—Todo se ha ido —dijo con aire estúpido—. No queda nada.

Abrieron el maletín y cargaron una jeringuilla. El doctor Castle y el doctor Kauffman se quitaban la chaqueta, miss Snow le había desabrochado el puño y le subía la manga.

—Se ha ido todo —susurró nuevamente el enfermo. La aguja penetró bajo la piel. Lucas oprimía el émbolo—. Estoy hundido; estoy hundido —murmuraba el enfermo. Y se quedó inerte. Sus ojos se cerraron.

—¡Llevémoslo al Valley! —gritó el doctor Castle!

—¡Nada de ambulancia! —exclamó el doctor Kauffman.

—¡Mi coche! — dijo el doctor Castle.

Kristina le cogía por los pies. Lucas levantaba los pesados hombros. El doctor Kauffman apartó las manos del doctor Castle.

—¡Usted no levante peso! —El doctor Castle retrocedió indeciso—. ¡No quiero *dos* pacientes a la vez! —concluyó su colega, con voz alterada.

—Respira aún —dijo Kristina.

Levantaron al enfermo y con paso vacilante cruzaron el umbral. Miss Snow tenía abierta la puerta de la calle.

—Se pondrá bien —decíanse unos a otros.

—Respira mejor —afirmó el doctor Castle.

—La inyección empieza a obrar —añadió Lucas.

Pero todo aquello eran palabras vacías, sin significado, desesperadas; sonidos alentadores emitidos sin fe, que sólo expresaban una remota esperanza.

—¡Cuidado! —dijeron. Y le pusieron dentro del coche, le llevaron al Valley, y le acomodaron en una cama.

Y se quedaron.

Pasaron la noche allí.

Por la mañana, el doctor Runkleman abrió los ojos, que tenían una expresión de indecible asombro. Luego vio a los que le rodeaban y entonces recordó. Después, volvió a cerrarlos.

CAPITULO XXXV

El enfermo pasó tres días en un estado estacionario, ni vivo ni muerto, respirando despacio.

Pero llegada la tarde del tercero, y más hacia la noche, respiró mejor; su fatigado corazón adaptóse perezosamente a la nueva demanda, obedeció la desordenada orden; la presión de la sangre disminuyó y el dolor en el pecho se amortiguó. El doctor Runkleman yacía inmóvil, pensando.

No tenía el deseo de moverse. La ira, el miedo, la desesperación, eran entidades ajenas a él, remotas. No se sentía ligado al cuerpo; yacía consciente, mirando al vacío, sin ver nada, sin oír nada, en una vigilia atenta. Descansaba contento, libre de todo deseo.

De este modo le encontró Lucas.

El joven se sentó al lado de la cama, en silencio, adivinando a la primera mirada indagadora de todos los signos, el deseo, la situación estática del cuerpo del enfermo. Porque se veía claramente, emanaba de todo el organismo, era como un dedo posado sobre los labios. Sentóse al lado de la cama y empezó a pensar, perezosa, lentamente, como el ritmo de la respiración del enfermo.

Ahora no cabía ninguna duda. No existía la más leve justificación para abrigar una ligera esperanza. Durante un tiempo entre Kauffman, Castle y el mismo Lucas, había existido la inexpresada esperanza de que aquello se debiera a un tumor. Ahora los Rayos X habían desterrado la duda; quedaba sólo el choque y el soplo diastólico, y la resonancia aórtica; y los dedos de la esperanza, encontrando el vacío en todas partes donde intentaban cogerse, acabaron por abrirse inertes, inservibles.

No quedaba esperanza. Quedaba únicamente el Tiempo y lo desconocido. Y lo desconocido se constituía ahora en un tierno consuelo, en un santuario. No existía la menor posibilidad de que el enfermo se restableciese. Pero se desconocía el momento de la muerte. No tardaría en llegar. Pero "no tardaría en llegar" sería quizá cuestión de una hora, de un día, un breve lapso de tiempo; se ignoraba.

El doctor Runkleman yacía en la cama, modelando la colcha con su cuerpo, mirando atenta, sosegadamente, a ninguna parte y respirando muy despacio. De vez en cuando, sus párpados pestañeaban. Estaba vivo.

Al cabo de un rato, Lucas salió de puntillas. Miró la gráfica. No había nada que leer, nada que añadir. Lo miraba, esperando. Luego la dejó, saludó a la enfermera con una inclinación de cabeza y fue al encuentro del doctor Castle.

El anciano médico le interrogó con la vista, y después de leer su expresiva faz, bajó los ojos.

—Sigue viviendo —dijo sentándose y exhalando un suspiro—. ¿Cuánto le parece que durará?

Lucas movió la cabeza y no respondió.

—¡Bah, diablos! A veces viven años enteros —dijo el doctor Castle, con aire atontado.

Lucas movió la cabeza.

—¿Ha visto alguno? ¿Alguno que estuviera como él?

El doctor Castle evitó sus ojos. Luego, dijo:

—Los libros lo dicen.

—Bien; él también ha leído los libros —replicó Lucas.

Y entre los dos se levantaron los textos grabados en la memoria, la frase que ambos recordaban, aunque ninguno pronunciase: "Un aneurisma suficientemente adelantado en su proceso para producir síntomas, acarrea la muerte en un plazo máximo de treinta meses".

—Dos años y medio —murmuró el doctor Castle—. ¡Quién sabe cuánto tiempo habrá pasado sin prestarle atención!

—Yo no lo sé —contestó Lucas—. El otro día, en la ducha, usted habría podido ver realmente la pulsación.

Los dos médicos estuvieron un rato callados.

—¿Cree usted...? —La voz del doctor Castle se apagó.

—No lo sé —respondió Lucas.

—Quería irse a Australia...

Lucas movió la cabeza negativamente.

Pero al día siguiente, el enfermo se encontró mejor. Con el reposo, la vitalidad de su desarrollado cuerpo parecía acrecentarse. Por la noche, el doctor Castle y Lucas se sentaron a su lado y le permitieron hablar.

—¿La Bolsa continúa mal? —preguntó apaciguado, sin mucho interés.

—Todavía mal —le dijo el doctor Castle—. Se dice que los valores volverán a subir. Nos has sido tú el único.

El doctor Runkleman asintió con una sonrisa.

—En esta ciudad son muchos los que se han quedado completamente arruinados.

El doctor Runkleman hizo un signo afirmativo.

—Volverá a subir —animó el doctor Castle.

El doctor Runkleman asintió sin interés. Sus labios se movieron. Las palabras salieron lentas, con dificultad.

—Me quedan doce mil dólares —dijo satisfecho. Lo decía casi con alegría, él el hombre que había visto desvanecerse en una sola tarde toda la cosecha de su vida, una cosecha con la cual ahora no se podía comprar nada.

Luego se puso a hablar acerca de Australia.

—Allá tienen campos —dijo, mirando lejos, fuera de la sala, hacia el infinito —llanos, horizontales, que se alejan y se alejan hasta perderse de vista.

—Emús, canguros —añadió el doctor Castle.

—Es un país maravilloso —dijo el doctor Runkleman. El, que en toda su vida había visto solamente cuatro Estados y que había pasado más de la mitad de la misma en aquella pequeña ciudad, hablaba de Australia como de una patria a la que había que regresar, como de su morada—. Pájaros —continuó dulcemente, y sus ojos veían los plumajes—, pájaros y mamíferos —y veía sus extrañas formas—, matorrales de mulga —agregó, para explicarlo a sus oyentes—, altas hierbas, eucaliptus, montañas y llanuras..., puestas de sol... como un mar...

Y añadió, con voz suave:

—Oro.

—Opalos —dijo el doctor Castle.

—Oro y ópalos... y euros... y mimosas... y basiliscos...

El doctor Runkleman movió la cabeza lentamente y sonrió con timidez. Luego, suspiró.

—¡Vivirás en Australia! —le indicó el doctor Castle.

El enfermo sonrió.

—¡Espere y lo verá! —afirmó Lucas.

El doctor Runkleman volvió la cabeza hacia el joven.

—¿Marchan bien las cosas?

—¡No pueden marchar mejor! —respondió Lucas—. No se preocupe en absoluto. El consultorio sigue como siempre, todo está atendido, no tiene que inquietarse por un solo detalle. Ni uno. No se apure por nada. Piense sólo en restablecerse.

El doctor Runkleman asintió con la cabeza.

—Me restableceré —dijo suavemente.

—¡Claro que sí! Empezaremos de nuevo. Llevaremos el despacho como una fábrica. En un abrir y cerrar de ojos, usted estará libre, cargando las escopetas, lo mismo que tenía planeado.

El doctor Runkleman no respondió, entonces. Asintió placenteramente y cerró los ojos.

—Todo lo veo llano —dijo. Y movió la cabeza con aire soñador—. Una llanura inmensa... hasta donde alcanza la vista...

Y abrió los ojos. En ellos brillaba la luz dorada de aquella maravilla, el gimiente anhelo escondido en la mente de un hombre, el anhelo que introduce en él su afilada hoja, incesantemente, que aguza su apetito con la tristeza de la desilusión, con la amargura de las ganancias perdidas; el lloroso afán de un hombre que se sabe que es hombre, que es un presidiario y sueña con el sol y la libertad.

Hablaba de Australia.

El enfermo descansó durante una semana.

Vinieron los visitantes, entrando de puntillas, saliendo de puntillas. Bemis Shedd, con su cara pacífica, gordinflona, coronada por una aureola de interés, y abriendo mucho los ojos para ver a un hombre (a un hombre tan grande) en peligro de muerte, y sorprendiéndose, un poco defraudado, de no ver sangre. Y Agnes, rezongando en un susurro, apretando los labios de pena, y contestando:

—Sí, el niño está muy bien; la madre me ayuda a mí. Lo que importa es que usted se restablezca...

Y guiñando el ojo obedientemente para corresponder al penoso guiño de conspiración que le hizo el enfermo, y saliendo apresuradamente para no dejar ver los húmedos ojos y volverse hacia el escondite de los bosques y de la soledad.

Todos vinieron. El doctor Kauffman, con el silencio del hombre que está en el secreto, del que visita a un semejante; mistress Kauffman, callada, indecisa, compasiva; miss Snow... "¿El doctor Runkleman necesita dinero, doctor Marsh? Yo tengo mil doscientos dólares que no sé ni con qué fin los ahorré...". El doctor Snider: "Todos hemos de abandonar este mundo algún día... Pensaba que yo sería el primero...". Y Kristina todos los días, para leerle libros sobre Australia.

Todos vinieron. Hasta algunos pacientes.

—A mí se me ha presentado uno... ¿Qué se imaginan que quería saber? —anunció Lucas, con voz áspera, de disgusto.

—Quería saber dónde encontraría a un médico, ahora que el doctor Runkleman está enfermo —contestó, ecuánime, el doctor Castle.

Lucas le miró y movió la cabeza afirmativamente, ofendido. El doctor Castle se encogió de hombros.

El enfermo continuó así una semana, al cabo de la cual el prodigio había perdido interés, sus noticias carecían de actualidad, las levantadas olas de la simpatía se apaciguaron tranquilamente, y en el mundo, fuera del hospital, continuó la marcha de la vida por una nueva tensión en el ambiente; la tensión despertada por el movimiento del dinero en alejados lugares, por mil sucesos siniestros, por la inquietud y la necesidad de sobrevivir, por el juguete que se había convertido en arma mortal.

Un día de la segunda semana, al mediodía le sorprendieron sosteniéndose de pie, vacilante, al lado de la cama. Después de aquel momento no pudieron gobernarle. El enfermo les sonrió avergonzado, a pesar de lo cual todos los empeños resultaron inútiles. A fines de semana, el doctor Runkleman se sentaba en una silla, andaba poco, y los demás le contemplaban impotentes.

Una noche Lucas y el doctor Castle entraron sonriendo.

—¡Hoy ha hecho una cosa extraordinaria! —exclamó el segundo, indicando con el pulgar a Lucas.

—Él me ha ayudado —hizo constar el joven.

El doctor Runkleman les miró ansiosamente.

—Era mistress Ferdinand —dijo Lucas.

—¿La neurótica? —exclamó el enfermo.

—¡Efectivamente!

—¿La ha convencido?

Lucas asintió.

—Ha sufrido ya dos ataques de nervios —le recordó con aire beligerante el doctor Runkleman al doctor Castle—. Menopausia precoz...

—Lo sé.

El enfermo se inclinó hacia adelante, vivamente interesado.

—Veamos, ¿qué ha hecho? ¿De quién se ha valido?

—De una mujer que se llama Kellogg.

—¿Kellogg?

—Una paciente nueva.

—¿Sara Kellogg?

—La misma. ¿Cómo sabe...?

—La visité al principio de casada. Metrorragia.

—Sí, tenía un fibroma.

— ¡De modo que de ella ha sacado lo necesario!

—El doctor Castle me ayudaba... y estuvo también Kris... He extirpado los ovarios.

— ¡Un trabajo precioso! —El doctor Castle acentuó la afirmación con una cabezada.

—La operación de Hegar. Y los hemos puesto en una solución de Ringer, a la temperatura del cuerpo... —Lucas se encogió de hombros y se calló un momento.

—Luego hemos pasado a mistress Ferdinand, y Lucas ha procedido a un injerto de ovarios.

— ¡Lo hemos hecho los dos!

— ¡Tú sabes muy bien quién lo ha hecho, Dave!

La faz del doctor Runkleman se iluminó de gozo.

—He aprendido mucho de usted —declaró Lucas sencillamente.

—No lo dudo —afirmó el doctor Castle.

—No necesita aprender de nadie —dijo el doctor Runkleman.

—He presenciado su trabajo —convino el doctor Castle.

Lo había visto otras veces —dijo Lucas, embarazado—. Es sorprendente. Hasta si el injerto no prende parece que estimula algo, parece excitar "restos" celulares latentes en el ancho ligamento, quizá...

— ¡Mil diablos! —exclamó el doctor Runkleman. Una ancha, orgullosa sonrisa, alegraba su faz. Luego miró admirativamente al doctor Castle, que había tenido la confianza suficiente en Lucas para ayudarle.

—La paciente quedará muy bien —aseguró el doctor Castle.

— ¡Qué operación! —El doctor Runkleman emitió un leve silbido.

—Dos horas y cuarenta minutos —asintió Lucas.

— ¿Y qué te parece que ha sido lo primero que nos ha preguntado? —exclamó el doctor Castle.

—Pues, conociendo a Lottie Ferdinand... —El enfermo aguardó la aclaración.

Su amigo se echó a reír.

— ¡Quiso saber si la donante era metodista o episcopaliana!

— ¡Imposible!

— ¡Es la verdad!

— ¡Y lo decía en serio! Le interesaba de veras. Yo he meditado un momento; no podía recordar a qué Iglesia pertenece *ella*, ¡y le he contestado que la donante era atea! ¡Tenías que ver la cara que puso!

—¡Pobre Lottie!....

—¡Oh, la hemos tranquilizado! Hemos descubierto que es metodista y se lo he dicho. Ahora se siente dichosa...

—Yo le habría dicho que eran ovarios de una vaca —replicó el doctor Runkleman.

El doctor Castle se puso en pie. Lucas le imitó.

—Basta por hoy, Dave.

—Me encuentro muy bien. ¡De veras!

—Ya lo sé... Vamos...

En medio de sus dos colegas, el enfermo volvió con desgana hacia la cama.

Con el transcurso de los días pareció mejorar.

—He agotado todo lo que podía leerle sobre Australia —dijo un día Kristina—. ¿Qué debo hacer?

Lucas meditó un momento.

—Llévale un libro sobre escopetas —decidió—. Busca en la librería algo que hable de armas de caza.

—¡Tienes razón! —suspiró Kristina—. Pobre, pobrecito... ¡Lucas! ¿Pregunta alguna vez...? ¿Quiére ver el periódico? ¿Piensa en la Bolsa?... ¿No dice nada?

—Ni una palabra. No lo ha mentado ningún día, ni una vez solamente.

—Los que le deben algo tendrían que acordarse, ahora que lo saben, ahora que tienen una oportunidad para corresponderle. ¡Estoy segura de que en esos libros hay anotados miles y miles!

Lucas movió la cabeza negativamente.

—¿Ni uno? ¡Ni uno tan sólo! ¡Estoy segura de que yo podría recogerlos! Estoy segura... ¿Quieres que lo intente, Luke? ¿Lo intento?

Lucas hizo otro signo negativo.

—De ningún modo... No... El mencionó el dinero una vez... Entonces se pusieron a discutir el asunto con Castle... Dedujeron que la mejor pagadora era una maestra. Una mujer que no puede costearse una operación que necesita, sin meterse en un atolladero y privarse de lo imprescindible.

Durante la tercera semana pareció que el enfermo se restablecía muy de prisa.

—Me encuentro perfectamente —le dijo una tarde al doctor Castle. Yo creo que andas demasiado.

—Sé cuándo tengo que detenerme, sé cómo tengo que ordenar el movimiento y el reposo... He salido al pasillo.

—Estoy enterado. Has recorrido todo el hospital.

El doctor Runkleman bajó los ojos con aire culpable.

—¡Pero no he intentado nada con las escaleras! —defendióse. Luego miró formalmente a su amigo—. ¿Puedes sentarte un rato?

—Sólo tenía un minuto libre. He pensado que debía entrar. ¿No ha venido Luke, todavía?

El doctor Runkleman miró el reloj.

—Visita en el consultorio. Está hasta el cuello de trabajo. Siéntate, Henry. Quiero hablarte.

El doctor Castle se sentó. El enfermo hizo lo mismo. Luego adelantó el labio inferior y meditó un momento.

—Henry, no me queda mucho tiempo... —El doctor Castle se puso encarnado. Pero sus ojos no se apartaron de los del doctor Runkleman—. No engañemos a nadie. Tú lo sabes. Yo lo sé.

—¿Qué piensas, Dave?

—Henry, quiero irme a Australia. —El doctor Castle sonrió y desvió la vista tímidamente—. Ya sé... Ya sé lo que vas a decirme.

—*Deberías* saberlo, Dave.

—Lo sé. Lo sé perfectamente. Soy el que padece la enfermedad.

—Sosiégate y descansa...

—¡Esto faltaba!

—Comprendo lo que quieres decir, Dave. Si yo pudiera...

—Pero no puedes. No puedes hacer nada, nadie puede hacer nada. Y yo puedo fallecer de un momento a otro. Tú no sabes cuándo, Luke tampoco y el doctor Kauffman tampoco. Nadie sabe cuándo. Yo mismo tampoco lo sé. Todo lo que sabemos es que no falta mucho. —El enfermo se quedó mirando la inclinada cabeza de su compañero, y esperó.

—¿Qué te propones, Dave? —preguntó el doctor Castle, mirando al suelo.

—Quiero regalar la clientela al muchacho.

—Podrías venderla... Sacarías un montón de dinero.

—Quiero dársela. Tengo lo suficiente. No es mucho, pero sí todo lo que podré gastar mientras viva.

—No lo sabes...

—No viviré para gastar más.

—Tienes a dos chicos en la Universidad y has de pensar en ellos.

—El muchacho se encargará de los dos. Con lo que gane.

—¿No tienes ningún familiar de quien acordarte? ¿No tienes a nadie?

—Tengo unos primos no sé dónde. En alguna parte estarán, me figuro... ¡En realidad no tengo a nadie! Ni un alma... Y Henry..., no sé en que situación te encuentras tú...

—Bien, perfectamente.

—¡Vigila! Sé lo que se prepara.

—Yo también.

—Lo hemos sufrido otras veces...

—En mil novecientos siete. Ese año fue una alhaja, ¿verdad?

—¡El mil novecientos siete! ¿Y qué me dices del mil ochocientos noventa y tres? ¿Y de mil novecientos uno? ¿Y de mil novecientos veinticuatro?

Los dos médicos se miraban reviviendo los años, los años aciagos, recordando el increíble caos, las calamidades, rememorando las fechas terribles en que los humanos morían de hambre, enfermaban y enloquecían, cuando no se encontraba ayuda ni socorro en ninguna parte, ni existía Arca alguna, y sí solamente los alaridos de los que se ahogaban en la inundación mundial, en el océano de las depresiones.

Se miraban como dos veteranos del horror, que habían visto y conocían tristes contingencias.

—Aquello vuelve otra vez —afirmó el doctor Runkleman.

—Lo sé.

—Esta primera sacudida no ha sido nada más que una sacudida.

—Así lo creo.

Dentro de un mes, de dos...

El doctor Castle hizo un signo de asentimiento.

—Ya lo sabes. Lo sabemos los dos. Hemos pasado por ello. Ambos sabemos qué es una depresión. Y sabemos también lo que vale la clientela de un médico durante una depresión... En realidad, no le doy nada, Henry. Siento... siento pena por él...

El doctor Castle meditó. Después levantó los ojos.

—Está bien, Dave ¿Qué tienes en el pensamiento?

—Australia.

—Hablas en serio.

—Hablo en serio.

—Sabes que no debes soñar con Australia.

—Quiero ir. Quiero emprender el viaje. ¿Comprendes? Habré emprendido mi camino. Y tú sabes..., no lo sabes..., ¡quizá incluso llegue allá!

— ¡Jamás!

— ¡Podría ser!

— ¡Tú sabes que no!

— ¡Puede ser! Y, aunque no llegue..., mientras viaje... sabré que estoy en camino, que voy...

—Pero, Dave, ¿cómo? ¿No comprendes...?

—Este era el sueño que acariciaba..., las noches aquellas cuando andaba, empapado, por la nieve... Aquel es un país cálido..., ha sido mi sueño, Henry..., lo he soñado siempre... —Y sus ojos suplicantes se enternecían. Veíase de pie en el barco, solo en la proa, veía el mar azul y el ancho cielo y allá, delante, llana, áurea, mágica, la tierra de Australia. Veía su sueño, la tierra soñada.

El doctor Castle desvió los ojos. Pensaba, meditaba, se mordía el labio.

—Lo tengo todo estudiado —dijo dulcemente el doctor Runkleman.

—Te expones a no salir de la ciudad...

—Habré emprendido mi camino. Dame otra semana nada más, y...

—Supón que el muchacho se entera.

—No lo sabrá. Hasta que sea demasiado tarde.

— ¡Ahora te estás excitando!

— ¡Te digo que no! —Pero se apoyó obedientemente en el respaldo—. ¡Henry! ¡Oye! He aquí lo que haremos...; yo lo haría por ti,

Henry. Los dos médicos se miraron fijamente—. ¡Lo que tú quisieras, yo lo haría!

—Sigue —contestó el doctor Castle en voz muy baja.

El doctor Runkleman se inclinó hacia adelante otra vez.

—¡Oye! —Y le expuso su proyecto, despacio, cuidadosamente, con toda seguridad. El doctor Castle empezó a tomar notas. En una o dos ocasiones le dirigió una pregunta. En pocos minutos quedó todo acordado. En media hora, todo listo. Henry suspiró y se puso en pie. Contemplaba al doctor Runkleman. Sus labios se entreabrían en una sonrisa incierta.

—Es mi funeral —dijo el doctor Runkleman.

—Está bien, Dave... Es tu funeral...

Y un día de la cuarta semana el doctor Castle pidió a Lucas que hiciera una visita por él, que fuese a una granja lejana.

A últimas horas de la tarde él estaba con el doctor Runkleman, a quien sostenía rodeándole con el brazo, al lado del tren, en la estación de Greenville. El mozo subió dos bultos al vagón, una pesada maleta y un descolorido y ajado maletín de médico.

—Creo que lo tenemos todo —dijo el doctor Castle con voz ahogada.

El mozo acudió para ayudarles. El doctor Runkleman se volvió. Los dos médicos se miraron frente a frente. Del extremo del convoy llegó el grito del conductor.

—¡Cuidado con los peldaños! —aconsejó el doctor Castle.

El doctor Runkleman le tendió la mano. Ahora la tenía más delgada. Las prendas de su traje colgaban grotescamente de su cuerpo.

—Gracias —dijo simplemente el doctor Runkleman.

—Envíame una postal —pidió, disgustado, el doctor Castle—. ¡Ea, no te olvides! ¿Me oyes?

—Adiós, Henry.

—Dave...

Sus manos se enlazaron.

—Adiós, Dave...

El doctor Castle y el mozo le ayudaron a subir. El viajero se volvió una vez para decirle adiós con la mano.

El tren ganó velocidad.

Había desaparecido.

Cada día llegaba un telegrama, un telegrama entusiasta, tranquilizador. Cada día, pasados la primera estupefacción, la primera indignación, el primer asombro, después de haber aceptado atónitos lo inevitable, esperaban el telegrama. Pero luego transcurrió un día. Y el telegrama no llegó. Lucas y el doctor Castle se miraban el uno al otro. Hacía entonces una semana. Decidieron llamar a la oficina de Telégrafos... No, no había telegrama alguno...

El telegrama llegó a la mañana siguiente.

El doctor Runkleman había muerto en el mar. Murió pacíficamente, en su cama, escuchando hasta el último momento la confiada palpitación de los motores que le llevaban cada vez más cerca de Australia...

Aquel lugar lejano.

Murió en el mar. Le enterraron en él.

Había desaparecido.

CAPITULO XXXVI

Al cabo de un mes la gente de Greenville ya no hablaba del doctor Runkleman. El pasado le había recibido en su seno, y le enterraron en el pasado, no como a un cadáver, ni siquiera como a un recuerdo completo, sino como a una sustancia dispersada, fuera de contacto, desaparecida. La escena de la desaparición se desvaneció ya, fue olvidada.

Cada nuevo día el sol, al levantarse, diferenciaba implacablemente lo real de los fantasmas de la noche; la luz dividía lo viejo de lo que había que soportar aun. Y en aquella procesión de los días fue sepultado el fallecido médico y con la obligación de levantarse cada mañana, le olvidaron.

Su trama vital se desvaneció y los hombres cruzaron los senderos que él había trazado en vida. Y lo que le debían perdió su realidad y lo que había hecho por ellos no fue premiado con ningún monumento y los que necesitaban de él lo tomaron de otro y pasaron los días y transcurrió un mes y sus vidas se acortaron en este mismo lapso de tiempo.

Lucas observaba con amargura este proceso. El experimentaba en su interior la sensación de haber sufrido una pérdida, el recelo y la sorpresa de haber visto a un compañero de camino, herido y derribado; observaba primero incrédulo y después con odio, que esta sensación se borraba en los demás, que la gente proseguía al final su camino con indiferencia, agradecida de seguir viviendo ahora que aquel que les había ayudado a vivir había muerto.

Por lo que él, Lucas, había hecho, por lo que quería, por lo que hacía entonces, no quería ninguna gratitud. Aceptaba con absoluta convicción, al mismo tiempo que con una completa indiferencia, el hecho de que a él le tratarían del mismo modo. Pero no podía perdonarles que olvidaran al doctor Runkleman, y les medía según el rasero de tal olvido, y contemplaba la medida con disgusto y luego con frío, indeleble desprecio.

El número de visitas había empezado a menguar. La depresión que en sus primeros días había barrido al doctor Runkleman, se precipitaba ahora sobre el mundo vertiginosamente. Unas cuantas tiendas estaban ya desocupadas. En la fábrica de ladrillos habían despedido al diez por ciento de los trabajadores. Hombres acaudalados se habían encontrado de la noche a la mañana sin un penique. El desastre se había convertido en el signo de los días, y la consternación en un hábito cada vez más firme.

—La gente está asustada —concedió Bemis Shedd.

—¿De veras? —inquirió Lucas, encogiéndose de hombros.

—Usted piensa lo mismo que yo, ¿verdad? Esto no es más que un fenómeno pasajero. ¡Sin duda! la gente siempre se asusta, ¿no es cierto?

Lucas sonrió cortésmente. Bemis continuó:

—He recorrido esta calle en uno y otro sentido durante tres horas y no he visto un ser humano que no temblase como la hoja del árbol. ¡Tienen miedo de anunciar! ¡Tienen miedo de gastar el dinero! Con este campo —Bemis Shedd indicó con un ademán valiente el vago cosmos que le había hecho siempre dueño de un periódico y de los medios para tirarlo—, este campo que ha pasado por *mil* situaciones semejantes ¡y jamás le habían hecho frente! Yo les digo: ¡Mirad la situación cara a cara! ¿Qué ha cambiado? ¡No ha cambiado nada! A mil leguas de aquí, unos cuantos muchachos disolutos han armado un revuelo metiéndose con lo que no les pertenece pero, ¡caramba!, mirad a Morgan, mirad a los hombres importantes, a los grandes banqueros; ¡éstos no permitirán que pase nada! ¿Cómo iban a permitirlo?

Lucas le miraba en silencio, se fijaba en su enrojecida faz sin curiosidad, y aparentaba escucharle.

—¡He ahí lo que les digo! ¡Esta es mi opinión! Tendrían que avengorzarse, ¡caramba! —terminó Bemis.

—Y ellos, ¿qué dicen? —preguntó Lucas, muy cortés.

—Tendría que oírles —contestó el periodista—. Les domina un miedo cerval. Si esto sigue así, habré de despedir a un prensista y quizá a un tipógrafo. —Y miraba a Lucas como si lo que él mismo decía no fuera posible.

—Lo lamento —dijo éste—. Pero usted se encuentra bien, ¿verdad?

—¿Yo? ¡Claro que me encuentro bien! ¡A mí no me coge usted matándome por ellos como hizo el doctor Runkleman, según nos consta a los dos!... Aunque a mí siempre me asustó ese mercado de la Bolsa, ¡pobrecito! Apuesto a que no se rompieron ninguna pierna corriendo a pagarles algunas cuentas atrasadas. ¿Verdad que no?

—Cerré los libros —contestó llanamente Lucas—. Hice lo que él me pidió. Por lo que respecta al doctor Runkleman, todo el mundo está libre de deudas.

Bemis Shedd movió la cabeza.

—Era un hombre excelente —dijo con voz piadosa—. No me relacioné con él tanto como debía. Prestó grandes servicios a la ciudad. Y ahora, ¿todo marcha bien?

—Estupendamente.

—¡Me alegro! Usted y yo tenemos que salir de caza un día de estos... ¿Ha cazado alguna vez? Yo voy cada año. Me llevo al personal. Los reúno a todos y allá que vamos. Yo preparo las mejores fritillas que haya comido usted jamás.

—Sí, algún día tendré que salir. Ahora estoy muy ocupado...

—La temporada de caza no ha empezado todavía. Le avisaré. Venga, doctor, se divertirá. No..., yo no me preocupo. Tengo mi casa y mi huerto, y, si llega lo peor, por estos alrededores abundan los venados y toda clase de caza. Me alegra saber que se desenvuelve bien. El otro día vi a Harriet Lang. Me preguntó por usted. Tengo entendido que en la fábrica han despedido a muchos.

—También me lo han dicho a mí.

—Bien, usted tiene una buena colaboradora con miss Snow. Ella le protegerá. Hoy iba a llamarla por teléfono. ¿No ha visto a los superintendentes todavía? ¿No se ha puesto nadie en contacto con usted?

—¿A los superintendentes? ¿Se refiere al Consejo de Administración? No. ¿Para qué?

—Hace unos días vi a Henry Granite. Tengo entendido que quieren ponerse al habla con usted. Sobre su trabajo en el Condado probablemente. Bien, tengo que marcharme. ¡No se olvide de nuestra cacería! Solo vivimos una vez.

Una semana después, la Junta de superintendentes, cuatro personas a quienes no conocía, le enviaron a buscar, le indicaron con un ademán que se sentase y le examinaron curiosos con la mirada

—Se trata —dijo uno por fin— de la vacante de operador que hay en el Condado.

Lucas aguardó.

—La cuestión es la siguiente: ¿Usted la quiere? —preguntó bruscamente otro.

—¿Si la quiero? La estuve desempeñando.

—Es cierto. En primer lugar, queremos decirle un cosa: estamos satisfechos. El doctor Runkleman le escogió a usted y con ello nos basta, además de que Snider dice que es apto. Ahora la cuestión es: ¿Quiere ese cargo?

—Pues... pues creo que sí. No había pensado en ello. Daba por descontado que...

—Bien, es todo lo que queríamos saber. Tenemos que resolverlo de forma legal, tal como se hacen las cosas. Pero hay un detalle, doctor —El que hablaba se aclaró la garganta—. Supongo que usted sabe cómo están los tiempos. Y cómo se preparan, además. Pues bien, cuando empezó, el doctor Runkleman le dábamos tres mil quinientos dólares al año, lo cual, en aquel entonces, era una buena suma. No digo que noy no deba darse más, pero tal como marchan las cosas...

—Hable claro de una vez. Todos tenemos que hacer y...

—Por supuesto; en el futuro veríamos el modo de aumentarle el sueldo.

—Hemos de colaborar todos juntos...

—¿Ustedes quieren que ocupe el puesto del doctor Runkleman como operador del hospital, por tres mil quinientos dólares al año? ¿No es eso?

—Como decía, estamos dispuestos a aceptar todas las indicaciones.

—Usted sabe cómo marchan los tiempos, doctor...

—Acepto —dijo Lucas escuetamente.

—¡Nos alegramos!

—Y cualquier cosa que necesite... y esté en razón, por supuesto...

—Nos sabe mal tener que hacer esto con usted, doctor. Nosotros sólo desempeñamos una misión. Lo más pronto posible volveremos a dejar el sueldo tal como estaba. No depende de nosotros únicamente. Pero usted lo comprende. De nada sirve abandonar las cosas a mitad de camino, como pasa con el Municipio, que después de votar un servicio de aguas nuevo en un minuto y de empezar el trabajo como si el diablo tuviera que cogerles si no lo terminaban antes de la puesta del sol, lo suspenden todo teniendo menos de cincuenta pies de tubo colocados.

—¿Han interrumpido los trabajos?

—¿No se había enterado? El proyecto ha sido rechazado por entero. La ciudad tenía el dinero invertido en valores; había comprado despreocupadamente aquí y allá, y un día se levantó viendo que sus pólizas navegaban con más agua que no había de traer la nueva conducción. ¡Naturalmente, todo abandonado!

—¡Fue una maldita locura desde el primer momento!

Lucas deglutió la saliva, tratando de asimilar lo que acababan de decirle, y no despegó los labios.

Los otros se levantaron con gesto torpe y, uno por uno, le estrecharon la mano.

—Ahora la cuestión ya está formalizada, doctor. Usted es el cirujano jefe del hospital.

—Como le dije, tan pronto como podamos...

—Convendría que alguno llamase a Bemis Shedd y le informase.

—Bien, algún día a no tardar, iremos a verle...

Lucas regresó despacio al consultorio.

Había realizado pocos cambios. Al pasar el viajante de instrumental médico, le compró unos cuantos instrumentos del tipo que utilizara durante su internado, para reemplazar los viejos, que el doctor Runkleman usó probablemente cuando fue interno. Había cambiado el destino de los cuartos que se abrían al pasillo del consultorio, de modo que ahora los de un lado se reservaban exclusivamente para mujeres y niños.

Kristina había repasado tímidamente la enorme casa que ocupaba el doctor Runkleman, detrás del consultorio. Había inspeccionado sus habitaciones, tratando de modificar algo, un poco desalentada y poco entusiasmada al ver que eran tantas y tan grandes y que estaban casi sin estrenar.

Quizá se hubiera trasladado a ella. Lucas empezaba a pensar en utilizar sus habitaciones actuales como laboratorio, en llenarlas con el equipo necesario y en contratar a un técnico, cuando se trasladaran a la nueva vivienda.

Pero un día el Banco envió a unos hombres, que examinaron la casa vacía, levantaron un inventario y, luego, como quien lo hace a regañadientes, cerraron las puertas y se marcharon. Desde aquel día permaneció cerrada, habiendo pasado a propiedad del Banco, porque era una de las garantías que el doctor Runkleman había presentado para evitar la calamidad que le llevó a la ruina.

—Sería una excelente morada para usted —decía un día míster Henderson, el banquero, animado por la esperanza. Y miraba a Lucas por encima de sus gafas sin montura—. La compraría barata. ¿Qué le parecen mil dólares?

—No me parece nada —replicó Lucas llanamente—. No los tengo.

—Y frunciendo el ceño pensaba, resentido: "Usted sabe cuánto poseo, hasta el último penique. Todo está allá, en su Banco. ¿Por qué finge que lo ignora?".

—Ya sabe sabe que no ha de pagarlos al contado. No digo que el crédito no esté muy limitado actualmente, pero usted es médico. Y hay que reconocerles una cosa a los médicos: son buenos pagadores. Lo sabemos.

—Si pudiéramos pagar poco a poco, como si se tratara de un alquiler... —dijo Kristina esperanzada.

—¿Por qué no? —contestó míster Henderson—. No veo nada que lo impida.

—No —dijo Lucas.

—No quiere invertir dinero...

—No.

—Me sabe mal venderla a otro. Acaso se instale allí una persona que a usted no le guste.

—No —repitió Lucas.

Kristina bajó los ojos. El banquero abrió los brazos desalentado.

—Gracias —dijo Lucas—. Gracias de todos modos.

—¿No la quieres? —preguntó Kristina cuando estuvieron en la calle.

—Naturalmente que sí. Sabes muy bien que la quiero.

—El ha dicho que podíamos pagarla como si fuese un alquiler.

—No quiero comprársela al Banco. Quisiera comprarla al doctor Runkleman, y no al Banco. Cada mes nos refrescarían la memoria. Yo quiero adquirirla como la adquirió él, al contado. Nada de deudas. Al contado rabioso. El lo hacía así. Y la casa era suya.

Kristina asintió con un movimiento de cabeza.

Lucas la miró dubitativo.

—¿Comprendes lo que quiero decir?

—Naturalmente —contestó ella. Lucas la miró sorprendido. Kristina sostuvo su mirada sin vacilar—. Claro que lo comprendo. La casa estará ahí, sea quien sea el que la compre. —Kristina dio unas palmaditas en el brazo de su marido.

Pero nadie la compró: nadie la alquiló. Por aquella época había muchas casas por alquilar y muchas en venta. El espacioso edificio permaneció sosegadamente vacío, con las puertas cerradas, asentado como siempre lo estuvo detrás del consultorio, indiferente al tiempo y a los hombres, esperando. Uno no podía decirle a una casa que el doctor Runkleman había muerto. Una vez por semana, sin que Lucas lo supiera, Kristina barría el porche.

—Deje que lo haga yo —le dijo un día miss Snow.

—Usted tiene mucho que hacer —contestó Kristina.

—No tanto como usted cree.

—¿No? —Kristina cesó de barrer.

Miss Snow movió la cabeza tristemente.

Los tiempos están malos. No puede imaginarse hasta qué punto. Kristina asintió.

— ¡Mire, actualmente acuden al Condado a visitarse de balde personas que tres meses atrás no se hubieran dignado pisar su suelo!

—Lucas dice que el Condado está completamente lleno.

Kristina aguardó para ver lo que contestaría la enfermera.

—Yo conozco a una familia (iba a la escuela con la hija), en la que el padre tenía un empleo muy bueno; trabajaba en la fábrica de ladrillos, de capataz y ahora no encuentra trabajo ni de portero. La semana pasada les llevé un poco de comida. Pasan *hambre*. ¿Puede imaginárselo? El no encuentra trabajo. Ahora se están comiendo los muebles. ¡Pasan *hambre*, realmente!

—¿Qué ocurrirá?

—No lo sé. Jamás había visto una cosa parecida. Hace cinco años nos encontrábamos en una situación similar, pero sólo duró dos meses.

—Lo recuerdo.

—Y diez años antes...

—Sí, también.

—Yo no tenía más de ocho años cuando la gran depresión, la de mil novecientos siete...

—Yo no había nacido —contestó Kristina.

Las dos mujeres se miraron una a otra con ojos recelosos, atemorizados; con ojos que esperaban instrucciones, dispuestos a prepararse, a ver, a defenderse con la mirada inmemorial de las mujeres viendo regresar a los hombres en la distancia con las manos vacías y poniéndose a calcular, horrorizadas por aquella visión, lo que contenía la despensa, hasta cuándo alcanzaría, los tiempos que se avecinaban; disponiéndose a luchar por la vida, por la vida de la caverna, a luchar todos, mujeres, madres, niños y hombres.

—Unos cuantos se marcharon cuando falleció el doctor Runkleman —dijo miss Snow con mucho tacto.

—Era forzoso —admitió Kristina—. Yo se lo advertí a Lucas.

—Respecto a unos cuantos más, él mismo sólo esperaba la oportunidad para enviarlos a otra parte.

—A veces es un poco impulsivo...

—No se lo reprocho. Yo me los hubiera quitado de encima hace años. Gente que no se cansa de venir y por la cual, en realidad, no se puede hacer nada, ya sabe usted...

—Lo comprendo.

—Le robaban el tiempo al médico. No tienen nada; todo lo que necesitan es dinero, o un esposo diferente, o una mujer diferente, o un empleo mejor... y se presentan quejándose de un dolor de barriga, de unas punzadas aquí, de esto, de lo otro. Y uno les dice...

—Lucas no llegaba a comprender por qué los admitía el doctor Runkleman, habiendo tantos verdaderamente enfermos.

Miss Snow se encogió de hombros y suspiró.

—Sea como fuere, su esposo los ha limpiado. Fue un día de los que no se olvidan. Algunos se pusieron bastante furiosos. Es chocante: los que más debían eran los que se indignaban más... —La enfermera volvió a suspirar—. Pero, ahora, aun con los que nos quedan, los billetes entran muy despacio... Y no vienen muchos pacientes nuevos. Casi ninguno en absoluto...

Las dos mujeres estuvieron un momento silenciosas.

—Gracias por habérmelo explicado —dijo Kristina.

—¡Oh, la cosa todavía no está mal! No hay por qué preocuparse de verdad. Todo marchará bien, mistress Marsh... Pero dicen que la situación se pondrá peor... Aunque, por otra parte —rectificó levantando los hombros—. ¡Hay quien dice que mejorará! Sea lo que fuese, ¿qué les pasa a los responsables de todo esto? —estalló súbitamente—. Ojalá pudiese meter mano a alguno de ellos! La gente sufriendo... Hombres honrados, hábiles, de cuerpo sano, despedidos de su trabajo y sin encontrar empleo, viendo cómo sus hijos pasan hambre... ¡Los niños, fíjese bien!

Las dos mujeres se miraron. Kristina movió la cabeza. Miss Snow suspiró.

—Bien —dijo la primera—, antes no nos parecía una gran cosa, pero siempre tenemos el Condado, como empleo seguro.

—Sí. Si no lo cierran.

—¡Dios mío! ¿Serían capaces? ¿De veras?

—No, no. Jamás lo cerrarían. Sólo quería decir...

—Lo comprendo... Quizá Lucas debería despedir a tantos clientes...

—No lo sé... He tratado de decírselo...

—¡Yo le hablaré!

—No le diga que yo le he dicho nada.

—¡De ningún modo! ¡De ningún modo, miss Snow!

Acompañada de su esposo, Marie Paget —actualmente Marie Glaimer— esperaba en el Hospital del Condado.

Mientras Lucas les miraba sorprendido, entró el doctor Snider y se sentó con aire indiferente en un ángulo de la mesa.

—¿Qué es lo que va mal? —preguntó Lucas.

—Lo mismo de antes —dijo con apagado acento míster Glaimer.

—¿Sufre mucho, míster Glaimer?

—Cada día más —respondió el hombre tristemente.

—Yo tengo que encontrar un empleo —interpuso su mujer.

—¿Quiere decir que desea volver a ocupar el que tenía aquí?

—Siempre cumplí satisfactoriamente, ¿verdad?

—Si esto es lo que quiere decir, debo recordarle que armaba bastante alboroto —intervino el doctor Snider.

—Hacía lo mismo que las demás. Usted no me despidió nunca...

—Las cosas están un poco diferentes ahora —dijo el doctor Snider—. Los empleos ya no salen como la fruta de los árboles. Nosotros no estamos aquí con el sombrero en la mano suplicando que ninguna de vosotras se marche.

—Tampoco yo estaría aquí pidiéndole que me admita. Si lo que debía hacerse se hubiera hecho, nosotros podríamos estar...

—El doctor Snider miró inquisitivamente a Lucas. Este, al notar el brillo de malicia de sus ojos, reprimió una réplica mordaz que iba a soltar.

—¿Qué tal va la tienda? —preguntó cortésmente.

—¡La tienda! —escupió la mujer con desprecio.

—Tanto daría que cerrásemos —contestó apenado el zapatero—. Lo que uno hace no se lo pagan, además de que no vale la pena ni acordarse de las ventas que se realizan.

—Sin duda, la situación está mal. —El doctor Snider movió la cabeza y, pasándose el bocado de tabaco de una mejilla a otra, añadió desapasionado—: Muy mal. Son infinidad de personas que van a encontrarse con lo que había de llegarles inevitablemente. Gente que no había tenido jamás una camisa sobre las espaldas, ni la habían tenido sus padres, compraba radios, automóviles nuevos, cualquier maldito cacharro que se le pusiera ante los ojos... ¡Era inevitable que llegáramos adonde estamos! ¡Ahora cosechan las consecuencias de su locura!

—Yo no sé nada de radios ni de coches nuevos —dijo con tristeza el enfermo—. Todo lo que sé es que cuando no levantaba dos palmos del suelo, trabajaba para Murchison, que entonces era el dueño de la tienda, que me levantaba a las cinco y trabajaba hasta después de la puesta del sol por la comida, que hasta los catorce años no vi un solo dólar, que después cobraba cuatro dólares semanales hasta que un día estuve a punto de marcharme porque me había enterado de lo que ganaban los chicos de la ciudad.

—¡Y compró la tienda con lo que ganaba! —exclamó en tono beligerante mistress Glaimer—. Lo ahorraba todo. Con cuatro dólares a la semana y luego con diez ahorró cerca de cuatrocientos...

—Luego el viejo murió. Lo recuerdo como si fuera ayer. El no había recogido nada. Sólo un par de cientos de dólares para el entierro, además de la tienda. Yo sostuve a su anciana esposa durante cinco años, pagándole semanalmente con lo que iba ganando. Hasta que murió. Entonces tuve que seguir pagando otros cinco años a un primo que nunca había puesto los pies en el establecimiento. Me encontré comprometido con aquel hombre al cual no había visto nunca y que en realidad no tenía ningún derecho a lo que yo ganaba, a mis sudores, a las noches de trabajo, a las preocupaciones que pasaba por sostenerme; sencillamente, le llegaba aquel dinero como caído del cielo.

—El dinero no se preocupa por saber a quién debería ir a parar —dijo Snider.

—Yo lo pagué. Pagué hasta el último centavo. Entonces la tienda fue mía. Pero precisamente cuando empezaba a sacarle algún provecho.

—Vino aquí una vez por las hemorragias —concluyó el doctor Snider—. Nosotros le dijimos lo que le convenía. ¿Por qué no nos dejó que lo operásemos? ¡En dos semanas habría quedado como nuevo!

No; usted tuvo que permitir que el mal siguiera su curso... Nosotros le advertimos... ¡Todavía veo al doctor Runkleman aquí, de pie, avisándole!

—¡Dos semanas! ¿Y cómo podía permitírmelo? ¿Qué podía hacer? ¿Cerrar? ¿Suspender los pagos? ¡Al otro no le importaba! ¡El no quería sino el dinero! Sólo esperaba un pretexto. ¡Hubiera vendido la tienda en el mismo minuto que yo la hubiese cerrado! ¡Dos semanas! ¡Dos semanas, señor..., ¡y todo lo que yo había puesto en el establecimiento, mi vida entera puede decirse...!

—Bien. Pero no llene de reproches a las personas que trataron de ayudarle. ¡Diablos! ¿Verdad que no esperaba que el doctor Runkleman o yo fuésemos a gobernar la tienda mientras usted estuviera en cama?

—Yo no me quejo de nadie. —El enfermo fijó la mirada en el suelo.

El doctor Snider se volvió hacia la antigua enfermera.

—Como tampoco te dijo nadie a ti que te marcharas. ¡Largarse de aquí diciéndole cuatro lindezas a todos los que trabajaban en este hospital y casarse con un hombre con una enfermedad incurable, muy orgullosa y descarada, como si ya tuvieras el pan y las chuletas para toda la vida...!

—Lo que usted se propone lograr es el empleo, ¿no? —apresúrose a decirle Lucas a la mujer.

—Mistress Glaimer, cuya faz se había puesto blanca como el papel y cuyos ojos centelleaban con una furia que estaba a punto de estallar, deglutió la saliva con fuerza, bajó la vista y consiguió articular con voz ronca:

—En efecto.

—¿Qué le parece, doctor Snider? —preguntó Lucas volviéndose hacia el director del hospital.

—Esto... y que traten a Oscar —añadió mistress Glaimer, con ojos tozudamente fijos en el suelo.

—Pues no lo sé —respondió el doctor Snider—. ¿Qué opina usted? Parece que aquí tenemos a un par de socialistas o de bolcheviques, ¿verdad? ¿No dan la impresión de que el mundo les debe algo, o cosa parecida? ¿No les gusta acusar a todo el mundo por lo que les hicieron? Acusar al doctor Runkleman por...

—Mala suerte. Creo que no podemos explicarle a la gente cómo ha de aceptar su fatalidad... ¿No me había dicho usted que necesitábamos otra enfermera?

—Necesitamos a una persona que esté dispuesta a trabajar, si usted lo quiere así. Personalmente...

—Perfectamente, pues. Con esto su problema queda resuelto, mistress Glaimer. Creo que le debe una explicación al doctor Snider por lo que dijo cuando se marchó de aquí.

—¡Bah, por mí no se apure! Las he visto venir, las he visto marcharse, pienso seguir aquí mucho tiempo después de que nos quedemos ya sin ninguna.

—Me..., me arrepiento de haberle dicho... lo que le dije... Le pido perdón...

—¡Reanuda tu trabajo y no pienses en otra cosa! En cuanto te vea perezosa, o refunfuñando, o apenas des el menor disgusto...

—¿Lo ha comprendido bien, mistress Glaimer?

La mujer movió la cabeza afirmativamente, sin levantar la vista.

—Lo comprendo —contestó con voz sofocada.

—En este caso, mañana por la mañana preséntese. —Lucas miró interrogativamente al doctor Snider—. ¿Le parece bien?

—Lo dejo en sus manos —respondió éste encogiéndose de hombros.

—Y ahora, en lo referente a míster Glaimer...

La mujer levantó los ojos. Ella y su marido clavaron la vista en el rostro del joven médico.

—¿Puede hacer algo? ¿Lo intentará?

—Veamos cómo sigue —contestó Lucas.

El doctor Snider se separó de la mesa diciendo:

—Bien, creo que ya no me necesita.

—Gracias, doctor —le dijo Lucas—. Muchas gracias.

—Gracias —murmuró mistress Glaimer. Y dirigió la vista hacia el anciano médico, pero la desvió casi al instante. El doctor Snider salió como si no la hubiese oído.

Ahora el cáncer se revelaba en toda su evidencia, las yemas de los dedos lo descubrían inmediatamente. La masa había crecido mucho. Y no había esperanza. Ninguna en absoluto. Con todos los conocimientos de la Medicina, sobre aquello se extendían las tinieblas: no había nada que decir, nada que hacer, no existía otro recurso que el de esperar.

Mientras Lucas se sentaba ante la mesa del despacho, marido y mujer se observaban expectantes. Espiaban todos sus movimientos, espiaban su cara, espiaban sus ojos, espiaban su boca.

—La cosa está muy adelantada —dijo por fin.

—¡Usted puede hacerlo! —gritó mistress Glaimer—. ¡Le conocemos, doctor Marsh! ¡Usted puede hacerlo!

Lucas no dijo nada. Pensaba que podían decirse muchas cosas. Podían decirse las palabras para los difuntos. Podía pronunciarse la frase que oyó una vez en labios de un médico de más edad: "Ustedes dos han vivido mucho tiempo juntos..., han compartido muchas cosas..., ahora tienen que compartir ésta... ¿Por qué no la comparten también?" Pero esta pareja no llevaba mucho tiempo junta. Lo que cada uno había sufrido, lo había sufrido aparte. Podían decirse muchas cosas, podía darles una cuidadosa explicación: "La masa de tejido es demasiado grande. Usted ha vivido bastante tiempo en un hospital para saber que hay casos que no pueden ser operados. Lamento tener que decírselo..., pero éste es uno de ellos...". Podían decirse tantas cosas...

Al final levantó los ojos.

—Lo siento...

—¡Usted puede hacer *algo!*

Era la mujer la que había gritado, ansiosa, suplicando. El hombre permanecía al margen, atento, casi tranquilo.

—No puede pedir imposibles, mistress Glaimer. La masa es ya demasiado grande...

—¡Le operará! ¿Querrá hacerlo? Nosotros queremos que le opere usted..., ¿verdad, Oscar? ¡No le pedimos sino que opere! ¡Nosotros le conocemos! ¡Opérelo!

—Sería inútil.

—¡Pero usted puede hacerlo! ¿Lo hará si se lo pedimos? ¿Si asumimos toda la responsabilidad? Puede ponerlo por escrito; puede decir que nos ha advertido repetidamente...

—Lo primero que hay que hacer —dijo Lucas, levantándose—, es poner a ese hombre en cama.

—Pero, ¿le operará? ¿Querrá intentarlo?

—Veremos —transigió Lucas contra su voluntad.

—¡Oh, sí le operará! ¡Le operará! —La mujer se apoderó de su mano y se la besó—. ¡Oscar! —gritó entonces, volviéndose hacia su marido—. ¡Oscar! ¡Te operará! ¡Te operará!

—A mí no me importa, doctor —dijo Glaimer, con ceñuda resolución.

—¡Ahora todo saldrá bien, Oscar!

—Lo mismo puede salir en un sentido que en otro.

—Dispénseme si dije algo, doctor... No quería ofenderle. ¡Perdóneme!

—No se preocupe, ahora —contestó Lucas—. Sencillamente, procure comportarse bien... No les prometo nada. Quiero que sepan una cosa, y desde este mismo momento: En realidad, no existen los milagros. Si yo le opero, será contra mi propio criterio... No tengo derecho a operarle..., acaso le queden todavía muchos meses de vida...

—Le comprendemos —dijo mistress Glaimer, humildemente.

—Habría sido lo mismo si le hubiese operado el doctor Runkleman —advirtióle Lucas.

—Sí, señor —contestó obediente la mujer.

—Usted es el médico —dijo Glaimer.

—No —replicó Lucas—. En este caso no soy el médico. Pero haré lo que pueda.

Y cuando la pareja se fue, aguardó un momento, esperó que estuvieran fuera del pasillo, y luego se dirigió a buen paso hacia la sala de operaciones.

—¿Se los ha quitado de encima— —preguntó, sin curiosidad el doctor Snider.

Lucas hizo un signo afirmativo.

—Quieren que le opere —confió con disgusto.

—Será un perfecto estúpido si lo hace —replicó prestamente Snider—. Cuando Runkleman no quiso hacerlo, pude apostar hasta el último dólar que Glaimer habría fallecido sobre la mesa. El viejo Dave nunca se equivocaba. Lo veía a una legua de distancia.

Lucas se indignó. Y, sin embargo, era verdad. Pero Snider lo consideraba como un mérito del difunto médico.

—Gracias por haberlo admitido otra vez.

—A mí tanto me daba lo uno como lo otro. He creído que usted lo deseaba.

—Supongo que me han inspirado lástima.

El doctor Snider refunfuñó:

—Esto es cosa suya... Esta mañana tiene una tonsilectomía. ¿Quiere que le ayude?

—Si no le sabe mal...

Porque no había nadie más para ayudarle. Porque desde entonces en adelante, cuando se necesitara otro médico, éste tendría que ser el doctor Snider. Poco importaba el resultado, tendría que ser Snider. No había otro.

El paciente fue trasladado al quirófano. Empezó la anestesia. No hubo diferencia; como la primera vez, el doctor Snider puso de golpe la mascarilla sobre la cara del muchacho y dejó que el éter se precipitara hacia la gasa.

—Un poco más despacio, doctor —estalló por fin Lucas.

—¿Quiere hacerlo usted?

—No, no. Está muy bien. Sólo que a mí me gusta un poco más despacio...

El doctor Snider se encogió de hombros, pero atendiendo al ruego, hizo que el éter cayera más despacio.

—¡Vaya tipo estúpido e ignorante! ¡Vaya imbécil! ¡Vaya animal con su eterna sonrisa! ¿Cómo era posible que supiera tan poco? ¿Cómo era posible que hubiera olvidado tantas cosas? ¡No seguir al día! ¡O intentarlo, por lo menos! ¿Aquello, *aquello* era un médico?

—Gracias, doctor —dijo Lucas con voz sosegada, callándose los anteriores pensamientos.

"¿Me habrá oído? ¿Se habrá fijado que le digo "doctor"? ¿Si continúo por ese camino, conseguiré algo? ¿Acaso su vanidad le empuje un poco a...?".

—Siempre agradezco el conocer el criterio de otros —contestó el doctor Snider, imperturbable.

Cuando el paciente estaba medio anestesiado, el aparato de sujeción falló. Una de las enfermeras se entretuvo inútilmente en arreglarlo.

—¡Déjalo ya! —gritó el doctor Snider al fin—. ¡Tráeme otra cosa!

—¿Qué debo traerle?

—¡Maldita sea, no te quedes aquí! ¡Tráeme algo! —Entonces se volvió hacia Lucas—. No se moleste tratando de recomponerlo. La arandela estará rota, seguramente. ¡Este maldito aparato siempre tiene algo estropeado!

—¿No podrían adquirir uno nuevo? —preguntó Lucas, sintiendo nacer una esperanza.

—¿Uno nuevo? ¿Quiere decir que lo pidiéramos al Consejo de Administración?

—El caso es que lo necesitamos. Si se lo dijéramos...

—¿Que lo necesitamos? ¡Buen Dios! ¡Y qué tiene que ver que lo necesitemos? Esto cuesta dinero, ¿verdad? Allá está el laboratorio,

¿no es cierto? Lo montaron al construir el edificio. Era un laboratorio completo. Había de todo, pero microscopio no. Alguien les dijo que los médicos siempre tienen microscopios. Lo adquirieron todo menos el microscopio, la centrifugadora y el incubador. Adquirieron una caja de portaobjetos, ocho colorantes, y... un laboratorio. Hace tiempo que se lo dije. ¡Mire, ahí la tiene! ¡Ya está! ¿Qué diablos haría usted? Ya viene la enfermera...

Aquella tarde, en el consultorio, el tercer paciente fue Cosgrove.

—Quiero algo para dormir —dijo bruscamente.

—¿Qué es lo que le parece funciona mal?

—Si lo mira lo encontrará. Yo no quiero molestias. No quiero sino unas tabletas que me hagan dormir.

Lucas empezó a examinar la lista de pacientes.

—¿Qué busca?

—Trato de reconocerle. Quiero ver si puede tomar un somnífero.

—No se moleste. No me encontrará aquí. Yo no "voy al médico" como dicen por estas latitudes. Cuando necesito algo lo compro en la droguería. Pero no puedo conseguir píldoras para dormirme. No me las dan sin receta.

—¿A qué se debe tanta hostilidad? —preguntó afablemente Lucas, aunque en su interior sentía una indiferencia absoluta. Luego se acercó a Cosgrove—: Quítese la chaqueta un momento.

—Se debe sólo a mi buen natural, a mi manera de ser con respecto al mundo, tal como está ahora.

—Usted es bastante inteligente para comprender que acaso sufra alguna anomalía que un somnífero podría agravar; puede existir alguna contraindicación respecto a determinado medicamento, que haga conveniente otro.

—Siga auscultando —dijo resignadamente Cosgrove.

Lucas movió el estetoscopio hábil y rápidamente por el pecho del abogado. Luego, retrocedió un paso.

—Muy bien —dijo—. ¿Qué clase de medicina le recetaba el doctor Runkleman?

—Jamás pude entender los garabatos que trazaba. No quería que la gente se enterase. Todo forma parte de la jerga sagrada, ¿eh?

—Quizá —admitió Lucas—. A los pacientes no siempre les conviene saber lo que toman.

—Sus cuerpos son de ellos, ¿no?

—En efecto. Pero la responsabilidad es nuestra.

—¿Cree que es justo avasallar sus mentes? ¿Acrecentar el afán de los pobres mentecatos por la magia?

—Cosgrove, unos meses atrás me hubiera enojado, hubiese discutido con usted. Habría tratado de rebatirle. Sé que tiene una especie de manía. Sé que cuando me ve a mí es como si viera un paño rojo. Me gustaría saber lo que pasa por su mente. ¿Se trata de mí únicamente? ¿O se dirige contra los médicos en general?

—Olvídelo.

—Me gustaría saberlo.

—También a Harriet Lang. El otro día me hablaba de usted, y me preguntó lo mismo. Lucas se estremeció. —Ustedes son las personas dotadas de cerebro, que caminan por un paraíso de tontos. Son las personas que el mundo necesita; sencillamente, tan tontos y tan ciegos como el que más. ¡Claro que arremeto contra usted! Usted es inteligente. Usted tiene un punto flaco; su Dios es la Medicina.

—¿Crees que me necesitarás mañana? —preguntó Kristina aquella noche.

—Probablemente. Pero, ¿por qué te interesa saberlo?

—Se me había ocurrido limpiar la casa ahora.

—¿No puedes tenerla en orden a la hora de ayudarme?

—No lo sé —contestó Kristina, vagamente.

Lucas la miró incrédulo.

—¿Qué significa eso de que no lo sabes? ¡Sabes que tengo que soportar la presencia de Snider! ¿Qué te parece que ocupa el primer lugar: la casa o el ejercicio de la Medicina?

La mujer movió la cabeza afirmativamente, pero con aire pensativo.

—¡Mil diablos, Kris! ¿Tan mentecata puedes llegar a ser? ¿No se te ocurre que me harto de majaderías el día entero para sufrirlas otra vez en casa?

—Sólo estaba pensando en que quizá algún día podamos buscar una sirvienta.

—Bueno, ¡toma una sirvienta, pues! Si esto es lo que pensabas ya en el primer momento, ¿por qué demonios no...?

—No sabía si podías permitirte el gasto que significa. No sabía si el consultorio te rinde el dinero suficiente.

—¡Tú has hablado con miss Snow!

—Luke, yo... yo... se ha dado la casualidad...

—¡Tú has hablado con miss Snow! Maldita seas, Kris. ¡No quiero verte entrometida, murmurando y averiguando por el consultorio! ¿Cómo te atreves a meter tu estúpida nariz en lo que no te importa para nada?

—¡Luke! ¡Te equivocas! ¡No le eches la culpa a miss Snow! Sólo estuvimos hablando por casualidad.

Lucas la interrumpió, remedando al mismo tiempo su acento sueco.

—"Sólo" estabais hablando por casualidad, y "sólo" por casualidad te has enterado de que me estoy quitando de encima a los pacientes por los cuales no puedo hacer nada y a los que no pagan nunca, y tú "sólo" has pensado que podías poner en actividad tus preciosas facultades de sueca "sólo" para ver cuánto dinero podías conseguir que siguiera entrando. ¡Y hasta aquí ha llegado tu interés por la Medicina desde el día en que me casé contigo!

—Estás cansado. Hablemos de otra cosa.

—Es cierto, ¿verdad?

—Yo no pensaba sino en la familia. Una mujer ha de pensar en la familia. Es un derecho que le corresponde.

—¿En qué familia?

—En ti y en mí - apresuróse a decir ella—. No hay más. Pero algún día...

—Kristina, voy a decirte una cosa, y voy a decírtela por última vez: ¡No habrá ninguna familia! ¿Comprendes? ¿Lograrás metértelo dentro de esa dura cabeza?

La mujer bajó los ojos en un súbito acceso de pánico.

—Está bien, Luke.

— ¡Y no te trates con miss Snow!

—Fue sólo una conversación casual, Luke. Ella mencionó por casualidad lo difíciles que se ponían los tiempos y...

—Y de súbito os encontrásteis por casualidad hablando de los pacientes que yo estaba echando a derecha e izquierda.

—Es cierto —dijo ella, humildemente.

—Bien, cuídate de tus propios asuntos.

—Eres extraordinariamente listo, Luke. Ves hasta mis pensamientos. Pero no te enfades. Sé que tienes razón... Sólo que no lo comprendo.

—Todo lo que tú entiendes es que cada vez que elimino un paciente tiro un dinero precioso.

—Sí —concedió la mujer, en tono humilde.

— ¡No puedo cuidarlos a todos, Kris! ¿No eres capaz de comprenderlo? ¿No sabes que hasta el doctor Runkleman tuvo que solicitar un ayudante? ¿Te has parado a pensar alguna vez en que una cantidad de trabajo tan excesiva pudo precipitar su muerte?

—Se me ocurrió que podías buscarte un ayudante.

—No quiero ninguno. Quiero llevar esto yo solo. Tú no pensabas en mí ni por casualidad, ¿no es cierto? ¡Tú solo pensabas en el dinero!

Kristina se sonrojó.

Tú no piensas nunca en estas cosas, Luke. Alguien ha de acordarse, sin embargo. Este es el papel de la esposa...

Lucas notó que en su pecho aumentaba el frío desdén que le inspiraba su esposa, a la que dirigió una mirada desabrida, examinando su cara con fatiga y desengañada de curiosidad. Aquel rostro perdió de pronto su expresión familiar y Lucas vio sus rasgos con toda pureza. Cada rasgo se le revelaba bien distinto, perfectamente conocido, y, sin embargo, extraño. Veía tan claramente ahora aquellos rasgos fisonómicos como los había visto el día que, cerrando los ojos se casó con Kristina.

Y movió la cabeza lentamente en una estéril protesta. La cara que tenía ante sus ojos persistía. Lucas la miraba fijamente, fascinado. Aquella mujer era una extraña. No tenía parte alguna en su vida; sólo existía un simple contacto. No poseía la menor idea sobre la Medicina, no conocía en absoluto su vida interior, ni sus sueños, ni sus pensamiento. Y jamás los había conocido. Jamás los conocería. Lucas la miraba, esperando contra toda esperanza.

—Explícamelo nada más —le dijo ella cariñosamente—. Si probaras de explicármelo alguna vez... Tú sabes más que yo... pruébalo solamente...

—¿Sabes lo que es un ser orgánicamente débil? —empezó él, de mala gana. Kristina movió la cabeza en sentido negativo—. Tú sabes que todo el mundo está formado de células, de tejidos, de líquido. Pues bien... —Lucas hizo una pausa. Kristina movió la cabeza de nuevo, desalentada—. Piensa sencillamente en una tela. En la ropa para un vestido. No existe ninguna tela perfecta. Pero existen géneros buenos y malos, y también otros intermedios. Pero algunos géneros son de desperdicio. Parecen iguales que los otros, pero son verdaderos desperdicios. Los seres humanos están hechos de estos diversos géneros: buenos, medianos y de desperdicio. Una persona de organismo débil es aquélla que está hecha de géneros de desperdicio. Acuden a tu consultorio y se quejan indiferentemente o en tono de acusación de que se sienten débiles y fatigadas, de que siempre les duele algo, de que sufren mucho, pero de nada definido; sencillamente, les duele aquí, les duele allá, unos días en esta parte, otros en la otra; nunca están bien, nunca están contentas, siempre se encuentran enfermizas.

Lucas la miró para observar el efecto de su explicación.

—¿Lo comprendes? —le preguntó al cabo de un momento.

—Quizá lo tengan en la mente.

—No en la mente. En el cuerpo. Son, biológicamente, inferiores. Y ninguna cirugía, ningún tratamiento de la clase que sea, puede mejorar su condición. No pueden soportar los esfuerzos, las tensiones de la vida normal. Tienen los tejidos pobres. Lo único que se les podría recetar sería que volvieran a nacer o que se proveyeran de mejores resistencias.

—¿No se puede hacer nada?

—Yo no quiero aprovecharme de su dinero. Hay centenares de personas enfermas que tratar, por las cuales puede hacerse algo de verdad.

—Pero aquéllas también están enfermas. Si son incurables necesitan al médico más que las otras.

—Yo no soy un médico hechicero, Kristina.

—Pero si les reconforta, y están dispuestas a pagarlo...

—Hay bastantes médicos que las acogerán —replicó el joven con amargura—. Muchísimos, al parecer.

—Pero el doctor Runkleman...

—No creo que el doctor Runkleman tuviera tiempo jamás para hacer un diagnóstico fundado. Me figuro que actuaba lo mejor que sabía dentro del tiempo que podía dedicarles, tratando de un síntoma aquí, un síntoma allá, suministrándoles píldoras como quien llena de bombones la boca de un niño para que se esté quieto. Yo no puedo obrar así.

—Si con ello las tranquilizaba, sin con lo que unos pagan se puede atender por caridad a los que lo necesitan...

—No existe tal caridad —replicó Lucas, cansado—. Sólo existe la Medicina. Una sola Medicina. —Y se volvió de espaldas—. Nunca lo comprenderás. Tanto darías que hablase con una lavandera, una dependiente o una mujer de Senegambia. No está en ti. Tú comprendes el dinero. La Medicina no es dinero.

—¡Lo sé, Lucas! ¡Sé cómo piensas! ¡Y quiero que pienses así! Pero uno ha de ganar dinero..., un poco por lo menos... lo suficiente para...

—¿Para qué?

—Para ser... para ser feliz...

Lucas la miró con disgusto, con desprecio.

—¡Para comprar las cosas que necesites! ¡Para hacer lo que quieras! —insistió Kristina.

—Tengo lo que necesito. Y hago lo que quería hacer. Si lo que importa es el dinero, tienes todo el que necesitas, ¿Quieres más? ¿Todavía no he saldado la deuda?

—¡Oh, Luke, por favor! ¡No digas estas cosas! Sólo trataba de ayudarte, pero todo me sale mal y tú no lo comprendes.

—He intentado darte una explicación. Y no consigo proporcionarte ni una idea aproximada de lo que significa en realidad la Medicina. He tratado de demostrarte una cosa sencilla: por qué me quito de encima a los que no necesitan médicos. En la actualidad no hay médicos bastantes. Si fueras Cosgrove, me dirías que los Zares de la Medicina cuidan de que el número sea siempre reducido porque un suministro adecuado amenazaría con desencadenar una guerra de precios, la prestación de servicios innecesarios y una carrera de esquiroles de la profesión a la caza del dólar. "Garanticemos solamente un bocado de diez mil dólares anuales —diría Cosgrove—, y la mayoría seguirían en la formación". Y por esto tenemos un contingente señalado. Por esto, es un país libre, un hombre no tiene la libertad de hacerse médico, aunque nos falten todavía muchos...

Lucas se interrumpió un momento. La expresión sardónica había desaparecido de su rostro, sustituida por otra de profunda preocupación.

—Quizá tenga razón —dijo después, inseguro.

—Tú no me escuchas. Todo lo que quería decirte era que lo hicieses de un modo gradual.

—Quizá los poderes que gobiernan nuestra profesión sepan mejor lo que conviene. Acaso sea un proceder despiadado, pero el único posible. Ellos conocen a sus vasallos, y no se hacen ilusiones. Si uno quiere que un hombre conserve la dignidad propia de un médico, si hay que tenerle sujeto por una cosa tan endeble, tan noble y tan ajena a los hombres como un código ético, ha de tenerle también bien alimentada. Porque en cuanto se desencadena la competencia, se levantan los simios, aullando, y arañan el suelo de las selvas. A la caza de las piezas mayores. Los simios-médicos igual que los de cualquier otra especie.

El joven se había quedado inmóvil. Pasó unos instantes profundamente asqueado, meditando. Luego se volvió de cara a su esposa. Cuando habló de nuevo, lo hizo en tono glacial.

—Si querías dinero, Kristina, pensabas bien casándote con un médico. Pero en tal caso tenías que escoger a un aventurero como Binyon o Blake.

—¡Luke!

—Es lo que tenías que hacer —suspiró él—. No hubo suerte, Kristina.

—¡En toda tu vida no habías pronunciado estas palabras! ¿Tú hablando mal de los médicos?

—Quizá es hora de que abra los ojos —contestó Lucas fatigado. Y miró a su esposa con algo peor que el resentimiento, con indiferencia—. Por la mañana te necesitaré —le dijo—. Tenemos un riñón y dos hernias. —Y se fue al dormitorio.

—Yo sólo decía... —continuó ella, suplicante.

—No importa, no importa, Kris... Lo comprendo... Vámonos a la cama.

Lucas se quedó dormido casi instantáneamente.

Kristina permaneció despierta, mirando al techo, desorientada y arrepentida, pasando y repasando lo que había dicho, lo que Lucas le había replicado, las nuevas estupideces cometidas. Y al verle dormir profundamente, exhausto, sintió de súbito el remordimiento de la culpa, y se disgustó consigo misma, enojada por todo lo que había hecho.

"Mañana —prometíase a sí misma— no tendrá que mover ni un dedo. ¡Mañana le ayudaré como no habrá visto en toda su vida! ¡Le recompensaré de este rato! Aquel día me miraba... me miraba como...".

Y se quedó dormida. Dormía sonriendo, soñando en la mirada que le dirigía Lucas en el quirófano... aquel día que la amó con pasión tormentosa..., soñando en que lo que ella poseía era de los dos... y estaba a buen recaudo...

Al día siguiente, el trabajo de Kristina brilló por su perfección. Pero cuando hubieron terminado, él hizo un simple gesto de conformidad, le dio las gracias con aire indiferente y fue a cambiarse y a pasar la visita.

"Mañana lo haré mejor —se dijo la mujer, resueltamente—. Con alguna práctica, puedo hacerlo mucho mejor. ¡Muchísimo!"

Cuando Lucas llegó al Valley Hospital, le aguardaban dos llamadas. El joven cogió el teléfono.

—¡No le esperaba todavía! —exclamó miss Snow—. ¿Cómo ha llegado tan pronto? Creía que tenía dos hernias y...

—En efecto.

—¡Adquiere mayor rapidez que el mismo doctor Runkleman! Espere un minuto... Bien. Han llamado dos pacientes. El primero era un niño que se había tragado una cuchara. Han vuelto a llamar hace unos momentos para advertir que habían encontrado ya la cuchara... Para el segundo acaban de telefonear. Se trata de un chiquillo del campo (de la granja de Orcutt) que se ha caído de un manzano. Parece que se ha roto el brazo. Por el modo de hablar de su madre, uno creería que está hecho papilla.

—Muy bien —contestó el médico. Luego miró al reloj y vio que le quedaba mucho tiempo—. ¿Nada más?

—Nada más... ¡Espere! Ha llamado una tal miss Lang.

—Ah, sí!

—Ha dicho que no había nada de particular; que llamaba sólo para saludarle.

274

—Gracias —contestó malhumorado. Su corazón latía con fuerza. Sentía un hormigueo en las muñecas. Después de colgar estuvo indeciso sólo un momento. Luego, llamó él.

Oyó que sonaba el timbre.

Después, oyó su voz.

—¿Estás ocupada? —preguntó por fin.

—¿Si estoy ocupada? —repitió Harriet—; ¿Quién habla?

—Me han dicho que habías llamado.

—¡Ah! Eres tú, ¿verdad? ¿Por fin?

—¿Te gustaría ver una granja?

—¿Hoy? ¿Ahora?

—He de salir a una visita y he pensado que quizá te gustaría ver a un médico rural en acción.

—¿Ahora mismo? ¿En este instante?

—Se me ocurre que quizá te encuentre en un mal momento. He pensado que podríamos comprar unos *sandwiches* y comérnoslos por el camino.

—¡Aguarda! —suplicó ella—. ¡Aguarda un minuto!

Lucas oyó confusamente que hablaba con otra persona del despacho. Durante aquella espera, el médico respiraba con dificultad.

—¡Está bien! —contestó Harriet—. ¡Para delante de la puerta principal! ¡Te estaré esperando!

Lucas no recordaba qué clase de *sandwiches* había pedido. Apenas recordaba si los pidió. Recordaba que estuvo aguardando y que la espera parecía interminable.

Cuando paró el coche, Harriet venía en dirección a la puerta principal. La joven subió a su lado. El automóvil se los llevó veloz.

Corrían en silencio.

—¿Qué te ha pasado? —preguntó ella, por fin.

—He tenido mis preocupaciones —eludió él.

—¡Lo sé, lo sé! —Harriet apoyó cariñosamente la mano sobre su antebrazo—. Pero creí que llamarías... Luego le hizo soltar una mano del volante—. Déjame cogértela o di algo, "hola", si quieres, lo que te plazca. —E hizo descansar la mano de Lucas sobre su regazo y la retuvo allí—. ¡Yo espera que te espera!... ¿A dónde vamos?

—A comernos los *sandwiches* en cualquier sitio. —Los ojos del médico examinaro el paisaje.

—¿Tienes hambre?

—No mucha.

—Bien, en ese caso busca un lugar apropiado.

—Al otro lado de ese monte primero —dijo Lucas. Poco después estaban sobre el montículo, saltando por entre los obstáculos del impreciso camino. La carretera desapareció a su espalda; se encontraban escondidos entre los abetos.

—¿Pero a dónde vamos?

El coche dio otro salto y quedó inmóvil.

—Es un viejo sendero de arrastre —explicó Lucas, rodeándola con el brazo.

El olor ya conocido de la piel de la joven, el contacto de su breve cuerpo, el perfume de su cabello le inundaba por entero. Al cabo de un rato, Harriet quiso moverse, pero Lucas la retuvo con fuerza; la muchacha siguió recostada en sus brazos unos momentos más. Luego se revolvió y esta vez sus labios quedaron libres.

—Vamos, mírame —susurró—. Eres perverso..., perverso...

Las manos femeninas subieron lentamente hasta los hombros de Lucas, percibiendo el contacto del áspero tejido; después ascendieron hacia el refugio suave de su cuello y luego exploraron su mejilla, su piel, recreándose en la sensación del masculino contacto.

Lucas la abrazó de nuevo. Estaba cegado.

Poco después, Harriet se separó de él, revolviéndose con tremendo esfuerzo.

—¡Luke! —exclamó jadeando porque él intentaba cogerla otra vez y la joven desconfiaba de sí misma—. ¡Luke! —Y le golpeaba el hombro con todas sus fuerzas.

—¿Qué quieres? Te escucho —dijo él, trabajosamente. Y se sentó con los ojos llameantes de cólera.

—No, de este modo no. ¡Luke! ¡Tu paciente! ¿No te acuerdas? ¡Tu paciente!

El médico dirigió la vista a su muñeca automáticamente.

—Eres un chico malo —reprendióle Harriet.

El coche retrocedió, bamboleándose por el abandonado camino. Volvían a estar en la carretera. Harriet se alisaba la falda.

—¿Estás seguro de que sabes a dónde vamos?

—No tardaremos. —Lucas la miró y aceleró la marcha—. Un niño ha caído de un árbol y se ha roto el brazo.

—Ya sabes que tengo que volver.

—No tardaremos.

—Yo he de volver a mi trabajo. Pero, además, tú eres un monstruo.

—Sabes muy bien que en cierto modo tú lo eres también. —El médico hizo la afirmación desapasionadamente.

—Lo sé —susurró ella—. Pero a ti te encanta, ¿verdad? —Harriet pasó la mano lenta, avariciosamente, por la pierna de Lucas, luego apretó los labios y le dio un fuerte pellizco.

—¡Ay! —gritó él.

—¡Ah, y esto no llega a la mitad del daño que tú deseabas causarme!

El joven asomó la cabeza por la ventanilla.

—Hemos de contar los buzones para la correspondencia.

Poco después doblaban hacia el largo camino que llevaba a la granja.

—Puedes decirles que te disponías a llevarme al taller cuando te avisaron y que yo te he pedido si podía compañarte.

—Y tú me ayudarás. Me darás lo que necesite.

El automóvil se detuvo delante de la vivienda. Lucas bajó, cogió el maletín, y en el mismo instante, su rostro adquirió la expresión habitual.

La dueña de la casa les introdujo sin pérdida de tiempo en el cuarto. Un muchacho de diez años, con la cara mojada por las lágrimas, se retorcía de dolor en el lecho.

—¿Qué tenemos aquí? —preguntó Lucas, sonriendo. E inclinándose sobre el chiquillo, empezó inmediatamente la tarea. Sus dedos tentaban las zonas afectadas. El niño chilló e intentó escapar.

Lucas enderezó la espalda.

—Las costillas están todas bien —dijo—. Un poco magulladas, como cuando se dobla un palo verde.

—¿Aplastadas? ¡Le había dicho mil veces que no se acercara al manzano aquel! Pero él ha tenido que subir. Ha caído como una piedra.

—Se trata de una fractura incompleta —explicó el médico—. No le pasará nada. Le pondremos una ligera coraza y...

—¡Lo raro es que no se haya matado! —La mujer movió la cabeza, disgustada—. Y mi marido está en Annivale.

Terminado el vendaje, acomodado el niño en la cama, y después de sacar unas píldoras verdes de un frasco, cerrar el maletín y dar las instrucciones pertinentes, Lucas estiró los brazos y sonrió a la campesina.

—¿Quieren sentarse un rato? ¿Tomarán una taza de café? Ya casi es hora de comer...

—¡No, caramba! Gracias, mistress Orcutt.

—No podemos ofrecerles cosas delicadas... —La señora observaba a la joven con aire indeciso.

—No, no. Le diré lo que hay. Estaba a punto de llevar a miss Lang, que se encontraba en el hospital, a su casa, cuando me han avisado que ustedes me llamaban y le he preguntado si le gustaría acompañarme. De modo que hemos subido al coche, hemos cogido un par de *sandwiches* y...

—Nos preguntábamos si tendrían inconveniente en dejarnos dar un vistazo por sus dominios.

—Miss Lang no ha visto nunca una granja.

—¡No faltaría más! ¡Miren cuanto quieran!

—Y mientras andamos podremos comernos los *sandwiches*.

—Vayan sin temor. Recorran todo lo que se les antoje. Allá en el establo tenemos unas ternerillas recién nacidas. —La mujer señalaba en dirección a un ancho tejado semiescondido por una colina a cierta distancia detrás de la casa.

—Iremos con el coche —dijo Lucas—. Usted cuide al niño.

—¿Puedo darle de comer?

—Dele todo lo que quiera.

—¡Y yo a mitad de cocer el pan! No sé qué dirá su padre. Les aseguro que basta que una vuelva la espalda un minuto para que...

—Quedará perfectamente bien —la interrumpió Lucas, en tono animado—. Este atardecer tráigalo al consultorio y le haremos una radiografía.

El coche avanzaba lentamente. La puerta de la casa se cerró. Un polluelo atravesó el camino. Poco después se encontraron al otro lado de la colina. La vivienda había desaparecido de la vista. Ante ellos se levantaba una cuadra. Por un ventanal asomaba la paja amarilla. En un lado de la cuadra había un cercado de maderos, desde cuyo interior les miraba nerviosamente una yegua joven.

—¡Bien, devoremos nuestro tentempié! —dijo Lucas, cogiendo a Harriet por el brazo.

—¿A dónde vas?

—Podemos comer dentro del cobertizo —dijo él, en tono inocente—. ¡Nos sentaremos en la paja y comeremos! ¡Será una verdadera merienda campestre!

—¡Oye! —Harriet miraba con aprensión a su alrededor—. ¡Llegará alguien!

—¡Ven acá! —Y la atrajo hacia sí, sintiendo ahora, frente a frente, el contacto de su cuerpo.

—¡Espera! —exclamó Harriet, que estaba recorriendo la colina con la vista. Y mientras él volvía la cabeza para mirar, ella se le escapó de las manos.

—Ven —suplicó Lucas.

—Sube aquí un minuto —replicó ella, trepando por el cercado y sentándose sobre el larguero superior. Lucas trepó a su lado de mala gana.

—Ahora no estás en peligro de hacer diabluras —le dijo ella muy relamida.

—Tú lo crees así ¿verdad? —E intentó cogerla.

—¡Cuidado! ¡Aguarda! ¿Qué es eso?

Lucas miró en la misma dirección que miraba Harriet.

—¿A qué te refieres?

—A ese ruido... ¿Oyes? ¡Es como un ruido de tambor!

De la cuadra llegó el imperioso relincho de un caballo. La yegua bajó la cabeza, la levantó nuevamente y empezó a trotar sin objetivo. De súbito respondió, relinchando a su vez.

—Es un caballo, un garañón que relincha. Está derribando la cuadra a coces. Quiere salir.

—¿Puede salir? Quizá sea mejor que bajemos.

Lucas miraba la yegua con mayor atención.

—¡Caramba, está en celo! —Y sonrió, volviéndose hacia la joven—. ¡He aquí la causa de todo este alboroto!

—¿Verdad que el caballo no puede salir?

Lucas fijó los ojos en la puerta lateral, sólidamente cerrada, y se volvió hacia la joven con aire tranquilizador.

—No, no puede salir. Harriet no apartaba la vista de la puerta. El redoble de los cascos del semental iba en crescendo—. Ven. Despacharemos los *sandwiches*.

Lucas rodeó a la joven con el abrazo. Ante ellos, la yegua daba vueltas encabritada, con ojos llameantes y relinchaba de nuevo. Lucas notó que el cuerpo de Harriet se envaraba. Dentro de las cuadras se levantó nuevamente el clamoreo del garañón.

Harriet se volvió hacia él, hipnotizada, y se humedeció los labios.

—Lucas —susurró—. Yo nunca he visto...

Lucas saltó de la valla, corrió hacia la puerta lateral y quitó la barra que la cerraba. La puerta se abrió lentamente. El joven regresó veloz para sentarse de nuevo al lado de Harriet. Por un instante, el cercado permaneció en calma. La yegua estaba inmóvil, con el cuello arqueado, escuchando, venteando. Luego movió las patas nerviosamente. De súbito, la cabeza y los anchos hombros de un enorme garañón llenaron el espacio de la puerta. Después el umbral quedó despejado. El garañón galopaba hacia la yegua. Esta se encabritó, lanzó un agudo relincho y golpeó el lomo del macho con las patas delanteras. El garañón se encabritó a su vez, le devolvió el mazazo y arremetió contra ella, tratando de morderle el cuello.

Lucas miró furtivamente a Harriet. La joven estaba hipnotizada; tenía la cara pálida.

La yegua intentó escapar. No había escapatoria. El garañón le hundía nuevamente los dientes en el cuello. La hembra temblaba.

Al instante, el caballo, se levantó sobre las patas traseras...

—¡Oh! ¡Oh! ¡La matará —Harriet se refugió en Lucas. A cada movimiento del caballo, ella exhalaba un leve gemido.

Lucas bajó de la cerca, la cogió en brazos y se la llevó hacia el cobertizo. Harriet luchó para liberarse, lo consiguió un momento, pero él volvió a sujetarla. Al llegar a la puerta, se repitió el forcejeo.

En un ángulo del cobertizo había un gran montón de heno.

—¡Luke! ¡Por el amor de Dios!

Harriet le golpeaba furiosa.

Después se quedó inmóvil.

—Tenemos que irnos —dijo más tarde. Suspiraba. Se acurrucaba contra él—. Notarán que no estamos.

—Me lo figuro. —Lucas no se movió—. No sabía...

—¿Qué te imaginabas? ¿Por qué creías que me resistía tanto?

—No lo sabía...

—Tengo que marcharme de ese rincón miserable —exclamó Harriet de pronto, sentándose y abrazándose las rodillas.

—No resulta todo demasiado fácil para mí, ya lo comprendes. —Así diciendo, Lucas se sentó.

—¿Tú? Tú tienes tu trabajo, te dedicas a la profesión que te gusta, has conseguido un nidito precioso...

—Espera un minuto.

—En una preciosa ciudad.

—¿Qué ocurre con tu trabajo? Tú también haces lo que deseabas, ¿verdad?

Harriet le miró un momento con aire de mofa.

—¿Este es el gran concepto que tienes de mí? ¿Crees que en esta población me encuentro en mi ambiente? ¿Supones que he de estar a gusto en una población rural, en una miserable cacharrería, mientras las cosas que anhelaba realizar quedan fuera de mi alcance? ¡Yo pasé cuatro años en la Escuela de Arte! —exclamó Harriet, súbitamente—. Era una muchacha brillante, la primera de mi clase. Hombres de talla, cuyos nombres tú no conoces, elogiaban mi trabajo.

—Dicen que has hecho maravillas en la alfarería...

—¡La alfarería! ¿Sabes qué hacía cuando tú has llamado? Estaba...,
me da vergüenza decírtelo... —La joven se quedó un momento en silencio—. ¡Estaba decorando ceniceros! —gritó—. Ceniceros baratos.
Para gente barata. Además, aquello se ha concluido ahora. O está a
punto de terminar. Están decididos a permitirme que me marche.
Ahora, tanto si me gusta como si no, tengo que volver a la capital; me
iré a Nueva York, tendré otra oportunidad para triunfar, o por lo menos, seguiré mi estrella. No la abandonaré jamás. Podré morir de hambre, ¡pero no la abandonaré!

—Yo no lo sabía —dijo Lucas, por fin, trastornado.

—Claro que no lo sabías. ¿Cómo habías de saberlo?

Estuvieron un rato callados.

—No somos muy diferentes el uno del otro —dijo él, por fin.

Harriet asintió con un movimiento de cabeza.

—Para ti es una pequeña ciudad, donde haces pobres ceniceros...
—continuó él, con acento tranquilo—. Pero tienes tu alfarería, tus proyectos, tu arte. Y eso no ha sido manchado, sigue intacto... Runkleman —prosiguió sin vacilar, y su propia voz llegaba a sus oídos como
viniendo de la distancia— era un hombre excelente. Runkleman era un
médico de quien podían aprenderse muchas lecciones, pero vendía
Medicina al por mayor, cobraba lo que podía y procuraba alejarse de
la muerte. Jamás quiso exponerse a un fracaso... Y era médico. ¡Ah,
sí! A su lado estaba Snider... No sé a cuántos habrá matado éste; no
conozco otro más ignorante, más despreciable, y por añadidura, que
ha metido mano en el dinero del Condado... Y está Kauffman, que
antes que todo es judío y después es médico, porque mis hermanos en
la Medicina lo han querido así. Y ahí le tienes, acorralado, empujando
los días. Están Binyon y Blake, los grandes almacenes de la Medicina,
la gente de "nuestra especialidad es servir al cliente", de los aparatos de última moda y "deje usted que le descarguemos de esa cantidad"... Está Gordon, en Lepton, que posee un remedio secreto y no
quiere revelarlo... Y está el doctor Castle, que lo observa todo, aunque
tanto se le da y se prepara para marcharse... El mejor de todo el grupo. Y me da miedo aproximarme más. Me da miedo conocer demasiado de cerca su obra... Me asusta pensar en otros médicos. Me asusta
pensar en los hombres con los cuales estuve en la Universidad. Esta es
mi Medicina... Uno por uno, una ilusión tras otra... Este es mi mundo,
el único que quiero... Y que ha venido a parar en eso...

Ambos estuvieron callados largo rato.

—Podríamos seguir nuestro camino juntos perfectamente —dijo
Harriet, muy despacio.

—Empezar de nuevo —suspiró Lucas.

—Me siento sola —dijo ella, de pronto—. Me he sentido sola toda la
vida. —Lucas movió la cabeza afirmativamente—. ¿Cómo llegué aquí?
¡Debo salir de esta ratonera! —gritó Harriet. Y empezó a pegarse pu-
ñetazos en las rodillas—. ¡Tengo que marcharme de aquí!

—Empezar de nuevo —repitió él.

Los dos jóvenes se miraron.

—¡Pronto! —gritó ella con energía.

Después se levantaron, se quitaron recíprocamente el polvo y las briznas de heno de los trajes y regresaron silenciosamente a la ciudad.

Era todavía muy temprano.

Era tarde.

Pero era todavía muy temprano.

La ciudad estaba igual que antes.

CAPÍTULO XXXVII

La comunidad que había sido antes una plácida colonia de seres humanos que sobrevivía sin muchos tropiezos, pacíficamente, ahora se despertaba cada día con la duda de si podría sobrevivir y viendo que sus propios valores, sus normas, sus creencias y su fe estaban huérfanos de contenido o eran paradojas risibles, o falsedades. No había norma ni consejo a qué atenerse; el libro de la vida se había quedado limpio de todos ellos y lleno en su lugar de asombro, de calamidades, de pánico y de desesperación.

No existía ninguna esperanza verdadera; la confianza cedía el puesto al afán por existir, por pasar otro día; la caída de un convecino era al mismo tiempo un zarpazo de terror y un triste consuelo; el consuelo de que el mal afectase a tantos, y la furtiva esperanza de que la normalidad del número de los afectados quizá aplacara el desastre. La dignidad y el orgullo, esos dos lujos de los que no sufren ni son víctimas del miedo, cayeron primero y al cabo de un mes fueron olvidados. Lo irreal y lo increíble se convirtieron en cosas corrientes. El hambre y la necesidad, los dos obstáculos sociales que de vez en cuando se ponían de manifiesto entre los pobres que no encontraban trabajo o entre el puñado de extranjeros de Greenville, eran ahora las respetables compañeras de todo el mundo. Algunas de las familias más opulentas de la población sufrían verdadera hambre, verdadera miseria. Pero con el transcurso de los días, el asombro se disipó, se hizo evidente que el hambre, la miseria y la vergüenza habían de acompañar a todo hombre, mujer o niño, que eran la única perspectiva que les aguardaba a todos.

Sobre la comunidad descendió el hábito de vivir en una época de crisis. Con el tiempo fue un hecho corriente; como si jamás hubiera existido una situación distinta. El problema de sobrevivir atormentaba a todos, la angustia y el terror atemorizaban a todo el mundo; hacia cualquier parte que uno volviera la vista, contemplaba el hambre y la miseria; hacia cualquier parte que quisieran escapar los sentidos, encontraban la imagen de sí mismos, la figura de alguien que luchaba desesperadamente para sobrevivir. El terror se convirtió en norma habitual; los plácidos tiempos pasados se desvanecieron, nadie se acordaba de ellos.

—Y ahora está a punto de empezar lo peor— decía el doctor Castle.

—¿Puede empeorar todavía? —dudaba Lucas.

El anciano médico se arrellanó en el sofá del cuarto de vestirse del Valley Hospital.

—¿Cómo marchan los asuntos? ¿A cuánto asciende lo que recauda de las visitas del consultorio?

—Pues no asciende a lo que solía, por supuesto. Pero es que yo deseché un gran número de pacientes, ya lo sabe usted.

—Me dijeron que sí. La verdad es que han venido a mí un par de docenas de los que usted eliminó. A Kauffman le ha ocurrido igual. Y, naturalmente, supongo que Binyon y Blake también se han benefiado.

—Puede que me equivocara con los que alejé del consultorio, con algunos por lo menos.

—No. Si yo le conozco a usted, y pretendo conocerle, no se equivocó. Probablemente acertó hasta la última cifra decimal. No eran sino organismos irremediablemente débiles.

Lucas aguardó. Su rostro permaneció inexpresivo.

—Pero esa gente no puede quedarse sin médico —dijo afablemente el doctor Castle—. Yo siempre creí que Dave tenía demasiado pacientes, que no podía dominar su campo de acción.

—Había llegado a un punto en que yo no tenía tiempo para ocuparme de los que están verdaderamente enfermos.

—Además, aquello era para acabar con la salud de un médico. No obstante, ellos tienen que encontrar alguno. Dave tampoco los quería, pero no consentía que cayeran en manos de los curanderos.

—De todos modos, van igual.

—¡Ah, naturalmente! ¡La próxima vez, antes de abrir las compuertas, avise a los compañeros! —El doctor Castle hizo un signo afirmativo—. Yo les hablo poco. Les digo que malgastan su dinero y mi tiempo, les doy unas pildoritas para que no tomen otras cosas; y no puedo hacer nada más.

—La situación no mejora —convino Lucas—. Nos hemos visto precisados a dejar marchar a miss Ables. Se ha ido a Annivale a vivir con su hermana. Ahora es miss Snow la encargada de llevar los libros... Los que todavía hay que llevar, según dice ella.

—Templeton ha cerrado esta mañana —dijo el doctor Castle. Lucas se estremeció—. Sí, ha cerrado. Era la lencería más antigua e importante de Greenville. Perteneció a la familia durante tres generaciones. El viejo Templeton llegó aquí con un fardo a la espalda. Un establecimiento muerto, desaparecido.

—No parece posible. Uno podía esperarlo de Stern. Elder tampoco ganaba mucho; hay una docena de tiendas que no sé cómo resisten. ¡Pero Templeton!...

—No sé si se habrá dado cuenta, pero la mitad de los establecimientos de la población están vacíos, cerrados.

—¿Llegarán a la mitad? —lamentóse Lucas.

—¡Ah, sí! La mitad, sin duda. ¿Qué hace con las proteínas, las muestras de alimento para niños que continúan enviándonos?

Lucas desvió la vista, desazonado.

—Pues tengo unos cuantos pacientes, personas verdaderamente necesitadas y sin perspectivas...

—¡Es lo justo! Este es el destino que les damos. Y lo mismo con los medicamentos. Aproveche todas las muestras que estén a su alcance. —El doctor Castle movió la cabeza, rememorando—. La última vez los drogueros se pusieron más furiosos que el demonio. Decían que les quitábamos el pan de la boca. No sé si no tendrían razón, en fin de cuentas.

—Cobran bastante —dijo Lucas, secamente.

—Lo sé. Lo he sabido siempre. !Quince centavos por una docena de aspirinas! Y sin embargo, no parece que se hagan ricos. Esto es lo más chocante. ¿Ha conocido alguna vez a un droguero rico?

—Jamás he visto a ninguno que se muriese de hambre.

—También es cierto. ¿Deducciones?

Lucas se encogió de hombros.

—Miss Snow dice que son muy pobres.

—Se verán peor. Lo malo está por venir... Ahora tenemos que estar alerta a la caza de desnutriciones, accidentes y ataques ocasionados por el hecho de que los hombres se vean obligados a ocuparse en trabajos que no conocen; el porcentaje de dementes aumentará poco a poco, las operaciones quedarán a un lado y lo que se nos presentará serán dientes malos, casos de urgencia; aquí y allá surgirán de nuevo las enfermedades contagiosas...

Lucas miró atontado al anciano médico.

Este adelantó el labio inferior ponderativamente.

—Nunca ha visto una depresión, ¿verdad que no?

—Hubo lo que llamaron una crisis. Recuerdo que mi padre le daba este nombre. Sería por el mil novecientos veinte o veinticuatro. Yo era bastante joven.

—Yo he soportado cuatro. Y ni que lo intentara sabría explicárselas. ¡El tiempo, el tiempo, Dios mío, de qué modo se nos va de las manos! He aquí el lloriqueo del hombre: "¡Espera! ¡Espera un minuto!" —Los ojos se le ensombrecían al recordar—. Habrá de verlo por sí mismo, Marsh. Se le acerca una experiencia nueva.

—Soy como Agnes y Gloria —contestó Lucas, encogiéndose de hombros—. Fui a ver qué tal se desenvolvían. Gloria me dijo: "Jamás tuvimos mucho. Casi siempre hemos seguido adelante sin nada apenas. ¡Demonios! ¡Y ahora todo el mundo baja a nuestro nivel!" Yo nunca tuve mucho, tampoco.

—No es el perder lo que uno tiene —encareció el doctor Castle—. Esto es lo primero que ocurre, el primer golpe. Uno lo supera. No... Son los efectos que produce sobre la gente. ¡No a una persona aquí y a otra allá, sino al pueblo en general! La sociedad viene a ser como el traje que se ponen las personas, bien cosido y limpio, adornado con una colección de normas, cortado a la moda de la sociedad, fabricado con el paño tejido por la civilización. En fin, ¡un traje dentro del cual un hombre tiene un excelente aspecto! ¡No se parece en nada a un animal!... Y entonces sobreviene una depresión. Una depresión posee siempre un carácter primitivo, tiene el sufrimiento, el terror, el sudor amargo de la Primera Ley... Y de súbito, ¡el Rey de la Creación se queda sin traje!

—¿Cree que se avecina una ola de criminalidad?

—¡Ah, Dios mío, claro que se avecina una ola de crímenes! ¡Shedd no publica ni la mitad de lo que ocurre! ¡La gente tiene que vivir, ya lo sabe usted! Para vivir robarán, lo harán todo. Pero eso son acciones pasajeras, lo mismo que la primera impresión. No me refiero a ellas, me refiero a la condición de las personas. A su comportamiento cotidiano. Al animal desnudo enfrentándose con otros animales desnudos. Sin normas, sin freno. Con el estómago vacío, y con la mujer y los hijos llorando en casa. Entonces no queda ninguna pretensión; no existe otro orgullo que el de la victoria que significa un dólar, el cual equivale a una comida. Pero es un orgullo rápido, que pronto se desvanece. Pronto vuelve el hambre. Sólo queda el hombre escueto, abandonado en un planeta al cual seguramente no pertenece. El hombre mal dotado, uno de los animales más débiles, libre ya de ficciones, con el desnudo imperativo de sobrevivir. ¿Qué Banco le parece que cerrará antes?

—¿Los Bancos? ¡Usted no creerá que los Bancos...!

—Nunca hemos necesitado dos. Uno de ellos ha de desaparecer. Y si pierden la cabeza, quizá ambos. ¿Tiene una caja de caudales?

—Hay una en el despacho... Pero, ¿verdaderamente, doctor...?

—Si tiene algunas reservas retírelas paulatinamente, póngalas en la Caja Postal de Ahorros y guarde lo que necesite en su caja de caudales. ¡Créame! ¡A mí me pescaron dos veces! Estoy enterado.

—¡Dinero! —exclamó Lucas, moviendo la cabeza.

—Sí —contestó el doctor Castle—. Siempre el dinero. ¿Cómo está Gloria? ¿Progresa satisfactoriamente el niño, allá arriba?

—Me parece que el mal se ha propagado a la otra pierna. Gloria ha librado ya una larga batalla. Y cuando parecía que todo quedaba resuelto... —Lucas abrió los ojos, descorazonado—. El niño está muy bien, vive feliz... juego con él todo el día.

—Un hijo sin matrimonio constituye una mejor garantía de amor que un matrimonio sin hijos —afirmó el doctor Castle. Luego, viendo que los ojos de Lucas se iluminaban de admiración exclamó—. ¡Escuchen al viejo doctor! ¡Ya empiezo a revolver mi anecdotario! ¡Estoy en la mementopausia! ¡Dios mío! Por nada del mundo quisiera convertirme en ese anciano doctor del pueblo, saturado de prudentes visiones, de valor y de carácter! ¡En ese viejo cochino! Dios me ampare, soy un hombre con el corazón enfermo que se arrastra por el borde de cada día y que se empeña obstinado en llegar al siguiente. Y le juro que no sé por qué. Debo reconocerlo. Me gusta vivir, no hay otra razón. Y no me pregunto por qué... ¿Qué ha hecho con aquellos dos chavales a quienes Dave pagaba los estudios?

Lucas se sonrojó.

—Les envío el sueldo del Condado.

—Tengo entendido que usted aceptó una pequeña reducción.

—De todos modos, creo que con mil doscientos dólares cada uno pueden pagar sus gastos. Cuando pueda les enviaré más.

Llamaron a la puerta.

—¡Una visita para usted, doctor Marsh!

El paciente estaba en el Condado. Lucas corrió allá.

—Un hombre se ha rajado la garganta —le había dicho la enfermera.

El paciente yacía tendido sobre la mesa. Kristina situada detrás, le cerraba la herida con los dedos. Su blanco uniforme estaba empapado en sangre, las salpicaduras le habían manchado hasta el rostro y la cofia.

—¿Dónde está el doctor Snider? —Lucas se había quitado la chaqueta. Sus ojos no se apartaban del paciente.

—No está aquí —balbució la enfermera—. Le hemos buscado inútilmente una y otra vez.

—Hemos mirado por todas partes —dijo lacónicamente Kristina.

Lucas acercó una mesa de instrumental y auscultó a toda prisa el corazón del herido.

—Será mejor que le dé un poco de adrenalina —le dijo a la segunda enfermera. A continuación cogió unas pinzas. Y de su mente desapareció todo lo que no fueran los tejidos que tenía ante sus ojos. El corte penetraba profundamente y se extendía desde la altura de un vértice de la mandíbula hasta el otro. Era más profundo donde...

—Puede soltar —dijo Lucas.

Kristina apartó los dedos.

Un chorro de sangre brotó al instante tan alto como sus cabezas. Un segundo después, Lucas había colocado pinzas y más pinzas.

—¡Se ha seccionado la yugular por completo!

—¡Demos gracias a Dios de que se haya servido de una navaja! —Kristina miró, enojada, al suicida—. ¿Por qué lo hizo? ¿No se le ocurren ideas mejores —El hombre, que estuvo mirando fijamente al techo, cerró los ojos. Kristina hizo un gesto de desaliento—. ¡Es polaco! Y campesino, probablemente. No logro entender una palabra de lo que dice. Nombra algo referente a dinero, acciones, a un cuñado... ¡Acciones, el pobre! ¿Puedes imaginártelo?

Lucas no la escuchaba.

Perdida su integridad habitual, la lisa columna del cuello, formada por tantos millones de células, ahora desordenadas por el injustificable navajazo, era una confusión de sangre coagulada, de bordes carnosos separados en una hoja de carmesí rezumante, de rosados músculos rayados en algún punto por el hilo blanco de un nervio.

Y era a ese desorden que Lucas se dirigía. Automáticamente, mientras la pelota de gasa secaba la herida y los tejidos aparecían sorprendentemente claros para cubrirse nuevamente de sangre, él buscaba los vasos cortados. Como de costumbre, al primer movimiento del joven médico se encontró solo, retraído en sí mismo, elevado y remoto como si el mundo hubiese desaparecido, presidiendo la función para la cual había nacido, seguro y exaltado a un cosmos en el cual su cerebro y todo su ser consciente, arrastrados por las olas del triunfo, actuaban en éxtasis, seguros e invencibles.

Sin necesidad de pedírselo, las células de su memoria ofrecían a los ojos de su mente la visión interna del cuello, de modo que Lucas veía todos los músculos y hasta los menores nervios y vasos del mismo. Sus manos, moviéndose antes de que la voluntad consciente pudiera dirigirlas, fueron sin vacilar en busca de los puntos anatómicos de referencia. El médico encontró la elipse achatada de la yugular interna, el hipogloso descendente, cercano a la tiroides. La hendida vaina de la tiroides se quedó blanca un momento para volver a ponerse roja de nuevo, pero entretanto sus dedos habían cerrado la yugular anterior, la facial común y la yugular externa posterior.

—Con esto queda dominada la hemorragia —dijo sin dirigirse a nadie.

La sangre ya no manaba.

Lucas volvió a secar. Ahora los húmedos tejidos quedaban perfectamente al descubierto, sin ocultar nada. Se mostraban calladamente a sí mismos. Los separados bordes del externohioideo, del homohioideo, del esternomastoideo, revelaban acusadores el insulto inferido. Los tendones que los sujetaban exhibían sus blancos extremos, y se veían también los dos extremos del nervio cutáneo anterior, y otro nervio... ¿el tiroides superior? No..., el suicida no había dado con éste...; el vago estaba intacto... los laríngeos también... ¿Qué accidente, que ironía ha desviado la ciega navaja para que no dañara la tiroides ni el hipogloso descendente...?

Lucas se detuvo a considerarlo. Y mientras se maravillaba de tal azar, en su pecho se levantaron la cólera, la incredulidad y el resentimiento.

El joven dirigió una mirada a Kristina. Esta se acobardó.

Lucas señaló con el mango de una pinza los cortados nervios y arterias, la compleja confusión de tejidos que la navaja había separado del milagro, de la lógica y de la trama.

—¿Sabes lo que ha hecho?

Kristina asintió con la cabeza.

—¿Lo sabes?

—Yo no sé tanto como tú, pero lo sé.

Kristina bajó la vista, angustiada.

Luego volvió a mirar el cuello y vio nuevamente el campo afectado. Sus ojos se apaciguaron.

Entonces Lucas empezó a coser. Unió los cortados bordes de la yugular. En sus dedos el tubo aquel eran tres, constituyendo cada uno una unidad funcional por más que para el ojo formasen un tubo único, y su mente contempló las células de cada una de las capas, cada vaso embutido dentro del otro, con las células funcionando en un orden perfecto, muriendo y regenerándose sin que cesara nunca la función. Células sin mente, poseedoras de una inteligencia perfecta, cuyo destino había sido señalado en el momento de la concepción de aquel hombre, cuando se encontraron dos células y se fundieron en una que se dividió misteriosamente, convirtiéndose en dos, en cuatro..., en un centenar..., en una docena de miles para luego no multiplicarse ya más como células idénticas en una misma trama, iguales y siguiendo un determinado plan.

Las células habían formado un huevo. Y en lo más recóndito del huevo, sin que las guiara cerebro alguno, sin que las disparase ningún impulso conocido, las células decidieron diferenciarse en nuevos tipos y empezaron infaliblemente a ser el origen de todas las glándulas del tubo digestivo, del hígado, del aparato respiratorio. Pero mientras el endodermo se entregaba a este trabajo, la capa contigua, el desodermo, empezó a dividirse y multiplicarse infaliblemente según el tipo de la linfa, del bazo, del oído medio, de la pulpa dentaria, del corazón, de las arterias, de las venas y de la sangre que había que llenarlas; de la sangre que se moría allí, que se secaba sobre el cuello del paciente sobre aquellos músculos, arterias, venas y membranas.

Y la capa exterior del huevo, del exodermo, se dividió y se multiplicó para formar nervios —aquellos nervios seccionados—, para formar la piel, aquella piel cortada.

Y todo aquello en un huevo de células idénticas que empezó sin forma alguna, cuyos componentes no tenían la menor semejanza con la piel, la sangre, los tendones, los músculos, los huesos o con cualquier otro tejido: progresando sin extraviarse, cada célula conocedora de su función, y eligiendo sin guía alguna su destino, hasta que al final se dieron una forma, constituyeron un ser humano, una entidad que hablaba, reía, soñaba... y que un día se cortaba el cuello.

Pero el ser humano utilizó la mente que aquellas células habían fabricado en su desenvolvimiento y operaban en todos los momentos de la vida, dirigiéndola a través de un increíble entrecruzamiento, de una tela de araña de nervios, para levantar la musculatura del brazo, cuyo funcionamiento maravillaba por lo hermoso e impecable, y para mover los dedos a fin de que cogieran una navaja inventada por aquella misma mente y a fin de que la hundieran despiadada, inexplicablemente, a través de milllones de células asociadas en un orden perfecto y funcionando perfectamente.

Y la piel se abrió, perdió la continuidad...

Y el arma se hundió a través de otro milagro de células, formando una arquitectura de tubos.

Y la preciosa sangre se derramó, inútil, en furiosos borbotones

Y las venas y las arterias se abrieron mutiladas.

Y se dividieron los músculos, los intrincados billones de células que se ordenaban por su propia inteligencia en miríadas de haces de fibras, las cuales se manifestaban en forma de disciplinado músculo.

Aquel ser humano había cogido una navaja.

Y se había seccionado la garganta.

Lucas cortó el extremo del hilo, después de dar el último punto. Luego vendó el cuello.

Sus ojos descendieron al mundo vulgar. Lucas miró al suicida con una fijeza glacial.

—Usted no sabe lo que ha hecho, ni es digno de ser lo que es —le dijo. El médico recordaba los misterios, lo inexplicable, las células que incluso en aquellos momentos se movían implacables, cada una de acuerdo con aquel milagro de intención, reparándose, luchando contra los invasores, formando nervios y sangre y músculo y tendones y vasos sanguíneos de nuevo, sabiendo cuándo habían de empezar, qué hacer, cuándo parar, hasta que todo volviera a estar perfecto, intrincado, funcionando impecablemente, magnificente y entero—. ¡Usted ha hecho esto porque en alguna parte que usted designó de este mundo loco, una gota de tinta caída sobre una hoja de papel, habrá formado un dibujo que a usted no le gustaba!

El hombre le miró con la mente vacía de pensamientos. El médico estaba disgustado. Algo había que le enojaba profundamente... El hombre cerró los ojos. El había hecho algo que fue la causa del disgusto del doctor. Además, se había cortado la garganta, lo cual le acarrearía algún contratiempo. Pero se quedó indiferente. La Policía podía obrar como quisiera... ¿Podía existir contratiempo mayor que el tener un cuñado que le dice a uno: "Resiste, resiste", y luego los números en la página del dinero descienden a nada? Los números y el gran papel, el dinero, las pesadas monedas, todo lo que un hombre tenía... perdido, todo perdido...

En sus ojos cerrados se formó una lágrima.

—He llamado a la Policía —dijo la enfermera.

Lucas asintió.

Luego separóse de aquel mecanismo, cuyo precio nadie podía fijar, se lavó las manos y al mismo tiempo cerró el curso de sus pensamientos.

—¿Han llamado a algún otro médico? —preguntó.

—¡Sí, doctor Marsh! ¡Hemos llamado a todos! No le encontrábamos a usted; lo hemos probado dos veces...

—Estaba en el Valley.

—Hemos llamado allá. Hemos llamado al doctor Castle.

—Estaba conmigo.

—El doctor Kauffman había salido..., una visita... —La voz de la enfermera se quedó en suspenso.

—¿Han probado con los doctores Binyon y Blake?

—Sí, señor —contestó ella, en voz baja.

—¿Estaban en su consultorio?

La muchacha asintió.

—¿Y no han querido venir?

—Se lo he pedido, doctor...

—¿Les ha dicho que se trataba de un caso de urgencia? ¿Qué un hombre se había cortado el cuello?

—Se lo he dicho. —La enfermera se interrumpió, confundida—. Me han contestado... me han dicho que estaban ocupados.

En el vacío despacho del doctor Snider, Lucas comprobó que sus manos, que sostenían el teléfono, estaban temblando.

—¿El doctor Binyon?

—Pues sí... —La voz del barítono canturreó en tono complacido y suave.

—Aquí el doctor Marsh...

—Me alegra oírle. Precisamente el otro día le estaba diciendo al doctor Blake...

—¿Es cierto, como me han informado, que hace una media hora le han llamado del Condado para un caso de urgencia?

—Creo que sí. Sí.

—¿Usted se ha negado a prestar sus servicios en un caso de urgencia?

—Pero..., ¿qué le pasa, doctor?

—¿Quiere decirme con eso que usted, un médico, se ha negado realmente a atender un caso de urgencia?

—No sé quien se imagina ser usted, doctor, o qué derecho se figura tener para ordenar mi conducta. ¡No sé que exista ninguna ley que obligue a un médico a acudir a una visita de urgencia! ¿Conoce usted alguna? ¿Existe alguna ley en ese sentido?

—¡Quiero decirle lo siguiente, doctor Binyon, y quiero que se fije bien: si se niega otra vez a acudir a una visita de urgencia, reclamaré al Colegio del Condado.

—Yo iré con usted muy contento.

—Y si el Colegio no le impone un correctivo, si lo que usted necesita es una profesión sin ética, referiré su caso en los periódicos.

—¡Ah! ¡Doctor! ¿Y quién se salta la ética, ahora?

—Y usted no será capaz de contestar, ¡so médico granuja, cazadineros, vergüenza de la profesión... porque yo personalmente haré con usted algo que no olvidará fácilmente!

Lucas aguardó un momento, respirando con dificultad.

—¿Ha terminado, doctor? —preguntó muy cortés el doctor Binyon.

Lucas arrojó el receptor sobre el soporte. El aparato cayó al suelo. El joven lo recogió y colocó cuidadosamente en su sitio. Entonces permaneció unos instantes con la vista fija en el teléfono. Cuando se le hubo normalizado la respiración, levantóse y salió en busca del doctor Snider.

Al cruzar el umbral le vio que venía en su dirección.

—¿Qué ocurre? —preguntó el viejo, irritado—. ¿Qué diablos pasa?

—Hace un rato le estábamos buscando, doctor.

—¡Pues estaba aquí! ¡No me he movido!

Lucas se volvió y miró a la enfermera.

—Nosotras..., nosotras le hemos buscado, doctor Snider... Hemos mirado por todas partes...

—¡Malditas estúpidas! ¡No se puede confiar en vosotras ni por un minuto! ¡No servís ni para encontrar a una persona! ¡No he salido de este edificio! ¡Cualquier día, a no tardar, una de vosotras saldrá de aquí por una ventana! —El viejo la miró fijamente y movió la cabeza con expresión amenazadora—. ¡Acuérdate!

—Lo siento doctor.

—No he salido ni un segundo —le dijo Snider a Lucas, sin hacer caso de la enfermera—. ¡Caramba, mistress Gaunt se lo dirá si usted quiere! ¡Hablaba con ella! ¡No veo por qué razón no tenía que encontrarme!

Lucas le miró, asintió con un movimiento de cabeza y se fue. La enfermera principal diría lo que el doctor Snider quisiera que dijese. El joven médico siguió andando, mudo, derrotado, asqueado.

—¿De qué se trataba? —le gritó el doctor Snider.

—Un hombre se dio un corte en la garganta —contestó él, sin detenerse ni volver la cabeza.

—¡Vaya! ¿Por qué lo hizo? ¿Quién es?

La contestación de la enfermera no llegó con bastante claridad a los oídos del joven, que se internó en la sala de operaciones.

Tendido en una camilla le esperaba Oscar Glaimer.

Lucas procuró sonreír.

—Al momento estoy con usted —le dijo al enfermo con el acento más tranquilizador que le fue posible.

—¿Saldrá bien? —preguntó Glaimer.

—Me parece que ya me lo ha preguntado otras veces —replicó el joven, siempre sonriendo.

Glaimer le miró incierto.

"¿Debo decir veremos? ¿Debo decir: haremos lo mejor que sepamos? ¿Debo decir: por lo menos podemos probar?", trató de decir Lucas. Pero rechazó todas las frases. No había nada que decir.

Limitóse a mover la cabeza afirmativamente y con expresión alegre, sonrió con aire de confianza, agitó la mano y se fue al cuarto de vestirse.

Momentos después de haber hecho la primera incisión y dejar al descubierto los primeros puntos de referencia. Lucas se detuvo, contempló pensativamente lo que tenía ante sus ojos, tentó con el dedo, movió la cabeza rehusando el instrumento que miss Otis le ofrecía, y pidió pinzas, aguja e hilo de sutura.

Veinte minutos después de haber sido llevado al quirófano, Oscar Glaimer era devuelto a su cama. Su esposa, que esperaba en el cuarto, se levantó de un salto sorprendida al ver entrar la camilla, y miró al reloj y luego a su marido.

—Le ha abierto y le ha cerrado —dijo, muy despacio.

—Está completamente invadido —contestó Lucas, en voz baja—. El cáncer se extiende por todas partes.

La mujer contempló fijamente a su esposo.

—Supongo que en este caso no hay nada que hacer —dijo en tono inexpresivo, pronunciando aquellas palabras sin intención ni significado. Sus ojos no se apartaban del enfermo.

Lucas salió silenciosamente de la habitación.

La mujer se precipitó hacia la puerta para alcanzarle.

—¿Cuánto... cuánto tiempo...?

—Dos semanas... dos meses, o como máximo, pueden ser tres meses...

—Le ha cerrado sin operarle, ¿eh? —preguntaba el doctor Snider, que se había reunido a ellos—. Así está la cuestión. Me lo figuré. El viejo Dave se equivocaba raramente. El siempre tenía dos aliados: la razón y la precaución.

Mistress Glaimer escuchó un momento con la cabeza baja, luego se volvió para entrar de nuevo en el cuarto. La puerta se cerró suavemente a su espalda. El viejo Snider prosiguió.

—Son muchos los operadores que cuando encuentran una cosa así, dejan algunos vasos abiertos. ¿Comprende lo que quiero decir? Sufren un olvido, sencillamente; se olvidan de ligar tres o cuatro venas. Las suficientes nada más. ¿Comprende lo que le digo? —El doctor Snider miraba a Lucas con una expresión que lo mismo podía transformarse en indignada censura que en taimada aprobación.

—Lo he oído comentar —contestó Lucas, llanamente.

—No lo ha visto nunca, ¿eh? ¡Sin duda! Así lo hacen. El paciente se ahorra sufrimientos. En fin de cuentas tampoco se le puede salvar, no puede hacerse nada por ellos, tanto da que se les ahorre suplicios... De este modo, duran unos días, se despiden de sus familiares... Quizá no estén desacertados...

—Y nadie ha de enterarse —dijo Lucas, gravemente.

—¿Quién tendría interés en darse por enterado?

—Y queda una cama para el siguiente.

— ¡En efecto!

El doctor Snider esperaba, ansioso.

Lucas hizo un signo afirmativo.

—Tiene vida un mes como mínimo, y puede llegar a tres —dijo, en tono placentero. Y saludando con una inclinación de cabeza, se alejó. Ahora ni siquiera se indignaba. Había llegado al límite.

El día siguiente, el doctor Castle le esperaba en el Valley Hospital.

—Tengo aquí un amigo de usted.

Y abrió la marcha. Embutido limpiamente en la cama, cuyas blancas sábanas formaban un vivo contraste con su amarilla piel y sus rasgos mongoles, estaba Li. Tenía la cabeza vendada. Al entrar Lucas, le recibió con una ancha sonrisa.

—Anoche le atropelló un automóvil delante de su restaurante y le echó los diablos fuera del cuerpo. ¿De qué sonríes, Li.

Li sonrió con mayor animación para corresponder a la afectuosidad del médico.

—¿Cráneo?

—No parece ser esto. Hubo conmoción, naturalmente, y algún serio desgarrón del cuero cabelludo... ¿Te duele la cabeza, Li?

—La cabeza está muy bien. —Y le sonrió.

—Le preocupa la pierna —dijo el doctor Castle, en voz baja.

—¿Qué hizo usted? —le respondió Lucas.

— ¡Yo no hice nada! Estaba allí de pie; llegó un coche y... ¡Bub!

—La rótula... Toda la articulación... Mire aquí...

Los Rayos X mostraron la rótula completamente aplastada; desmenuzada en pequeños fragmentos. La mente de Lucas reprodujo la imagen de los tendones, de aquellos tensos cables que ahora estaban sueltos, retraídos, y la irremediable ironía de los músculos desgarrados, de los tejidos destrozados, el caos de toda la zona afectada.

Los dos médicos cruzaron una mirada. En la mente de ambos se presentaba el próximo paso que había que dar.

—No quiere que se la ampute —explicó el doctor Castle.

—Esta pierna la tiene muy mal, Li. Le pondremos una nueva. ¡Tan buena como la vieja!

—¡No cortarán!

Li pronunciaba la frase como quien afirma un hecho indiscutible. Y sonrió tan satisfecho como antes.

—Tienen sus manías. ¿Está lleno ya el cofre para el funeral. Li?

—Casi lleno —respondió Li, con una sonrisa.

—Voy a ponerte otra inyección, ahora. Esta vez deja de sonreír y procura dormirte. —La aguja se hundió debajo de la piel—. Le he dado una hace menos de una hora —dijo el doctor Castle—. Esa gente posee una tolerancia para las drogas superior a la normal... —Y señalando a Li con un índice, que se movía acusador, le increpó—: ¡Opio! Tú cierras la tienda y te vas a hurtadillas a fumar la droga. ¿Eh? ¡Demasiada droga!

—Jamás —contestó el chino, sonriendo dichoso. En aquel momento se le bajaron un poco los párpados. La morfina obraba su efecto.

Los dos médicos le observaron un instante.

—¡Ahora duérmete!

Li los miró, uno después de otro, sonrió, dio un suspiro y cerró los ojos.

En seguida empezó a respirar acompasadamente.

—Siéntese un minuto. Si no le importa.

—He terminado ya. Uno se sorprende al ver cuán pronto se acaba la tarea en la actualidad.

—Esta es una virtud de la depresión. Hacía semanas que no podía contarme un rato como ahora. Cada día descanso un poco más. Li no quiere perder la pierna.

—No se lo reprocho. Pero...

—Esa gente ahorra todo el dinero que gana. Cuando mueren, los ahorros se invierten en transportar sus huesos a China. ¡Cuántas cosas ha de saber uno relacionadas con los pacientes! De modo que si llegan los huesos allá, pero falta una pierna..., no sé el final de la explicación. El no llegar completos es una desgracia tan grande que el pobre diablo... —El doctor Castle terminó la frase moviendo la cabeza tristemente.

—¿Se lo ha dicho? ¿Le ha informado que tendría que perder la pierna?

—En estos momentos, el pobre diablo duerme de mentirijillas, probablemente. Pero escucha todo lo que decimos. ¡Es curioso! Mientras estemos aquí no se preocupa. Según creo, se imagina que si nos marchamos vendrán unos desconocidos para llevárselo y...

—Por supuesto, existe un recurso —musitó Lucas.

—¿Entablillarle? Me habían hablado de ello. No creo...

—Estaba pensando en una anquilosis... —Una ancha sonrisa iluminó la faz del doctor Castle—. Claro que le quedaría la pierna rígida desde la cadera hasta el pie.

—¡Dios mío! ¿Piensa usted que le importará? ¡Liso demonio! ¿Lo has oído?

Li abrió los ojos soñolientos.

—No he oído nada —murmuró. Pero su rostro pareció más sosegado. En seguida cerró los ojos nuevamente.

—No soy muy buen cirujano ortopédico... —dijo el doctor Castle desazonado.

—¿Verdad que en Annivale hay uno? ¿Un médico nuevo? ¿No se llama Morgan?

—¡Morgan! ¡Es cierto! Un ortopédico recién salido del hospital! ¿Quiere que le llamemos?

Lucas se revolvió en su asiento.

—Por mi parte, encantado, naturalmente... Pero este cuarto particular ha de costarle ya un buen puñado de dinero. ¿Podría costearse el gasto que significa llamar a Morgan?

—No lo creo —contestó pensativo el doctor Castle—. Si no echa mano del dinero para el funeral, no...

—Podríamos trasladarlo al Condado. Yo llamaría a Morgan y le diría que es un paciente pobre.

—¿Le llamará?

—¡Naturalmente! No digo que sea posible proceder a la anquilosis, comprenda usted.

—La poplítea no está afectada. Eso tenemos ganado.

—Vale la pena probar. Entre los tres...

—¡Es verdad! ¿Lo oyes, Li? —Los párpados del accidentado pestañearon casi imperceptiblemente. De sus labios escapó un ligero ronquido—. ¡Ha oído hasta la última palabra! Ahora es feliz.

—¡Oh, esto no ha sido más que una idea! Se me ha ocurrido pensar...

—Yo le aprecio a este viejo diablo... ¡Siempre sonriendo! No sé de qué podrá estar contento...

—Ni él ni nadie.

—¿Ha tenido algún disgusto esta mañana?

Lucas inspiró profundamente. Luego, con voz tranquila, le refirió su conversación con el doctor Binyon.

—Ya tenía alguna referencia —dijo el doctor Castle. Y desviando la vista, movió la cabeza asqueado.

Sí, respecto a lo de no visitar de noche. Pero esto ha sido negarse abiertamente a acudir a un caso de urgencia. ¡Y en pleno día!

—Tendré que hablar con él —dijo el doctor Castle.

—¡Me gustaría llevar la cuestión al Colegio!

—Lo comprendo... No servirá para nada... Como él dice: no hay ninguna ley... Ni puede haberla... ¿Quién definiría lo que es un caso de urgencia?... En un abrir y cerrar de ojos todos se pelearían como perros furiosos... No... yo le hablaré. Me encargaré del asunto... Siempre se encuentran medios.

—¡Es lo que vengo oyendo desde que me dediqué a la Medicina! ¡Dispénseme! No estoy enojado contra usted. Pero me han dicho tantas veces lo mismo, que yo estoy asqueado de ese viejo "siempre se encuentran medios". ¿Cuáles? ¿Qué puede hacerse específicamente? ¿Qué puede hacerse para que un médico se comporte como médico? ¡Usted conoce la respuesta tan bien como yo! ¡No puede hacerse nada en absoluto!

—Siempre puedo llamar al secretario del Colegio... El lo hablaría privadamente; le influiría el temor de Dios en el cuerpo.

—Estamos entre gente de nueva cosecha. Las antiguas leyes han desaparecido. Yo tuve algunos tipos semejantes por compañeros de clase. Son gente que sabe dónde agarrarse, que conoce las respuestas, que está imbuida de sus derechos. Conozco este tipo de hombre. ¡Bah, Binyon se limitará a mirarle y a soltar la carcajada! ¡Se le reiría en sus propias barbas! Porque, ¿qué puede hacer usted en realidad? ¿Qué haría cuando él acabara de decirle muy cortés al secretario que se fuera al infierno? Si estuviésemos en una ciudad grande y tuviéramos una política profesional, quizá podríamos cerrarle las puertas de los hospitales, presentar un voto de censura en una asamblea del Condado y cuidar de que nadie diera buenas referencias de un tipo semejante. Pero él continuaría su camino. ¡Todo ello le afectaría muy poco! Y aquí, ¿qué podemos hacer? ¿Aquí, que estamos superados por un millón de otras comunidades?

—Existe una cosa a la cual todo médico sensato debe conceder gran importancia —dijo sosegadamente el doctor Castle—. Es el testimonio de sus compañeros. Todos podemos ser procesados. Y cualquiera de los días de nuestra vida. Hemos hecho promulgar una ley diciendo que no se nos puede acusar de ejercer indignamente a menos de que dejemos de hacer lo que debíamos hacer, o de que hagamos lo que no debía hacerse, siempre según las normas bajo las cuales se practica la Medicina en el lugar donde ocurra la infracción. La deficiencia de criterio no entra en esta figura legal. Pero nadie, ni aun Binyon o Blake, quiere perder un proceso. Y el único testimonio temible es el de los médicos, nuestros colegas... Por esto nuestra característica permanente, nuestro menor denominador común lo constituye el deseo de merecer la consideración de los demás compañeros. —Después de una significativa pausa, el doctor Castle concluyó—: De modo que se lo recordaré. Creo que se sujetará a la razón.

—Y yo creo que se le reirá en sus propias barbas —replicó tranquilamente Lucas—. Porque sabe con quién está tratando. Sabe que lo último que haríamos sería revelar una mancha en nuestra profesión, que no tenemos derecho a comprometerle, a poner su buen nombre en tela de juicio.

—Le hablaré. Todo saldrá bien. Usted se llevará una sorpresa. He visto casos pares. Déjeme intentarlo... ¡Y no lo tome tan a pecho! Binyon duerme toda la noche a pierna suelta! Si usted busca un mundo justiciero... —El doctor Castle meditó un momento. Luego fijó los ojos en Li—. ¿Estás dormido, diablo caldeado? —El anciano chino no se movió. El doctor Castle dijo señalando el breve cuerpo durmiente con el pulgar—: Ahí tiene el pueblo que inventó probablemente una

295

ciencia. Un pueblo antiguo, muy antiguo, maduro, joven: "Vive contento, muere sin pena...".

—La madurez es una capa muy ancha —replicó Lucas con un dejo de amargura—. La madurez admite que la justicia es posible, pero que no existe. En esto consiste, ¿verdad? En aceptar los hechos.

—La gente no puede dedicar demasiado tiempo a la justicia, ni a su propio mejoramiento. La lucha por la vida se lleva buena parte de la duración de ésta.

—Muy bien, y el sobrevivir es la primera ley, el primer problema del hombre. Y si hoy nos encontramos rodeados de conflictos es porque la tribu, la especie, la familia aún sabiendo cuál es el problema más importante, no quieren abandonar todas las demás ambiciones humanas, olvidarlo todo y resolver este problema de una vez para siempre. Nosotros hemos poseído la inteligencia necesaria para inventar la radio, los automóviles, todos los maravillosos juguetes destinados a la locomoción o a dar un alcance extraordinario a los sentidos...; pero no para solucionar este problema fundamental, el de sobrevivir, la cuestión simple, desnuda, del alimento, la protección, y el abrigo, el *sine qua non* de la existencia humana..

—¡La respuesta la tiene ahí, en lo mismo que ha mentado! La radio... todos esos inventos, se han llevado a cabo primordialmente para ganar dinero, que es el medio (aunque indirecto, lo reconozco) con el cual el hombre resuelve sus problemas.

—No resuelve nada. Es un medio indirecto, un juego a ciegas, sencillamente. La mente del hombre realiza entonces su función particular y el cuerpo sobrevive *si* el invento llega en el momento y en el lugar adecuado.

—¿Existe un orden perfecto? ¿Existe un gobierno perfecto?

—Yo propongo el gobierno del soma —respondió Lucas con decisión—. Un gobierno que se dirija fundamentalmente al alimento, la protección, la salvaguardia del soma. Libertemos a la mente del trabajo de pensar en el niño; liberémosla de esa condena triste, elemental, que abarcará toda una vida... ¿No es ése el objetivo hacia el que tiende la civilización? ¿No consiste precisamente la civilización en los progresos del hombre en cuanto a la solución de las obligaciones del soma?

—Usted deja de lado una infinidad de obras de arte y de literatura y...

—Sí. Pero eso son triunfos de la siquis, a despecho de las obligaciones del soma. ¿Fue la siquis la que inventó la rueda? ¿O la aguja? ¿O el fuego? Los momentos culminantes del arte, en la civilización, representan fases de ascenso de la siquis, atisbos de lo que se conseguiría con sólo que ésta no hubiera de preocuparse por el infante. No... todos los inventos y la mayor parte de nuestra ciencia se dirigen a un fin: cuidar del soma de un modo automático... y dejar libre a la mente...

—El gobierno del soma, el gobierno cuya principal preocupación consiste en proteger la célula... Bien, ya sabe usted que lo intentamos. Quizá por medios y procedimientos indirectos, esto es lo que intentamos realmente.

—No dirigimos nuestros esfuerzos por el camino de las realidades de la célula tal como es, viviente, al mecanismo base de la vida misma. Esto es lo que somos: células. Pero no afrontamos el hecho. Nos esforzamos en conciliar opiniones, en remendar una estructura social, lo que el hombre quiere, o se figura que quiere, la clase de vida que anhela... o se imagina anhelar. Cosas que cambian incesantemente. Mientras, la necesidad básica sigue siendo la misma.

—¿Y usted cree que esto cambiará? ¿Piensa que el hombre se concederá más valor a sí mismo que a los objetos que posee?

—A uno le destroza el corazón pensar en este problema. Pero, de un modo ciego, instintivo, creo que es el objetivo que perseguimos... sin saberlo. Es el camino que señala la civilización... Los inventos, las jornadas de trabajo más cortas, los cuerpos mejor construidos, la lucha por disponer de tiempo libre... Noto que estoy en lo cierto... Rojos, negros, amarillos o verdes, ricos o pobres, sabios o ignorantes, fuertes o débiles, todos los hombres conservan la vida gracias a la satisfacción de las necesidades. Por medio de lo que sus células reclaman. ¡La célula! ¡La estructura de la vida misma! Resolvamos esto primero. Salvaguardemos el soma. Elevemos esta ley al cenit, hagámosle inmutable. Que arrastre la voluntad de todos los hombres. Que cada hombre se conozca a sí mismo por lo que tiene. El planeta está lleno de medios no aprovechados.

El doctor Castle guardaba silencio. Por fin suspiró:

—No lo sé... Ya no lo sé... Si a la gente se le metiera esta idea en la cabeza, no nos habríamos dado cuenta que tendríamos una especie de sociedad espartana, un gobierno solamente a la cultura física. Las ideas empujan a la gente a cometer las mayores barbaridades. Quizá..., quizá el parecer de Dave fuera el más acertado...

—Quizá sí —asintió Lucas con aire de cansancio—. Cuando uno ve las cosas tan claramente como las vemos nosotros, lo que hace la gente con su propio ser, le asquea. Acaso él tuviera razón. Acaso uno deba trabajar pensando sólo en el día que pueda marchar. Volverse de espaldas, irse a cazar, a comenzar de nuevo. A ser un hombre nuevo en otra parte de la selva. Puro, porque está solo; orgulloso, porque sobrevive; y contento, porque, obrando, muriendo, sólo el tiempo, el azar y la muerte pueden vencer plenamente una vida completa, vivida intensamente, con dignidad.

El doctor Castle empujó nuevamente a Li con el dedo.

—¿Duermes Li? ¿Has escuchado toda esta conversación?

El chino roncaba pausadamente.

—No sé —dijo Lucas—. Si usted se refiere a un objetivo claro, no sé ya lo que pienso. Podría sumarse todo y decir: la Medicina, y basta.

Pero él sabía lo que quería expresar, o sea que fuesen cuales fuesen sus sueños y sus anhelos, estaba unido a los acontecimientos del día; estaba unido a las personas a través de sus desgracias, y no como un actor, sino como un reactor. Y que la fuerza inmortal que había dirigido su nacimiento y le había hecho un día sobresaliente y libre ahora, le ataba irrevocablemente a tierra y al momento inmediato, exigiendo el verse satisfecha.

Y todo lo que acababa de decir se le reprodujo y lo encontró cierto. El estaba unido en todas sus acciones a las acciones de los que le rodeaban, era involuntariamente el siervo del hombre; él y su fuerza vital y sus sueños estaban ligados entre sí. Perteneciendo a todos sus semejantes, alimentado por ellos, tullido por todos ellos, asaltado en sus desoladas noches por el conocimiento de esta realidad en un paraje que no era su hogar, y levantando una y otra vez las mallas de la cadena que le unían al siguiente condenado de aquella cuerda interminable, habían de seguir forzosamente el camino que los demás recorrían, a soportar los acontecimientos a medida que se presentasen.

—Al cabo de un tiempo, un día uno levanta la vista y la realidad le aterra. Somos personajes insignificantes en la misma leyenda en que figuramos de protagonistas —dijo el doctor Castle.

—Si uno no anda con cuidado, puede ocurrir así —asintió Lucas en voz baja.

El doctor Castle desvió la vista.

—¡Usted tiene un apoyo muy grande en su esposa!

—¡Dígame una cosa! —pidió el joven impulsivamente—. Conozco sus cualidades, o, por lo menos, creo conocerlas, pero, ¿qué ven en ella usted y el doctor Runkleman? ¿Qué encuentran en su persona que les induce a incitarme de tiempo en tiempo? ¿Acaso incurro en algún descuido? ¿Hay algo que yo no veo?

—¡Oh, no! Nosotros los solteros...; nosotros, los médicos, no podemos dedicar mucho tiempo a nuestras mujeres.

—¡Ha de haber algo! Algo que ustedes ven y no quieren indicarme.

—Tiene en ella una mujer excelente.

—¿Y esto es todo? —No le mentaba una cualidad específica. Una doncella excelente de veras. Una enfermera superior. Pero, ¿había algo más? ¿Alguna otra cosa?

—Me gusta esa mujer —dijo el doctor Castle—. Cuanto más la veo más me gusta. —El anciano médico miraba a Lucas cara a cara.

—Tiene sus cualidades —convino éste. Pero no pudo decir nada más. Le asaltó una repentina turbación—. Tendrá que ver cómo ha transformado el quirófano del Condado... Quiero decir de qué manera ha...

—Estoy al corriente. Veo que usted ha repasado la Citología. ¿Qué hacen? ¿Leer juntos?

Lucas miró estupefacto al doctor Castle, pero se apresuró a disimular su incredulidad. "¿Cree verdaderamente que Kristina es capaz de comprender la constitución de una célula? ¿Qué yo, que lo ansío tan vivamente, puedo discutir con ella las cosas que llenan mi corazón? ¿Es posible que sea tan ciego?".

—No nos queda mucho tiempo para estar juntos —respondió suavemente—. No había encontrado la oportunidad para una conversación como ésta desde que... desde que terminé los estudios.

—Pensaba que había repasado los textos.

—No... tampoco para esto me queda mucho tiempo. La garganta cortada de esta mañana me ha hecho pensar. A veces, por un instante, en mitad de un día de mucha tarea, uno ve las cosas claramente. Y entonces no puede dejar de maravillarse. ¡Ese maldito intelecto falso de conciencia! Pensar que las personas toman decisiones... a veces incluso sin remordimiento contra ellas mismas. Que se condenan a desaparecer.

—Como el apéndice, la cola, la glándula pineal...

—¿Cómo se toman las resoluciones? ¿Nacen del hábito? ¿Se trata de un mandato puramente local? ¿O tiene lugar una conferencia general a la que cada órgano y cada sustancia envía el mensaje de sus necesidades y opiniones? ¿Acaso los mensajes forman por sí mismos una nueva inteligencia que decide el destino de los órganos, el siguiente factor físico que debe ser aumentado?

—¿Por qué nos servimos preferentemente de la derecha? ¿Por qué no tenemos ya el pecho en forma de cuba y un traje de pelo y una cola? —asintió el doctor Castle con fatigado acento.

Lucas movió la cabeza, meditando.

—No... Ni siquiera conocemos dónde se localiza la mente. Pero nuestro subconsciente lo sabe. Nuestras células lo saben. Y quizá podamos descubrirlo... Puesto que existe en eso una inteligencia superior a todas las demás que hayamos concebido...

El doctor Castle suspiró.

—Quizá sí —dijo resignado, porque él no era un principiante. Y enlazando los sarmentosos dedos, repitió—: Quizá sí...

Lucas se puso de pie y miró al anciano médico como pidiéndole perdón.

—Lo siento... Me libraré de todos estos extremismos.

El doctor Castle desentumeció su gastado organismo y se puso de pie muy despacio. Luego dijo con un ademán:

—Le conviene desahogarse el pecho de una vez... No..., no es ninguna tontería lo que dice... En realidad, quizá esto explique por qué nacen individuos como usted... Quizá exista otra inteligencia de las células, una especie de esfuerzo supremo para conseguir por *celulidad* lo que el hombre normal que ellas forman no les da...

—No sabía que yo fuese anormal... Quiero decir que...

—Puede que ocurra una cosa similar al hecho curioso de que los especialistas del corazón mueren de enfermedades cardíacas, y los del cerebro, de anomalías cerebrales. Acaso las células *conozcan* cuáles son sus partes débiles. Y, en cierto modo, ordenen las cosas de forma que el hombre se incline hacia su especialidad en la cual puede aprender algo para salvarse a sí mismo.

Lucas sonrió despreciativamente.

—Según parece, esto no explicaría el caso de los comadrones. ¿Verdad?

—¡Dios mío! ¡Cómo tampoco el caso de éstos condena la teoría! ¡Quizá un comadrón nato represente otro esfuerzo, otro proyecto celular para sobrevivir! ¡Buen Dios, vea qué hora es! ¡Yo no me había dado cuenta! ¡Eh, Li! Fingiendo que duermes, ¿eh? Vamos a conservarte la pierna, ¿oyes? ¡Volverás a China enterito, como conviene!

El viejo chino abrió los ojos.

—¡Tres centigramos de morfina y has escuchado hasta la última palabra, ¿verdad?

Li sonrió.

—No cortarán —susurró confiadamente. Luego cerró los ojos y está vez se durmió de verdad.

Mientras recorrían el pasillo, al acercarse al despacho de recepción, vieron que el empleado entregaba a un hombre una cuenta pagada.

—Ese es Garvey —dijo el doctor Castle—. ¿Cómo va la recién nacida, Garvey?

—Muy bien, doctor... ¡Hola, doctor Marsh! Acabo de pagar, lo que me costó traerla al mundo; ahora puedo decir ya que es mía. —La delgada faz de Garvey, surcada de profundas arrugas, miraba a los dos médicos sin sonreír—. Mientras estoy en la tarea me gustaría empezar a pagarle a *usted*, doctor Marsh. ¿Le sabría mal que saldase su cuenta en varias entregas? Me figuro que para todo existe una primera vez —dijo el hombre excusándose. Y le entregó un billete—. No es mucho. Cinco dólares nada más.

—Perfectamente. ¿Qué se ha hecho en la mano? —Lucas dejó el billete sobre la mesa, le cogió la mano a Garvey y examinó la base del pulgar, donde se abría un largo corte.

—He venido corriendo; me lo hice con el maldito cuchillo de trinchar.

—Quiere traerme una botella de mercuriocromo? ¿Y algunas gasas? —pidió Lucas a una enfermera que pasaba.

—No es nada —protestó Garvey.

—No le cobraré —replicó el joven médico, alegremente.

—¿Cómo va el negocio, Garvey? ¿Dispuesto a retirarse ya?

—Dispuesto a retirarme, en efecto. Con lo que se gana, uno no puede permitirse el tener hijos. Todo el mundo compra al fiado, nadie paga. En el tejar acaban de despedir a otro centenar de obreros... Yo tengo que *dar* crédito, pero el que me *dan* a mí tiene un límite.

—¿Han despedido a otros cien?

—Es cierto. Y todavía no estamos al final. ¡Oigo comentar si cerrarán por completo!

—¡No es posible!

—No lo sé, doctor. Si hacen tan poco negocio como nosotros, lo raro es que tengan abierto tanto tiempo.

La enfermera trajo el mercuriocromo y las gasas. Mientras la muchacha se volvía, un soplo de aire movió el billete sobre la mesa. Lucas le puso la abierta botella de mercuriocromo encima y con la gasa empapada de líquido desinfectó el corte de la mano de Garvey.

—No sé qué hará la gente si cierran la alfarería —dijo con acento preocupado el doctor Castle.

—No será un acuerdo definitivo —objetó Lucas—. ¿Verdad que no?

Garvey se encogió de hombros.

—Bien, creo que no necesitan ustedes que les ayude. —Así diciendo, el doctor Castle se alejó.

—Esta tarde telefonearé a Morgan —le dijo su colega.

300

El anciano médico aprobó con un ademán y desapareció.

—¡Ya está! —exclamó Lucas—. Si se le hinchase venga a verme. Dígale a la enfermera que yo he mandado que se lo venden. Procure que no se le ensucie la herida. ¡Tome! Llévese esto. —El joven levantó la botella de mercuriocromo, la tapó y la entregó a Garvey. Luego recogió el billete de cinco dólares. Donde había pisado la botella, quedaba un cuadro rojo formado por gruesas rayas. Ambos lo miraron, sorprendidos.

—Supongo que no lo habrá echado a perder —aventuró finalmente Garvey.

Lucas se puso el manchado billete en la cartera.

—Habrá eliminado unos cuantos gérmenes —contestó con indiferencia.

—Gracias, doctor... Siento de veras poder entregarle tan poca cosa.

Lucas contestó, distraído, con un movimiento de cabeza.

"¿Cerraban la fábrica de ladrillos?". El médico pensaba en ta contingencia mientras se dirigía hacia la puerta. Luego se detuvo, giró sobre sus talones y se fue a una cabina telefónica.

—No tengo tiempo —contestó Harriet—. No puede ir hasta la ciudad.

—Hay un pequeño establecimiento al lado de vuestros cobertizos.

Lucas salió apresuradamente con el coche y pasó junto al terreno que presentaba cicatrices de la abandonada conducción de aguas y se detuvo más allá del tejar.

Los dos jóvenes empezaron a sorber el café. El dependiente se alejó. Harriet miró inquieta a su alrededor.

—No hay por qué preocuparse —apresuróse a decirle Lucas.

—Está tan cerca...

—¡Olvídales! Acaban de darme una noticia. Me han dicho que stán a punto de cerrar.

—¿Es posible?

—Me lo ha dicho Garvey, el droguero. A él se lo habían dicho también.

—Esta mañana han despedido un centenar de hombres.

—Garvey también estaba enterado.

—¿Cerrar la fábrica? Me hubieran dicho algo... —La joven se interrumpió dubitativa.

—Mejor será que abras los oídos. —La faz de Lucas se dulcificó—. ¿Me has echado de menos?

—¿Qué? ¡Naturalmente! ¡Ya sabes que sí! Luke, conviene que me marche.

—¡Quédate un minuto! Acábate el café. Sí, te habrías enterado...

—Soy un lujo... puede deshacerse de mí... y de toda mi sección. Debía saberlo. —Harriet movió la cabeza, disgustada—. ¡Hoy en día todo son rumores! ¡No se oye otra cosa que rumores!

A Lucas se le humedecieron los ojos, mirando a la joven.

—No durarán siempre.

—¿Y tú qué hacías?

—Estuve con el doctor Castle, hablando del hombre y de las células... y ahora que me acuerdo, ¡de Kristina!

—No creerás que él sepa algo, ¿verdad que no? Me refiero a lo nuestro.

—No, ¡Dios mío! ¿Castle?

—Pues, ¿por qué habla de tu esposa?

—¡Ah, no lo sé! El y Runkleman siempre han pensado...

-¿Que ha dicho?

—No ha dicho nada. Ha dicho solamente que tengo una esposa que vale mucho y que procure no olvidarlo.

—¡El sabe algo!

—¡No sabe nada! Desde el primer día que les conocí, el doctor Castle y el doctor Runkleman están diciendo lo mismo. Me recuerdan de un modo indirecto que tengo un tesoro en Kristina si sé darme cuenta.

—¿Cómo ha sido que volviera a insistir esta mañana precisamente?

—¡Harriet! Por lo que más quieras, deja de mirar debajo de la cama.

—Lo siento. Me figuro que estoy nerviosa. ¡Ahora tengo que irme, Luke! —La joven apuró la taza de café y se levantó. Tenía la mirada ausente, alarmada.

—Cuando uno se va —dijo distraídamente—, debe hacerlo de prisa. Ha de tener formados sus planes...

Lucas abandonó remiso el taburete.

—¿Te veré esta noche?

—¿Esta noche? Sí, esta noche.

—Pasaré a recogerte.

—No vengas demasiado pronto. —Los ojos de Harriet se iluminaron un momento, mirando a Lucas. El corazón de éste dio un brinco en el pecho. La joven bajó la vista. Lucas se acercó a la caja del mostrador y entregó un billete al camarero.

—¿Qué es esto? —El dependiente examinó con calma ambas caras del papel.

—¿Qué? ¡Ah! Un poco de mercuriocromo. No le perjudica en absoluto.

—¡Hasta la moneda se pone al rojo hoy en día! —exclamó el camarero, en tono acerbo. Luego puso el billete en el cajón y devolvió el cambio a Lucas.

En el exterior se detuvieron un instante.

—Regresaré andando —dijo Harriet.

—¡De todos modos, tengo que ir en esa dirección! —protestó él.

Pero la joven se despidió con un ademán.

En la oficina, miss Snow tenía preparado un talonario de cheques. Mientras Lucas firmaba, la enfermera quedó de pie a su lado. Al terminar, el médico se fijó en el saldo que quedaba.

—Desciende bastante —dijo impresionado.

—No es como años atrás —suspiró miss Snow—. Será mejor que empiece a molestar a algunos de esos truhanes.

—Volverán —dijo Lucas, encogiéndose de hombros.

La enfermera recogió los cheques firmados.

—A usted no le inquieta la situación, ¿verdad? —maravillóse.

—Estamos muy bien.

—Lo sé. Pero, ¡en cuanto al dinero!...! ¿No significa nada para usted? ¿de veras, doctor?

Lucas le dirigió una mirada firme.

—¿Cree que trabajo por el dinero?

—Pero la gente ha de pagar, también. ¡Un hombre no trabaja en balde! ¿Qué tiene de malo el dinero?

Lucas apartó la vista de los ojos glaciales de Alfred para toparse con los ojos despiadados del tesorero. No tenía hogar, y los ojos de los amigos le miraban con recelo, como a un extraño. Tuvo que afrontar el reto de aquella vergüenza, abrumado por un antiguo terror, viéndose yendo de un lado para otro y solitario.

—Usted odiólo que no debe odiar —le dijo miss Snow sosegadamente.

—Nadie debe trabajar por el dinero —insistió él, en voz baja, pero firme—. No precisamente por el dinero. —Y movió la cabeza, apretando los labios—. ¡Nadie!

Miss Snow desvió la mirada.

—Empezaré a mandarle pacientes —anunció con acento suave.

—Tengo que hablar por teléfono. Déjeme cinco minutos.

La enfermera asintió con un gesto y cerró la puerta tras sí.

El doctor Morgan tenía una voz de barítono, educada y suave.

—¡Me causaría mucho placer ayudarle, doctor! —Su acento se había vuelto afanoso; su voz perdió el tono educado.

—Depende de usted, naturalmente. De todos modos, hace días que tengo la idea de ir a saludarle.

—¡Sí, sí! ¡Ciertamente! Ya es hora de que nos conozcamos. Sí... Ya sabe usted que he abierto mi clínica.

—No. No lo sabía.

—¡Sí! ¡Muy recientemente! Sí, me causará placer colaborar con usted... —Aquí hizo una pausa muy intencionada— ¡siempre! Estoy seguro de que podemos llegar a un acuerdo ventajoso para los dos. ¿Le ha hablado de mí el doctor Binyon? ¿O el doctor Blake?

—No tendrá dificultad en llegar a... a un acuerdo con el paciente —respondió Lucas, en tono frío.

—¿Eh? ¡Ah, sí, comprendo! Según mi experiencia, estos casos de anquilosis tienden a ser muy complicados. Sí... Bueno... ¿Y qué me aconseja, doctor? O, mejor dicho, ¿en qué circunstancias se encuentra el paciente?

—Me temo que sus honorarios tendrán que ser algo bajos.

—¡Oh, doctor! Yo no me pongo la bata por menos de cien dólares.

—La gente se encuentra en un momento apurado. Con mi propia clientela me veo en la necesidad de atemperar mis exigencias a la penosa situación de sus bolsillos, actualmente. —Lucas hacía esfuerzos por hablar con calma, en tono ligero.

—¡Doctor, me ha costado años adquirir mi título, mi clínica, años duros, muy duros! ¡Si mis servicios no me procuran los honorarios mínimos, prefiero prestarlos de balde!

—¡Magnífico! —contestó instantáneamente Lucas.

—Perdone. ¿Qué decía?

—He dicho: ¡magnífico! ¡Gracias, doctor! ¡Este paciente lo merece!

—Lo que quería expresar era...

—Estoy de acuerdo con usted en absoluto. De vez en cuando tenemos que atenderles gratuitamente, ¿verdad? Bien, pues mañana a las nueve.

—Debo decirle... que hubiese preferido estar informado antes de estas circunstancias, doctor. Naturalmente, si mis servicios son necesarios y el cliente es absolutamente pobre... Si no le importara intentarlo por sí mismo, yo podría describirle fácilmente el procedimiento. Estoy seguro de que no le resultaría difícil. ¡Tengo referencias altamente encomiásticas de usted, doctor!

—Creo que debo supeditarme a la persona más calificada —respondió Lucas, en tono placentero—. Es una suerte que, según me ha dicho, tenga la hora libre. ¡Estoy esperando con sumo interés el momento de actuar de ayudante!

—Buenos días, doctor —despidióse fríamente el otro.

—¡Buenos días! —respondió Lucas con calma.

—Aquí está mistress Cunningham —anunció miss Snow—. ¿Por qué motivo se le ve tan contento de pronto?

—¡Siempre me alegra ver a mistress Cunningham! —respondió el joven entusiasmado—. ¡Entre, mistress Cunningham! —exclamó poniéndose de pie.

—Le interesa el cuarto "A" —dijo la enfermera. Médico, enfermera y paciente salieron al pasillo y penetraron en el primer cuarto.

—Está aumentando de tamaño —dijo entristecida la enferma.

—¡Eso parece! ¿Verdad? —Lucas examinó el hinchado vientre. Sus ojos se detuvieron brevemente en los colgantes pechos y en las vetas rosáceas de los muslos. —Siéntese, señora. No... Aquí. Esto es... Ahora, si nos trae un cubo, miss Snow, creo que montaremos un pequeño grifo.

—¿Dejará salir un poco de líquido? —preguntó sin curiosidad la anciana.

—En efecto. No sentirá nada.

—¿De dónde sale todo esto? —la enferma levantó los flacos hombros y enlazó las manos sobre el regazo. —El doctor Runkleman solía darme medicamentos para el hígado.

—Es cierto. Viene del hígado y de otras cosas.

—Es lo que él decía...

—Sí... Veamos, miss Snow, si quiere hacer el favor de darme aquel trócar. Vamos, mistress Cunningham, no le dolerá nada; una ligera molestia nada más, sólo un...

La punta del trócar se apoyó en el hinchado vientre, se movió y desapareció, seguida por el grueso tubo de la aguja hasta que la mitad del brillante acero estuvo hundido en el abdomen de la paciente.

Lucas quitó el fiador con mano experta. El agujereado acero se había convertido en ún largo tubo. En su extremo libre apareció al instante un delgado hilo de líquido turbio. Miss Snow acercó el tubo apresuradamente para recogerlo.

—Vaya, mira qué cosas —murmuró la joven, con algún interés.

—Esto es lo que usted no excreta, mistress Cunningham. ¿Ve? su cuerpo.

—Sale con un chorro seguido, ¿verdad? —La enfermera enderezó la espalda y se acomodó satisfecha en el asiento.

—Sí... Bien. ¿Me llamará dentro de unos cinco minutos, miss Snow?

La enfermera hizo una mueca. Ella y el médico cruzaron confusos una sonrisa torcida. Luego miss Snow hizo un signo afirmativo y se volvió hacia la paciente.

—Siga de este modo, expulse toda esa materia, mistress Cunnhingham —animóla.

Lucas se fue por el pasillo. Un momento despues se encogió de hombros.

El hombre que le esperaba en el despacho jugueteaba nerviosamente con el sombrero.

—¿Por qué no está en la granja? —preguntó Lucas, con una sonrisa—. No le ocurre nada malo, supongo.

—¡No, no! Me encuentro muy bien... Yo, pues..., he venido por otra cosa...

—Bien, siéntese. ¿Qué le trae por aquí? ¿Sigue bien su esposa?

—Ahora viene... El caso es doctor...

—Tengo que volver a la hermosa granja que tienen ustedes. ¡Sólo por gusto! —En la mente del médico se proyectaba la imagen de la granja con su océano de pollos blancos.

—Se trata de su cuenta, doctor. —El hombre hizo rodar el sombrero entre los dedos.

—¿Está equivocada?

—No son más que veinte dólares. No se trata de usted... El caso es, doctor, ¡que estoy en la ruina!

—¡Vamos, tranquilícese! La quiebra no la he promovido yo, ¿verdad que no?

—Yo soy un hombre que paga sus deudas. Hace cuarenta años que vivo aquí; me precedió mi padre, y nadie puede afirmar que ninguno de los dos debiera jamás un centavo. ¡Ni un penique tan sólo! Toda mi vida.

—Todo saldrá bien. Comprendo sus sentimientos, pero...

—No tengo sino un dólar.

El hombre sacó dos monedas de un viejo monedero.

—¡Espere! —exclamó Lucas, recordando. Veía de nuevo aquella misma habitación y al doctor Runkleman y a una mujer anciana, y sobre la mesa...—. ¡Me pagará con pollos! ¿Qué le parece?

El labrador le miró. Luego dejó calladamente las dos monedas sobre la mesa.

—No tengo ningún pollo —contestó. Lucas abrió los ojos estupefacto—. No puedo comprar la comida.

El recuerdo del blanco mar, ilimitado, de plumas resurgió en la mente del médico.

—¡No, no! ¡Usted no me comprende! ¡No quiero decir muchos! ¡Los que pueda! Media docena..., tres..., los que sean... *Uno!*

El deudor le miró con firmeza.

—No me queda ni uno.

Cuando se hubo marchado, Lucas permaneció inmóvil en su silla, escuchando el eco de las desalentadas palabras del granjero: "Nos comimos el último hace tres días...". Pero, con tantos miles... ¿Todos? ¿Hasta el último?

Entonces oyó el llanto de un niño.

Se abrió la puerta.

Miss Snow entró sonriendo.

—Aquí tiene un paciente pequeñito. —La enfermera contempló el fardo que llevaba en brazos y arregló la limpia aunque gastada manta—. ¡Escúchele!

La madre entró a continuación, fijando en Lucas una mirada ansiosa.

—¡No es mucho más que una niña usted misma! —exclamó miss Snow—. ¡Mira que casarse y tener hijos! Me acuerdo de cuando el doctor Runkleman asistió a su nacimiento.

Salieron al pasillo.

Hacia el final del día, una mujer se levantaba para marchar.

—¿Cuánto es?

—Tres dólares —contestó Lucas—. Pero puede dárselos a miss Snow. ¡Eh, aguarde! —Y cogió el billete. Era de cinco dólares y en su centro tenía un rectángulo bien conocido, unas manchas rojas—. ¿Dónde se lo han dado?

—¿Qué ocurre? —preguntó la mujer temerosa.

—Nada en absoluto. No ocurre nada malo. Sólo me estaba preguntando de dónde había sacado usted ese billete.

—No lo sé —contestó ella, preocupada—. Estuve en la droguería, he comprado un par de calcetines, hilo... Es bueno, ¿verdad? ¿No será falso? —La paciente levantaba la voz, desesperada.

—¡No, no! Es bueno, no cabe duda. Me preguntaba únicamente... se da el caso que yo... ¡Ea, no importa! —Lucas se guardó el billete en la cartera y le devolvió dos de un dólar—. Me propongo guardarlo como recuerdo.

La mujer sonrió con timidez y se marchó apresurada.

Cuando cerró la puerta, Lucas volvió a sacar el billete. Era el mismo; no cabía duda alguna. Era el mismo billete, el que le dio Garvey, el droguero... "Garvey me lo ha dado esta mañana... Yo me lo he guardado en la cartera... Luego lo he dado al camarero para pagarle el café". El joven volvió a escuchar la voz de la mujer. "Y luego ha ido a parar otra vez a un droguero, o a la tienda de confecciones, o la mercería, y después...".

Lucas contempló el papel, que correspondió a su mirada con la indiferencia de lo inanimado.

Por fin, después de manosearlo unos instantes, lo colocó cuidadosamente en la cartera.

Abrióse la puerta.

—El último paciente —anunció miss Snow.

Entró un muchacho que se oprimía cierta parte del vientre con la mano.

En aquel lado estaba el apéndice, el delantal transparente, impecable, del mesocolon, la blanca y esbelta preciosidad del uréter, la arteria cólica con su perfecta red de ramificaciones carmesíes. Podía tratarse de un cólico intestinal, naturalmente; podía tratarse de cualquier otra cosa...

—Bien, veamos —dijo Lucas—. ¿Has tenido vómitos? ¿Has devuelto la comida? ¿Duele aquí? ¿Y aquí?

La puerta se cerró por fin. Miss Snow fue a gozar del descanso de la noche. Lucas se desperezó fatigado, y paseó, por última vez en aquel día, una mirada por el consultorio. Luego parpadeó cansado, pero contento, apagó las luces, y en la oscuridad encontró la puerta de comunicación, cruzó el umbral y estuvo en su casa.

Por un instante creyó que se había equivocado.

Luego oyó indistintamente las voces que venían de la sala de estar. Escuchó primero la voz de Kristina. Después, rígido, horrorizado, incrédulo, oyó nuevamente la otra. El médico penetró en la sala.

—¡Hola, chico! —le saludó Job.

Se notaba que no sólo estaban sonrientes, sino que habían reído a carcajadas. Kristina se puso seria repentinamente.

Lucas contempló a su padre. Job se había empequeñecido. Su frente subía tensa hacia la ancha y elevada cúpula en la que el pelo escaso, pero todavía rubio, había retrocedido notablemente. Los profundos surcos de ambos lados de la nariz exageraban el tamaño de ésta, y aunque las mejillas parecían afeitadas recientemente, veíanse repliegues de pelo no cortado en el borde de las mandíbulas y en la línea donde la piel desaparecía debajo del sucio cuello de la camisa.

Las manos de Job se habían convertido en largas garras.

Llevaba los zapatos rotos, agujereados, una vieja y brillante chaqueta de sarga, los puños roídos, y unos pantalones raros, manchados, arrugados, deshilachados.

Los ojos, ahora más hundidos, conservaban su mirada azul satisfecha y riente, y las arrugas de sus ángulos continuaban pregonando infatigablemente el regocijo innato de aquel hombre, el alborozado desprecio que le inspiraban los respetos humanos y la taimada e indomable decisión de aprovecharse de ellos cuanto pudiera.

—¿De dónde viene? —preguntó Lucas, haciendo un esfuerzo por dominarse.

—¡Oh! Estuve aquí, estuve allí, estuve en todas partes —respondió Job—. Apuesto a que he recorrido la mitad de los Estados Unidos.

—Y dirigiendo una mirada de pesar a su traje, concluyó—: Mejor o peor.

—¿Acaba de llegar? —inquirió Lucas, desconfiado.

—Siéntate, siéntate —requirió Job. Lucas se sentó de mala gana—. No, llevo unos días en la población.

—¿Aquí?

—Examinando cómo estaban las cosas, nada más. Pensé que acaso encontrara un par de asuntos interesantes.

—¿En guarnicionería?

—¡Ah, no, no! Esto ha pasado. Ha desaparecido, como desaparece la carne mortal, según dice el refrán. No, ahora llevo varios años sin tratar con arneses, aunque todavía puede hacerse una fortuna con ellos. Un tío listo quería realizar una pequeña inversión en Suramérica, Africa, Australia; en fin, en lugares parecidos. —Job fijó en Lucas una mirada calculadora.

—¿Qué ha hecho? ¿Andar por ahí diciendo que era mi padre? ¿Me ha utilizado como referencias?

—No he dicho una palabra —contestó Job, alegremente—. Me he figurado que podía perjudicarte, tu... tu negocio. No. El otro día pasé casualmente por la capital y miré. si estabas en la Universidad. Creí que debía hacerte una visita. —Job indicó a Kristina, guiñando el ojo—. ¡Vaya esposa que te buscaste! —exclamó picarescamente—. ¡Eres de mi madera! Siempre deseé relacionarme con alguna de esas guapas muchachas suecas.

Lucas se estremeció y miró a Kristina. Esta bajó los ojos.

—De modo que había estado aquí anteriormente.

—Vamos, no se lo reproches a ella. Sólo vine un día y tú no estabas. Me figuré que podrías dejarme dormir en algún sitio.

—Y ella le dio dinero.

—¡Unos pocos dólares nada más, Luke! —exclamó Kristina, desalentada.

—Y al día siguiente se dio el caso de que yo tampoco estuve y...

—A un hombre inteligente, esta depresión puede hacerle millonario —afirmó Job—. En ciudades pequeñas como ésta, a veces un hombre listo puede saltar en medio, mientras a los demás les paraliza el miedo, y apropiarse una cosa buena por una miseria. No hay límite.

—En Greenville sí lo hay —replicó Lucas, con firmeza. Ahora no sentía miedo, ni estaba disgustado, ni le sofocaba ya la vergüenza.

Job volvió a mirarle con ojo calculador, movió los labios meditativamente y acabó por sonreír, animado.

—Si tú lo dices, está bien —asintió—. No puedo afirmar que aquí se presenten muchas ocasiones. —Y se encogió de hombros—. Había pensado en ir más allá de Milletta y pararme a ver cómo van las cosas. Quizá la tumba de tu madre. Tienes una hermosa vivienda. Me alegra verte en tan buena situación.

—Si estuviera en su lugar, no iría a Milletta. No; de ningún modo.

—Unos cuantos dólares me harían mucho favor, si pudieras desprenderte de ellos.

Lucas dirigió una significativa mirada a Kristina.

—Ya se los han dado.

—Quiero decir para comer —insistió el forastero.

—Estoy seguro de que no son para comer —replicó Lucas, sintiendo que la cólera le inflamaba y destruía la compasión, cuyos dedos tanteaban los antiguos amores, los viejos lazos.

— ¡Es tu padre, Luke! —gritó Kristina.

—A escondidas de mí. —Lucas se dirigió a su mujer moviendo la cabeza en un gesto de reproche—. Buena pareja tengo en vosotros. Tú sabías lo que estabas haciendo, ¿verdad? Sabía lo que diría yo, cómo había de tomarlo.

—Vamos, éstas no son maneras de hablar. Ella no tiene culpa alguna; la tengo yo. Y no sé qué falta tan horrible hemos cometido. Cuando tenía dinero, hice por ti todo lo que pude.

Lucas sacó la cartera como hubiera sacado una pistola. Le temblaban los dedos, se le nublaban los ojos, casi no podía contar.

—Si pudieras darme algo... —insistió Job, observándole.

En la cartera había casi ochenta dólares. Lucas cogió cincuenta, reservándose el billete pintado de rojo, que quería guardar.

— ¡Bien! —exclamó Job, complacido.

—Ahí van. Son los últimos —advirtióle Lucas.

—Bueno —contestó su padre—. Muy agradecido.

—Está bien —replicó el joven, dirigiéndose hacia la puerta.

Su padre se levantó, recogió el destrozado sombrero que había caído al suelo, al lado de la silla, y sonrió a Kristina.

—Me alegro de haberla conocido. Sabía que mi hijo era un hombre de gusto. Procure tenerle en vereda y no olvide la historia que le he contado de la viuda —Job soltó una risita burlona—. Me hablaba de su padre —le dijo a Lucas. El médico dirigió una mirada glacial a la faz blanca, suplicante, de Kristina.

Job volvió a tomar la palabra en medio del silencio.

—Bien —dijo—, me parece que si me doy prisa, todavía podré coger un tren de la noche. —Con gesto negligente se guardó el dinero en el desgarrado bolsillo—. Me hablaron de un asunto en Filadelfia que parece podría producir una fortuna.

Lucas abrió la puerta.

—Nunca se sabe —dijo aún Job, animadamente—. Bien hasta la vista, Kristina. Celebro haber tenido ocasión de conocerte.

—Buenas noches, Luke —despidió el forastero, extendiendo la mano. Lucas vaciló. Luego estrechó la mano que se le ofrecía.

Job movió la cabeza afirmativamente y cruzó el umbral.

— ¡Piensa en ti! —gritó alegremente—. Ya lo sabes: "Lo primero es el yantar".

La puerta se cerró tras él.

Lucas se quedó inmóvil paralizado. Después se limpió lentamente la palma de la mano derecha sobre los pantalones.

—Es un anciano, Luke —suplicó Kristina—. No podía dejarle marchar... Es tu padre.

Aquella mujer le había traicionado. Y había sido testigo de su vergüenza.

—No tengo nada que decirte.

—Fueron sólo unos pocos dólares..., lo necesario para dormir.

—Sabías muy bien lo que hacías. Conocías uno por uno los pasos de este camino. Sabías cómo lo tomaría yo...

—Tuve miedo...

—¿Miedo de que lo echara de aquí? ¿Sabes lo que significa para mí ese hombre? ¿Quieres que te describa el cuadro? ¿Puedes hacer alguna otra cosa por mí? ¿La que sea? ¿Tienes alguna otra idea en el cerebro?

Kristina suplicó con los ojos. Después, inclinó la cabeza.

—Sí, Luke.

Lucas la miró, sintiendo que la llama de la cólera, del resentimiento y de la vergüenza le devolvían la libertad, que consumía hasta la última brizna de su obligación.

Entonces se volvió hacia la puerta.

—¿A dónde vas? —le preguntó tímidamente.

—A donde no te vea a *ti*.

—Pero si llaman...

—Avisaré a la telefonista.

—¡Luke! ¡Por favor, Luke! No te vayas... Dime dónde estarás, por lo menos...

Lucas la miró con frialdad.

—Quizá me vaya hasta Annivale —le dijo pausadamente.

—¡Hasta Annivale!

Pero Lucas no pensaba hacerlo. Se lo decía nada más. Se lo decía pensando hacer otra cosa.

Ahora no quedaba duda.

Kristina recordó la bolsa de secos bocadillos que había encontrado al limpiar la parte trasera del coche. Sí, los había encontrado, los había mirado con frío en el corazón y los había quitado de allí. Había quemado la bolsa, pero no la imagen. Había contemplado petrificada el significado de aquel pan ennegrecido en carbones sin forma; volvía a ver la bolsa y a sí misma alejándose, marchándose trabajosamente, arrastrando aquella bolsa, transportando su intolerable peso, soportándolo sobre su corazón, silenciosa, aterrorizada; transportándolo como una muerte, pero sin despegar los labios. Y los días pasaron. Y Kristina observó. Y recordó pequeños detalles. Y abrió el pecho a la esperanza. Pero ahora era evidente. Ahora era evidente y Lucas le miraba con ojos retadores. Y ella recordaba aquella bolsa.

La faz se le puso encarnada. Kristina miró cara a cara a su marido.

—Que no tenga que avergonzarme de ti, Lucas —le dijo con voz firme.

"¿Avergonzarte? —pensó él—. ¿Sabes tú lo que es estar avergonzado de ti? ¿Sabes hasta qué punto me he avergonzado de ti? ¿Sabes lo que significa estar casado contigo?".

Pero no dijo nada. Era inútil pronunciar ni una sola palabra.

Lucas cerró la puerta y se fue.

Manejaba el volante con impaciencia. Harriet le estaba esperando. A los pocos momentos se encontraron en los callados montes.

Algo después, sobre la montaña, silenciosos los dos, meditando, Lucas tomó la palabra de pronto:

—Ha de existir otra clase de vida, una vida como debe ser. Ha de existir en alguna parte. ¡En alguna parte! ¿Acaso pido mucho?

Harriet se volvió hacia él bruscamente.

—¿No pensarás que he aguardado demasiado, Luke? —preguntó ansiosa—. No he perdido todo este tiempo, ¿verdad que no? He creado, he trabajado. No pienso que me haya enmohecido.

—¿Tú? —Lucas la estudió con la mirada, desconcertado—. No lo sé... No lo creo... Yo... yo no conozco tu trabajo muy bien, compréndelo... Estaba pensando..., me figuro que estaba pensando en mí mismo...

—¡Es cierto! ¡Uno ha de pensar en sí mismo, Luke! ¡De ti es de quien has de ocuparte! ¡Siempre!

Harriet se quedó en silencio y ambos contemplaron el cielo, el cielo oscuro, maternal, de la noche, hacia el cual enviaban sus sueños, sentados uno al lado del otro, callados, absortos, sin cuerpo, anhelantes.

Cuando la puerta se cerró tras Lucas, Kristina permaneció en su silla. Los minutos pasaban; la joven seguía petrificada, inmóvil, perdida.

¿Qué había hecho? ¿En qué se había equivocado?

"Hay algo que debo hacer... algo que entre en las obligaciones de una mujer... Yo hice lo que hacen las demás...". Su mente revolvía, examinaba los pensamientos y las acciones durante su vida con Lucas, apreciándolos, inspeccionándolos, según el modelo de lo que hubiera hecho otra mujer, de lo que haría en aquellos momentos...

"El no me ama..., nunca me ha querido de verdad... En un tiempo pude ayudarle..., con lo cual todavía desperté su odio... Es natural... es la manera de reaccionar de un hombre... Soy una tonta... y no puedo aprender... ¿Qué hacen las otras?... ¿Qué debe hacer una mujer?... ¿Qué debería hacer yo...?".

"... Siempre me equivoco..., si no me moviera... si no hablase...".

"... Un hombre tan anciano como ése... Dios me ayude; sabía que hacía mal... ¡Oh! El tiene razón, tiene razón, la tiene siempre...".

"... ¿Qué hacen las otras mujeres?... Ha de haber algún medio... ¿Qué harían en mi lugar?".

"... El viejo ha llamado a la puerta, yo he abierto y él ha dicho... Pero yo no debía, no debía... ¡Oh, Dios mío, Luke, perdóname!... Y por tanto, ahora se va con ella..., y no le tendré más; no, nunca más... Se ha ido con ella..: y esta vez lo veo..., esta vez hemos terminado para siempre...".

Ahora no existía ninguna esperanza sólida. Quizá nunca había existido mucha; la suficiente nada más para apoyarse en ella, para probar, para remendar, para confiar. Al recuerdo de la faz de Lucas, Kristina cerró los ojos.

Ahora sería un matrimonio distinto y habría que soportar lo que se presentase. La convivencia descansaría sobre una base nueva ahora.

Esto suponiendo que descansara sobre alguna. Y si ella no veía nada, si desviaba resueltamente los ojos, sin ver nada, sin oír nada y seguía su camino calladamente, manteniéndose aparte, hablando sólo cuando él le hablase...

Acaso llegara el día. Una sucesión de días. Una especie de tregua. Un cansancio, una cicatrización, y luego, una nueva vida. Si ella se sostenía en su puesto sin hacer notar su presencia, sin ser vista, sin ser oída. ¡Ah, sí! Si se sostenía levemente...

Kristina se estremeció.

Acordóse del hijo que llevaba en las entrañas.

Una hora antes..., si Lucas se hubiese enterado una hora antes se hubiera enojado..., se habría puesto furioso... Pero al verlo desnudo, hermoso, ¡suyo!...

Pero ahora..., ahora si se enterase no se enfurecería. Sería el fin.

Eso, sencillamente...

Kristina se levantó con esfuerzo.

En el armario, en una caja de zapatos, escondida por su capa. Kristina encontró la caja. Entró en el cuarto de baño. Cerró la puerta. Abrió la caja de cartón. Volcó el contenido sobre la canasta de la ropa.

No había mucho. Un par de zapatitos, un gorro, un jersey, un trozo de encaje para una chaquetita. Kristina miró todo aquello con ojos apagados. El jersey parecía colgar hacia un lado, había hecho los puntos muy mal; Kristina estiró la lana con cuidado, tratando de remediar el defecto. Contempló aquellas prendas todavía un momento. Luego abrió la puerta del botiquín. Cogió las tijeras que había utilizado de enfermera. Revolvió el reducido vestuario. Cogió un zapatito. Dominó el imperioso anhelo de llevárselo a los labios. Cerró los ojos. Abrió la boca en un esfuerzo por contener las lágrimas que la cegaban. Un trocito de lana flotaba en el lavabo. Kristina sostuvo el zapatito encima de éste y cortó nuevamente. Cuando estuvo reducido a pequeños trozos, cuando no quedó más, cuando sus manos no sostuvieron otra cosa que las tijeras, abrió el grifo del agua. Entonces cogió el otro zapatito. Lo dejó precipitadamente. Se apoderó del jersey, volvió a dejarlo; cogió el gorro, volvió a dejarlo; levantó nuevamente el jersey.

Las tijeras cortaron.

Al cabo de poco rato había concluido. Los zapatitos, el jersey, el diminuto gorro, el trozo de encaje habían desaparecido. Kristina devolvió a su sitio las tijeras que había usado de enfermera. Cerró el gabinete. Giró sobre sus talones y se quedó mirando fijamente la vacía concavidad del lavabo.

De pronto, tuvo un sobresalto.

¿Cuánto tiempo, cuán largo rato había estado allí?

Porque quedaba algo más. Quedaba lo otro... que tenía que hacer... ¡Y Lucas podía regresar! ¡Podría regresar en cualquier momento!

Kristina abrió la puerta con mano insegura.

Escuchó.

El terror le secó las lágrimas.

Su mente no albergaba la menor duda respecto a lo que tenía que hacer. Tenía que llevar a cabo la acción más terrible que una mujer podía realizar. Y ella no era solamente mujer. ¡Era enfermera! Pero afrontó aquello. Aquella sombra que cubría torva, rápida, su mente. Porque no había discusión posible. Estaba Luke. Estaba el Luke que le pertenecía y al cual pertenecía ella. Y Kristina quería conservarlo. No había otra cosa qué hacer.

Si tenía tiempo...

¡Si tenía tiempo! ¡Sólo pedía tiempo!

La mujer se dirigió vacilante hacia la vecina puerta que daba al consultorio. Encendió la luz. Deslizóse hasta el botiquín del dispensario. Examinó turbada, los frascos.

El nombre apareció ante sus ojos.

Kristina cogió la botella con dolor en el corazón.

Sacó cuatro píldoras. Levantó la mano hacia la desobediente boca. Y la mano se detuvo a mitad de camino.

Kristina permaneció en esta actitud, paralizada de espanto.

Había otra cosa.

"¿Si no hace efecto?".

"¿Si me pongo mala?".

"¿Si obro sólo a medias".

"¿Si tienen que hacerme un raspado?".

"Pero si no las tomo...".

Jadeaba. Se echó a llorar desconsoladamente. Se daba ligeros golpes en las sienes. "¿Qué debe hacer una mujer? ¿Qué? ¡Ah, Dios mío! ¿Por qué no me lo dices? Lucas, Lucas...". Entonces vio nuevamente la faz de su marido. Y se estremeció.

Se puso las píldoras en la boca; un instante después se las había tragado.

Kristina contempló la botella con ojos desorbitados. La quietud de la estancia zumbaba en sus oídos. Su corazón latía con más lentitud. Se sentó.

Se oyeron unos golpecitos en la puerta exterior.

Movida por un pánico instintivo, Kristina se puso en pie de un salto y se llevó la mano a la boca.

Las llamadas se repitieron, y luego con más fuerza.

Kristina se acercó, atontada, a la puerta. Temblaba, combatía el mareo del terror. Abrió dejando sólo una rendija.

—Y se oyó a sí misma, diciendo:

—El doctor Marsh no está.

Y entonces ella abrió por completo.

Kristina miraba al médico con ojos desorbitados por el terror, sintiéndose culpable de un crimen. Y retrocedió.

—No está aquí, doctor Kauffman —repitió·con voz cascada.

El médico entró sin apartar la mirada de su aterrorizada faz. Sonreía con ojos inexpresivos.

— ¡Oh, querida! —dijo, lamentándose—. Tengo que verle. ¿Le sabe mal que le aguarde?

Kristina le miró con aire estúpido, hizo un movimiento de deglución y se oyó a sí misma invitándole:

—Entre. Haga el favor de entrar.

El doctor Kauffman penetró en el despacho. Ella le siguió. El médico dejó el maletín encima de una silla y sobre aquel colocó el sombrero y el abrigo. Luego paseó una mirada indiferente por la habitación y advirtió la puerta abierta del botiquín. Sus ojos no descansaban.

—El doctor Marsh no ha cambiado nada, ¿no es cierto? No... Yo había estado aquí muchas veces, hablando con el doctor Runkleman. Era cuando llevaba poco tiempo en esta población. El doctor Marsh tarda un poco esta noche, ¿verdad?

—Le han llamado —respondió Kristina.

—Espero que no sería cosa de importancia. —Al doctor Kauffman no le pasaba nada por alto, ni la agitada respiración de la joven, ni el terror mortal de sus ojos, ni el temblor de sus manos, si sus secos labios. Pero sonreía placenteramente.

—No..., no sé cuándo volverá.

—Comprendo —dijo él, con acento cariñoso. Y apartó la vista de la pálida faz de la mujer.

Esta mirada hizo recordar a Kristina súbitamente, y, reprimiendo un grito, se acercó a la mesa para apoyarse en ella, de cara al visitante.

El doctor Kauffman la examinó con la mirada, fijóse en la botella que tenía detrás, bajó la vista al suelo para hacerse cargo de la situación y luego volvió a levantar los inexpresivos ojos mientras sus labios sonreían afectuosamente.

—¿Cuántas ha tomado? —preguntó, con acento sosegado.

Kristina no respondió.

El médico observó la botella; luego miró de nuevo a la mujer, aguardando.

Kristina tenía la cara de una blancura de yeso; sus labios se movieron, pero no salió de ellos ningún sonido.

Seguía mirando desorbitada al médico.

—Mistress Marsh...

Los ojos del médico aguardaban. Sus labios continuaban sonriendo.

Kristina movió la lengua en la boca reseca.

No podía apartar la vista de aquellos ojos; de aquellos ojos compasivos, protectores que la embrujaban.

Como viniendo de una gran distancia, Kristina escuchó su propia voz.

—Cua... cuatro —dijo con dificultad.

Lo había revelado.

Ahora no quedaba remedio. Dejó caer la cabeza. Estaba agotada. No tenía energías ni para sentir vergüenza.

Notando que el doctor la había cogido por el brazo, levantó la vista, atontada.

—Nos libraremos de ellas —le dijo afectuosamente el doctor Kauffman. Kristina notó que la conducía hasta el cuarto de baño. Notó que se arrodillaban; sintió que los dedos del doctor Kauffman descendían por su garganta.

Poco después, el médico la acompañó al despacho, le dio silenciosamente una inyección, se sentó y la observó con aire grave.

—Todo el mundo puede equivocarse de botella —le dijo.

Kristina levantó la vista una vez; luego apartó los ojos de los del médico.

Al acercarse al despacho, Lucas vio las luces encendidas y entró.

El doctor Kauffman se puso en pie.

Kristina inclinó la cabeza.

—Por lo visto, su esposa ha comido algo que no le ha sentado bien —oyó que decía el doctor Kauffman, en tono de excusa—. Me he tomado la libertad de prescribirle uno de mis remedios favoritos.

—Bien, muchas gracias. ¿Qué diablos...?

—Creo que ahora se encontrará perfectamente.

Kristina se levantó.

—Ahora estoy bien —le dijo—. Lo siento...

Y no pudo seguir.

Saludó con una inclinación de cabeza y salió de la estancia.

—Lamento no haberme encontrado en casa —dijo Lucas, mirándola mientras se iba.

—No se apure. No quise hablarle por teléfono. He visto a los demás.

—¿Ah, sí?

—Me preguntaba si usted había tenido últimamente algún caso de tifoidea. —Lucas le miró atónito—. De quince días en esta parte.

Lucas se sentó.

—Sí —prosiguió el doctor Kauffman—. La semana pasada yo tuve tres... El doctor Castle, uno... Binyon y Blake no están seguros... Ya sabe usted que es una enfermedad de diagnóstico difícil si no se ha visto con frecuencia... Se me ha ocurrido venir a verle.

—¡Cuatro casos!

—Seis, probablemente.

—¡Seis!

El doctor Kauffman hizo un signo afirmativo y añadió con calma:

—Sí, parece que se nos echa encima.

CAPITULO XXXVIII

El doctor Maurice Morgan era un hombre alto, rayando en los cuarenta años. Conducía un lujoso automóvil, del cual bajó impecablemente vestido, llevando en la mano un maletín de mucho precio.

Estrechó fríamente la mano de Lucas. Detrás de sus gafas con montura de concha, sus ojos miraban especulativamente el traje de su colega.

—Es usted más joven de lo que esperaba —dijo con inexpresivo acento—. Parece que se ha labrado una gran reputación, doctor. —Entretanto escudriñaba con la mirada la chaqueta de Lucas—. ¿Es usted un mago por casualidad?

—No poseo el dinero ni el tiempo necesario, supongo —respondió secamente Lucas.

—¡Ah, sí! Debo decirle que los viejos lazos de la fraternidad me han tenido bien atado de vez en cuando.

—No lo dudo.

—Sí. Así, pues, ¿dice usted que el paciente es pobre? Lamento saberlo. ¿Está bien seguro? Por supuesto, yo opero bastante por caridad, pero le sorprendería ver el número de marrulleros que se fingen indigentes.

Mientras se dirigía al cuarto de vestirse una camilla entró por la puerta de doble hoja. Sobre la misma yacía Li. El doctor Morgan enarcó las cejas inquisitivamente. Lucas hizo un signo afirmativo. Luego entraron en el cuarto y la puerta se cerró tras ellos.

—Es chino, ¿eh? Pues ahí tiene una clase de gente con las cuales debe andarse con cuidado. Generalmente, poseen ollas de dinero enterradas en alguna parte. Lo guardan para su funeral o qué sé yo con qué fin.

—¿No le parece que esto no pasa de ser una superstición?

—Es preciso vigilarles. —Morgan movió la cabeza. Luego colocó el traje con mucho cuidado sobre una silla y se quitó los zapatos—. Por lo visto, las tretas que la gente poco escrupulosa pone en juego no tienen límite.

Por fin se encontraron junto a la mesa.

—¡No corten! —gritó Li, animado.

—No cortaremos mucho —tranquilizóle Lucas.

—No corten la pierna.

—Vamos, recuérdelo; ya lo discutimos bastante.

—¿No cortarán la pierna?

—De ningún modo. Se la respetaremos. Aquí, el doctor Morgan es un experto, una eminencia.

—Usted no se mueva.

—Estaré aquí. Seré el ayudante.

—Nada de éter.

—Yo estaré aquí siempre, Li.

—No quiero éter.

—¿Preparados? —preguntó el doctor Morgan.

Me figuro que no hay inconveniente en que le demos una intrarra-quídea.

—Si no tiene confianza en nosotros, ¿qué le parece si le operásemos sin anestesia? —preguntó fríamente el doctor Morgan.

—Muy bien —contestó Li, sonriendo dichoso.

—Y lo dice en serio, además —afirmó Lucas.

—No lo dudo. ¿Empezamos?

Bajo los efectos de la inyección espinal, Li descansó quieto, sin sentir nada, obligándose a tener los ojos entreabiertos para observar a Lucas.

El doctor Morgan dejó la rodilla al descubierto.

Luego extendió la mano para coger un instrumento y su codo golpeó a miss Otis. A la enfermera se le cayó un retractor.

—¡Torpe! —gritó el médico. En seguida fijó la vista en el instrumental—. ¿Esto es lo mejor que tienen?

—Hospital del Condado —respondió Lucas.

—Yo no usaría estos cacharros ni para un caballo.

Fue preciso no ver ni oír nada. Nada importaba de veras, excepto la pierna de Li.

—Miss Otis tiene la bondad de venir a ayudarnos alguna que otra vez —replicó Lucas, afablemente.

El doctor Morgan refunfuñó.

—¡Vea qué revoltijo! Primero debemos quitar este hueso de aquí.

Los dedos de Lucas corrieron a ayudarle. Los menudos fragmentos de la rótula fueron levantados en seguida y disecados previamente.

—¿Dónde están mis aparatos? —gritó de pronto el doctor Morgan.

Miss Otis señaló la bandeja en la que brillaban unos cuantos instrumentos que formaban un vivo contraste con los del hospital, antiguos y maltratados.

—¡Bien! —asintió el operador. Miraba sus instrumentos con orgullo, avariciosamente—! ¡Le sorprendería el precio que cuestan! Pagué cuarenta dólares sólo por estos alicates. Y ahora, ¿tienen un sierra?

—Será preciso usar una "Gigli" —respondió Lucas.

—¡En este caso, úsela usted!

Lucas cogió obedientemente la sierra de cadena y dirigió una mirada interrogativa al operador.

—¿Ve usted? Es todo muy sencillo, tal como le dije —exclamó el doctor Morgan, irritado—. Podía haberle explicado todo el procedimiento por teléfono. Aquí precisamente —añadió señalando el extremo del fémur—, corte aquí y quite una pequeña rodaja de la cabeza de la tibia.

Lucas trabajó en silencio. Terminados los cortes, se lamentó:

—Lo siento. Pensé que quizá había salido algo nuevo.

— ¡Nada nuevo! ¡Nada en absoluto! No me necesitaba a mí ni por casualidad. Basta cortar lo suficiente para asegurar la unión, juntar bien los dos extremos...

Al mismo tiempo actuaba con gran destreza.

—Usted posee una rapidez mucho mayor que la mía —murmuró Lucas.

— ¡Tonterías! No me necesitaban para nada. Todo lo que usted necesitaba eran instrumentos. Yo le habría alquilado los míos.

El doctor Morgan tensó el último alambre.

—Ahora ciérrele. Y si no se infecta, en unas seis semanas... (¿Cuántos años tiene? Parece centenario). Póngale ocho, dada su edad; ha de durarle por todo el resto de su innecesaria vida.

Lucas terminó la última sutura.

—¿No me han cortado la pierna?

El chino hablaba con voz soñolienta.

—Todo va bien, Li. Aunque cojeando, volverá a correr por ahí.

El doctor Morgan se quitó los guantes y se encaminó hacia el cuarto de vestirse. Lucas se quedó.

—Se encontrará perfectamente, Li —repitió. Y dirigiéndose a miss Otis, le dijo—: Lamento lo de hoy.

—No se apure, doctor.

—Recoja esos trozos de hueso, ¿quiere?

—¿Estos?

—Efectivamente. ¡Lo digo de veras! Li los querrá. Envuélvalos en un trozo de gasa y mándelos con el paciente. Dígaselo a la enfermera.

A mitad de camino del lavabo se detuvo.

—Tenga cuidado con los instrumentos del doctor Morgan.

—Lo tendré, doctor.

—Está bien. Y diga: ¿era suyo el alambre que ha utilizado?

—Sí, era suyo.

—Quiero abonárselo —dijo Lucas, con un gesto afirmativo.

—Tengo algo para usted —dijo el doctor Snider, que estaba en el umbral—. Una cosa que debería ver.

Lucas dirigió una mirada indecisa al cuarto de vestirse, pero se fue con el doctor Snider por el pasillo.

—¿Ha visto mucha tifoidea? —le preguntó éste.

Después de doblar la esquina entraron en una habitación. El aire de la misma estaba saturado de un olor a ratones y de un hedor a cadáver. Las dos camas del cuarto las ocupaban dos pacientes, cuyos cuerpos exhalaban aquel olor. En el lecho más próximo a Lucas había una niña de ocho años. Tenía el labio superior retraído y de una grieta del mismo había descendido hasta los resecos dientes un hilo de sangre, que se había coagulado ya. Su cabello, en otro tiempo brillante, rodeaba ahora su demacrada faz, entre dos trenzas sin vida, que tenían el mismo aspecto del cabello de un cadáver. De la nariz y de los ángulos de la boca partían estrechas cintas de sangre seca que se curvaban en la mandíbula inferior y reaparecían en la almohada a ambos lados del cuello.

La faz de la niña tenía una expresión de apatía; sus rasgos parecían borrados; los ojos se abrían cara al techo, cual dos ventanas de una casa vacía. Su menudo cuerpo lo tapaba una delgada colcha que subía y bajaba indiferente, al compás corto y rápido de su respiración.

Lucas cogió la gráfica. El doctor Snider le observaba con viva atención y con sonrisa sardónica, el *risus sardonicus* que daba forma a sus delgados labios. Sus ojos no perdían un solo movimiento de Lucas, ni la menor expresión de su fisonomía.

La gráfica de la fiebre formaba una línea quebrada ascendente. Había llegado a ciento cuatro grados[1]. El pulso de la enferma era débil.

El doctor Snider echó abajo la colcha e hizo subir bruscamente la camisa de dormir de la muchacha. Del depauperado cuerpo se levantó cual una nube espesa y lánguida: el olor a ratones y a cadáver. Sobre el pecho, ondulado por las costillas aparecían grupos dispersos de elevaciones rosadas en forma de lenteja. La enferma tenía el vientre duro e hinchado.

Lucas subió nuevamente el cubrecama.

La muchacha tosió. Pero aquel sonido seco, crujiente como el papel, no movió los labios, ni los menudos dientes. De la garganta subió un áspero gemido. Sus ojos huérfanos de vista no cambiaron.

—Se muere —dijo el doctor Snider. Lucas se volvió vivamente hacia él—: Se nota el olor —insistió el viejo, con una sonrisa de alegría—. Dentro de cuarenta y ocho horas habrá muerto. —Y después de unos instantes de meditación, añadió—: O, si vive... —Terminó la frase, encogiéndose de hombros. Después afirmó—: A algunos les hiere con terrible celeridad. Vea a éste.

En la otra cama reposaba un joven de veinticinco años muy desarrollado.

—¿Qué tal estás, George?

El joven cerraba los párpados con fuerza. Respiraba ruidosamente por la boca. Tenía los labios secos, resquebrajados y una capa de suciedad formada por la saliva seca, alimentos y epitelio cubrían los amarillentos dientes y las encías sanguinolentas. El enfermo movió débilmente la mano hacia uno y otro lado, la dejó caer y sus dedos se asieron a las ropas de la cama. Tenía el cuello envarado. De vez en cuando, rechinaba despacio los dientes.

—George Newcomb, instructor de exploradores. Un sujeto corpulento y endurecido, ¿verdad? Parece que a éstos les hiere más rudamente. He ahí los frutos que uno recoge por haber llevado una vida sana, al aire libre, ¿no es cierto, George?

_____

1. 40° centígrados.

Los tendones del cuello del joven se destacaron por un momento. Sus piernas se contrajeron, levantando las sábanas. El doctor Snider le abrió un párpado, que dejó al descubierto un ojo gris, brumoso, sin vista, reflejando una vigilia extraña.

—¡No oye una sola palabra! ¡Apestas, George! —El doctor Snider arregló la ropa y se volvió hacia Lucas—. Huele peor que la otra. —El anciano médico hizo una mueca—. La cama está llena, probablemente. ¡Mire! —Sobre la sábana, entre las dobladas e inquietas piernas del joven, una deyección semilíquida, color de sopa de guisantes, despedía un olor nauseabundo que se mezclaba con el de piel de ratón y con el hedor dulzaino, corrompido, de cadáver.

El cuerpo del joven estaba depauperado.

—La tifoidea no necesita mucho para dejarles sin carnes. ¡Dios mío, aquí, George, era el prototipo del hombre que se dedica a la cultura física! Por lo menos lo fue hasta hace dos semanas. Apestas, George —repitió el médico, subiendo la colcha.

Lucas obligó al enfermo a abrir los malolientes dientes. George tenía la lengua seca, pequeña, agrietada, aquí y allá manaba sangre a través de la gruesa y oscura capa que la cubría, la garganta aparecía hinchada, granular, erosionada.

El joven médico retrocedió.

—Tendremos que limpiarle —dijo el doctor Snider—. Lo he dicho una vez, cuarenta veces, que a ese pobre George hay que sujetarle. Será preciso atarle a la cama. Los médicos recién salidos de la Facultad no saben qué hacer ahora; jamás han visto tifoidea.

Lucas cogió la gráfica. El vértice de la temperatura señalaba ciento seis grados[2]. El pulso estaba a cincuenta.

—Este perderá la cabeza —añadió el doctor Snider—. Probablemente está loco ya en estos momentos. Es posible que continúe demente toda la vida... si no muere mañana o pasado mañana de hemorragia, o de perforación, o por cualquier otra causa.

—¿Qué les dará? —preguntó Lucas, profundamente impresionado.

— ¡No hay nada! — ¡No se conoce remedio alguno! Hay que contentarse con alimentarles y esperar a ver qué pasa. He ahí todo lo que puede hacerse. No se conoce nada más. —El viejo doctor se encogió de hombros—. ¿Ha visto bastante?

—¿No hay nada en absoluto? —preguntó Lucas, tratanto de recordar.

—Si me enseña algún libro que ofrezca un remedio, aunque sólo sea para aliviarles, le regalaré un coche nuevo.

La respiración de la muchacha se había vuelto estertorosa.

—¿Deben estar los dos juntos en esta habitación? —preguntó Lucas, dubitativo.

—Sí, aquí precisamente, por ahora. No se molestarán lo más mínimo el uno al otro. El bueno de George no abrirá los ojos. Le da miedo la luz. ¡Dios santo! ¡En algún sitio tenía que ponerles, y separados de

---

2. $41^{\circ} 11'$ centígrados.

los otros! Hasta que tengamos más y veamos cómo los distribuimos.
—El doctor Snider se detuvo en la puerta—. ¡Es curioso, el pobre
George la tuvo otra vez y además se había vacunado! ¡Le vacuné yo
mismo!

Los dos médicos se quedaron un momento en el pasillo. Lucas estaba absorto en lo que había visto, recordando, clasificando, almace-
nando en la memoria:

—Eso parece desautorizar todo lo que se ha leído, ¿verdad? —Lucas
movió la cabeza, preocupado. El doctor Snider sonrió—: ¡Bien, ahora
puede decir que ya ha visto uno!

Lucas regresó pensativo al cuarto de vestirse, pero al abrir la puerta
lo encontró vacío.

—¿Dónde está el doctor Morgan? —preguntó, sorprendido.

—¡Oh, se ha marchado, doctor! Salió poco después que usted. Creo
que tenía prisa.

—Lo siento. Quería darle las gracias.

El joven se desnudó, tomó una ducha y se puso el traje habitual.

"Morgan maneja bien los alambres —pensó—. No quisiera volver a
verle, pero es preciso reconocer que conoce su profesión. Primero los
doblaba, luego..., sí. ¡Dios mío! ¡Con qué tipos se encuentra uno!
Bien, de todos modos ha hecho la operación...".

Entonces se acordó del alambre.

"Y tengo que pagarle. Debo pagarle el alambre aunque no me quedara vida para otra cosa. Con dos dólares habría suficiente. Le daré
cinco... Pediré un sobre a Snider y se los mandaré desde aquí, por
correo".

Mientras salía del cuarto sacó la cartera del bolsillo posterior del
pantalón. Al abrirla se detuvo instantáneamente. Una sensación de
frío le invadió los hombros. Sus ojos eran como dos alfileres. Volvió a
mirar. La cartera contenía tres dólares.

—¿Le ocurre algo, doctor Marsh? —preguntó miss Otis.

—No. ¿Ha estado alguien en el guardarropa?

—Ni un alma. No me he movido de aquí en todo el rato. ¿Acaso
falta algo? ¡Dios mío, doctor! ¿Le falta algo, por casualidad?

Lucas observó que el rostro de la enfermera tenía una expresión de
extrañeza y procuró sonreír.

—Creía que había guardado en la cartera un recuerdo —dijo—. Quizá lo tenga en casa.

—¡Sin duda! Porque nadie ha entrado...

—Está bien —contestó el médico—. Y gracias miss Otis. ¿Cómo
sigue su esposo?

—Como siempre —suspiró la enfermera.

—Se restablecerá —aseguró Lucas maquinalmente. Las puertas del
quirófano se cerraron tras él.

En la escalera de la entrada principal se detuvo. Veía nuevamente la
cartera; veíase a sí mismo sacando billetes y entregando cincuenta dólares a Job; veíase reservando el billete de cinco dólares, tres de uno y

otro de diez. No cabía duda de que tenía en la cartera el billete manchado por el mercuriocromo y otro de diez dólares.

Lucas se acercó lentamente al coche. Permaneció sentado un momento, empeñado en no pensar. Pero sus pensamientos se sucedían despiadados. Volvía a ver la cara del doctor Morgan, oía su voz, se representaba de nuevo confusamente el cuarto ropero de la Universidad y un hecho del cual era mejor no hablar. Y sintió un escalofrío.

—He ahí a un médico ladrón —dijo en voz alta.

—Ladrón —repitió, escuchándose.

Y bajó entristecido la mirada a su regazo.

En el Valley Hospital procuró no permanecer sino lo indispensable por los pasillos y esperó hasta estar seguro de que el doctor Castle se había marchado. Entonces pasó visita, alicaído.

Por la mañana, el hospital del Condado había recibido sus dos primeros casos de tifoidea. Al mediodía tenía cinco. Antes de que terminase el día habían destinado una sala entera a tal enfermedad y tenían ocho pacientes aislados en ella.

Eran todos adultos, a excepción de la niña de ocho años. Las escuelas de Greenville no se cerraron hasta el quinto día; pero el cierre oficial fue un formulismo, porque a partir del segundo día, en el que veintidós niños cayeron en clase, la asistencia disminuyó rápidamente. El tercer día enfermaron otros once. El cuarto día se pusieron en cama veintisiete más y el quinto día, ciento siete personas, de las cuales ochenta y una eran niños, yacían desamparados en la cama, cobijando en sí una planta mortal que se presentaba en forma de cañas cortas y gruesas, provistas de doce prolongaciones filiformes, con las cuales el vigoroso vegetal se impulsaba por la corriente sanguínea, alimentándose con voracidad, buscando la linfa y reproduciéndose binariamente por fisión cada veinte minutos, y luego con mayor lentitud, hasta formar un ejército en marcha de plantas movientes, cuyo número llegaba a ser tan grande que los destrozos mortales que producían llegaban a perjudicar a cierto número de ellas mismas.

Ante tal visión, la comunidad de Greenville retrocedió, se dispersó, desechó sus hábitos, sus códigos y hasta los lazos que unían a personas con otras. La depresión, al desnudarles de los instrumentos acostumbrados para la lucha por la vida, del dinero, de las reservas, de la lógica del trabajo y del ahorro, les había dejado una sola preocupación: la voluntad de sobrevivir. A los que no tenían nada les impulsaban implacablemente los ácidos del hambre; los que tenían un poco luchaban por conservar aquel poco, y el escaso número de los que no habían sufrido el desastre económico, se plantaron piernabiertos sobre sus posesiones, dispuestos a morir por ellas. Todos vivían en medio del miedo, todos eran víctimas del terror, algunos habían perdido toda esperanza y muchos se arrastraban por el mundo desprovistos de toda obligación que no fuera la despiadada necesidad de sobrevivir, de apoderarse de lo que fuera preciso, de hacer todo lo necesario, abandonando toda ficción legal de costumbre o de conducta social. Pero vivían, y las consideraciones que se levantaban al intento histórico del hombre de sobrevivir sobre la base de las normas que cada generación ordena. Existían incluso confusas normas para la calamidad, existía el recuerdo de otras calamidades; pervivía subconscientemente la convicción de que lo que estaba ocurriendo era obra de los hombres, la creencia de que lo que el hombre había hecho podía deshacerlo, y la seguridad de que si la depresión se prolongaba infinitamente, el hombre podía adaptarse también a ella.

Pero ante aquel nuevo asaltante, la comunidad perdió toda apariencia de vida social. Aquello no era obra del hombre. Aquél no era un enemigo que atacara una determinada forma de vida, una determinada pauta para la existencia, una clase concreta de esperanza, de convenio o de pensamiento. Era un enemigo contra el cual ningún hombre conocía una defensa segura, ni mujer alguna sabía si su hijo estaba protegido. Nadie sabía, mientras andaba presa del terror, si en sus tejidos se había desencadenado la batalla, si empeoraba el combate mientras caminaban, dormían, hablaban o se miraban unos a otros con los ojos bien abiertos.

El pánico y los rumores se desataron al cuarto día. Los hospitales estaban llenos, las aceras casi desiertas; apenas quedaba una calle en la población que no tuviera por lo menos una casa con el cuadrado blanco que la señalaba como infectada. El conserje de la escuela murió en el Hospital del Condado de un colapso cardíaco. La noticia de su fallecimiento se propagó a una velocidad extraordinaria. Una familia de cinco fue herida en masa por la epidemia. Dos de sus componentes murieron antes de la noche.

Sin previo acuerdo, docenas de vecinos abandonaban la seguridad de su hogar y corrían a los despachos de los médicos. La mayoría de ellos no se habían vacunado; ahora llenaban los consultorios, se derrumbaban por las escaleras del exterior y se aglomeraban en las aceras pidiendo que les vacunaran.

Al producirse tal alud, ningún médico se encontraba en su casa, todos estaban desparramados, tratando a los enfermos, dando órdenes, apresurados, respecto al caso que estaban viendo para correr al enfermo siguiente. Recordándolo, docenas de los que aguardaban en los consultorios abandonaban sus asientos y se lanzaban a la calle en busca de los coches de los médicos. Cuando los encontraban, algunos esperaban al lado del vehículo y otros penetraban en las casas señaladas clamando por ser vacunados y hasta algunos arrancaban a los médicos de las cabeceras de los enfermos.

Lucas había salido a una visita en el campo. Al regresar se quedó atónito viendo la multitud que aguardaba en las escaleras de su despacho. El automóvil quedó rodeado al instante. Algunas mujeres que habían traído a sus hijos los apartaban de un empujón para ofrecer ellas primero sus desnudos brazos. Los hombres se abrían paso a codazos para pasar delante de las mujeres. Todos le invocaban con gritos sin sentido.

—¡Recuérdeme, doctor! ¡Soy el que le arregla el coche!

—¡Doctor, doctor! Traigo el dinero...

—Yo le daré cincuenta...

Todos expresaban a gritos su derecho a la preferencia, se inventaban motivos, le suplicaban por amor de Dios; un sacerdote le imploró en nombre de la fraternidad profesional; se agarraban a sus vestidos, le golpeaban; las mujeres se echaban a sus pies luchando por cogerse a sus piernas, siendo pisoteadas y retiradas por otras mujeres más vigorosas; una levantó a su niño por encima de la cabeza para llamar la atención de los ojos del médico gritando al mismo tiempo con voz inarticulada.

Por fin, Lucas llegó a las escaleras. Cogía el maletín con ambas manos para librarlo de los que querían arrebatárselo. Al primer asalto había empezado a chillar con toda la fuerza de sus pulmones para llamarles la atención.

— ¡Esperen! —gritaba—. ¡Esperen! ¡Escúchenme! —repetía incesantemente sin que nadie le oyera.

Ahora, de súbito, le oyeron. Los que estaban más cerca se dieron cuenta de que gritaba algo. Su clamoreo cesó. El resto seguía chillando. Pero con aquella disminución de la algarabía su voz adquirió potencia y alcanzó a unos cuantos más.

—Lo peor que pueden hacer..., el medio más rápido para contraer la enfermedad, es formar aglomeraciones..., multitudes... Alguno de ustedes quizá esté contagiando a otros en estos mismos momentos.

De pronto, se hizo un silencio total. Ahora le escuchaban todos. La multitud contenía la respiración para oírle mejor. Los alaridos de los niños empezaron de nuevo, pero la voz de Lucas se extendía fácilmente sobre su terror, su protesta, sus sufrimientos.

—La vacuna no es una garantía, no es una garantía...

El joven médico oyó el agudo chillido de su propia voz levantándose en el repentino silencio.

— ¡No es una garantía! —repitió con voz ronca, pero más aproximada a la suya habitual. Los congregados le escuchaban, bebiendo sus palabras, escudriñando hasta la última línea de su fisonomía—. Si uno de ustedes tiene la enfermedad, todos los que están aquí se han expuesto al contagio. ¡He ahí lo que han hecho! ¡Y esto es lo que están haciendo en estos instantes!

La turba se agitó, inquieta.

Un momento más y se habría dispersado.

—Puesto que ya están aquí, les atenderé. El mal está hecho. Pónganse en fila, sepárense cuatro pasos. Las mujeres con niños, primero. Luego los niños solos. Después ustedes, los hombres...

Kristina estaba en el Condado. Miss Snow, actuando en una casa particular. Al cabo de una hora. Lucas continuaba con la aguja en ristre, esperando el brazo desnudo que venía a continuación. Pero el consultorio estaba vacío. Había vacunado quizá a la mitad de la muchedumbre. El resto se habían marchado aterrorizados por un nuevo rumor, según el cual la misma vacuna podía dar origen a la fiebre tifoidea.

Otros habían conservado su puesto mientras pudieron y luego se alejaron, atemorizados por la proximidad de los demás. Pero en cuanto se iniciaron las deserciones no tardó en producirse el éxodo en masa.

Lucas se fijó en su última paciente, una mujer que le miraba con ojos ansiosos.

—¿Le toca a usted?

La mujer echó la mano hacia atrás, cogió a un pequeñuelo que se agarraba a su falda y lo empujó adelante.

Lucas examinó al niño.

—No se le ve ninguna señal. —La madre le miró desorientada—. Es uno de los pocos niños que no están llenos de rasguños y magulladuras.

—¿No le parece espantoso? —gritó ella—. ¿Las ha visto? Algunas de las mujeres que esperaban... ¡Oh, yo conocía a varias! Apartaban de un manotazo a sus propios hijos para acercarse primero a usted. ¡Y los hombres...!

—Estaba presente —dijo Lucas, en tono seco.

—De algunos hombres puede esperarse una cosa así —comentó ella, disgustada—. Pero ¡las mujeres! ¡Las madres! ¡Tratándose de sus propios hijos!

Lucas vendó el brazo del niño y le hizo bajar la manga.

—Ahora ya está bien. ¿Y usted?

—Yo me vacuné hace un año —respondió la mujer. Y moviendo la cabeza, insistió —: ¡Que tenga que haber vivido para presenciar este día!... En los forasteros se explica, quizá..., ¡pero nuestras propias mujeres, las mujeres de Greenville!... ¡Dios mío, yo había ido a la escuela con algunas de aquellas muchachas!

Lucas se levantó fatigado.

—Puede que el pequeño pase uno o dos días un tanto abatido. —Acariciando la cabeza del pequeño, le preguntó—: ¿Te encuentras bien, amiguito?

—Es un ángel —dijo la mujer, cogiéndolo en brazos—. Es como su padre. No abre la boca; no lloraría aunque le arrancaran los dientes. ¿Verdad, cariño?

Lucas sonrió obedientemente.

La puerta se cerró detrás de la mujer.

El joven se miró las manos. Estaban temblando. Entonces descubrió que todo su cuerpo temblaba. Y se levantó bruscamente, ansiando alejarse de aquel escenario, y escapó hacia el Hospital del Condado.

Allá reinaba el orden. Aquel era un mundo febril, atestado de miserias, pero en él reinaba el orden. Lucas vio a Kristina casi al momento. La joven estaba junto a una cama, ayudando al doctor Snider. La fatiga le ensombrecía los ojos. Kristina le miró unos instantes sin pronunciar una sola palabra, luego se lavó las manos y se volvió hacia el enfermo siguiente.

—He intentado convencerla de que lo tomase con más calma —dijo, afablemente, el doctor Snider.

—¿Cuántas horas llevas de servicio?

—Desde esta mañana solamente. Me encuentro muy bien.

—¡Te has marchado a las cinco!

—Pero, Lucas, soy fuerte. ¡Esto no es nada!

—¡A las cinco! Eres una enfermera suficientemente experta para saber qué consecuencias puede acarrear la fatiga.

—Los demás...

—¡No te preocupes por los demás! ¡El doctor Snider se encargará de ellos!

Lucas se volvió. El doctor Snider fue a su encuentro.

—Yo se lo he dicho repetidamente —excusóse.

Lucas paseó una mirada por la sala. Su aspecto le sorprendió.

—¡Veo que se desenvuelve usted muy bien!

—Para mí, esto es materia trillada.

—Excepto por la abundancia de enfermos, nadie diría que se las hubiera con una epidemia.

—No tiene por qué poner esa cara de sorpresa.

—¡Estoy sorprendido! ¡Este es un trabajo excelente doctor!

—Ustedes, los jóvenes, olvidan de vez en cuando que nosotros también sabemos algo. Nosotros, los viejos, conocemos algunas cosas. Quizá no tantas como los jóvenes, sobre todo tratándose de materias nuevas, pero si toma por ejemplo la tifoidea...

—Ya no se da mucha...

—Y, sin embargo, nadie ha encontrado el remedio que la cure.

—Sólo la prevención.

—¡Sin duda! El servicio de aguas. ¡Maldita sea, estuvimos a punto de desterrar la enfermedad! ¿No es cierto? No hay que hacer otra cosa sino procurarse un agua pura, tener buenas cloacas, eliminar el corral contiguo a la casa y vacunarse.

—Pero, aquí está...

—¡Es cierto, aquí está! ¿Cuánta gente conoce usted que se vacune hoy en día? ¿Incluso aquí, en Greenville, sabiendo que cada año se dan casos? ¡No, por Dios! No hay tifoidea; nadie se vacuna. Y hasta que se presente una catástrofe, que se contamine el servicio de aguas... Supongamos que el caso se dé en una ciudad grande..., ¿dónde diablos para la profesión médica? ¡En la luna! He ahí dónde se encuentran los médicos jóvenes. ¡Apuesto a que el noventa por ciento de los estudiantes que consiguen el título actualmente, no han visto jamás un caso de tifoidea. ¡Ni uno para nombrarlo! Y no hablemos de paratifus, erisipelas, difteria, viruela y Dios sabe cuántas cosas más.

—Ha hecho usted un trabajo excelente, doctor Snider. Un trabajo superior, magnífico.

—Se resiste todavía a creerlo, ¿verdad?

El anciano médico miraba a Lucas complacido, con las comisuras de los labios manchados por el jugo de tabaco, que se le escapaba de la boca a causa de su entusiasmo, y con la bata blanca, arrugada y sucia, desabrochada,

—Una vez vi una ciudad entera quedarse casi sin habitantes. ¡Santo Dios, entonces esto era una historia corriente! ¿Castle se ha puesto al habla con usted? Han decidido que esta noche nos reunamos. A las seis, en mi despacho. Vendrá un representante del Consejo de Sanidad; será probablemente un muchacho que tampoco habrá visto en su vida un caso de tifoidea, algún chico joven... No lo entiendo, Dios mío; uno la nota con el olfato...

—¿Dice usted que por el olor? ¿Realmente...?

—Sin duda que se nota por el olor. Llega un momento en que uno es capaz de oler a una milla de distancia. Además, los enfermos adquieren una mirada curiosa...

Lucas suspiró y sonrió cortésmente.

—¡Esta noche lo oirá! ¡No se preocupe! ¡El doctor Castle le dirá algo!

El anciano médico se despidió con un ademán y alejóse muy ufano por el pasillo.

Los cinco hombres reunidos en el despacho del doctor Snider habían vivido una jornada casi idéntica. Todos se refieren a las muchedumbres con fingido buen humor, pero asustadas; luego sumaron los casos que tenían y se comunicaron que había ocurrido otra defunción. Lucas miró por el rabillo del ojo a los doctores Binyon y Blake. La exagerada urbanidad y el aire superior de los dos asociados se habían disipado aquella noche; ambos estaban sentados como el mismo Lucas, con los cuadernos de notas delante, esperando que el doctor Castle empezara.

Este se levantó y comenzó sin preámbulos:

—Voy a decirles cosas que ustedes ya saben. Parece que nos encontramos ante una epidemia. —Aquí hizo una pausa. Luego, prosiguió rápidamente—: El cincuenta por ciento de los casos estarán comprendidos entre los quince y los veinticinco años. La tifoidea es una enfermedad de los tejidos linfáticos. Su peligro mayor lo constituyen las manchas de Peyer en los intestinos. Cuando se perforan son la causa del mayor número de defunciones. Tengan presente que los enfermos habrán aguardado una semana antes de acudir a ustedes. Se quejarán de una jaqueca sorda, de inapetencia, de malestar general, de somnolencia durante el día y de insomnio por la noche. En ese momento el microorganismo está en la sangre. Vigilen la aparición de una bronquitis. Es muy común en la tifoidea. Vigilen las hemorragias nasales. También se dan con mucha frecuencia. Y, por supuesto, otra cosa corriente es la manifestación de un hígado hinchado, tierno. La enfermedad irá acompañada siempre por la fiebre. Siempre. A veces, al cabo de unos días, todos los síntomas desaparecen; no verán el hígado hinchado, ni puntos rosáceos, ni siquiera un Widal positivo. Pero el paciente seguirá teniendo la enfermedad.

—¡Se nota en el olor! —gritó el doctor Snider.

—Hay médicos que afirman que la distinguen por el olor. Puede ser. No todos hemos tenido la suerte de cultivar tan a fondo el sentido del olfato. Al menos, para identificar la tifoidea. Uno de los síntomas mejores es la fiebre acompañada de un pulso lento. Ciento cinco grados[3] de fiebre con menos de cien pulsaciones por minuto. Cuando observen un señalado aumento del número de pulsaciones, ¡alerta! Se ha producido seguramente, una complicación: embolia, neumonía, hemorragia, perforación del intestino... Entonces se encontrarán, con un pulso discreto.

—¡Yo he tentado un pulso con latido cuádruple! —afirmó orgullosamente el doctor Snider.

—Es cierto. Pero los dicróticos ocurren con frecuencia. Al final de la primera semana verán los puntos rosáceos. Son puntos pálidos, en forma de lentejas, con un círculo encarnado, algo más elevados y algo más fuertes que la piel que los rodea. Y desaparecen momentáneamente con la presión. La mayoría se encuentran en el pecho y el abdomen. Cuando son muy numerosos los encontrarán también en la espalda e incluso en las extremidades y en el rostro. Estos puntos se dan en más del noventa por ciento de los casos. Su característica consiste en que se producen por erupciones sucesivas. Una erupción dura de tres a cinco días.

—¿Qué pasa con el cabello —preguntó el doctor Binyon.

—Esto viene más tarde. La caída del cabello ocurre casi siempre en todos los casos graves. Aunque solamente se cae el de la cabeza, y por supuesto, después vuelve a salir. A veces también pierden las uñas. Pero esto también viene más tarde.

—Queda la lengua —dijo tímidamente el doctor Kauffman.

—Sí. En la primera fase aparece húmeda, cubierta por una capa gris. Pero el borde, limitando un área triangular, y extendiéndose desde la punta, tiene un color rojo vivo. Limpia en los bordes, cubierta en el centro, esta es la lengua de la tifoidea.

—Se les ve la enfermedad en los ojos —intervino nuevamente el doctor Snider.

—También he oído hablar de este detalle. En la fase aguda de la enfermedad notarán que al paciente le tiemblan los labios y la lengua; su palabra se vuelve insegura y temblorosa. Es preciso que les vigilen como halcones. Casi siempre sobreviene el delirio. Entonces se precisa que una persona esté a todas horas junto al enfermo.

—Se vuelven astutos; sólo esperan que uno les dé la espalda... ¡Maldito sea, uno que tuve yo se arrojó por la ventana de un sexto piso! —gritó el doctor Snider.

—Es mejor atarles los pies. Cuando deliran se muestran extremadamente arteros. Son capaces de guardar a que uno les vuelva la espalda para descargarle un golpe. A veces, la demencia se revela desde el principio. Pueden figurarse muy bien, ustedes, que el torrente circulatorio ha llevado la bacteria a las meninges. En los niños, estén alerta con los vómitos. Vean si se producen convulsiones.

—El doctor Castle hizo una pausa.

---

3. 40° 55' centígrados.

—Mucho de todo esto ya lo conocen ustedes. Deben tener en cuenta que las complicaciones son la causa de los fallecimientos. El setenta y cinco por ciento de enfermos muere a consecuencia de una complicación. Estas son las normas corrientes en la tifoidea, no la excepción. Hemorragia intestinal (y ustedes ya conocen los signos que las manifiestan) el pulso frío, rápido; presión sanguínea baja, colapso. Las hemorragias no les darán mucho trabajo. Pero alrededor de un veinticinco por ciento de los pacientes que las sufren, morirán. La perforación... que generalmente se manifiesta de un modo repentino, con fuertes dolores en todo el abdomen, los cuales van en aumento y se acentúan al respirar hondo o al cambiar de posición. La faz adquiere un aspecto demacrado, una expresión de ansiedad. Lo que destroza el corazón es que no existe ni un solo signo o síntoma de la inminencia de una perforación en la tifoidea. Tendrán que supeditarse a la evidencia. Este contratiempo se les dará en un tres por ciento de casos, aproximadamente. Y mi norma es; es un caso de duda, operen.

El doctor Castle hizo otra pausa y miró interrogativamente al doctor Kauffman y al doctor Snider.

—Y casi queda dicho todo. Lo demás lo encontrarán también en sus textos. Deberán estar atentos a la ronquera. Las ulceraciones de la laringe son muy frecuentes. En lo que respecta al corazón, la miocarditis es la complicación cardíaca más corriente de la fiebre tifoidea. Vienen luego el edema de los pies, el pulso evidentemente lento, un tono cardíaco débil, y generalmente, un murmullo sistólico de origen mitral. Usualmente escapan con vida de estas complicaciones. A menos que, como Charley, el conserje de la escuela... El cuadro es tal que deben estimarlo ustedes en conjunto. Incluso el Widal les servirá de poco; no será positivo hasta el fin de la primera semana y puede no serlo sino hasta la tercera. Pero un solo *test* negativo no excluye la posibilidad. Y no lo olviden, los vacunados contraen también la enfermedad. De modo que cuando se encuentren con un vacunado, ¡allá va su Widal! Aislamiento, vacunación, desinfección de servicio, de todo lo que toque el paciente... digan a sus enfermeras, a sus familias, que se fijen si se les hincha el vientre, si tienen hipo y ordénenles que se vacunen. Recuerden que la vacunación debería repetirse cada tres años. En todas partes que vayan... ¡vacunen! Creo que queda todo dicho.

—¡Procuren no fatigarse en exceso! —recomendó el doctor Kauffman. —Esto también es muy importante.

—Denles mucha leche —dijo el doctor Snider.

—¿Lo recomendaría usted? Yo creo que la experiencia ha enseñado que la leche...

—¡Nosotros se la dábamos hasta que se les salía por las orejas!

—El problema está en si los grumos no se descomponen bastante en el intestino e hinchan sus tejidos y predisponen a una perforación. Yo creo que una dieta rica en calorías... ¿No le parece que podría probarlo, doctor Snider?

—¡Pruébenlo todo! —respondió éste, encogiéndose de hombros.

El doctor Castle asintió con un gesto.

—En cuanto a medicamentos..., pues nada de lo que tenemos sirve de mucho. Quizá la heximetilanamina, después de la segunda semana, para conservar la orina libre de bacterias. Conservan la reserva de líquido... Procuren sostenerles las fuerzas. El enfermo quema media libra de músculo cada día...

El doctor Castle inclinó la cabeza y se sentó.

—Y respecto a nosotros, ¿qué? —preguntó el doctor Blake, después de aclararse la garganta. Lucas le miró rápidamente, luego desvió los ojos de nuevo, temiendo lo que iba a ocurrir.

—Por supuesto, el Estado cooperará con todas las vacunas necesarias. O, mejor dicho, seguirá cooperando.

—Me refiero a nosotros personalmente, yendo de un caso a otro, expuestos por completo a todas las contingencias.

—Todos sabemos que uno no puede dejarse impresionar por estas cosas. No sé por qué, pero los médicos no parecen contraer la enfermedad como los demás. No somos inmunes, por supuesto, pero las precauciones sensatas, el cuidado ordinario...

—¿Qué teme? —preguntó el doctor Snider—. —Yo me he encontrado en docenas de situaciones semejantes! Soy como el sujeto que tuvo blenorragia diez veces y se curó de todas, menos de la última. —Aquí se interrumpió, esperando una carcajada que no llegó a producirse—. No tienen por qué amedrentarse concluyó despectivamente—. ¡No hay nada que no nos afecte también a los demás!

—No estoy pensando en mí, principalmente —excusóse el doctor Blake, humedeciéndose los labios—. Pensaba en los pacientes. Alguno de nosotros podría ser un portador de gérmenes; por todo lo que sabemos.

—Está bien, John —atajóle el doctor Binyon—. Todos sabemos lo que quiere decir.

—¡Por supuesto! —asintió el doctor Castle.

—Y usted, Castle, siga su propio consejo de tomarlo con calma —dijo el doctor Snider—. Tal como tiene usted el corazón...

Lucas ordenó sus notas y se levantó al mismo tiempo que los demás. Y como los demás, partió para su casa, en espera de la cena y de la carga de visitas que le reservara la noche.

—No me gusta tu aspecto —dijo de pronto, mientras comían.

—Me encuentro bien —objetó Kristina—. Lo único que pasa es que no estoy acostumbrada a trabajar tanto —excusóse. Pero su corazón se llenaba de agradecimiento al ver que Lucas se interesaba por ella—. Un poco cansada. Estoy un poco cansada y nada más.

Lucas examinó su rostro con minuciosa atención.

—Aprecio mucho lo que haces. Quiero que lo sepas. Pero no es preciso que te mates. No me ayudas a mí, ni ayudas a nadie.

—Mañana estaré perfectamente —replicó ella, con firmeza. Y bajó los ojos para que su marido no se disgustara al ver la alegría que asomaba en ellos.

Durantes los días que se sucedieron, la ciudad la constituían un millar de casas, todas y cada una en estado de sitio. Los rumores se multiplicaban. No se repitieron ya disturbios comparables con los del cuarto día. Hacia el noveno un nuevo rumor, el que pregonaba la posibilidad de la presencia de portadores de gérmenes, invadió los hogares. Unos pocos seres humanos no contaminados por el miedo general se obsesionaron con la idea de la existencia de otros seres humanos enemigos. Aquel día, un pequeño grupo reunido delante de un garaje dejó de especular sobre el peligro para fijarse en Agnes, que andaba por la calle con una canasta de pan tierno que había bajado a vender. Todos la miraban recelosos. Agnes se acercó más. De súbito, un muchacho de dieciséis años lanzó un grito:

—¡Ahí está! ¡Es esta! ¡Aquí tenéis a la transmisora del mal!

Todos se miraron unos a otros, enmudecidos.

Momentos después, la turba, teniendo ya una víctima, rodeó a la vendedora. Los ojos de Agnes pasaban de la cara de uno a la de otro, desorientados.

—¡Tienes corral! ¿Verdad?

—¡Sin duda! ¡Vive en los bosques, en un agujero inmundo!

—¡Mirad el pan! ¡Aquí nos trae el microbio!

—¡Por Dios, apuesto a que ustedes...!

Los exaltados se le acercaron. El pan se desparramó por el suelo. Agnes arremetió contra ellos con la canasta, pero un instante después se la habían arrancado de las manos, y uno de los atacantes la hizo caer de rodillas. Bemis Shed, que veía la escena desde el *Greenville* Clarion, al otro lado de la calle, acudió corriendo y cogió a la mujer por la muñeca. Luego vinieron otros y la turba se dispersó, gritando desafiante y alerta, todavía dispuesta a reanudar la pelea.

Shed se limitó a sacudir el polvo del descolorido mono de Agnes.

—No sirven para otra cosa —exclamó, con el rostro encarnado y lleno de vergüenza.

—¡Está bien, Bemis! —Agnes le apartó las manos—. No se moleste más —dijo temblando—. Les conozco. Conozco a su especie. Nadie mejor que yo.

—No se asuste...

—No me asusto; pero si tuviera un revólver...

Bemis apartó la vista apresuradamente de los ojos de la mujer. El pan estaba disperso por el suelo, pisoteado, sin valor alguno. Alguien recogió el canasto, lo limpió y se lo entregó a la dueña.

Agnes retrocedió y sin pronunciar otra palabra, se fue con su viejo automóvil hacia los bosques. Por el camino se puso a calcular el tiempo que necesitaba para tener a punto otra hornada. Tenía que adquirir, fuese como fuese, la leche en bote y las medicinas que aquel día no había comprado. Al llegar a su casa estaba completamente tranquila; no podían malgastar tiempo sorprendiéndose ni encolerizándose. Gloria y el niño dormían.

Aquel atardecer, Lucas llamó por teléfono a la fábrica de ladrillos.

—Ahora no puedo ir contigo a ninguna parte —contestó Harriet.

—Sólo quería asegurarme de si te encontrabas bien —protestó él.

—Estoy vacunada.

—¿Te vacunaste dentro de los tres últimos? Porque en caso contrario, será mejor que te dé otra inyección.

—Hace dos años. Me encuentro perfectamente... Estarás abrumado de tanto trabajo, ¿verdad?

—Hemos estado muy atareados. La tifoidea nos roba más tiempo que todo lo demás.

—Tienes voz de cansancio.

—Se me había ocurrido ahora que podía pasar unos minutos contigo.

—¿Aquí?

—¡No, no! En tu casa, quizá...

—¡Oh, Lucas! —Entonces la voz de la joven adquirió la dureza del enojo—. ¿De modo que sólo piensas en mí para esto? ¿Hablas en serio, de verdad?

—¿Qué quieres decir? Así podría reunirme contigo y nadie nos vería.

—¡Vernos! ¿Quieres decir realmente que vendrías y estarías conmigo, saturado de microbios, después de haber atendido a tantos enfermos? ¿Serías capaz de exponerme a tan gran peligro?

—¡Harriet! ¡Escucha! ¡Al fin y al cabo, tú estás vacunada!

—¿Y con esto quedo suficientemente protegida? ¿No me dijiste tú mismo...?

—Está bien, Harriet. No te apures. No te excites.

—¡No me excito! Eres tú quien... ¡Oh, lo siento, cariño! Son las circunstancias que atravesamos. Soy una muchacha, compréndelo, y pienso en si se me cayera el cabello, en las manchas de la piel, en si quedara tullida... Lo siento... Ven. ¿Tú crees que no hay peligro? En ese caso, de acuerdo. Ven.

—No, no. Tienes razón, Harriet. Podemos esperar.

—¿Para qué exponerse?

—De ningún modo. ¿Te cuidarás? ¿Pensarás en ti?

—¡Como un tigre!

—¿Lo harás por mí?

—Por ti, cariño... Por nosotros...

El doceavo día, Tom Yannis, el conserje del Greenville Bank, yacía en su casa, sólo y presa del delirio. Un pequeño grupo se había reunido ante las puertas del Banco, charlando animadamente.

—Hemos tenido la tifoidea otras veces, y, sin embargo, quedamos con vida.

—¡Pero jamás tan terrible como ahora!

—Más todavía. Deja que pase otra semana, o quizá dos.

—Mucha gente de esta ciudad pondrá una cara como para verla, yéndose todo al diablo de este modo.

—En estos momentos pensaba en qué le habrá pasado al viejo Tom.

—¡Es la primera vez en treinta años que abre tarde! ¡Sí, señor! ¡Apuesto a que en treinta años no ha llegado tarde un solo día.

—¡Muchachos! ¿Ninguno de vosotros tiene la llave?

Los empleados se miraron unos a otros sin saber qué hacer.

—¿Dónde está míster Wedeklind? —El que había hecho la pregunta miró el reloj. Eran las nueve y veinte.

—Llega tarde —contestó una mujer, una contable—. A veces no viene hasta las nueve y media.

—¿Dónde estará el viejo Tom?

Entretanto habían llegado caras nuevas, a las que se les explicó la tardanza y que miraron el reloj frunciendo el ceño. Unos cuantos ociosos se acercaron para ver lo que pasaba, escucharon la noticia y ofrecieron sus consejos.

—Sería conveniente que otro tuviese también una llave.

—El viejo estará borracho.

En las tiendas vecinas empezaron a aparecer cabezas, mirando curiosas al grupo formado delante de las puertas del Banco. Otras personas, que se dirigían a sus quehaceres, se detenían indecisas y observaban.

—¡Cielo santo! —Uno de los tenedores de libros se mesaba la cabeza, exasperado.

—Helen, ve a llamar a míster Wedeklind —ordenó otro—. ¡Ve en seguida! ¡Corre!

—¡Y yo iré a ver lo que le ha pasado a Tom! —Gritó otro empleado.

Los dos partieron a la vez, pero en direcciones opuestas.

Al verles llegar, los que estaban observando se precipitaron inmediatamente hacia el grupo.

En el extremo de la calle, una mujer que presenciaba la escena, dándose cuenta de este nuevo movimiento, lanzó un alarido, soltó los paquetes que llevaba y gritó otra vez:

—¡El Banco!

Acto seguido se unió a los que corrían. El grito se propagó. Las tiendas se vaciaron. Los que se lanzaban a la calle veían a la turba que se precipitaba hacia el Banco y seguían detrás, gritando mientras corrían.

A los quince minutos, la noticia había llegado a todos los hogares de Greenville.

—¡El Banco cierra!

¿Cuál?

—¡El Banco de Greenville!

Mucho antes de que el último cuentacorrentista llegara a la carretera, el dependiente que había ido a telefonear a míster Wedeklind, regresó en el coche del doctor Castle, levantando la llave por encima de su cabeza.

—No pasa nada —gritó—. ¡Ya la tengo! ¡No pasa nada! Míster Wedeklind está enfermo. Tom está enfermo... Pero yo tengo la llave.

La gente se le echó encima. El empleado se vio levantado en vilo, transportado hacia la puerta y materialmente aplastado contra ella. Después de varios desesperados intentos, la llave se introdujo en la cerradura, la puerta se abrió y el muchacho cayó empujado y pisoteado por el alud.

El doctor Castle se mantuvo tan cerca como creyó prudente de la riada que se agolpaba hacia el interior del establecimiento.

—No pasa nada —gritaba una y otra vez, incansablemente—. Míster Wedeklind está enfermo. Ahora acabo de verle. El dinero de ustedes no corre ningún peligro. ¿Para qué se figuran que he venido con la llave?

Pero la turba pasaba por su lado sin oírle.

—¡So locos! —gritaba, mientras el Banco se iba llenando—. ¡Ustedes saben que el meterse en un apiñamiento de gente es la manera más segura de contraer la tifoidea! ¡El hombre a quien están empujando puede tenerla! ¡La tifoidea, so locos! ¡La tifoidea!

Unos cuantos se apartaron atemorizados y se quedaron a corta distancia, observando. El alud terminó pronto. El Banco cerró antes del mediodía. La turba aún se retardó por los alrededores, resistiéndose a irse a sus casas, esperando un milagro. Al caer la noche, la policía dispersó a los que seguían estacionados delante del establecimiento.

—Es un signo elocuente —decía el doctor Castle—. ¿Ha puesto el dinero donde le dije?

—Lo poco que pueda —contestó Lucas—. ¿Qué tiene de elocuente ese signo?

—La moneda vuelve a ocupar el primer plano —explicó sosegadamente el doctor Castle—. Otra vez el personal se inquieta más por sus intereses que por el peligro de morir.

—No me había fijado —dijo Lucas, después de unos momentos de asombro—. Creo..., creo que tiene razón.

—¡Sin duda! ¿Cuántos casos nuevos se le han presentado en el día de hoy?

—Veintidós.

—A mí, dieciocho... ¿Y a Snider?

—Otros doce; pero los diez son de mis veintidós.

—Kauffman ha tenido quince nuevos atacados. Binyon y Blake veinticuatro. El Valley está hasta el tope.

—El Condado también.

—Ojalá no se nos presenten otros a consecuencia del día de hoy... No hay medio de lograr que esos truhanes no se aglomeren... Hasta hace un par de días era posible..., pasara lo que pasara con el dinero...

—¿Piensa bastante en usted?

—Estoy atento.

—¡Lo digo de veras!

—¿Cree que podrá ayudarme mañana en una vesícula biliar?

—¿No podría aguardar?

—No lo creo. Nos hará falta también un anestesista.

—¡Imposible!

—Ha muerto esta mañana.

—Iré. ¿A la una y media?

—¡De acuerdo!

Los días siguientes fueron los peores. Durante su transcurso todas las vidas se entrelazaban, se hermanaban sobre una misma pausa de fiebre y de delirio; se abandonaban todos a los cuidados sanitarios, a la muerte y a la consunción.

A las pocas repeticiones, la historia de la muerte perdió las sílabas de la huida y se cargó con el peso del terror. Entre los ojos del que narraba y del que oía se cruzaban chorros de horrorizada luz. Pero el horror y el terror eran tan grandes que no dejaba espacio para el pesar. Y las piernas ya no temblaban con el impulso de la fuga.

Un centro primario, desarrollado al mismo compás que el hombre que lo poseía y que funcionaba a través del trompeteo del terror y de los alaridos del pánico, continuaba enviando su imperturbable mensaje, pero ahora los demás centros apenas lo percibían. Ese centro sostenía que el hombre poseía la facultad innata de adaptarse a todo lo que la vida pudiera depararle, fuera lo que fuere. Y que soportaría todo lo que se le presentase. Y que cuando se vive en medio de unas circunstancias absolutamente anormales, la anormalidad se convierte en una cosa vulgar.

Así fue cómo el terror cedió su plaza al miedo, y el pánico a la aprensión. Y las normas de la vida en tribu volvieron a preponderar sobre la ley que ordena sobrevivir. Se produjo el fenómeno parecido al final de una tormenta, cuya primera sorpresa se ha resistido ya, cuya violencia se ha hecho familiar; y el pueblo de Greenville volvió a formar una masa unida.

En el hospital del Condado, Kristina trabajaba todas las horas del día, y hubiera trabajado durante la noche si Lucas no se lo hubiera prohibido. Miss Otis estaba enferma. Su desdichado marido fue de los primeros atacados por la epidemia; a la tercera semana, después de haberle atendido día y noche, enfermó ella también. El esposo murió y miss Otis no lo supo; se lo llevaron de casa y ella continuó sin enterarse, permaneciendo siempre con la mirada fija en el techo; sumida en un estupor que embotaba todas sus facultades. Kristina la sustituyó en la sala de operaciones. Dominaba la tifoidea, pero las demás enfermedades, las restantes miserias, no se retiraban. Operaban diariamente, limitándose a los que no podían ser aplazados. Seguían naciendo niños, seguían produciéndose fracturas completas e incompletas de huesos, los tejidos continuaban condenados a todas las calamidades de la vida. Imperaba la tifoidea, pero todo lo demás seguía también.

—No me gusta tu aspecto. No me gusta el cambio que noto en ti —le dijo Lucas una mañana.

Kristina contuvo el aliento, sabiendo muy bien lo que se desarrollaba en sus entrañas.

Estoy cansada —contestó—. Pero tú también lo estás. Todos estamos cansados.

—Quizá sea conveniente que te examine. Acaso deba hacerse un reconocimiento completo.

Kristina le miró, paralizada.

Comprendía que su esposo se preocupaba por ella como por un mecanismo; que en su pecho no había amor, ni odio, ni otro sentimiento alguno. Pensaba en ella cumpliendo con un deber elemental. Pero de todos modos, todavía no la había repudiado. Y la suerte la favorecía porque como en la actualidad todos los minutos de su marido los llenaban los enfermos, las obligaciones diarias eliminaban durante aquel armisticio temporal incluso a la otra mujer, a la mujer aquélla que ahora vivía con ellos. A la extranjera que estaba presente en su cama y a su mesa y en todos los actos de su vida de matrimonio. Por el momento, la extraña quedaba también al margen. Todos los instantes que Kristina pasaba con Lucas los tenía para ella sola.

—Te sobra trabajo —replicó a la afirmación de su marido—. Si yo necesito un médico, tú lo precisas también. —Tenía que desviar la atención de su esposo. Luke poseía una perspicacia increíble. A veces sus ojos penetraban hasta lo más recóndito de una persona, y nada le pasaba por alto—. Mírate a ti mismo —añadió Kristina, en tono cauteloso. Y cierto que un círculo oscuro rodeaba los ojos de su marido, y que sus mejillas se hundían. Kristina sintió por él una profunda compasión, pero ella sabía, al mismo tiempo, que el curar cura, que se da el caso extraño de que los médicos y las enfermeras raramente enferman, quizá porque curan, y, sea como fuere, el curar les sostiene y les cura a ellos. Hasta que el corazón se rinde.

—Al parecer, el sueño no te descansa —insistió Lucas. Pero ahora la miraba con atención profunda, con la mirada que tenía cuando todo su ser se concentraba en sus ojos y el cuerpo que estaba delante se convertía en un libro—. Tienes las mejillas algo abotagadas.

—Mejor será que te preocupes del doctor Castle. ¿Viste el aspecto que tenía ayer? ¿Puede resistir mucho tiempo esta actividad? Yo no creo que su enfermera le ayude lo suficiente.

Lucas arrugó el entrecejo. Kristina había conseguido su objetivo. Su esposo pensaba en el doctor Castle.

—Algún día se desplomará de repente —convino él.

—Conviene que le hables. ¿Por qué no puede hacer como el doctor Binyon o el doctor Blake? ¿Por qué no envía aquí la mayor parte de sus casos? ¿O fuera de la ciudad cuando se trata de gente con recursos?

—Aquí no queda mucho sitio. Y él lo sabe. —La faz de Lucas se ensombreció.

Kristina le miraba, aguardando. Estaba a salvo. Su marido pensaba en otra cosa.

—¿Qué haría ella? ¡Qué sucedería luego! El niño crecía continuamente. El niño era un puñadito de tejido dentro de sus entrañas, pero que ahora tenía una forma; era un ser viviente, acurrucado, célula a célula, en su útero. Y era más aún que una simple multiplicación, era una idea, era un concepto, una miríada de leyes que envolvían aquella idea y aquel concepto. Era hijo suyo y de Lucas. Era actualmente una realidad absoluta que nada podía alterar. Un día vería la luz. Un día advertirían su presencia. Y aquel día...

—Si no me necesitas de momento, será mejor que me vaya a las salas —dijo Kristina, resueltamente.

—Sí —respondió Lucas. Pero en seguida la detuvo con un ademán—. Espera. Quiero decirte una cosa... —El joven médico contemplaba su fatigado rostro, la cara familiar de la mujer con la que se había desposado, el símbolo de la persona cuyas limitaciones le desesperaban, el muro a través del cual no podía penetrar, a través del cual no sabía establecer una corriente recíproca de pensamientos y de ilusiones. Y sintió un dolor en el corazón—. Quiero que sepas una cosa. Quiero que sepas que aprecio en lo que vale tu comportamiento durante esta epidemia. ¡Espera!... Además eres la mejor enfermera de quirófano que he visto en mi vida... ¡y no creo que exista otra que te supere! —concluyó Lucas—. Quiero que lo sepas. Porque es verdad.

Y continuó mirándola unos momentos más. La mujer levantó la vista.

—Ahora me voy a las salas —contestó en voz baja.

Lucas la siguió con los ojos. Luego el día se apoderó de él, le arrebató y le arrastró en el torbellino de aquella marea que se había convertido en una corriente.

—Bueno. ¿Qué quiere que haga? —le preguntó irritado el doctor Castle cuando se encontraron por unos segundos en el Valley Hospital—. ¿Pretende que me retire y deje que los enfermos se cuiden a sí mismos?

—Cuando haya fallecido no les servirá de mucho.

—Jamás me sentí mejor.

—Ni tuvo peor aspecto.

—¿Qué diablos tiene que ver el aspecto con el estado de uno? Los profanos creen que no sosegamos un instante, y sin embargo, todo lo que hacemos es movernos mucho. Y nada más. Todo se reduce al movimiento. Corremos de una casa a la otra, pero quien hace el esfuerzo entretanto es el coche, y al llegar, ¿qué hacemos nosotros? ¿Cargar con ellos? ¡Cielos, el objeto más pesado que levantamos son sus muñecas! Luego les miramos, sacamos algo de una botella...

—Usted tenía que haber sido abogado. Y de paso, ¿sabe a qué se dedica su amigo Cosgrove?

—Ya lo creo. Va al Condado cada día. Yo le envié allí.

—¿Fue usted? Estaba convencido de que se trataba de un pequeño experimento mío.

—Como se propone mejorar la suerte del hombre en general, su puesto está en el Condado. Yo se lo dije así.

—Bien, esto es lo que hace. Limpia los orinales y actúa como enfermo honorario, y se limita a quejarse de que los pobres no sean tratados como los ricos. Le expliqué que el bacilo de Eberth no hace distinciones. El me contestó enfurecido alguna barbaridad sobre el capital, me figuro que se imagina que el Gobierno debería hacer acto de presencia como si todas esas personas pertenecientes al Estado... ¡Dios mío, tengo que reconocerle una cosa: en estos momentos está practicando lo que predica!

—Yo tengo mucha fe en las catástrofes. Pasada la primera conmoción, la gente pone siempre de relieve sus mejores cualidades en medio de una catástrofe.

—No puedo afirmar que haya observado muchos cambios.

—Bien —dijo meditativamente el anciano médico—, a mí todavía no me han defraudado. ¿Sigue usted trabajando solo?

—Algunas veces viene miss Snow por una hora poco más o menos. Me presta mejores servicios atendiendo a los pacientes.

—La mía tiene miedo.

—¡No!

—¡De veras!... Granite vino a verme, preguntando qué podía hacer. Le dije que pidiera prestado algún dinero. Mistress Kristina trabaja noche y día; su amiga Agnes atiende a cinco enfermos.

—Y a tres de los míos... Aquella muchacha joven le ayuda. Una creería que había de temer por el pequeño...

—¿De modo que usted opina que yo debería quedarme tumbado y permitir que los demás me sustituyan?

—Basta que lo tome con más calma. No es preciso que se lo recomiende. Y esto puede hacerlo, ¿verdad?

—Necesitamos espacio. He ahí lo que debe preocuparnos. Más espacio, algún edificio grande, de la clase que sea, una casa.

—¡Una casa! —gritó Lucas.

—¿Cuál es? —El doctor Castle había cogido al joven por la manga.

—¡Soy un estúpido! ¡Soy un ciego, un estúpido sin remedio! ¡La casa del doctor Runkleman!

—¿La grande?

—¡Está junto al consultorio! ¡En el mejor sitio para que podamos vigilar continuamente a los enfermos!

El Banco...

—¡Allá iré!

Thomas Epperly era un solterón. Mientras le estrechaba la flaca mano, Lucas se dijo que para banquero era un hombre muy manso. Y en efecto, tenía un carácter humilde, la cabeza calva, y poco más de cincuenta años. Su historia era muy sencilla; todo Greenville le conocía bien. Cuarenta años atrás había entrado en el Banco, y como poco después murió su padre, sobre sus débiles hombros pesó la responsabilidad de su madre y de tres hermanas. Y entonces fue demasiado tarde para casarse él. De modo que, haciendo honor a un largo noviazgo, un buen día Thomas Epperly, sin alborotos, imperceptiblemente, contrajo matrimonio con el Banco.

Después de invitar a Lucas a sentarse, el banquero se acomodó en su sillón y sonrió con desconfianza. Luego escuchó al joven médico sin interrumpirlo, al paso que se golpeaba pensativamente con el extremo del lápiz.

—Sería una solución ideal, ¿verdad? —murmuró.

—Al lado de mi consultorio, es un punto céntrico..., y por otra parte, no tendríamos que utilizarla muchos días.

—Es cierto... hasta que se hubiera pasado la etapa peor.

—Resultaría un arreglo estupendo —exclamó Lucas, calurosamente, considerando que el éxito había coronado su misión y que no había que pensar ya sino en impartir al buen hombre algo del entusiasmo que despertaba en sí mismo la merced que se concedía a los enfermos y parte de los elogios que su generosidad merecía sobradamente.

—No cabe duda —asintió míster Epperly, con un suspiró—. Ojalá fuera posible...

—¡Pero si la casa les pertenece! ¡Es del Banco! ¡Caramba, ni siquiera es preciso que lo piense usted dos veces!

—En efecto. Es del Banco. Es una cosa que nos pertenece y cuyo valor se depreciaría para siempre. "Esta es la casa que utilizaron para albergar los apestados durante la epidemia", dirían. Ya sabe usted cómo es la gente.

—Pero la fumigaríamos, la desinfectaríamos por completo, sería un lugar tan seguro como un templo. ¡Caramba, hoy en día la mitad de las casas de Greenville llevan ese sambenito! ¿Quiere decir que esto sería motivo para que no la compraran?

—Hay una pequeña diferencia —dijo tímidamente míster Epperly—. La casa serviría de hospital... Su valor quedaría reducido a una miseria... Y sin embargo, es una vergüenza..., una vergüenza muy grande... que siga allí, vacía..., cuando la gente la necesita imprescindiblemente...

—¡Pero es del Banco! —exclamó Lucas, incrédulo—. ¡Usted puede hacer lo que le plazca con ella, míster Epperly!

Míster Epperly movió dulcemente la cabeza en un gesto negativo.

—No..., no es del Banco... Uno de los pequeñuelos de mi hermana, el único varón, murió la semana pasada..., ¿comprende? Yo sé...

—Pero a usted le basta....

—Lo sé. Sé lo que a usted le parece. Pero un Banco es un edificio, nada más que un edificio. Todo termina aquí. Es un edificio que alberga unos libros. Y a unas personas que llevan esos libros. Pero la casa aquella... Doctor Marsh, la casa pertenece a los que tienen el dinero en el Banco. ¿Lo comprende? Pertenece a todos los que han traído su dinero a este edificio... Si fueran pocos quizá pudiésemos consultárselo, pero no están todos en Greenville, y, además, algunos cuentacorrentistas son compañías, lo cual significa todavía más gente; de modo que en resumidas cuentas no hay a quién consultar. ¡Lo ve, doctor Marsh? ¿Lo comprende?

—¡No, no lo comprendo! Allí está el edificio, perfectamente desocupado, mientras las personas enferman y mueren...

—Hay una o dos casas más en Greenville vacías, doctor Marsh. ¡No pueden compararse a ésa! Distan mucho de ser tan adecuadas y tan grandes. Pero uno no puede lanzarse a la calle y subir a una de dichas casas y decir: "Me quedo ésta o la otra". Uno no puede hacerlo... Esas casas tienen un dueño... Obrar así sería... En fin, sería robar, ¿no es cierto?

El hombrecillo miraba a Lucas con aire abatido. Una sincera pena entristecía sus ojos. Sus labios se contraían descorazonados.

—Ya sé... —prosiguió—, ya sé lo que va a decirme. "Sería una buena idea". Lo sé... Esta es la misión de usted. Usted tiene que velar por sus cuerpos y luchar en pro de los mismos con todas las armas. A mí me confían la misión de velar por sus intereses... y de luchar por ellos con la misma energía...

No había ninguna respuesta posible. Lucas apretó los labios.

—¿Se da cuenta, míster Epperly, de que uno de sus familiares, otro pequeño, de sus hermanas...?

—Míster Epperly sostuvo su mirada sin pestañear.

—Lo sé —insistió—. Yo estaba pensando... Pero, simplemente, no puedo hacer nada.

Lucas se puso de pie.

—Perdóneme por haber pronunciado estas palabras —dijo, malhumorado.

Míster Epperly sonrió.

—Lo comprendo —dijo.

No había tiempo para estrujarse el cerebro en busca de una réplica. "Yo estoy juramentado para defender la célula —musitó Lucas, abatido—, y él lo está para defender la cuenta corriente. Y el médico se volvió al consultorio. Le esperaba un lechero que tenía un camión cargado de leche frente a la casa y estaba dispuesto a regalarla para los enfermos y a descargarla donde le ordenasen.

—¿Estará pasteurizada, naturalmente?

—¡Es leche pura, sin la menor manipulación! ¡La mejor del Condado! ¡Leche de vacas Jerseys?

El hombre aguardaba orgulloso.

—Comprendo... Por supuesto, tenemos que estar atentos a una cosa.

—¡*Esta* leche no contiene microbios!

—Claro que no... No... Sólo que ahora no damos leche como solíamos.

—¿No dan leche a los enfermos?

—Pues no tanto como antes. No...

—¿Me está diciendo usted que no dan leche a los enfermos de tifus? ¡Vaya, es lo que les ha dado siempre todo el mundo!

—Mire usted...

—¡Dios mío, he recorrido muchas millas para traerles ciento cincuenta galones de la leche más pura y rica en manteca que ha bebido hombre alguno y se la ofrezco gratis! ¿Lo entiende? ¡Gratis!

—Le entiendo. Y no se figure que no se lo agradezco. Sé lo que vale su acción en épocas como la presente. Sólo que...

Pero el hombre se marchó enfurecido.

A últimas horas de la tarde, con el olfato saturado del olor ratonil y cadavérico de la tifoidea que había percibido casa por casa en todas las que había entrado, Lucas se encaminó hacia una choza del barrio más pobre de Greenville, para efectuar la última visita domiciliaria del día. Exhalando un suspiro de cansancio, llamó a la puerta, abrió y penetró en el interior.

—¿Cómo se encuentra hoy, míster Sarginelli? —inquirió. Pero entonces se interrumpió bruscamente. El sucio aposento había sido objeto de una esmerada limpieza, habían cambiado la arpillera y las cubiertas de la cama. Y entre las sombras había tres niños de pie, tan sorprendidos por su presencia como la de ellos le sorprendía a él.

—Estos chicos... —excúsose míster Sarginelli.

—Hemos querido prestar un pequeño servicio —dijo inquieto uno de los muchachos.

Los tres llevaban uniforme.

—¡Caramba, sois exploradores!

—Sí, señor. Y...

—¿Estáis vacunados?

—Sí, señor. Y...

—¿Seguro? ¿De hace poco?

—Hace un año. Nos vacunamos los tres. Y hemos pensado...

—Aquí el viejo míster Sarginelli... es el trapero.

—Y estando en conversación...

—Hemos recordado que últimamente no le veíamos...

—Por lo tanto, hemos decidido venir.

—¿Saben vuestros padres que estáis aquí?

—No... pero no hacíamos nada malo...

—No creíamos hacer ningún mal.

—Claro, se lo hubiéramos dicho a nuestros familiares...

Los tres chiquillos dirigían a Lucas una mirada expectante.

—Comprendido —refunfuñó éste. En seguida dejó el maletín—. Bien, será preciso que veamos cómo está el enfermo... Ha encontrado usted unos enfermeros excelentes, míster Sarginelli. —El paciente asintió con un movimiento de cabeza débil, pero que quería ser enérgico, y pronunció algunas palabras mientras el médico le colocaba el termómetro—. ¡Y tres veces más que cualquier otro paciente de la población!

Lucas leyó el termómetro y asintió con un gesto.

—Usted, ha de estar en el Condado. ¡Vaya, no ponga esa cara de disgusto! En ninguna otra parte se encontrará tan bien. La ambulancia vendrá aquí directamente.

—Nosotros podemos cuidarle, doctor Marsh.

—Le daremos la comida y haremos cuanto sea preciso.

—Vosotros vendréis conmigo.

Los tres le siguieron en silencio.

—¿Hemos hecho algún mal? —atrevióse a preguntar uno de ellos cuando el coche hubo cruzado varias travesías.

—¿Algún mal? — ¡Escuchadme! Si alguna vez os ponéis enfermos, o sufrís un accidente, es decir, pase lo que pase, durante toda vuestra vida, ¡venid a mí! ¿Comprendéis? ¡Os atenderé de balde!

—¿Qué les dirá a nuestros padres? —preguntó tartamudeando el más joven.

—Lo que acabo de deciros a vosotros.

Lucas enfiló el automóvil directamente hacia la Redacción del *Clarion*, y contó el suceso a Bemis Shedd.

—¡Buen Jesús!

—¡Ahora publique esta historia, Bemis! Explique a todo el mundo...

—¡Jesús misericordioso!

La historia de Bemis decía más aún. El periodista publicó también un editorial en primera página sobre el mismo tema.

Parecía que las últimas oleadas de pánico abandonaban la ciudad. Docenas de personas que habían atendido calladamente a los suyos, se prestaban ahora, junto con otras docenas más, como voluntarios. El mismo, el olor de la tifoidea continuaba envolviendo la ciudad, pero por aquel entonces circulaban de boca en boca ejemplos de coraje, y el valor, la abnegación, la ayuda mutua, fueron virtudes que se hicieron comunes, corrientes. Y un día un pequeño grupo de voluntarios se puso a cavar allí donde había quedado abandonada la nueva conducción de aguas. Y corrió la noticia y se les juntaron otros más. Y también algunos se retiraron. Y se abrió una suscripción a la cual contribuyeron los pobres generosamente, y llegó a ser una vergüenza el no dar y surgieron rencores con motivo de las dádivas y con motivo del trabajo, con motivo de los que trabajaban y de los que no contribuían a la misma. Pero todas estas cuestiones no eran tifoidea y terminaron gloriosamente un mes más tarde, el día que Henry Granite, después de conseguir que el Concejo se quemara las cejas estudiando combinaciones y manejara los fondos de la ciudad con tal atrevimiento que hubiera sido muy fácil procesar a todos sus componentes, anunció que el nuevo servicio de aguas sería terminado, a pesar de todo.

Continuaba la tifoidea. Todavía se encontraba una sucesión interminable de casas maldecidas por el olor a ratones; el invierno no arreciaba; los empresarios de las pompas fúnebres bendecirían el blando suelo; los médicos, en cambio, maldecirían la suave temperatura y su vida se formaba de fragmentos de muchos casos, de los moribundos, de los que perdían el cabello, de los débiles, del olor ratonil, siempre del olor característico, una casa y otra tenían el olor a ratones. Las casas y los hospitales seguían atestados; las camas pedían más espacio. Al final, los que vivían resolvieron el problema muriendo. Porque los muertos cedían sus camas. Y de este modo quedaba espacio.

Cayó la nieve.

Llegó la época en que durante toda la semana no se presentó un caso nuevo.

Y pasó otra semana.

La epidemia había terminado.

Los enfermos empezaron poco a poco a restablecerse. Otros murieron. Algunos recuperaron la salud, pero no el juicio. Pero no se produjeron casos nuevos. El frío era intenso. Empezaron a circular noticias dando cuenta de robos de carbón, que pronto se convirtieron en un acontecimiento diario. Robaron una tienda de comestibles. El bacilo tifoideo, una·planta sana y vigorosa que sólo pugnaba por vivir, empezó a ceder terreno, muriendo envenenada por sus propias toxinas y por las sustancias inmunizantes misteriosamente descubiertas y elaboradas por células a las que nadie había enseñado. El microbio cedió y aguardó otra ocasión.

Ciento ochenta y cuatro seres humanos habían sido barridos por la muerte y yacían ahora en el seno de la nada; su presencia se había cortado, sus semejantes les habían llevado aparte, les habían enterrado y los removidos terrones se deshacían, se nivelaban sobre sus cuerpos.

Entre el número de los que reposaban en los cementerios de Greenville, se encontraban Henry Granite, Gloria, mistress Kauffman, miss Otis y miss Snow.

Oscar Glaimer seguía resistiendo.

Y lo mismo hacía el resto de Greenville.

La epidemia había concluido.

CAPITULO XXXIX

La nieve se fundió rápidamente, luego cayó otra vez, vino en seguida un poco de lluvia arrastrando el blanco manto que cubría el suelo, y por último, imperó el frío, y el suelo quedó helado. El olor a ratones había desaparecido; quedaban todavía algunos pacientes con tifoidea que la exhalaban, pero ya no saturaba el ambiente, por el cual se propagaban ahora los aromas del invierno, aunque en general el frío intenso eliminaba toda clase de olores. Y la vida continuó difícil, escaseó el petróleo, y los alimentos bajaron de precio, pero con estar baratos no había dinero para comprarlos, y cuando comía, la gente bajaba las persianas de sus casas.

La palabra "tifoidea" ya no infundía el miedo. Había pasado a la historia, era en el mundo de las palabras como las losas sepulcrales en el mundo de los objetos, y entretanto aquel invierno cruel se acercaba a los umbrales de la primavera. No había terminado aún la peste, pero ahora habían venido los resfriados, invasiones perversas, paralizantes, que tenían al obrero sin trabajo en cama cuando hubiera debido estar buscando el empleo que le faltaba, buscándolo por lo menos, aunque no lo encontrase, pero jamás tendido pasivamente en el lecho. Era la época de los resfriados fuertes, de los virus complicados, de los estafilococos entremezclados, de los combinados específicos, todos los cuales se reproducían y transformaban, adaptándose obedientemente a las cambiantes combinaciones de vida que los seres humanos les proporcionaban. La comunidad se llenaba de resfriados, unos benignos, otros graves, algunas neumonías, unos cuantos pechos débiles que se rendían aceleradamente, y en las salas de espera retumbaban los ataques de tos, los estornudos y las voces alteradas por una resonancia nasal.

Era la acostumbrada ronda del invierno, el regalo que la estación traía a los seres humanos, un enemigo antiguo, familiar, las dolencias que atormentaban a las personas durante la temporada. Pero aquel año, al desplegarse sobre el campo de batalla de siempre, el enemigo encontró un inesperado botín; el adversario había dejado las armas atrás, entre las escaramuzas de la depresión y en el sitio y la desbandada de la tifoidea. Y el enemigo encontró a los humanos más débiles.

De modo que ahora ocuparon el campo los trastornos respiratorios y no el tifus.

344

Durante la primavera podía ocurrir todo, decíase Lucas. Cuando la depresión se acentuara, las desnutriciones llegarían a un punto grave. Las fuerzas externas de la vida que el hombre ponía en orden para su ser externo, el mundo que podía ver, oír, gustar, oler y tocar se convertían en una amenaza constante, lo mismo si se encontraba trabajando para sobrevivir como si se entregaba a los juegos peligrosos con qué celebrar su pervivencia. Y ese mundo externo se constituía en peligro porque miraba tenaz, incesantemente, los recursos con que el cuerpo había de afrontar los ataques habituales que lanzaba la estación y los que procedían de no se sabía dónde y que sólo adquirían lógica cuando habían finalizado ya y su razón de ser se había evidenciado claramente por el simple hecho de que se hubiera producido.

Lucas estimaba que la racha de resfriados había de prolongarse por espacio de unas tres semanas. Luego vendría la primavera y resultaba difícil de prever el cortejo de males que la acompañarían, pero abundarían ciertamente los resfriados, y, por supuesto, el deshielo del invierno dejaría en libertad la vegetación exuberante de las enfermedades infantiles. Se producirían caídas y fracturas porque el terreno se pondría resbaladizo, y a los corazones adormilados por el invierno se les ordenaría que redoblasen su actividad, y un determinado número sufriría colapsos y otro número determinado se rendiría por completo.

Y después vendría el verano.

Y las dolencias que acecharían al hombre durante el verano serían...

Kristina hizo un ligero ruido con la taza. Su marido levantó la vista, irritado.

—¿Hice algo malo? —preguntó ella, con ansiedad.

—¿Qué necesidad tienes de preguntármelo? No es nada. Ha hecho ruido la taza; no hay otra cosa.

—Lo siento.

—¡No lo sientas! ¡No ha pasado nada! Yo estaba distraído pensando, tú has hecho ruido con la taza, pero no importa, ni hay por qué lamentarlo.

—No sabía que estuvieras pensando.

—No tiene... ¡Bah, al diablo con todo ello!

La mujer inclinó los ojos al suelo.

La irritación de Lucas se disipó, la docilidad de Kristina le desarmaba, le encerraba en una trampa; el marido se sentía enojado consigo mismo. Pensaba que aquella mujer se contentaba con sentarse allí, soportando a diario sus arrebatos. Y que al mismo tiempo actuaba como la mejor de las enfermeras, y, considerándolo todo, llevaba la casa a la perfección, haciendo mucho más de lo que nadie tenía derecho a esperar. Y si uno se fijaba concretamente en su comportamiento durante la epidemia.

¡Qué caramba! Kristina estaba habituada a la tifoidea. La cosa no era tan terrible cuando uno estaba acostumbrado a ella. Y, fuera lo que fuese, a Dios gracias, Harriet Lang se había librado.

—Hoy hemos tenido un día completo de verdad —dijo para enmendar su actitud anterior.

Lo cual era fácil. Bastaba con que hablase, con que dijera algo, Kristina reaccionaría inmediatamente. Para ella no existía el rencor; no guardaba resentimientos.

—La mastectomía aquella..., ¡no sé cómo podrás llevarla a cabo!

—¿Aquello? ¡Bah, tú y yo lo solucionaremos sin dificultad!

—¿De veras, Luke? —Kristina le miraba respetuosa y crédula.

—¡Mira! ¡Es fácil! —El joven cogió un lápiz—. ¡Vaya! ¿Dónde diablos tendremos un trozo de papel?

—Dibuja sobre el tapete —le dijo Kristina al instante.

—¿En serio?

—Sí. No importa. Al lavarlo se va todo. Sigue. Enséñame cómo lo harás.

—Bien, partiremos de aquí —Lucas trazaba las líneas con suma rapidez—. De la axila...

—Sí —asintió ella, inclinándose sobre el dibujo, contemplando absorta los movimientos del lápiz y escuchando la voz de su esposo—. Sí, y después...

—Y después pasamos ahí...

Aquella mañana, en el Hospital del Condado, la operación marchó sobre ruedas. Lucas levantó la vista al reloj y quedó sorprendido al comprobar en cuán poco tiempo la habían concluido. Luego miró entusiasmado a su mujer.

—¡Tenemos que hacerlo igual más a menudo! ¡Durante el desayuno bosquejaremos la operación! ¡Lo mismo que hicimos esta mañana!

—¡Oh! ¿Querrás enseñármelo? ¿De veras?

—Me favorezco a mí. ¡Fíjate en el tiempo que hemos tardado! Todavía quiero decirte otra cosa, Kris. Estás progresando de tal forma que resultas una ayudante formidable. No me refiero a tu trabajo de encargada de quirófano, sino a tu actuación como ayudante de operador.

—Lo he visto tanto...

—Manejas las pinzas con una soltura incomparable.

—A veces nosotras hacemos también las suturas.

—¿De verdad?

—Claro. En ocasiones, hasta durante los estudios, uno de los médicos solía decirme: "Muy bien, enfermera, siga adelante y pruebe a dar unos puntos".

—A nadie le gusta suturar. A mí no me importa. Incluso me gusta. Especialmente trabajando en equipo... Solo, no sé qué tal resultaría.

—¡Cuando haga una cosa mal, dímelo! ¡No te preocupes! ¡Dímelo sin reparos!

—Sencillamente, sigue como hasta ahora —respondió Lucas. Y quitándose los guantes, añadió—: Lo haces muy bien, Kris.

Y la miró con una sonrisa luminosa. Ella sonrió, a su vez, sonrojándose y se fue al lado de la mesa del instrumental, mirando por el rabillo del ojo a su marido que se marchaba dejando caer la bata, el gorro y la mascarilla para que los recogiese la encargada de la limpieza. Antes de salir, Lucas sacó una chaqueta de un armario ropero.

En el pasillo vio al doctor Snider y se detuvo brevemente para enterarse del sumario del día.

—Esta mañana han salido otros tres —empezó el doctor Snider, sin preámbulos. "Otros tres" significaba tres que habían sufrido la tifoidea—. Los dos se fueron por su propio pie. A la tercera vino a buscarla Sanderson. Era una niña italiana... No cabe duda, los *wops*[1] no pueden coger el tifus.

—¿Murió?

—¿No se lo he dicho? Por la manera de comportarse de la familia, uno se hubiera figurado que habían perdido a la Virgen María. Pensaba que les oirían claramente desde la sala de operaciones.

—No creía que muriese.

—No obstante, ha muerto. A cosa de las cuatro de la madrugada.

—No había observado nada anormal. ¿Ha sido una perforación? ¿Qué ha ocurrido?

—No creo que fuera a causa de una perforación. Creo que ha muerto, sencillamente. No se apure. No hubiera podido hacer nada. Cuando tienen que irse, se van.

—Yo me inclinaba a pensar que estamos aquí para hacer algo —objetó Lucas, placenteramente.

—¿Quiere hacerle la autopsia?

—Me conformo con la palabra de usted. —"Ahora es un poco tarde para conseguir algo positivo. Ni siquiera quiero saber lo que me explicaría la autopsia. No me diría nada sobre la paciente, me hablaría de usted. Y de usted lo sé todo. No quiero que nos enzarcemos en otra pelea. Déjeme tranquilo nada más. Este accidente desgraciado, el hecho de que usted posea un título, es otro de los percances que acechan a los seres humanos".

—Ahora nos quedan siete. Me figuro que todavía perderemos uno o dos..., siempre suele ocurrir. —El viejo se volvió para marcharse—. Ah, y ahora ya puede despedir a su amigo —añadió, en tono seco.

—¿A quién se refiere?

—A su amigo el abogado. —La faz del doctor Snider habían adquirido la expresión que solía cuando alguno le había acosado un buen rato—. No le necesitamos más. Y si usted no le sabe mal que lo diga, añadiré que ¡gracias a Dios!

—¿Cosgrove?

—Es amigo de usted, ¿verdad?

Lucas se encogió de hombros.

—¿Ha promovido algún conflicto? Se lo diré...

El doctor Snider se volvió bruscamente y entró en su despacho.

Lucas recorrió las salas rápidamente, se detuvo un momento para

---

1. Nombre despectivo que dan en Estados Unidos a los italianos, y, a veces, a todos los extranjeros.

dar unas palmaditas en la rodilla de Li y bromear un poco con el chino, mientras los otros pacientes, llenos de celos, simulaban no fijarse. Pasó con la misma prisa por las salas de las mujeres, en una de las cuales estuvo observando a una parturienta.

Luego se dirigió a la habitación de Oscar Glaimer. Antes de llegar a la puerta, la esposa del canceroso le detuvo.

—¿Cómo van las cosas? —preguntó Lucas, amablemente. Estaba en presencia de un conflicto humano difícil de analizar. Aquella mujer, ¿amaba verdaderamente a su marido? ¿O estaba enamorada solamente de su enfermedad, la cual le proporcionaba un objeto sobre el que concentrar toda una vida de protestas, de murmullos desafiantes?

—Igual, poco más o menos —respondió mistress Glaimer, en voz baja.

—¿Lo sabe él?

—¡No, Dios mío! —replicó ella, estremeciéndose.

—Haga lo que le parezca —le dijo el médico, al cabo de unos momentos.

—¡No se lo diría por nada del mundo!

—¿Y usted, qué hará... después de...?

—No lo he pensado. No lo sé. Sólo sé una cosa. Una cosa haré, sin duda. Me marcharé de esta ciudad tan de prisa como me lleve el tren.

—Y la mujer se estemeció de odio y de disgusto.

—¿Tiene familia? ¿Se reunirá con sus parientes? Yo puedo conseguir que conserve el empleo que tiene aquí.

—¿Aquí? ¡Dios mío! ¿En esta inmundicia? ¡Odio hasta el último palo y el último ladrillo de esta casa y a todas las personas que respiran el aire de esta sucia madriguera!

—Lo siento.

—Y si usted es inteligente, ¡le ocurrirá lo mismo! ¡Váyase de aquí! ¡Márchese antes de que le venza el ambiente! ¡Lárguese! ¡Váyase con las manos limpias! ¡Porque si no se va, acabará contaminándose también! ¡Sí! ¡Incluso usted!

Lucas dio media vuelta.

—Avíseme —le dijo—. Cuando esté decidida, avíseme. Ojala hubiera algo...

—No hay nada. Por lo tanto, no se quiebre la cabeza. Y no crea que no le estoy agradecida, doctor. Lo estoy, porque usted ha hecho lo que un médico tenía que hacer. Pero no se apure por mí. No se trata de lo dicho solamente. Usted no es como los demás.

—¿Entra ahora?

La enfermera hizo un signo afirmativo.

—Ese individuo llamado Cosgrove está con él —dijo, celosa.

Abrieron la puerta y entraron. Glaimer les sonrió con su faz cérea, amarillenta, la faz hipocrática, aquel rostro sobre el que se extendían ya las sombras de la *facies*. He ahí a un hombre que trazaba planes, que se formaban ilusiones, que dormía y se despertaba... mientras la *facies* estaba allí ya. Cosgrove dejó la silla situada junto a la cama.

—Ahora me iba —dijo.

—Creo que ya es hora. —Lucas dirigió una mirada al reloj.

—No se preocupe por mí. —El abogado le dirigía una sonrisa extraña, animada por la curiosa exaltación. El enfermo necesita descanso —dijo enojada mistress Glaimer.

—¿Quiere verme? —preguntó el paciente, esperanzado.

—No —respondió Lucas, con una sonrisa afectuosa. —¡Le dejo a cargo de su médico particular! —Y con una inclinación de cabeza, indicó a mistress Glaimer—: Me ha dicho que sigue usted muy bien.

Acto seguido abrió la puerta y dejó pasar a Cosgrove. Ambos se fueron por el corredor.

—Tomaremos una taza de café —propuso el abogado, de buen talante.

Lucas miró la hora.

—Tengo que ir al Valley.

—La tomaremos por el camino. Puede llevarme en su coche.

—Está bien —respondió Lucas, sintiendo que se le oprimía el corazón. Tendría que esperar hasta más tarde para hablar con Harriet. El mejor momento era al mediodía. Siempre existía la posibilidad de que pudiera salir un buen rato para comer.

—Bien —dijo Cosgrove—, ¿cómo van los asuntos? ¿Cuánto dinero da la miseria, muchacho?

—¡Oh, por amor de Dios, no empiece otra vez! ¿Verdad que no volverá a la carga?

—No volveré. No empezaré de nuevo.

—¿Por qué está tan contento?

—¿Estoy contento? ¿Este sería su diagnóstico, doctor?

—Se está comportando como un picapleitos que acaba de descubrir un testamento bien falsificado. La única vez que le vi de este modo fue al principio de estar aquí, cuando usted había conseguido que absolviera a un corruptor de menores, basándose en una falta que había en un escrito, cuya falta le valió la libertad al acusado, hasta que volvieron a cogerle por un delito análogo al anterior. ¿Hacia qué molino de la justicia dirige sus aguas esta mañana?

—Yo estoy por encima de usted.

—Lo cual me deja todavía bastante bajo.

—Usted no es un mal sujeto, Marsh. Y quiero decirle una cosa: ¡le estoy agradecido! ¡Usted no lo sabe! ¡Pero es verdad!

—¿De qué está agradecido?

El automóvil se detuvo delante de un pequeño café.

—¡Entremos! —gorjeó Cosgrove—. ¡Se lo explicaré!

Se sentaron en sendos taburetes. Lucas miró el reloj.

—Usted no me aprecia mucho, ¿verdad? —preguntó el abogado sonriendo.

—¿Porque he mirado qué hora era? Antes de las seis tengo que haber operado dos casos de amígdalas y vegetaciones adenoides; tengo que haber visitado a veintisiete enfermos que guardan cama y tratado a otros treinta que acudirán al consultorio; amén de los casos de urgencia que se presenten.

—Ha de saber que yo era como usted. Por esto he dicho que no me apreciaba. Yo pensaba que la Ley era el concepto más puro que podía alumbrar la mente del hombre. Y que los que aplicaban la ley eran los grandes sacerdotes de la misma. Pero ahora sé que la ley es según como el juez se le antoja interpretarla.

Lucas agitó el café con la cucharilla.

—Esta no es la causa de que esta mañana se le vea tan feliz.

—No, no es lo que me hace tan dichoso esta mañana. Pero cuando descubrí que son los hombres los que gobiernan a la justicia y no la justicia la que gobierna a los hombres y cuando comprendí que el concepto continuaba inmutable, entonces supe que había de existir un sistema dentro del cual pudiera actuar la verdad.

El abogado aguardó, mirando a Lucas.

—Y entonces encontró el sistema.

—Encontré el único sistema. Es tan duro, tan evidente, tan perfecto que hasta un ciego puede verlo. Yo sé el remedio. Lo sé desde hace diez años. Y durante diez años vividos en esta ciudad he tratado de que los demás lo vieran. Primero quise convencer a todo el mundo. Luego me conformaba con un centenar. ¡Luego con una docena! ¡Sólo una docena! Y por último... me conformo con *uno*. ¡Uno! ¡Sólo uno! ¡*Un* converso!

En aquellos momentos su fisonomía había perdido la expresión de amargura. Los rasgos del desengaño, la curva de los labios se habían borrado, sustituidos por una actitud más dulce. Sus ojos brillaban. Estaba más joven. Y se inclinaba arrebatado sobre la mesa.

—Ya tiene uno —dijo Lucas, en voz baja.

—Sí. Ya tengo uno.

—Ha conquistado a Oscar Glaimer.

Una sonrisa acabó de dulcificar la boca de Cosgrove. Sus ojos centellearon.

—Usted me lo dijo.

Lucas hizo un signo de asentimiento.

—¿Es feliz Oscar ahora? ¿Opina usted que la nueva doctrina le ha proporcionado la felicidad?

—Está más rabioso que yo. Me veo obligado a sujetarle ahora que ve cómo está el mundo.

—No debe permitir que se excite demasiado.

—¡No, tomo mis precauciones! ¡Es un hombre que vale ese Glaimer!

—Pero no tiene la solución.

—Tiene la solución para todos los problemas humanos de este mundo.

—No será el comunismo.

—Sí, amigo mío, pobre, ciego amigo mío, sí, el comunismo.

—¡El problema del hombre es la vida!

—¡El problema del hombre es el hombre!

El abogado sonrió a Lucas henchido de tolerancia, de amistad, saturado de agradecimiento y de afecto.

Su alegría tenía algo de pueril. Era un Cosgrove diferente. El joven médico no no se sentía a gusto delante de aquel hombre que había abandonado su recelosa vigilancia, viendo su regocijo ingenuo, su gratitud.

Fijó la vista en un punto situado debajo de la barbilla del abogado y vio que su corbata, sucia y rosada, ostentaba todavía el primer nudo que le hizo cuando era nueva. Observó que llevaba un traje indefinible, sacado del estante de cualquier tienda de Greenville, que no le caía bien y que se lo habían planchado muy a la ligera. Vio lo que no había visto hasta entonces, o sea, una unidad humana, versada en materia de leyes, que estaba allí en su compañía a causa de un fanatismo; veía ante sí a un hombre delgado, magro, nervioso, quizá orgánicamente débil, afanoso, que se olvidaba de sus ropas, de su alimento, de su misma persona. Hasta aquel momento jamás había visto a Cosgrove, sólo le había oído. Era más bajo de lo que él se imaginaba.

Lucas suspiró irritado y decidió terminar de una vez.

—Bien —dijo en tono calmoso—, sea como fuere, usted ha ganado un prosélito.

—¿Cuándo saldrá del hospital? ¿Cuándo le dejará volver a casa?

Lucas se puso en pie.

—Tiene un cáncer —contestó el médico, sin la menor inflexión de voz.

Cosgrove dio un paso atrás. Se había quedado con la boca abierta.

—¿Un cáncer?

—Lo siento. Puede vivir un par de meses. Tres, a lo sumo.

Cosgrove se sentó.

—¡Puerco maldito!

—No es culpa mía, hombre de Dios. Yo le proporcioné un prosélito...

—¡So puerco indecente!

Las llamas de la ira se levantaron instantáneamente en el pecho de Lucas, pero se apagaron con la misma facilidad. El joven contemplaba fatigado el odio, el desencanto y el miedo que inundaba los ojos de Cosgrove.

—¡Le devolveré la pelota, Marsh! ¡Aunque tenga que esperar hasta el día de mi muerte!

—A usted le quedan años de vida, mientras a él le quedan semanas. ¿No lo comprende? ¿No es capaz de verlo? Las células de usted pueden subsistir años enteros. ¿Ha convertido acaso las células de Glaimer al comunismo? ¿Cuándo ha resuelto sus problemas?

—Muy bien, Marsh. Ya sabe cómo quedamos... usted y yo...

—De acuerdo —respondió Lucas, fatigado—. Ustedes caminan hacia la muerte; sí, también ustedes los hombres que poseen un programa, los dueños de todas las soluciones; a pesar de todas las leyes que dicten, a pesar de que griten ruidosamente, están muriendo... ¿Por qué no se curan con una dosis de dialéctica? Lo siento... —murmuró luego, disgustado.

Y salió del café.

Poco después entraba en el hospital para extirpar las amígdalas y vegetaciones señaladas para aquella mañana. (Una operación que el hombre venía realizando con éxito desde hacía algo menos de cien años). Al pasar examinó una histerectomía, recordando que la primera operación de esta clase había sido llevada a cabo cincuenta y un años atrás. Se detuvo luego al lado de una parturienta y pensó que el fundamento de la concepción había sido descubierto cincuenta y cuatro años antes, y que la fisiología del ciclo menstrual fue descubierto en mil novecientos tres. Comprobó el estado de un enfermo de riñón. (El primer riñón lo extirpó el hombre sesenta años antes de aquella fecha). Se detuvo ante la cama de un anciano para inspeccionar la sonda por la que circulaban sus orines, después de una afortunada prostatectomía. (La primera de las cuales se había ensayado con éxito cuarenta y dos años atrás, cuando el paciente a quien se le había practicado ahora tenía veinticinco años). Contempló algunas radiografías. Que el hombre, con una existencia de decenas de miles de años sobre la Tierra, había descubierto unos treinta años ha. Y Lucas suspiró contento porque en un momento de pausa en el trabajo le permitía a uno irse después de una operación de hernia. (Practicada por vez primera cuarenta años atrás). Y por fin, dio una inyección con una aguja hipodérmica. (Inventada cincuenta y un años antes de que él naciera).

Iba a salir del hospital cuando una enfermera le alcanzó en la puerta. Lucas no reconoía la voz que le hablaba por teléfono.

—¡Soy la enfermera del doctor Binyon! —le dijo.

—¡Bien, bien! —contestó él.

—¿Puede venir aquí doctor? ¿Puede venir en seguida? Se trata del doctor Blake... Llamo en nombre del doctor Blake... ¡Oh, Dios mío! —gritó la muchacha. Lucas oyó el golpe del receptor al caer.

Jamás le había parecido que su coche corriera tan despacio. Las cubiertas rechinaron sobre el suelo al pararse delante del consultorio de los doctores Binyon y Blake. En un segundo estuvo fuera del vehículo y subiendo a la carrera. Con el maletín en la mano, penetró en la sala de espera y abrió la puerta del despacho. La estancia estaba desierta.

—¡Aquí!

Lucas giró sobre sus talones y corrió hacia un cuarto de reconocimiento.

En el suelo, junto a un sofá, yacía una joven. El doctor Blake estaba sentado en una silla situada en un rincón, cubriéndose la cara con las manos. No levantó la cabeza. Al lado de la joven estaba arrodillada la enfermera, con el uniforme salpicado de sangre. El rojo líquido empapaba el cuello de la paciente. Debajo del cabello se había formado un extenso charco. Los hombros y el pecho de la joven tendida aparecían cubiertos de sangre también, y la toalla que le habían metido debajo del cuello del vestido estaba húmeda y roja, sin que quedara en ella una sola mancha blanca.

Lucas se arrodilló inmediatamente.

—¡Morirá desangrada! ¡Morirá desangrada! —chillaba la enfermera. El doctor Blake exhaló un gemido. Su cabeza se hundió más.

—¡Cállese! —gritó Lucas. Y cruzó la mejilla de la enfermera con un bofetón—. ¡Cállese y tráigame unas pinzas hemostásticas.

La muchacha estiró el brazo en dirección a una bandeja de instrumentos. En el mismo instante, Lucas encontró dos hemostáticas, unas pellizcando inútilmente un trozo de epidermis y otras abandonadas en un momento de pánico cerca de las primeras. Inmediatamente las cerró; las pinzas aplastaron ciegamente los tejidos.

—¡Más! —gritó Lucas. Y luego, dirigiéndose a Blake—: ¡Dios le maldiga! ¡Póngase en pie! —El doctor Blake movió la cabeza negativamente y continuó con la cara hundida entre las manos.

La enfermera le entregó un puñado de hemostáticas. Lloriqueaba.

—No es culpa suya —exclamó—. Se trataba precisamente de una cosa sin importancia, pero ella fastidiaba tanto al doctor, que por fin él le dijo que viniera y se lo extirparía... Bastaba una anestesia local.

Los dedos de Lucas se movían febriles. La hemorragia no cesaba. La joven seguía sin conocimiento y con la faz intensamente pálida. Tenía la piel fría. Su respiración era casi imperceptible. Los dedos de Lucas corrían, tanteaban, oprimían, colocaban pinzas.

—No era sino un quiste —gemía la enfermera—, sólo un quiste pequeñito.

La hemorragia parecía cesar. Lucas hizo una pausa. Su mano libre, llena de sangre, fue a inspeccionar el tobillo de la joven. Estaba frío. El médico miró con atención a la paciente, observando, espiando la aparición del más leve signo. No se produjo ninguno. La muchacha había dejado de respirar. Lucas abrió de mala gana los dedos que oprimían los tejidos del cuello. Una pequeña cantidad de sangre se derramó perezosamente sobre la piel. El pulso se había interrumpido. Habíase interrumpido la respiración. La joven había muerto.

Lucas se puso de pie y contempló al doctor Blake con ojos que se le salían de las órbitas.

—Era un quiste bronquial —dijo, con voz ronca.

El doctor Blake no se movió. Lucas saltó por encima del cadáver de la joven y golpeó las manos que ocultaban el rostro del culpable, tratando de separarlas de él.

—¿No lo sabía? ¿No sabe lo que es un quiste bronquial? ¡Levántese, granuja cobarde!

—El no hizo más que coger unos pequeños fórceps, tirar del quiste y cortarlo en la base —chilló la enfermera, tirando del brazo de Lucas.

—¡Y ha cortado, además, con el quiste, media pulgada de vena yugular! —gritó Lucas—. ¡Mírela! ¡Quítese las manos de la cara y mírela! ¡Ha muerto! Usted se ha sentado aquí y la ha dejado morir! ¡Le ha dominado el miedo, no ha sabido lo que había pasado, se ha acobardado! ¡Usted! ¡Criminal! ¡Acobardarse un médico!

—¡Doctor, doctor! —suplicaba la enfermera.

—¿Es que no sabe nada? ¿No conoce ni una envoltura de un quiste bronquial? ¿No sabe siquiera que siempre se une a alguno de los grandes vasos sanguíneos del cuello? ¿No aprendió ni eso? ¡Mírela!

¡Ha muerto! ¡Venga acá, canalla, ruin y cobarde! ¡Mírela! ¡Sentarse aquí y dejarla morir!

Lucas se aferró a las manos del doctor Blake, tratando de separarlas del rostro que escondían.

—¡Doctor Binyon! —chilló súbitamente la enfermera.

Lucas se volvió.

—¡Ahí tiene una muestra de su labor! —gritóle el recién llegado—. ¡Eche un vistazo a su obra! ¿Sabe lo que ha hecho su compañero?

El doctor Binyon se detuvo en el umbral. Tenía la cara pálida y miraba fijamente al doctor Blake.

—Lo he oído —respondió.

—¡Disfrace su acción, si puede! ¡Pruébelo nada más!

El doctor Blake se había quitado las manos de la cara. Tenía las mejillas mojadas por el llanto. Mirando al doctor Binyon, gimió:

—Oh, Bert, Bert...!

—Esta es tu obra —dijo el doctor Binyon, sin la menor inflexión de voz. No formulaba una pregunta, requiriendo contestación; afirmaba un hecho. Había pronunciado la frase en voz baja y ahora esperaba por si quedaba algo más por descubrir.

—Del modo más impensado —lloriqueó el doctor Blake—. Era sólo un quiste pequeño, Bert; lo he cortado y... —Sus desorientados ojos se posaron sobre la muerta—. ¡Oh, Dios mío! —gritó, trastornado. Y volvió a esconderse la cara entre las manos.

—Y se ha sentado aquí —dijo Lucas—. Se ha sentado aquí, ¡y a permitido que esa joven muriera desangrada! ¡Vamos! —añadió después de una pausa—. ¡Diga algo! ¡Defiéndale!

Pero el doctor Binyon dirigía una mirada acusadora a su compañero.

—Te daré dos horas para marcharte de aquí —le dijo.

—¡Oh, doctor Binyon! —susurró la enfermera. Y se cubrió la boca con la mano.

—Recuérdalo. Dos horas. Si dentro de dos horas todavía estás aquí, llamaré a la policía. —Su mirada seguía fija en su compañero—. Espero que sabré si vuelves a ejercer la Medicina —añadió, en tono firme. En la estancia se produjo un silencio absoluto—. ¡No quiero saber otra cosa!

Luego se volvió hacia Lucas.

—Gracias, doctor.

—Si hubiera podido llegar cinco minutos antes, aún...

El doctor Binyon movió la cabeza afirmativamente.

—Dos horas —repitió—. Acuérdate, John.

Luego se alejó del umbral. Lucas volvió a mirar al doctor Blake, y en seguida a la enfermera.

—Encárguese de la difunta —dijo indicando con la cabeza el cadáver de la joven.

—Doctor Blake —dijo la enfermera—, vamos ya, doctor Blake... Doctor Blake...

Lucas salió al pasillo y siguió al doctor Binyon.

—Yo me encargaré de telefonear —le dijo éste, sin mirarle.

—Está bien —respondió Lucas.

El doctor Binyon añadió con voz apagada.

—No se preocupe. No ejercerá nunca más. —Lucas aguardó—. Le telefonearé —prometió el otro médico—. Dentro de dos horas, él estará fuera de la ciudad. Le telefonearé a usted esta noche.

—Esperaré hasta que me llame —contestó Lucas, en voz baja.

El doctor Binyon no dijo nada más, ni volvió la cabeza.

Lucas salió. Mientras guiaba el coche, advirtió que tenía las manos pegajosas. El volante estaba húmedo. Entonces se miró los dedos. No se había lavado.

Dirigióse al despacho del doctor Castle.

Cuando hubo terminado de explicarle el incidente, se quedó inmóvil, escuchando ansioso, con el cuerpo inclinado hacia adelante.

El doctor Castle le observó un momento, reteniendo aquellos segundos para definir el hombre que tenía ante sí, para definirse a sí mismo y al mundo, retardando el instante de tomar la palabra.

—Es una pena —dijo el doctor Castle, con aire de cansancio—. Sí, es una pena, una gran pena.

El oído de Lucas desechó aquellos sonidos, emitidos para cubrir un espacio, carentes de significado verdadero. El joven aguardaba.

—Jamás pensé que su inepcia llegara a este extremo —afirmó el doctor Castle, desahogando el pecho, exhalando el último de aquellos minutos de espera.

—¿Acudimos al Condado primero? ¿O a la policía? Esto es cosa de la policía, ¿verdad?

—¿A la policía? ¿Binyon ha llamado a la policía?

—No lo sé. Ha dicho que me telefonearía. No creo que Blake haya tenido tiempo aún para marcharse.

—Ha despedido a su socio de una patada, ¿verdad?

—Pero ejercía con él. Le había escogido. Le hizo su compañero. Si existe en el mundo una persona que conozca a Blake, esa persona es Binyon. Y, sin embargo, trabajaba con él, y seguiría trabajando si el otro no hubiera matado a nadie.

—Pero le ha dado la patada.

—En efecto, no podemos levantar ninguna acusación contra él. Acaso esto resuelva el problema. Binyon tiene las manos limpias. Su conducta se las ha limpiado.

—Eran compañeros de curso. Habían estudiado juntos ya antes de estar en la Facultad. Los dos procedían del campo, de una pequeña población de Ohio. Más pequeña que Greenville.

Lucas esperaba silencioso, con ojos de paciencia.

—Los dos seguían juntos por el mismo camino. He ahí el secreto de la cuestión. Estaban más identificados que si hubieran sido hermanos. ¿Comprende la consecuencia que saco? —preguntó bruscamente el anciano médico—. ¡Esto es lo que Binyon acaba de arrojar por la borda! ¿Le ha visto la cara? ¿Le tenía miedo a usted?

—No —respondió Lucas, con aire remiso.

—No estaba amedrentado. Esto es lo que quiero hacerle ver. La virtud que posee Binyon, la que le da categoría de médico, es precisamente la que le ha empujado a expulsar a Blake. —El doctor Castle adelantó el cuerpo—. ¿Lo comprende bien?

—Supongamos que está en lo cierto —admitió Lucas, por fin.

—¿Por qué ha querido hacerme partícipe de esta cuestión? ¿Por qué ha venido aquí? —El doctor Castle se arrellanó en su asiento, destapó un frasco y se puso una píldora en la boca. Lucas observaba su rostro, atento al primer síntoma que manifestase—. Porque quería celebrar una consulta. Por este motivo no se ha dirigido inmediatamente a la Comisaría de policía. Usted no estaba seguro. Usted no está seguro de cuál es el proceder más justo. En su interior se levanta el ser humano, enfrentándose contra el médico... ¿Qué habría hecho dos años atrás?

Lucas parpadeó, trastornado, sintiéndose repentinamente culpable.

—Muy bien —dijo. Las palabras salían de sus labios con dificultad—. Pero no podemos permitirle que se marche completamente impune.

—Jamás volverá a ejercer la Medicina.

—¿Otra vez esos vagos conductos? ¿Un hombre como ése ha de andar suelto entre la comunidad humana con lo que sabe...?

—¿Vamos a desprestigiar a todos sus compañeros y maestros, a desprestigiarnos a nosotros mismos... y a la Medicina... con un juicio público? ¿A quién propone para dictar el castigo? ¿A la mujer que desconfía de los médicos y está a punto de dar parte de un bulto raro que le ha salido en el pecho? ¿A todos los que se nos han muerto, tanto si fue por culpa nuestra como si no? ¿A todas las familias que han perdido alguno de sus miembros?

—¿Quién le despojará del título?

—Esto puede hacerse a la callada. Lo sé. Lo he visto otras veces. —El anciano médico tocó el teléfono levemente con la punta de los dedos y cruzó las manos sobre el regazo—. No me preocupo por Blake, hijo. Ni en Binyon. En quien pienso es en usted.

—¿Quiere decir si yo, si este joven y extravagante amigo suyo que soy yo, sabrá adaptarse a esas cosas? ¿Si lo hacemos me deja atónito y me llena de vergüenza hasta darme ganas de vomitar? Sí, sabré adaptarme. Ahora ya empiezo a ser veterano. Un veterano en el arte de la adaptación. Sin embargo, mi manera de ser no cambia. Si se figura que cambia el concepto que tengo de la Medicina...

—A esto me refería.

—Yo no me proponía atormentarle con mis protestas.

—Sé muy bién contra quién se dirigen sus protestas. —¡Vuélvase esquizoide! ¿Se ve capaz de lograr para sí un tipo adecuado de locura? ¡Sea un esquizoide! —El doctor Castle levantó las manos y las dejó caer sobre las rodillas—. ¡Caramba, hombre, no puedo decirle nada más! Ojalá pudiese... No sé nada más..., no existe ninguna pauta verdadera... La mayoría nos pasamos la vida tratando de parecernos a nuestros padres, en vez de procurarnos mejorarnos a nosotros mismos...

Todo lo que yo puedo proporcionarle es un consejo viejo, muy viejo, viejísimo...

—¿Que me vaya a casa tranquilamente y espere a que Binyon me llame?

—Y que deje que él resuelva el asunto. ¡Binyon le conoce! ¡Binyon se encargará del caso! Yo me pondré en contacto con él. El anciano médico volvió a tocar el teléfono con la mano—. Junto con los demás... —concluyó.

El doctor Binyon llamó antes de que Lucas hubiera terminado las visitas de la tarde. El doctor Blake había salido de la ciudad. Ya no ejercería nunca más la Medicina; nunca más oirían mentar su nombre. A la familia de la joven se le había notificado lo ocurrido. El doctor Binyon había asumido toda la responsabilidad. Acaso se abriera un proceso judicial. O quizá no se abriera. El doctor Castle había hablado también con la familia. Y lo mismo el doctor Kauffman. El doctor Binyon había firmado el certificado de defunción. ¿Quería algo más el doctor Marsh? Y todavía, ¿quería alguna otra cosa, lo que fuere, el menor detalle que le interesase, el doctor Marsh?

—No —respondió Lucas, abatido—. No, con esto basta.

El joven aguardó. En el otro extremo de la línea, el doctor Binyon aguardaba también. "He hecho lo que tenía que hacer— decíase a sí mismo cada uno de los dos en su lenguaje diferente—. He hecho lo que las normas y la situación requerían". Y a los dos les abrumaba una tristeza, una desesperación infinitas. Y a los dos les esperaba otro paciente en la puerta.

—En ese caso, creo que no hay más que decir, doctor.

—Pienso que con esto queda resuelta la cuestión —respondió Lucas.

Ambos colgaron los respectivos aparatos.

Kristina introdujo la última paciente, y luego la acompañó hasta la puerta de la calle. Marido y mujer se fueron juntos a cenar. Kristina permanecía silenciosa. Comprendía que había ocurrido algo. Lucas observó irritado, pero luego con una oleada de gratitud, que su mujer parecía tan consternada como si hubiera fallecido un miembro de la familia. "Quizá lo adivina —pensó, contrito—. Quizá no se aleje mucho de la verdad".

—¿Por qué estás tan abatida, Kris? —le preguntó sin interés, tratando de desterrar los pensamientos que le acosaban.

La mujer profirió un grito apagado. Lucas la miró un instante y luego volvió los ojos en dirección al corto pasillo de su vivienda. Entonces dio unos pasos y cogió el telegrama.

Mientras lo abría miró nuevamente a su esposa. "¡Pobrecilla! —pensó, encogiéndose de hombros—. Los telegramas le dan miedo".

—No sé por qué no han de dejarlo en la puerta de al lado —exclamó, con irritado acento.

"Enviadnos unas líneas —decía el mensaje—. Tanto como si hay tifoidea como si no. Estamos preocupados".

—¡Es de Avery! —gritó Lucas.

—¿Se encuentra bien? —preguntó Kristina, oprimiéndose el pecho con las manos. Su marido le entregó el telegrama.

—¡Tengo que llamarle por teléfono! —dijo mientras ella leía.

—Yo también quiero decirle algo —suplicó la mujer. Lucas, que se disponía a telefonear desde el despacho, sentóse junto al aparato que tenían en casa.

Unos minutos después estaban hablando. La voz familiar de Avery llegaba por el hilo y Lucas se aferraba a ella, la sentía como un chorro benéfico que le inundara con todos los recuerdos del pasado que daban matiz y familiaridad a la voz aquella. Ansiaba sacar a la luz todos sus secretos pensamientos, su vida entera, convertirse todo en voz, en palabras, explicarlo todo a su amigo, exponerlo todo a su consideración en una sola sílaba.

—¿Qué diablos pasa por esas alturas? —preguntó Avery.

—Supongo estarás enterado de que hemos tenido un poco de tifoidea.

—No sabía si os estabais muriendo, o si habíais pasado ya a mejor vida o qué otra cosa pensar. He meditado un rato el asunto y he decidido gastar en un telegrama el dinero de la película que no veré la próxima semana.

—¿Por qué no lo enviabas a cargo del destinatario?

—No he conseguido pergeñar unas frases que pasaran de diez palabras. ¿Cómo estás? ¿Todo marcha bien? ¿Cómo está Kristina?

Lucas miró a su esposa. Kristina sonreía dichosamente. No la había visto sonreír de aquel modo en muchos días.

—¡Está aquí, a mi lado! Sonríe como si hubiera sacado la lotería. Quiere hablar contigo...

—¿Eres feliz, muchacho?

—Creo que sí.

—¿Todo va bien, ahora?

—¿Te refieres a lo que discutimos aquel día?

—A lo de aquel día y a lo demás.

—Te lo contaré cuando nos veamos.

—Continuarás ahí, ¿verdad? ¿No se te ha metido alguna idea rara en la cabeza? Como hablamos de todo aquello...

—¿Cuánto te veré?

—¿Estás seguro de que sabes lo que haces?

—¡Dame noticias tuyas! ¡Explícame lo que ha ocurrido!

—No ha ocurrido nada. Continúo siendo un profesor auxiliar, vamos dando vueltas a la misma noria. Cada curso aparecen caras nuevas. Este es uno de los motivos para los cuales quería verte. Espera hasta que nos veamos. ¿Esperarás, Luke?

—Si puedo.

—¿Qué significa si puedo? ¿Está enterada Kris?

—Yo quiero lo que he querido siempre. No he cambiado, Avery. Y he de obtenerlo. No importa cómo. Ahora lo sé bien. Sí; ahora estoy seguro.

—Deja que se reponga Kris.

—Háblame de los demás. ¿Cómo está Aarons?

—Esta conferencia te costará una fortuna.

—¿Es el decano todavía?

—Se ha ido.

—¿Aarons?

—Enseña en una Universidad negra. Le trasladaron. Ya te lo explicaré.

—¡Dios mío!

—En cuanto a tus amigas, las dos chicas del laboratorio, ¿recuerdas?, están en algún punto de Midwest. Se separaron; un día se pelearon como fieras; creo que una está en Kansas y la otra en Michigan. De tu amigo Alfred, tu compañero de cuarto supongo que sabrás algo. Sus padres lo perdieron todo en el desastre de la Bolsa; él tuvo que regresar de Europa y no sé qué estará haciendo. Su padre se pegó un tiro, y, según creo, su madre y sus hermanas han tenido que ponerse a trabajar. ¿No sabes? Al profesor del cuello alto, le han despedido. De todos modos, se ven las mismas caras de antes... ¡Déjame hablar con Kris!

—¡Dios mío! —exclamó Lucas en voz baja, entregando el aparato a su mujer.

Y se quedó sentado un rato, meditando. Lo que acababa de escuchar iba y venía por su mente, resistiéndose a formar un cuadro completo. Una y otra vez pensaba en Lucas las noticias que le había dado Avery y con tal satisfacción, que apenas se fijaba en las palabras de Kristina.

—Comprendo —decía ésta, con ojos iluminados—. No..., no..., comprendo.

Después se mordió el labio, sonriendo.

—Lo hice ya —dijo en voz baja.

—No, no... El, no...

Del otro lado del hilo, le llegó un chorro de frases. Kristina movía la cabeza afirmativamente.

—Sí —contestó, con presteza—. ¡Oh, no! Lo comprendo...

Entonces volvió a ofrecer el receptor a Lucas.

El la miró sorprendido. Los ojos de su esposa brillaban.

—Quiere hablar contigo —le dijo.

—Dentro de tres semanas estaré libre —anuncióle Avery—. ¿Quieres que suba ahí? ¿O bajarás a verme tú? Pasaremos un largo fin de semana juntos.

—Será formidable —respondió Lucas—. ¿Qué le has dicho a Kristina, que la ha puesto tan contenta?

—No se necesita mucho para hacer feliz a Kristina. Baja tú, pues. ¿De acuerdo?

—Iré.

—¡Hasta entonces, sostente firme!

—Han ocurrido muchas cosas, Avery. Ahora no soy yo...

—Da un beso a Kristina de mi parte.

El aparato enmudeció.

—Es un amigo de verdad —dijo Kristina.

—¿De qué hablabais? ¿A qué te referías?

—Avery quería que hiciese una cosa. Yo le he contestado que ya lo he hecho.

—¿Lo has hecho? ¿De qué se trataba?

—De cuidar que comieras con regularidad —respondió Kristina, con decisión—. Supongo que he mentido, ¿no es cierto?

—No lo es —dijo él, sosegado—. Yo no pensaría en la comida, Kris.

La conversación con Avey le sostuvo durante muchos días. Jamás había trabajado tan bien. Llegó el día en que el doctor Kauffman y el doctor Castle se reunieron con Lucas en el Valley para verle operar. Y luego se sentaron en el cuarto de vestirse y cogieron un gorro, lo cosieron y sobre el mismo ensayaron la disección del estómago y la nueva inserción del esófago. Cada día se sumergía dichoso en su trabajo, libre, sin trabas, haciendo gala incansablemente de una precisión y de un acierto en el diagnóstico que le entusiasmaban a sí mismo. Y por la noche leía a su antojo. Una de aquellas noches, Kristina le despertó después de las tres de la madrugada. Lucas se había quedado dormido leyendo, en espera de que le llamaran para un parto, y la llamada vino cuando su mujer le despertó. Lucas no olvidaba jamás a Kristina en su condición de enfermera. Las del Valley eran insuficientemente expertas; pero el trabajo de Kristina en el Condado, de una exactitud y limpieza que superaban el límite del asombro, despertaba en él la más profunda satisfacción.

—¡Tú te estás practicando! —acusóla una mañana—. ¡Nunca fuiste tan buena como ahora!

—Había dado en el clavo, como de costumbre. Kristina asintió. Después se encogió de hombros.

—En otro tiempo lo hice por el hospital —dijo con timidez—. Ahora lo hago por mi marido.

Lucas la contempló admirado, sin oírla.

Durante algunos días, a Kristina le atormentó una duda, un pensamiento se convirtió en una convicción sólida, y que ella examinó paciente, desconfiada, recelosamente. La destreza manual era una cosa; pero para sorprender a su marido, para no ser estúpida ni por un minuto.

Por fin se lanzó de cabeza.

—¿Qué te parece, Luke? A mí se me ocurre que cualquiera puede servir para el trabajo que yo hago. En pocas horas me atrevería a enseñar a una persona profana. El poner los instrumentos en la mano del operador no tiene ningún secreto. Sencillamente, una coge un objeto y lo entrega al que lo está aguardando.

—Queda el pequeño detalle de saber qué objeto hay que coger —replicó Lucas, que continuaba sonriendo. El cielo no se había abierto todavía.

—Pero si uno se fija un rato y aprende los nombres de los instrumentos...

—En realidad no usamos muchos; por lo general son siempre los mismos en casi todas las operaciones —admitió Lucas, pensativo.

—¡Sin duda! ¡Y con un poco de práctica, las manos van muy aprisa! Ni siquiera es preciso pensar. Un profano...

—¿Por qué te empeñas en decir "Un profano", Kris?

—Ver a una buena enfermera plantada allí, entregando instrumentos, sencillamente, mientras podía estar poniendo en juego sus conocimientos, y cuando las enfermeras escasean tanto...

Lucas miró a su esposa y pestañeó.

—¡Por Dios, Kris! ¡Imagino que tienes razón!

Ella desvió los ojos, turbada y emocionada.

—Se me había ocurrido nada más —dijo, en tono de excusa.

—¡Y tienes razón! ¡En absoluto! ¡Cielos, Kris! A veces...

—¿Están a punto de terminar?

Lucas se volvió. El doctor Snider estaba de pie junto a la puerta.

—Tengo aquí a un amigo de usted —anunció el viejo, con una sonrisa.

Lucas se fue a su encuentro. Kristina le vio marchar y se quedó rodeando mentalmente de atenciones el fragmento de conversación. Su esposo cruzó el umbral.

En el pasillo le esperaba Bemis Shedd. El periodista contempló la blanca figura que se le acercaba.

—¡Parece uno del Klu-Klux-Klan! —exclamó en son de reproche.

—¿Qué ideas bullen en su cabeza? —le preguntó Lucas, sonriendo.

—Quítese esas prendas para que vuelva a tener figura humana y se lo explicaré.

—Tengo que pasar revista —replicó el médico, tratando de adivinar lo que quería Bemis.

—Snider dice que la pasó ya. ¡Vamos, desvístase!

Cuando Lucas reapareció, Bemis le cogió por el brazo y se puso a caminar en dirección a la puerta lateral.

—¿A dónde va? —protestó el joven—. ¡Tengo trabajo!

—¡Pero también dispone de cinco minutos! ¡Me han dado órdenes!

—¿Qué clase de órdenes?

En vez de contestar, Bemis le hizo subir al automóvil y le llevó al centro de Greenville, parándose delante del *Clarion*.

—...De modo que ahora ya sabe de qué órdenes se trata. Pero como está aquí, le agradeceré que dé un vistazo a la imprenta.

—El doctor Castle le ha gastado una broma.

—¡Ha sido él quien *me* ha llamado! ¡No le he llamado yo! ¡Venga! ¿Había visto alguna vez los talleres de un periódico? ¡Tenemos una buena instalación! ¡No tardaremos un minuto!

Lucas le siguió de mala gana.

La estancia en la que penetraron estaba llena de papel hasta el tope. Trozos de papel y periódicos enteros cubrían todas las superficies horizontales disponibles, ocultando la mesa y las sillas; de los ganchos de la pared colgaban tiras de papel, y otros papeles llenaban el suelo, lo llenaban todo, cubiertos de letra impresa o de señales hechas con lápiz.

—Aquélla es miss Shallop —dijo Bemis, señalando en dirección a un largo mostrador. Miss Shallop se levantó, abandonando la máquina de escribir. Parecía una viejecita de setenta años, menuda como un pajarillo. Sonrió tímidamente, sofocada.

—¡Le presento al doctor Marsh! —dijo Bemis, muy ufano—. ¡Ha venido a ver nuestros talleres! ¡Miss Shallop es la encargada de las secciones de anuncios por palabras y de las notas de sociedad!

—Encantada de conocerle, no lo dude —susurró la mujer.

—Siempre que ocurra la menor novedad, lo mismo si sale de viaje, que si recorta el césped del jardín, o su señora invita a quien sea a tomar el té, basta que lo diga a miss Shallop. Y por parte de usted, miss Shallop ¡siempre que el doctor Marsh o su señora pidan que se inserte algo...! —Bemis redondeó la frase moviendo la cabeza afirmativamente con exagerada energía.

—Es una solterona —le confió en voz baja a Lucas, mientras continuaban su recorrido—. Hace cuarenta años que trabaja aquí. En esta población hay gente que daría el brazo derecho por salir en las notas de sociedad del *Clarion;* ella les conoce a todos y les selecciona. Siempre que usted o su señora celebren cualquier acontecimiento de tipo social, basta que le telefoneen. ¡Yo cuidaré que se publique!

—Bien, muchas gracias; pero...

—No hay de qué. No nos causará la menor molestia. Este es mi despacho, o, mejor dicho, ¡la parte visible de mi despacho! —Bemis observó con orgullo el inmenso desorden que reinaba en sus dominios. Volviéndose hacia su acompañante, prosiguió—: Tenemos un redactor de la sección de deportes que al mismo tiempo es reportero y qué sé yo cuántas cosas más. Ahora estará fuera, probablemente, llenando un montón de cuartillas, que yo tendré que dejar reducidas a un solo párrafo. Es un chico muy agradable, hijo de Charley Henderson, ¿no el de las pompas fúnebres, sino el cartero!

A continuación acompañó a Lucas a la trastienda.

—Tenga cuidado. No se ensucie el traje —le advirtió.

—¡Y aquí es donde imprimen el periódico!

—No, no! lo tiramos más al fondo. ¡Aquí es donde lo componemos!...

Dos hombres sentados ante las linotipias movían los dedos sobre las múltiples hileras de teclas. Un individuo flaco que llevaba un delantal manchado de tinta, dejó de mirar el bastidor de la rotativa y le sonrió.

—¡Aquí está mi persona! —exclamó Bemis, muy ufano—. Art, ven acá. Quiero presentarte a un amigo.

Bemis habló en el tono de voz ordinario, y aunque Lucas se admiró de cómo podía haberle oído, entre el estrépito de la prensa y las linotipias, el individuo delgado se aproximó inmediatamente a ellos.

—Aquí tienes al doctor Marsh, Art —anunció Bemis.

—Muy contento de conocerle, doctor —dijo el obrero, limpiándose, apenado, la manchada mano en el delantal.

—Art es sordo, pero oye tan bien como usted y como yo —dijo Bemis.

El aludido sonrió.

362

—Es sordo, pero no es mudo —explicó cuidadosamente el dueño del periódico.

—¿De nacimiento? —preguntó Lucas.

Art movió la cabeza negativamente.

—Lee en los labios —confió su patrono.

Luego se volvió de nuevo hacia los dos linotipistas.

—Quiero presentarle a los muchachos. Aquí, el doctor, saldrá de caza con nosotros.

Pero Art se había vuelto y dado una palmadita en el hombro del obrero que tenía más cerca, y cuando los dos linotipistas le miraron, él trazó rápidamente infinidad de signos en el aire, después de lo cual los otros se volvieron hacia Lucas con cara risueña.

—Ya se lo he dicho —advirtió Art. Su voz no tenía la monotonía, la falta de acento de los que jamás han oído hablar, sino que se confundía casi completamente con la de una persona normal—. Este es Fred —añadió, señalando al obrero más cercano, un hombre rubio y rollizo que pasaba de los veinticinco años—, y aquel es Phil. —Un individuo flaco, larguirucho, rayando en los cuarenta años, descubrió sus descoloridos dientes para sonreírle.

—Son mudos —explicó Bemis—. No oyen ni una sola palabra, y aunque leen los labios, carecen con mucho de la habilidad de Art. No saben pronunciar ni una sílaba. Aquí, Art es nuestro intérprete; una especie de enlace, podríamos llamar.

Los dedos de Art revolotearon nuevamente por el aire. Los dos linotipistas se enfrentaron otra vez con sus máquinas y sus dedos volvieron a deslizarse por el teclado.

—¡Son, sin lugar a dudas, los mejores linotipistas que uno puede encontrar!

—No se distraen por nada —asintió Lucas.

—Puede estar seguro. Y como no sirven para los establecimientos corrientes, trabajan por muy poco sueldo. ¿Cómo diablos puede ganarse la vida un sordomudo lo mismo que otra persona? ¡Tengo un personal formidable! —exclamó entonces, gozosamente—. ¡Están conmigo desde hace años! ¡Art tiene mujer y dos hijos! ¡Sí, señor! Ella es sordomuda. Los niños perfectamente normales. ¡Sí, señor! Viven juntos, formando una especie de comunidad, tienen tres casitas en los arrabales ¡y le aseguro a usted que son limpios como armiños! Bien, Art, puedes volver al trabajo ahora.

—Ha sido una visita interesante —dijo Lucas—. ¡Pero vea qué hora es! ¡Yo también he de volver al trabajo!

—Usted no se irá a ninguna parte hasta que me haya dado su palabra.

—¡Pero si no tengo ni las primeras nociones sobre ese deporte!

—¿Verdad que de muchacho cazó alguna vez?

Lucas estuvo a punto de contestar: "Nunca". Pero respondió:

—Muy poco. Casi nunca.

—¡Claro que sí! ¡En una u otra época, todo el mundo ha salido de caza! ¡Es muy natural! ¡A nosotros no nos importa si cobramos o no alguna pieza! Lo que importa es salir. Yo soy el cocinero, y le aseguro que no ha probado jamás unas tortitas como las que sé preparar. Nos llevaremos un saco de tocino que tengo curado especialmente para la ocasión y un bote de guisantes. ¡Ah, y debo advertirle que no recuerdo haber regresado una sola vez con las manos vacías!

—La perspectiva parece tentadora, pero...

—Jamás ha visto una comarca tan agreste... Bosques de pinos, aire puro... Ascendemos a cuatro mil pies, a un paraje que casi nadie conoce, verdaderamente salvaje; en fin, nos procuramos el artículo en toda su pureza. Y subimos con el camión, de modo que uno puede dormir en el mismo o sobre un excelente colchón de hojas de pino. Encendemos un buen fuego de campamento... Nada, somos un grupo de hombres solos entre las montañas, desligados de todo. ¡Es un placer como no encontrará otro! ¡Nunca! ¡Ninguno!

Estaban otra vez en el departamento que daba a la calle.

—¿Tiene escopeta? —preguntó el periodista.

—Sí... —respondió Lucas, acordándose de la que le había regalado el doctor Runkleman—. Pero el inconveniente está en que un médico no puede tomar la decisión de salir de caza.

—¿Le atrae el proyecto?

—Parece magnífico. Sin embargo...

Bemis cogió al instante el maltratado teléfono de su mesa y después de pedir un número, se volvió y entregó el aparato a Lucas.

—Le beneficiará mucho —aseguró el doctor Castle.

—¿Qué se proponen? ¿Qué complot han armado? —preguntó Lucas, sonriendo para ocultar un principio de irritación.

—Me propongo proporcionarle un descanso de un par de días —contestó el anciano médico—. ¿Tiene algo que objetar? ¿Se atreverá a decirme que no lo necesita? De modo que adelante, váyase con Bemis. Yo fui una vez. Es una aventura que no olvidará en toda su vida. Y deje de presentar obstáculos inexistentes. Ya lo tengo combinado con el doctor Kauffman; entre los dos nos encargaremos de su trabajo.

Mientras el doctor Castle le hablaba, Lucas notó que se le despertaba el interés. Al verse mentalmente en los bosques con una escopeta en la mano, se le aceleraba el pulso. La idea del descanso, de la purificadora soledad...

—¡Dígale que sí y basta! —concluyó el doctor Castle, colgando.

Lucas colocó pausadamente el receptor en el soporte. Bemis le observaba con mirada atenta.

—Bien, si no le importa llevar consigo a un novato...

—¡Así se habla! —exclamó el periodista, dándole unas palmaditas en la espalda.

—¡Un novato de pies a cabeza, fíjese bien!

—¡Qué caramba! ¡Le haremos sentar en un punto donde no pueda fallar el tiro! ¡Marcharemos todos en el camión! Y no se inquiete por los guardas; no se meten con la Prensa, chico! ¡Lo pasaremos en grande! La cacería tendrá lugar dentro de una semana: Nos reuniremos todos aquí. Tráigase un par de mantas, ¡y no se preocupe por el peine y la navaja de afeitar!

Lucas regresó a toda prisa al Valley Hospital. Estaba entusiasmado. Cuando hubo pasado visita, telefoneó a Harriet.

—¡Iré de caza! ¿Qué te parece la idea? ¡Salir yo a cazar! ¿A dónde vas por las noches? ¡Toda la semana trato de ponerme en contacto contigo!

—No me he movido de aquí —respondió la joven—. ¿Y qué significa esa historia de cazadores?

—¡Al parecer, se trata de toda una expedición! Bemis Shedd me ha invitado, y Castle y Kauffman se encargan de substituirme. ¿No sabes que serán las primeras vacaciones que me haya concedido? Esta noche te lo explicaré al detalle.

—Está bien contestó ella—. Pero por su tono se hubiera dicho que aceptaba de mala gana.

—¿Qué te pasa —estalló Lucas enojado—. ¿Acaso piensas que estoy minado por la tifoidea? ¡No ofrezco peligro! ¡No perderás tu precioso cabello!

Inmediatamente de pronunciada la frase, a Lucas le invadió el terror. Pero cuando Harriet contestó, su tono no había cambiado.

—No es eso —dijo, precavida.

No obstante, Lucas comprendió que sí lo era. Aquel fue el motivo de su repugnancia. Y ahora se añadía otro.

—¿Qué ocurre?

—Nada, nada... Te lo diré cuando nos veamos.

—¿Te encuentras bien? No estás enferma, ¿verdad?

—Tengo que colgar —dijo ella—. Viene alguien. Te espero a las ocho.

De tiempo en tiempo, durante la tarde, Lucas volvía a escuchar las palabras de su amada y se sentía inquieto; no lograba comprender el significado que encerraban. Mediada la tarde, un paciente le dijo:

—¡Hola, doctor! ¿Qué es eso que me han dicho? ¡Tengo entendido que participa en una cacería!

Lucas, que le estaba vendando una quemadura en el brazo, se interrumpió, sorprendido.

—¿Quién diablos se lo ha dicho?

El paciente, un individuo bajito, levantó la vista. Sus ojos tenían el destello de temor y devoción que Lucas había empezado a notar en sus enfermos en los últimos tiempos. Era una mirada que le desazonaba, una expresión especial.

—¡Oh, doctor, usted es el personaje del día, actualmente! Lo publica el *Clarion*. El número de hoy, que acaba de salir, refiere que usted, el director y el personal del periódico saldrán de caza. ¿Le gusta cazar, doctor?

Sobre aquel terreno, médico y paciente eran un hombre hablando con otro hombre.

—Pues, sí —respondió Lucas, deseoso de no defraudarle—. Nunca he cazado mucho, pero me gusta. Me figuro que usted cazará continuamente.

—¡Ojalá pudiera! Trabajando en la Compañía de Electricidad a uno casi no se le presenta ocasión. Una vez al año... Pero cuando llegan las vacaciones..., ya sabe; resulta que la señora también lleva un año trabajando sin descansar, y... —el hombrecito miraba sonriendo a Lucas. Sus ojos decían: "Ya sabe usted lo que pasa"—. ¿Tiene perro, doctor?

—¿Un perro?

—Algo que levante las piezas.

—No... Como nunca tenía ocasión... —Lucas sujetó el vendaje pausadamente, entreteniéndose en pequeños e inútiles movimientos porque deseaba prolongar aquellos momentos. Quería que su interlocutor le viera como dueño de una escopeta y un perro. Pero no sabía qué decir; temía cometer alguna torpeza.

—Supongo que usted tiene uno —dijo con una sonrisa de persona enterada.

—Tengo el mejor perro de caza que se encuentra en todo el mundo. Pero el pobre no hace otra cosa que estar atado todo el día. —El paciente se aclaró la garganta—. Iba a decirle, doctor..., si quería llevárselo.

Lucas no levantó la vista.

—¡Oh, Gracias! —exclamó. En seguida miró al hombre cara a cara—. ¡Muchísimas gracias!

¡No tiene por qué dármelas! Acuérdese nada más. Si quiere llevárselo... ¡Dios mío! ¿Sabe qué hacen muchos, últimamente? ¡Comer carne de perro! ¡Sí, señor, a sabiendas! Por Dios, que los tiempos se ponen malos, ¿verdad, doctor?

—Pronto mejorarán.

—¿Lo cree usted? ¿Opina que mejorarán, doctor?

—Han de mejorar forzosamente.

—¡Oiga, me figuro que está en lo cierto! ¡He ahí una buena perspectiva! ¿Cuánto le debo?

—Si este otoño sale de caza por casualidad, tráigame un par de patos.

—¡Vaya! ¡Le conocemos, doctor! ¡Usted no puede vivir trabajando de este modo! ¿Cuánto es?

—Un dólar.

—¿Por todo esto? Vamos, doctor.

—Un dólar.

—Mire, yo no estoy tan mal como la mayoría; tengo un empleo fijo y me pagan con regularidad... hasta el momento...

—¡No vale más! Y no discutamos. Hay otro paciente aguardando.

El hombrecito dejó con cuidado dos billetes de un dólar sobre la mesa y se dirigió hacia la puerta. Antes de salir le advirtió:

—No se olvide del perro, doctor.

Lucas se acercó a la ventana para verle partir con su coche. Luego, oyendo un ruido a su espalda, se volvió. La paciente entraba con paso vivo. Era una figura familiar, una mujer regordeta que tendría algo más de cuarenta años.

—¡Mistress Cornell! —La cara del médico perdió la expresión de sorpresa y se sonrojó. Irma Cornell, una de las pacientes de organismo pobre que él había eliminado de la excesiva herencia que le dejó el doctor Runkleman, se sentó con aire decidido, desafiante.

—¡Bien, aquí estoy! —exclamó.

—Yo pensaba que la visitaba el doctor Castle. Creo que convinimos...

—¡Quiero que me visite usted!

—Pero, ¿no se acuerda, mistress Cornell? Le dije..., le expliqué con toda claridad...

—Algún médico ha de tratarnos, ¿no es cierto? ¡Contésteme a la pregunta! ¡No le pido sino que me conteste! ¡No es cierto que alguno ha de tratarnos?

Lucas levantó los brazos y los dejó caer cuan largos eran.

—Pero, ¿qué tengo que tratarle?

—Mire usted, yo sufro, ya lo sabe, lo mismo que cualquier otra persona. No me encuentro bien. Y cuando una no se encuentra bien, ¿a dónde va, sino al médico? ¡He ahí lo que quiero saber! Y se da el caso de que usted es el médico al cual quiero ir.

¿Por qué a mí, mistress Cornell? Cualquier médico puede...

—¡Todos estamos enterados! —exclamó la mujer, afirmando vigorosamente con la cabeza—. ¡Sí, señor! ¡No puede desorientar a la gente! Al menos, por mucho tiempo. Sabemos lo que vale. De modo que no me importa lo que piense decirme. ¡Aquí estoy y aquí me quedo! ¡Usted es mi médico!

—Bien —suspiró Lucas, encogiéndose de hombros.

Los ojos de mistress Cornell se llenaron inesperadamente de lágrimas, que ella se secaba, disgustada, con el puño. Después, miró desamparada a Lucas.

—No puedo remediarlo, doctor Marsh, aunque sea lo que usted me dijo... yo sufro.

—Sí, señora, soy un médico. No lo dudo. Venga siempre que le parezca y no se preocupe por lo que le dije. Puesto que usted lo comprende..., tenemos mucho terreno ganado.

—¿Por qué ha de ser de este modo? No me refiero a lo de estar enferma continuamente. ¿Qué hice yo?

—Las cosas ocurren así, mistress Cornell. Sencillamente, la naturaleza... o nuestros antepasados..., son la causa de que algunas personas carezcan del vigor necesario para soportar la carga de la vida, y por muchas enfermedades que uno les descubra y les cure, nunca consigue que se encuentren bien.

La mujer movió tristemente la cabeza.

—Bonita perspectiva tenemos, ¿verdad?

—¡Vaya, míreme a mí! ¡Fíjese en mí, mistress Cornell! ¿Qué tal le parece que me desenvolvería si tuviera que ganarme la vida dedicándome al boxeo?

—¿No puede hacerse nada? ¿Debo suicidarme?

—Ya ve usted que yo no me suicido aunque no tenga condiciones para boxeador, o porque sea orgánicamente débil para trabajar de Sansón en un circo. Basta con que se haga cargo de su caso, mistress Cornell. Es todo lo que importa. Basta que afronte la realidad.

—Pero siento dolores.

—Sé que los siente. Y se cansa con facilidad. Y se encuentra desmayada. Y digiere mal. Y se resfría a menudo. Lo sé todo. Y es cierto, usted tiene todas estas dolencias; ninguna es imaginaria. Pero cuando la aquejen ha de decirse a sí misma que ya sabe su origen y debe hacer un esfuerzo para soportarlas. Fíjese en el ejemplo de Robert Louis Stevenson, un hombre tuberculoso, que no pasaba un día libre de sufrimientos, y el cual pronunció una frase que quiero que recuerde. Dijo que un hombre goza de buena salud con sólo que sea capaz de pasarse sin ella y no lamentarse.

—Yo solía leer sus escritos en la escuela.

—Pues, recuérdelo. Ahora le daré unas píldoras.

—¿Las mismas de antes?

—Sí, las mismas de antes. No le perjudicarán. Y le proporcionarán algún alivio cuando se sienta peor.

—Stevenson escribió algunas obras preciosas.

—¡Ya lo creo que son hermosas! ¡Y acuérdese! Estas píldoras no cambiarán la naturaleza de usted. No se moleste conmigo porque no pueda curarla, ni se enfade con las píldoras. Son sus amigas, y son, además, todo lo que puedo proporcionarle. Por otra parte, no es preciso que vuelva día sí y día no; con una vez al mes hay bastante.

—A una persona le conviene leer un poco de vez en cuando. —La mujer se puso en pie, cogió las píldoras y abrió el ajado monedero para sacar unos billetes.

—Son cincuenta centavos, mistress Cornell.

La mujer levantó vivamente los ojos y guardó silencio.

—Nada más. Es todo lo que valen. Y téngalo presente: quiero que me obedezca. De lo contrario, búsquese otro médico. No debe hacer otra cosa que reglamentar su vida de acuerdo con...

—¡Cincuenta centavos!

—Déselos a mi señora al salir. ¿Quiere hacer el favor de decirle que haga pasar al que le toque?

Mistress Cornell le miró un momento; luego se fue.

Lucas se acercó a la ventana, diciéndose: "Volverá. Uno por uno, volverán todos. Y mientras continúe aquí, tendré que aceptarlos. Algunos, como esa mujer, se harán cargo: otros, no. Y yo tendré que contentarme haciendo lo que pueda y diciéndoles la verdad, sin tapujos". Lucas vio la doliente procesión de caras familiares, de caras ansiosas, apagadas, apáticas, contraídas o rebeldes. Y sintió un peso en el corazón. Porque no podía hacer nada. Porque cuando un médico contempla los tejidos y las células, y no al individuo, ve a todos los hombres, incluso a sí mismo, ve todo lo que puede ocurrirles, todo lo que aprisiona y encadena al hombre, lo que le impulsa y le da forma; ve su vida y su muerte.

Mistress Cornell se acercó a Kristina, sentada ante la mesa.

—Las visitas en el consultorio son dos dólares, ¿verdad?

Kristina asintió con un movimiento de cabeza.

—¿Se encuentra mejor, mistress Cornell?

La paciente puso dos dólares sobre la mesa.

—¡Quería cobrarme cincuenta centavos! —exclamó, indignada.

Kristina miró los billetes, indecisa.

—Si el doctor ha dicho que son cincuenta centavos...

—No quiero que ahora me salga usted también con tonterías. Es la esposa del doctor, ¿verdad? A estas alturas ya tendría que estar enterada de las estupideces de los hombres. Conviene que le vigile, porque de otro modo pronto nos quedaremos sin médico. ¿De qué quieren vivir? ¡Cincuenta centavos!

Mistress Cornell cerró el monedero con energía y lo guardó muy seria dentro del bolso. Luego miró a Kristina, soltó un leve bufido, se despidió con una leve inclinación de cabeza, volvióse y se marchó muy erguida.

Durante la cena, Lucas rio con una carcajada triste cuando Kristina le contó lo ocurrido.

—Hay una especialidad esperando nada más que alguno se dedique a ella, y hasta el momento nadie se ha decidido a emprenderla. Más pronto o más tarde, veremos especialistas para tratar a las personas de naturaleza débil. Dios sabe que no les han de faltar pacientes.

—Le he dicho que si tú le habías pedido sólo cincuenta centavos...

—Está bien. Quizá el pagarme cuatro veces más de lo que vale, forme parte del tratamiento. Me sabe mal aceptar su dinero...

—Pero ellos no pueden quedarse sin médico.

—Lo sé, lo sé... Esa clase de personas van de un médico a otro, y aunque uno se lo dijera, la mayoría no creerían la verdad... Si quisieran hacerse cargo de lo que son, quizá pudiéramos ayudarles..., antes de que derrochasen tontamente el dinero...

—¿No están verdaderamente enfermos? —Lucas le interrumpió con la mirada—. Quiero decir...

—Claro que lo están. Ya te lo expliqué en otra ocasión. Y algunos presentan síntomas que justifican que uno... Te contaré un caso. Era una mujer que fue a una clínica importante. Todo el mundo tuvo que ver con ella. Tenía una menstruación dolorosa. El ginecólogo se ocupó de ello. Se quejaba de dolor de cabeza. El neurólogo creyó que se trataba de jaqueca. El ortopédico se figuró que tenía la columna vertebral desviada, y el endocrinólogo llegó a la conclusión de que la causa de sus molestias radicaba en los ovarios. Pero como padecía dolores abdominales, el especialista del aparato digestivo dijo que tenía colitis. Y por fin, un cirujano opinó que se trataba de una apendicitis.

—¿Cuál de ellos tenía razón?

—Oye, le resecaron el plexo presacro. Con ello quedaron eliminados los dolores menstruales. Bastó desconectar los nervios. Pero seguía teniendo dolor de cabeza, recetáronle ergotamina y le desapareció. Como siempre se encontraba fatigada, abandonó su trabajo y se casó. Seguía quejándose de dolores en la espalda y la ortopedia se encargó de mitigárselos. Continuaban las irregularidades intestinales; en consecuencia, la sometieron a un régimen y le enseñaron a darse enemas.

Los sufrimientos abdominales cesaron. Y el cirujano le extirpó el apéndice.

Kristina aguardaba. De pronto, Lucas descargó un puñetazo sobre la mesa.

—¡Pero no se puso bien! ¡Siguió sufriendo tanto como antes! ¡La abrumaba y siguió abrumándola después el mismo cansancio! ¡Y actualmente se encuentra igual! ¡Todo aquello para nada!

—¡Esa es...!

—¡Esa es mistress Cornell!

—¡Dios mío!

—Multiplicada por cien mil, por un millón. Y sólo cuando hicieron todo lo que te he dicho, se les ocurrió pensar que todas sus dolencias no eran sino manifestaciones de una debilidad orgánica congénita.

—¡Si alguno se lo hubiera explicado, por lo menos!

—Probablemente no le habría creído. Hubiera seguido yendo de un médico a otro hasta que le hubiesen hecho todo lo que le hicieron. He ahí el conflicto en que le ponen a uno. Siempre te dan trabajo, y casi nunca puedes hacer nada por ellos. Al final el resultado es siempre nulo, y, entretanto, te han robado un tiempo que hubieras invertido en aquéllos a quienes puedes remediar. Es... un enredo. En cierto modo, uno falta a la ética profesional aceptando su dinero, ¡y hasta instituyéndoles determinados tratamientos!

Kristina suspiró.

—¡Y apuesto que son los primeros en pregonar por ahí que los médicos no sirven para nada!

—¡Naturalmente!

—Tienes razón —dijo Kristina, con un movimiento de cabeza—. Como siempre —añadió, repitiendo el gesto afirmativo—. En este momento he recordado una cosa. Cuando no podía remediarles, el doctor Runkleman solía obrar de este modo. ¿Te acuerdas? ¿Recuerdas cuando encontraba a un incurable?

Lucas se estremeció. Sus cejas se juntaron y sus ojos miraron a Kristina recelosos y llameantes. Ella sostuvo la mirada con aire inocente. Lucas se puso de pie, todavía observándola, atormentado por la duda.

—¡Esto no tiene nada que ver con el doctor Runkleman! —espetóle.

—Sólo quería decir...

—¡No me importa lo que quisieras decir!

—¿Qué he dicho? ¡Lo siento, Luke! ¿Qué he dicho?

—¡No te preocupes! Parece que cada vez que descanso un minuto y trato de hablar contigo...

—¡Pero, Luke!

—¡Al diablo con todo ello!

Lucas se puso el sombrero y el abrigo y salió de la casa. Al llegar al coche, miró el reloj. Todavía no eran las siete. Le quedaba una hora y se fue, a poca velocidad, a pasarla en un monte.

Estuvo sentado largo rato, contemplando las luces de la ciudad de Greenville y pensando en el doctor Runkleman. El recuerdo le hizo estremecer, desazonado. "No es lo mismo, de ningún modo", dijo una vez con disgusto. Y volvió a pensar en el difunto médico. Sus meditaciones se prolongaron. Al cabo de otro rato movió la cabeza afirmativamente. Tenía la mirada triste. Suspiró. Sus ojos seguían fijos en la ciudad de Greenville, pero la miraba casi sin verla.

Cuando se acordó de comprobar la hora, levantóse de un salto. Eran más de las ocho. Llegaría con retraso.

CAPITULO XL

Harriet le esperaba a corta distancia de su casa. Al principio, escondida por las sombras, Lucas no la veía y seguía escudriñando con los ojos la oscura calle. Luego ella hizo un ligero movimiento. Un instante después estaba dentro del coche y cerraba la portezuela.

—Has llegado tarde —le dijo llanamente.

—Lo siento. No podía dejar lo que hacía.

El médico enfiló el estrecho camino. Las ramas se cerraron tras ellos. Habían llegado al lugar de costumbre.

—¿Has preparado el equipo de caza?

—Te he dicho que lo sentía, Harriet. No, cariño, no preparaba el equipo de caza. No poseo equipo alguno... —Y la rodeó con el brazo.

La joven permitió que la besara.

Lucas se irguió de nuevo, desorientado.

—¿Qué te pasa?

—No me gusta esconderme por las calles y aguardar como un ladrón, tratando de imaginar lo que pueda haber ocurrido. Esto es todo. Y no lo mencionemos más; ya pasó. Olvídalo.

—La salida esa no es más que un antojo. Tuve una ocurrencia repentina, como dicen por aquí... Sólo estaré ausente dos días...

—Vete a cazar. Necesitas descanso. Tienes un aspecto terrible. Debes cuidarte, Luke.

—En verdad, no estoy obligado a salir.

—Ve. Yo quizá no esté aquí.

—¿Quizá no estés aquí?

Lucas retrocedió estupefacto; el miedo invadía su corazón.

—Rodéame la cintura. Así... Ahora escúchame. Procura prestarme atención... Los dos sabíamos que había de llegar el momento, ¿verdad?

—¿De qué estás hablando?

—Cógeme otra vez. El trabajo... Se terminó, ha concluido, *Kaput*[1], ¡Hoy!

—Pero no es preciso que te marches; puedes esperarme a mí.

—Ahora cállate. Intenta pensar. Aquí no tengo nada que hacer. Siempre podrás reunirte conmigo más tarde.

—¡Harriet, óyeme! ¡No puedes! ¡No debes!

---

1. Estropeado, arruinado. En alemán en el original.

—¿Qué es lo que no debo? —preguntó la joven, acariciándole la cabeza.

—¡No debes marcharte! ¿No lo comprendes? ¡Yo no estoy preparado todavía! ¡No puedes marcharte, Harriet!

—Luke, necesito hablarte... No; reclínate otra vez, tal como estabas... —Y la joven continuó pasándole la mano por el cabello—. Tú eres una persona que necesita que le ayuden. Somos idénticos. Lo que a mí me impulsa lo hace con la misma fuerza que lo que te impulsa a ti. Creo que necesitas que te ayuden aún más que... Quizá en lugar de recibir aliento de ti, tendría que pasarme los días ocupándome de tus problemas... Acaso necesite a una persona más fuerte que yo misma... Una persona en la cual pueda apoyarme...

Lucas la escuchaba paralizado, sin atreverse apenas a respirar.

—¿No lo ves? —le preguntó ella, con tono grave—. ¡No te acongojes, Luke! Esto no son sino palabras, un intento de pensar en voz alta, un esfuerzo por ver claro. Ayúdame...

—Un mes solamente —susurró el joven.

Harriet volvió la cabeza hacia él y le miró largo rato. Lucas se situó frente a la joven.

—Tú eres lo que he querido siempre —le dijo con decisión.

Harriet no respondió. Lucas, la atrajo hacia sí.

Un rato después, mientras él permanecía tendido, respirando fatigado, ella le acariciaba dulcemente la mejilla.

No hablaban ya de marcharse. Hablaban poco. Transcurridos unos minutos más, Harriet cambió de posición. Lucas volvió a sentarse y el coche emprendió la marcha, deslizándose de nuevo por el camino y luego por las oscuras calles de la población, siempre lleno del tibio perfume de la joven. El automóvil se detuvo. Harriet cogió entre las manos la cabeza de Lucas y le besó.

—Mañana te llamaré —susurró él. Ella asintió con un gesto. Un instante después había desaparecido.

Lucas no tardó en llegar a su casa. Su fatigado cerebro se negaba a seguir pensando. El médico inspiró profundamente y cruzó el umbral. Una vez dentro, sentóse en el sofá. Casi al instante, se quedó dormido.

Por la madrugada, cuando todavía reinaba la oscuridad, sonó el teléfono. Lucas se despertó en el sofá. En algún momento, durante la noche, Kristina le había cubierto con una manta. La llamada procedía de una granja de los alrededores de la población. Todavía amodorrado, el médico se puso la chaqueta, encontró el sombrero, cogió su maletín y la puerta se cerró a su espalda.

El aire de la noche descongestionó su rostro, hirió sus ojos, limpió su piel. El nuevo día nacía entre tinieblas, acunado por el frío, igual que la noche y las estrellas. El frío y las estrellas estaban a solas con él. El joven escuchaba satisfecho el eco de sus pisadas poblando el silencio, contento de encontrarse solo, sintiéndose como en un santuario. Las desiertas calles, la noche y las estrellas eran sus viejas amigas. En el horizonte asomaba una leve claridad; allá las tinieblas parecían menos densas que en la tierra y en el cielo, cediendo al empuje del nuevo día.

Las ventanas de la granja interrumpieron súbitamente la oscuridad con una luz extranjera. El paciente era un muchacho de diecisiete años. Yacía encima de la colcha, con el pijama abierto. Tenía el pulso rápido, la piel pegajosa a causa de la transpiración, la frente ardiente, los ojos vidriosos, apagados por el sufrimiento, y las rodillas levantadas. Entre el ombligo y el vértice de la cadera se notaba una tumefacción sobre los rígidos músculos, la piel estaba tierna y la percusión revelaba una blandura en el interior.

Lucas paseó la vista por el dormitorio humildemente amoblado. Luego pasó a la sala y observó que sus muebles eran muy viejos y que cuando nuevos fueron pobres. En seguida habló brevemente con los padres del enfermo y telefoneó al hospital del Condado, ordenando que enviarán una ambulancia.

Mientras aguardaba, permaneció al lado del muchacho, que ahora respiraba más sosegado. El color y el diámetro de sus pupilas habían menguado bajo los efectos de la morfina. Al oír la ambulancia corrieron hacia la puerta, abrieron y Lucas salió al exterior. La lechosa claridad del amanecer no ocultaba los objetos ni los iluminaba. En la distancia, una capa de luz condensaba la niebla y la hacía descender sobre los montes.

—¡Se ha levantado temprano! —le gritó el chofer. Y su voz se extendió vibrante por los espacios aún desiertos del día.

—Es verdad —contestó Lucas, con una sonrisa obediente.

—¿Qué tiene? ¿Una apendicitis? Buen tiempo para salir de casa, doctor. ¡Dentro de un par de días ha de estar en su punto ideal!

—¿De caza? ¡Ah, sí! Es cierto, parece un tiempo inmejorable para cazar. —"De modo que toda la ciudad está enterada. Y se les ve a todos muy contentos al saber que haré algo que a ellos les gusta también".

Cuando sacaron la camilla, el médico la acompañó hasta la ambulancia.

Al ponerse en marcha, alejándose de la vivienda, a Lucas le repugnaba volverse a casa, sentía el deseo de inmovilizar el tiempo, de conservar el día en aquel mismo punto, estacionarlo. Pero el coche rodaba inexorablemente. La ciudad había despertado, se notaba el movimiento, había gente por las calles, iba en aumento el tránsito; aún no había salido el sol, pero aumentaba la luz, y el día continuaba su camino sin que nada pudiera detenerle. Lucas pasó por delante de su casa. Vio luz. Kristina se había levantado. El siguió adelante. En el Greenville Café tomó una taza de la aromática infusión. La sorbía despacio, mirando el reloj por el rabillo del ojo. Alguien le dio una palmadita en el hombro. El médico levantó los ojos. Art le sonrió; él demostró con una sonrisa que le reconocía y dibujó una "O" con los labios. Art señaló el maletín. Lucas lo miró, y luego, volviendo a fijar la vista en el obrero, asintió con la cabeza.

—Visita nocturna —le dijo... formando las palabras con todo cuidado. Y movió la cabeza, sonriendo tristemente.

Art hizo un gesto afirmativo, señaló el reloj, dio otra suave palmadita en el hombro de Lucas, movió la cabeza compasivamente y dijo:

—Es hora de que me vaya a trabajar. —El médico se quedó pasmado al oír su voz y tardó un instante en recordar que Art no era mudo, sino únicamente sordo. Y mientras le veía marcharse, se le ocurrió que, probablemente, el mismo Art lo había olvidado por unos instantes.

Entonces volvió a mirar el reloj. Y pareciéndole que ya podía llamar, fue a la cabina telefónica.

La voz de Harriet carecía en absoluto de la inseguridad del sueño.

—¿Tan temprano te has levantado?

Ella vaciló unos segundos.

—¡Naturalmente!

—Yo pensaba que no estando sujeta a la tiranía del reloj, hoy dormirías hasta muy tarde.

—No, me he levantado. ¿Dónde estás?

—En un café. Acabo de tomarlo. Me da placer oírte.

—A mí también me lo da oírte a ti. Habrás pasado la noche en vela, sin duda ¡Debes cuidarte, Luke!

—Me encuentro perfectamente. Hay un chico con apendicitis. Le operamos esta mañana. ¿Tienes alguna idea para despues? ¿Nos vamos a comer juntos a Annivale?

—No puedo.

—¡Vamos mujer! En Annivale no te conoce nadie.

—No puedo. —El médico oyó un ruido en el otro extremo del hilo—. Luke, llaman a la puerta. Tengo que irme.

—¿Y mañana?

Hubo una corta pausa. Cuando él se disponía a decir algo, Harriet respondió:

—Veremos.

—¡Adiós! —Y colgó el auricular exultando de dicha.

Entonces volvió al consultorio. Kristina estaba preparada. Al sentarse en el coche, al lado de su esposo, el blanco uniforme de la enfermera crujió con el suave susurro de la ropa limpia.

—He tenido que salir —dijo Lucas.

—Te he oído.

—Se trata de un muchacho de diecisiete años. Se llama Albert Rapper. Apendicitis. Son labradores.

—¿Le operas esta mañana?

—En seguida.

—Teníamos aquella hernia.

—Esperará.

—¿Está grave?

—No creo que se haya estrangulado, pero sí que falta poco.

—Desayuna, Luke. La cocinera te freirá un huevo; o, por lo menos, toma una taza de café. Entretanto, yo prepararé las cosas.

—No me gusta el café del hospital.

En aquel momento cruzaban juntos las familiares puertas del edificio.

—Un vaso de leche...

Lucas aceptó y continuó caminando. Kristina le siguió con la mirada.

Luego se dirigió presurosa hacia el quirófano. Porque allí era donde estaban casados. Allí eran marido y mujer. Ella se encontraba mejor en aquella sala que en su casa. Aquella mesa, aquellos instrumentos, el autoclave, las vitrinas y las bandejas constituían el mobiliario de su hogar, el único hogar que compartía con su esposo. Lo demás se reducía a una espera, a un lapso de tiempo, a una antesala.

El paciente estaba preparado. La madre se levantó calladamente de su cabecera. Lucas guiñó el ojo al muchacho, con expresión tranquilizadora.

—¡Esto te enseñará a no sacar a las personas de la cama a cualquier hora! —le reprendió jocosamente.

Entonces notó que había alguien a su lado y se volvió. Li sonrió triunfal, apoyándose en las muletas.

—¿Usted otra vez?

—¡Yo!

—Quiere irse a casa, supongo. Dé unos pasos para que veamos cómo anda. No necesita las dos muletas. Deje una... Esta no, la otra. Está bien. Veamos, ande.

Incециso, Li dio cuatro pasos. La pierna izquierda se movía rígida, formando una sola pieza desde la cadera hasta el talón. Al moverse trabajosamente, el chino fijó en Lucas una mirada inquisitiva.

—¿Ve? Con una tiene bastante. Pronto deberá abandonar la muleta y servirse únicamente de un bastón. Quiero que use un bastón. ¿Comprende?

Li afirmó vivamente con la cabeza y se quedó aguardando.

—Muy bien. Mañana puede marchar.

—¿Hoy?

—¡Mañana!

El chino se alejó cojeando, muy contento.

—Dentro de un minuto estoy contigo, muchacho —dijo Lucas. El chino sonrió temeroso—. Quedará muy bien, madre.

—Tú no te muevas —ordenó la granjera, tranquilizada.

Lucas cruzó por delante de la sala de mujeres. El doctor Snider le salió al paso.

—Se nos prepara un disgusto.

—¿Se trata de un parto?

—No, de uno de los casos de tifoidea. Nos quedan dos solamente, pero uno se agrava.

Lucas entró detrás del viejo en la sala de mujeres y observó a la enferma.

—¡Eh! ¿Cómo va?

La paciente le miró con ojos inexpresivos. Era una mujer casada, con dos hijos, empleada en un café.

—¿No me recuerda? Estaba con el doctor Runkleman; usted nos sirvió y le dio un billete al doctor Runkleman para pagar parte de su cuenta.

Los ojos de la enferma se animaron unos segundos, reconociéndole. Luego volvieron a quedar inexpresivos.

Lucas cogió la exangüe muñeca. El pulso de la enferma era rápido, la temperatura, baja; tenía el cutis pálido... Todo en sentido relativo; relativamente rápido, relativamente baja, relativamente pálido.

—¿Qué le parece? —preguntó el doctor Snider.

—Tiene el abdomen un poco distendido.

—Pero no en exceso.

—No en exceso... No... No da un sonido muy apagado...

El viejo se encogió de hombros.

—Me gustaría que esa mujer tomase una decisión mientras está usted aquí. —Lucas observó a la enferma—. ¿Qué opina?

—Conviene observarla continuamente.

—¡Apostaría a que está tan lejos de una perforación como yo! He visto otras veces casos semejantes. ¡Uno huele cuando sufren una hemorragia! ¡Siempre, sin excepción! ¡Tiene mejor aspecto ahora que hace diez minutos! ¡Sí, señor!

—Yo la tendría en observación.

—Me sabe mal privarme de una enfermera.

—Creo que conviene destinarle una.

—Está bien —suspiró el doctor Snider—. ¡Ojalá no viéramos ya más enfermos de tifus!

Lucas miró la hora y se fue rápidamente al quirófano. Kristina estaba preparada y aguardándole al lado del paciente. Una de sus dos ayudantes se había situado junto a la bandeja del instrumental. Lucas se desnudó, tomó una ducha, se puso los pantalones blancos y se lavó rápidamente. Unos instantes después, protegido por la bata y los guantes, acercóse a la mesa. La segunda ayudante de Kristina sostenía el cuerpo del muchacho curvado alrededor de su cintura.

Lucas miró sorprendido a las tres enfermeras.

—¡Esta mañana han sido muy rápidas!

La aguja se deslizó suavemente hacia su objeto. El muchacho ya cía de nuevo cara arriba.

—¿Cómo te encuentras, Albert? ¿Te parece que tengo un aspecto raro con esta mascarilla? Como un fantasma, ¿eh?

—Sí, señor —murmuró el chaval.

—Ahora, cuando sientas algo, avísame. ¿Aquí...? —Albert movió la cabeza, adormilado—. ¿Aquí...? —El paciente hizo otro signo negativo.

Lucas levantó la vista hacia Kristina. En sus ojos lucía la mirada inmemorial.

—Preparado —dijo con una inclinación de cabeza.

Y extendió la mano. La enfermera que estaba junto al instrumental le puso el bisturí en la palma. Lucas la miró vivamente, luego miró a Kristina.

—¿Prefieres que lo haga yo? —le preguntó ésta, en tono cariñoso.

El médico volvió la vista hacia la otra enfermera. Sobre las mascarillas, los ojos de la muchacha y los de su esposa estaban fijos en él.

—Está bien —capituló—. Un poco más fuerte, por favor.

La otra enfermera movió la cabeza afirmativamente.

Lucas cortó.

Kristina secó el corte y extendió la mano. La enfermera le puso unas pinzas hemostáticas en la palma.

—Así —señaló Lucas, con el enguantado dedo.

Kristina cerró el vaso que sangraba y volvió a secar.

Lucas cortó.

Ahora los dos colocaron pinzas. Kristina secó; aguardaron, el área quedó limpia; Kristina extendió la mano; la enfermera golpeó la palma del médico con el mango del limpio bisturí.

—Todo el mundo se vuelve muy listo por aquí —exclamó Lucas. Y en seguida cortó. Las enfermeras se estremecieron. Luego se ensimismaron otra vez en la tarea. Los músculos estaban al desnudo.

Entonces se inició nuevamente el ritmo, los movimientos de las manos, de los instrumentos, las acciones de las auxiliares, los compases de espera, las conjunciones, los golpes, las pausas; todo sin prisa, sin interrupción, y los tres se confundieron en un trío interdependiente y completo.

Los bordes de la primera capa de músculos fueron separados por los retractores. En medio de aquel boquete aparecieron las fibras en abanico de la delgada capa muscular que seguía; éstas fueron cortadas y dejaron ver, a su vez, una última capa de músculo, con la misma estructura de abanico de la anterior. Kristina limpió la sangre que oscureció el campo operatorio al rezumar. Lucas hizo una pausa. La enfermera limpió unas pinzas y las guardó para el momento preciso. Kristina dejó caer el manchado rectángulo de gasa y cogió otro. Todos observaban el área. Estaba limpia. Lucas extendió la mano. La enfermera le golpeó la palma con las pinzas. El cortó las fibras de la última capa y separó los labios del reciente corte. Kristina movió un retractor para que incluyera esta última capa, y con la mano derecha sacó la blanca cinta de fascia debajo de ella. La enfermera había cogido las pinzas de la mano de Lucas, la cual permaneció extendida y ella armó con un nuevo bisturí. En un extremo de la incisión empezó a sangrar súbitamente una pequeña arteria. Kristina la cerró. Al devolver las pinzas, la enfermera le golpeó la palma con unos fórceps. Lucas dividió la fascia. Un instante después, cortaba el peritoneo. Ahora el abdomen quedaba abierto; las vísceras estaban al desnudo. Sin pausa, con mano tierna, Lucas separó el filamento del borde del delantal del mesocolon en su unión con el apéndice.

Luego ligó y volvió a ligar. Por fin dejó libre el apéndice.

—Por poco no llegamos a tiempo —dijo. Y el sonido de su voz dio la impresión de ser un objeto extraño que había penetrado en la blanca sala.

El apéndice aparecía hinchado y de un rojo vivo.

Lucas extendió la mano. La enfermera le puso en ella unas pinzas. Lucas aplastó el muñón. Luego extendió la mano. La enfermera le golpeó la palma con otras pinzas. El las colocó al lado de las primeras. Alrededor del muñón pasó con la aguja unas bastas de hilo de sutura que quedó como los cordones que cerraban las antiguas bolsas monederos y cuyos extremos dejó libres, como los cordones de aquéllas precisamente. Cuando iba a extender la mano de nuevo...

—¡Doctor Marsh!

Las cuatro cabezas se volvieron, indignadas, ofendidas.

En el umbral a diez pasos de distancia, otra enfermera empujaba una camilla sobre la cual yacía un hombre, desgreñado y salpicado de sangre, con la ropa interior escarlata y los pantalones bajados hasta los tobillos. Por una de sus piernas descendía una corriente de sangre cual una roja tela que se corriera hacia el pie.

—Acaban de traerle y no podemos encontrar al doctor Snider —decía la enfermera, mientras su mano derecha apretaba con dedos inseguros la ingle del paciente—, y este hombre continúa sangrando. Yo creo que se trata de...

El accidentado tenía la faz lívida.

No cabía duda: se trataba de la femoral.

—¡Póngalo en la mesa para fracturas! —gritó Lucas. Era efectivamente, la femoral; de modo que sólo disponía de minutos para actuar, y quizá menos aún—. ¡Dese prisa! —ordenó, inclinándose por encima del abierto paciente para coger un puñado de pinzas de la bandeja. Y mirando la cavidad, la incisión y el inflamado apéndice, le dijo a Kristina con acento tajante y de una mirada rápida—: Sigue tú. —Las palabras y el movimiento se produjeron simultáneamente. Un segundo después, corría hacia la sala contigua. La bata le golpeaba las piernas.

Las enfermeras le vieron marchar y se miraron unas a otras, desorientadas. Del otro lado de la embaldosada pared les llegó un trozo de explicación.

—Un accidente terrible... —decía la enfermera—. El camión... el hombre.

Kristina volvió la vista hacia la cavidad, cuyo interior se le figuró un ojo enorme que la miraba a su vez.

—Sigue tú.

En la sala todavía retumbaba el eco de aquella orden.

Kristina miraba con los ojos desorbitados, paralizada.

De la estancia vecina llegó la voz incisiva de Lucas:

—¿Todo va bien, Kris?

Ella movió la cabeza torpemente, en sentido afirmativo.

—¡Todo va bien! —respondió, empujada por la obediencia. Su propia voz parecía tirar de ella. Kristina se humedeció los labios.

"Sigue tú", había ordenado él. Lo dijo Lucas. Lucas había dicho: "Sigue tú". Y su mente gritaba: "¡Haz lo que te ha mandado!" ¡El sabe lo que conviene! ¡Lucas lo sabe! ¡Date prisa!

Kristina dio la vuelta por la cabecera y pasó al lado opuesto de la mesa. Al lado correspondiente al operador. Contempló el apéndice de nuevo. Parecía más grande, más rojo. Lucas le había mandado... Kristina inspiró profundamente y contuvo el aliento. Luego extendió la mano. La enfermera vaciló y le puso el bisturí en la palma. Lo hizo con gesto cauteloso. Kristina cerró los dedos, estuvo a punto de perder el instrumento, pero se recobró.

Entonces volvió a mirar. Allí estaba. Allí estaba el apéndice y las dos pinzas. Entre las ramas de una y otra aparecían unas ocho pulgadas de membrana. Y en su mano tenía un bisturí. Por un momento, el pánico le mandó a voces que soltara el instrumento, que huyera, corriendo del quirófano. Después se serenó. Allí estaba el tejido. Todavía aguardando. Lucas dijo...

Kristina pasó el bisturí entre las dos pinzas. El apéndice quedó libre. Y entonces...

Entonces quitaban una de las dos pinzas. Kristina la quitó. De sus dientes colgaba el trozo de intestino. Kristina dejó caer las pinzas en la bandeja. La enfermera las miró unos segundos, después las cogió, las abrió y el apéndice cayó sobre un cuadrado de gasa. Acto seguido limpió las pinzas con ojos nublados y miró a Kristina...

Entonces...

Luego...

Los extremos del hilo de la sutura, del hilo pasado como el cordón de una bolsa...

Los dedos de Kristina cogieron los dos cabos.

"Levanta el trozo de apéndice que queda".

La joven sujetó los extremos del hilo con la mano izquierda y extendió la derecha. La enfermera buscó con gesto inseguro, encontró un trozo de gasa y abrió el frasco que bailoteaba en su mano, Kristina empapó los bordes del cortado muñón, que sobresalían del bocado de las pinzas restantes.

Entonces...

Luego...

"Tira de los extremos del hilo".

Kristina tiró.

Entonces, los operadores...

Las pinzas. Abrían las pinzas.

Así lo hizo. El muñón quedó libre, con el extremo cerrado por el hilo circular de la sutura.

Y ahora...

Ellos empujaron el muñón hacia dentro.

Kristina cerró las pinzas y las utilizó para empujar con fuerza, venciendo la resistencia que oponía el redondeado corte... Ya entraba..., todavía sobresalía por un lado...

— ¡Ya estaba dentro!

Instantáneamente, Kristina cerró el cordón de bolsa, ató apresuradamente, hizo un nudo, aseguróse de que quedaba bien sólido, hizo otro...

El aire se escapó de su pecho con tal violencia que notó que levantaba la mascarilla. Sus músculos se distendieron. Se le cayeron los brazos. Kristina contempló la abertura. Ya estaba hecho. Y seguía mirando, resistiéndose a realizar el menor movimiento.

— ¡Traedme suturas!

La voz de Lucas les causó un sobresalto.

—Número seis, cromadas, y otras para la piel.

La enfermera miró indecisa a Kristina. Esta asintió vivamente con la cabeza y le gritó:

¡De prisa!

La enfermera buscó con mano torpe en el jarro de las suturas. Kristina se movió inquieta, por fin, y la enfermera cogió una docena de frasquitos que goteaban mientras los llevaba a toda prisa a la sala vecina.

La voz de Lucas llamó nuevamente:

¡Continúa!

Kristina fijó sus deslumbrados ojos en aquella incisión cuyos bordes dibujaban la silueta de una canoa mirada desde arriba.

—¿Me has oído, Kris?

La mujer se tragó la saliva con esfuerzo.

—De acuerdo —consiguió decir—. ¡De acuerdo! —repitió en seguida, con voz más fuerte.

—¡Continúa! —ordenó él de nuevo, en tono perentorio. Luego añadió—: Pronto estaré contigo.

Kristina examinó la cavidad.

Primero...

Primero el peritoneo.

Los operadores...

La mujer cogió el frasco que había en la bandeja y lo sacudió. La aguja colgó al exterior. Kristina la sujetó con el portaagujas. Ahora estaría a punto para entregarle al operador. Kristina se vio realizando el movimiento. Y se entregó la aguja a sí misma.

Ahora ellos la ponían...

Y situó la curvada aguja sobre la abierta tela.

Y se detuvo..., pero la punta del instrumento se hundió..., vacilaba...; mas su mano izquierda inició un movimiento. Había dado el primer punto y se detuvo a examinarlo.

No obstante, su mano derecha volvía a moverse; la izquierda tiraba del extremo del hilo. El portaagujas se abrió con un chasquido, la aguja quedó libre; en seguida las pinzas mordieron otra vez su presa. "Espera —decíase Kristina—, espera".

Pero la aguja continuaba moviéndose.

La mano izquierda tiraba del hilo. Otro chasquido de las pinzas y la aguja quedó libre para ser mordida nuevamente. Kristina estiró el brazo para coger el extremo de la sutura.

Entonces oyó un chasquido. Y levantó la vista desorientada, estremeciéndose. Al otro lado de la mesa estaba Lucas. Había cogido el extremo del hilo con unas pinzas y lo estiraba. Pero no miraba a Kristina, observaba atentamente el área de la incisión. Había entrado y se había situado en el puesto que ocupaba su mujer. Actuaba de ayudante.

Su mirada no se separaba de la incisión.

—¿No quieres...?

—Sigue adelante —respondió él.

Kristina terminó la línea de puntos. Los dedos de su marido la precedían casi, siempre infalibles, sin estorbar, estirando, levantando un póco... y asistiendo. Siempre ayudándola. El cosido terminó. Kristina levantó los ojos, incrédula para mirar a Lucas.

—Este levantó la cabeza siguiendo su movimiento.

—Está muy bien —dijo—. Lo habías visto muchas veces, ¿verdad? Apostaría a que eres capaz de hacerlo con los ojos vendados.

Pero al mismo tiempo extendía la mano para la sutura siguiente. De pronto recordó, vio que estaba junto a la bandeja del instrumental, cerró nuevamente el portaagujas y lo puso en la palma de la mano de su mujer.

Kristina empezó a coser la capa siguiente.

Ahora no tenía ocasión de vacilar; un instante después no le quedó tiempo para la duda. Sus dedos se movían, al paso que los de su marido le indicaban el camino mostrándole todos los detalles con la mayor claridad. Kristina cosía como le había visto coser a él. La nueva sutura llegó a su fin; la mujer hizo un nudo. Lucas dio un tijeretazo. La ligadura se deslizó sobre las hemostáticas, se cerró; las pinzas quedaron libres; oyóse un ligero golpe, luego un leve chirrido; los retractores desaparecieron. Kristina vaciló; las pinzas permanecían en el aire; esperándola... y se reanudó la tarea interrumpida.

Después le tocó el turno a la piel.

Por fin, Kristina levantó los ojos. Y dio un paso atrás.

—Tendremos que colgar un rótulo en la puerta —dijo Lucas, colocando una almohadilla de gasa sobre la incisión. Luego puso encima otra mayor y estiró el brazo para coger una larga tira de esparadrapo—. No creías que supieras hacerlo, ¿verdad?

Kristina se apresuró a pegar un extremo de la tira sobre el costado del paciente al tiempo que Lucas adhería el otro. Luego repitieron la maniobra.

—¿Verdad que no? —preguntó nuevamente el médico.

La otra enfermera había regresado.

Kristina engulló la saliva, mirando turbada al paciente, y movió la cabeza.

—¿Todo va bien? —preguntó Lucas a la recién llegada.

—El hombre de la hemorragia ya no está —respondió ésta.

—¡Ya no está!

—Quiero decir que lo han llevado a su cuarto. Ahora le hacen una transfusión.

—No me asuste de ese modo —quejóse Lucas.

—Dispense.

—¡Vea lo que ha hecho aquí su amiga!

El médico se desató la mascarilla sin desviar los ojos del rostro de la enfermera, la cual miraba a Kristina con atemorizado respeto.

—¡Oh, mistress Marsh!

—¡El estaba conmigo! —Kristina sintió que le ardía la cara—. No lo hice yo..., ha sido él..., yo sólo he cosido la primera capa.

—Se ha desenvuelto por sí sola —insistió Lucas, mirando a su mujer. Y Kristina bebió un largo sorbo de aquella mirada vibrante de orgullo que la embriagaba como un precioso licor y la obligó a volverse hacia un lado, sintiendo un nudo en la garganta.

—¿Qué opina de mi esposa? —inquirió Lucas.

—¡Maravilloso, mistress Marsh! —repitió la enfermera.

—Es cierto, mistress Marsh. ¿Qué contestas?

—Kristina se desató la mascarilla. Le temblaban los dedos. Lucas se miró las manos y las cerró sobre la tela que cubría al paciente.

—¿Van... van a dejarle aquí todo el día? —tartamudeó.

La enfermera se apresuró a quitar la sábana laparatómica. Entonces se abrieron las puertas y entró la camilla, empujada por la enfermera. Kristina se apartó a un lado, y para esconder su sofocación, se acercó a su marido y empezó a desatarle las cintas de la parte posterior de la bata. Como por casualidad, los nudillos de sus dedos rozaron la carne de Lucas. Este se desprendió de la bata con una sacudida y giró sobre sus talones. Kristina sintió en los hombros las manos de su esposo, quien le hizo dar media vuelta y se puso a desabrocharle la bata. Ella se apresuró a separarse, dio unos pasos y se volvió de cara.

—¡Todavía me queda trabajo! —protestó. Y empezó a reunir los instrumentos, levantando bastante ruido.

—Yo lo haré, mistress Marsh —se ofreció la otra enfermera.

—Encárguese de limpiar aquéllos. Póngalos en el autoclave —dijo Kristina, encarnada como una amapola.

—¡Tú ven conmigo —le ordenó Lucas—. ¡Ven conmigo y cuida de dejar a tu paciente acomodado en la cama.

Y Kristina, sin saber hacia qué parte mirar, enlazando las manos y jugueteando con los dedos inconscientemente a causa del nerviosismo, se puso al lado de su esposo, y salieron juntos del quirófano, siguiendo a la enfermera que empujaba la camilla, hacia el corredor y hacia la sala.

—Ahora —dijo Lucas, cuyo rostro había perdido la sonrisa, la dulzura y el orgullo, adquiriendo, en cambio, una expresión torva—, ahora tengo que hablar unas palabras con el doctor Snider.

—No pierdas la cabeza —le suplicó Kristina, cariñosamente.

—Aquel hombre ha llegado a las mismas puertas de la muerte —explicó él, con aire sombrío—. Ha sido cuestión de momentos, ¡de momentos nada más!, que no quedara desangrado.

Pero el doctor Snider no estaba en el hospital.

Llamaron a su casa.

—Creo que ha tenido que salir un minuto a la población —les informó la enfermera.

—¡Usted me ha dicho que estaba aquí!

—Pensaba que sí. Lo hubiera jurado...

—Y ahora me dice que se encuentra en la ciudad.

—En efecto, y recuerdo que me había ordenado que se lo comunicase.

—¿Por qué no lo recordaba mientras aquel paciente se estaba desangrando?

—Usted siempre se encuentra aquí cuando lo necesitamos, doctor

Marsh. Es lo que dijo el otro día precisamente el doctor Snider. Estoy segura de que no pensaba tardar más de un minuto; nunca pasa cinco minutos fuera. Sí, precisamente el otro día hablaba de usted...

—Estaré en el Valley —interrumpió fríamente Lucas—. Cuando hayas terminado, Kris, vuelve al despacho.

—Tengo entendido que mistress Marsh... —empezó la otra en tono lisonjero.

—No hay más que decir —atajó Lucas, en tono glacial.

Y se fue precipitadamente hacia el Valley. Luego hizo dos visitas. Cuando regresó al consultorio, Kristina le aguardaba ya. La sala de espera estaba llena de gente. Lucas se sentó. Su esposa introdujo al primer cliente. Las visitas de la tarde habían empezado. Los cuartos de reconocimiento estaban dispuestos; los pacientes eran distribuidos hábilmente en ellos y todo lo necesario se hallaba al alcance de la mano.

A media tarde llamaron por teléfono. Lucas corrió hacia el Condado. En la sala de mujeres le esperaba el doctor Snider de pie al lado de la cama de la enferma de tifus. Una enfermera estaba colocando las cortinas.

— ¡Por Dios, que se nos ha ido! —exclamó al verle. Las mandíbulas del viejo no descansaban. En las comisuras de sus labios asomaba el jugo de tabaco—. ¡Así sencillamente! —añadió chasqueando los dedos.

La difunta tenía el abdomen hinchado.

—¿Había alguien atendiéndola?

— ¡No ha estado sola ni un minuto! —replicó el viejo. Y encogiéndose de hombros, añadió—: Bien, es así como se van. De todos modos, no creo que tuviera muchas posibilidades de restablecerse.

Lucas cogió la gráfica. Después de haberla examinado, inquirió, furioso:

—¿Quién ha ordenado eso?

—¿Qué? ¿A qué se refiere? ¿A la purga? ¡La he ordenado yo! No había vaciado los intestinos desde hacía más de diez horas... ¡Es lo que mando siempre en estos casos! ¿Qué pasa? ¿Que mal hay en ello?

Lucas le miró estupefacto.

— ¡Ha sufrido una perforación! —exclamó éste.

El doctor Snider contempló el cadáver.

—No me sorprendería —asintió con la cabeza.

El joven iba a decir algo, pero se contuvo; despegó los labios de nuevo y volvió a cerrarlos otra vez.

—Usted..., usted le ha dado un purgante...

— ¡Cierre mejor las cortinas! —ordenó el viejo doctor a la enfermera.

—Está bien, Snider —exclamó Lucas.

—¿Qué es lo que está bien?

—Este es el último caso.

—¿El último caso de qué?

—Ya no matará a nadie más —afirmó Lucas, en voz baja.

El anciano médico y la enfermera le siguieron con la mirada mientras salía del departamento a toda prisa. Lucas telefoneó a Kristina, dejando para otro día las visitas que quedaban. Luego subió al coche y se dirigió a Annivale, al despacho del presidente del Colegio de Médicos del Condado.

Esta vez no se volvería atrás.

Esta vez no había sido una conducta posible.

Esta vez... Y Lucas pisaba el acelerador con furia. Esta vez daría el paso necesario a fin de terminar, de resolver el conflicto para siempre.

En cuanto hubo localizado el edificio, paró el coche delante de la fachada y subió las escaleras, libre de trabas, decidido, sintiéndose purificado al fin.

El polvoriento cristal dejaba ver las descoloridas letras: "Doctor Bruce Gillingham. M. D.".

Aquella morada tenía un aire hermoso, sencillo. El polvo del rótulo se le antojaba al joven como un signo de integridad, y la desnudez de la puerta como una prueba de indiferencia para lo que no fueran los intereses genuinos de la profesión. Aquel era el despacho del presidente del Colegio. Lucas pisó el umbral con la satisfacción del hombre que ha llegado a su hogar.

A lo largo de las paredes se alineaban, muy erguidas, una docena de sillas de roble; excepto por un rectángulo de gastada alfombra, el suelo estaba desnudo, y, en medio de la estancia, una larga mesa ofrecía al visitante viejas y destrozadas revistas. Entre dos ventanas había una estufa de petróleo, y en la pared del otro extremo se abrió una puerta. Lucas se detuvo indeciso y respetuoso, y escuchó. No se oía a nadie. Luego contempló un momento la puerta del fondo y optó por sentarse.

Un momento después se abría la puerta interior. Lucas se puso en pie inmediatamente. En el umbral había aparecido un hombre alto, de anchos hombros, pobladas cejas, boca grande y labios delgados, y que tendría algo más de los sesenta años. Llevaba una bata blanca. Miraba a Lucas con aire expectante, sin sonreír.

—¿El doctor Gillingham?

—Yo soy el doctor Gillingham.

—Yo soy el doctor Marsh, de Greenville.

La faz del doctor Gillingham perdió la expresión recelosa, pero continuó sin sonreír. El dueño de la casa saludó al visitante con una inclinación de cabeza, y entrando en su despacho, abrió la puerta de par en par.

Lucas penetró en una estancia más pequeña que la sala de espera. Contenía una mesa de tratamiento, una vitrina de instrumentos, una mesa escritorio y dos sillas. Sobre la mesa continuaba abierta la publicación médica que estaba leyendo el doctor Gillingham. En un ángulo de la misma veíase toda la columna de ejemplares de dicha publicación.

El doctor Gillingham se acercó a la mesa. Cuando se hubo sentado, Lucas se sentó también.

Los dos médicos se miraron uno a otro.

"El protegido del doctor Runkleman —se decía el dueño de la casa—. He ahí un muchacho bien parecido... Ya tiene la mirada de la experiencia... Este es el médico tan inteligente... Parece que viene a reclamar..., se le ve nervioso... Uno diría que la tifoidea le hizo llegar al límite de su resistencia... Está·a punto de estallar por algún motivo. Apenas logra contenerse. ¿Qué habrá pasado ahora? ¿Qué ha ocurrido en Greenville?

Lucas pensaba confusamente: "Si hubiera sabido dibujar, estos son la cara, la figura, el hombre que hubiera trazado. Tiene un aire de autoridad. Habría podido ser profesor mío. Cuando le explique...".

—Usted se ha hecho cargo de la clientela del doctor Runkleman —dijo el presidente del Colegio.

—El difunto le nombraba a menudo, señor. Lamento haber venido de una manera tan brusca, pero...

—Me han hablado de usted, y no solamente el doctor Runkleman. He oído que le dedicaban grandes elogios; me satisface tenerle entre nosotros.

"Sujetémosle un poco —se decía el doctor Gillingham—. Empleemos el tono adecuado. Después, él será el primero en alegrarse de que la conversación haya discurrido en tonos graves".

—Desearía que el motivo que me trae aquí fuera más satisfactorio.

—Alguna vez veo al doctor Castle. Este año ustedes han sufrido un fuerte asalto con la tifoidea.

—Sí, señor —respondió Lucas. Y se arrellanó en un asiento. "De modo que lo quiere así. El manda, él es el dueño de sus horas. No importa. Todo llegará. Y cuando salga a la luz... Sentémonos, pues; hagamos las cosas como él quiere. Dejemos que pregunte".

—Sí —dijo el doctor Gillingham, moviendo la cabeza afirmativamente y con calma. Tanto da que sepamos qué quiere—. Bien, doctor —continuó en tono sosegado—, supongo que no habrá venido como paciente.

—No, señor.

—Usted quiere verme en mi calidad de presidente de la Junta del Colegio.

—Sí, señor.

Era mejor de aquel modo. Porque de aquel modo había orden, método, dignidad de acuerdo con las leyes de la profesión, respecto a las cuales aquel hombre era el jurado.

—¿Tiene algún asunto que comunicarme?

—Sí, señor.

El doctor Gillingham asintió gravemente. "Ahora está calmado; hablará como un médico".

—Continúe, doctor Marsh.

—Estoy aquí, señor, para acusar al doctor Alpheus Snider de ejercicio nocivo de la Medicina.

La expresión del doctor Gillingham no cambió. Lucas le observaba, mirándole con atención, pero el doctor Gillingham le miraba, a su vez, con aire de estar aguardando.

"¿Otra vez Snider? ¿De qué se trata ahora? ¿Qué le insinuó en cierta ocasión el doctor Runkleman? ¿Y Castle? Castle también le dijo algo... Siempre Snider, siempre aquel triste simulacro de médico, aquel hombre licenciado en una Facultad de cuarta clase..., aquel viejo moscardón... Pero, ¡ejercicio nocivo! ¡Aquello podría significar aborto!".

—Presenta una acusación muy seria, doctor.

"Ahora ha salido a relucir la cuestión. Ahora se lo diré, se lo confiaré todo. Y cuando me haya escuchado, cuando sepa lo que ha hecho aquel hombre con la Medicina...".

—Doctor Gillingham, vengo directamente del lecho de muerte de una joven. Vengo del hospital del Condado. La joven era uno de los últimos casos de tifoidea que quedaban.

"De modo que no se trataba de un aborto. Gracias a Dios, no es un aborto... ¿Tratamiento equivocado? No lo dudo; conociendo a Snider, es imposible dudarlo..., ¿o me encuentro, acaso, ante una rencilla personal?".

El presidente del Colegio entornó levemente los ojos.

—Esta mañana he visto a la paciente, a requerimiento del doctor Snider. Ambos la hemos examinado. Estaba semicomatosa. Tenía el pulso relativamente rápido. Estaba pálida. Su temperatura había descendido. Tenía el abdomen algo hinchado. Repito que la hemos examinado juntos. Era evidente que si estos síntomas se acentuaban, había que explorarla para ver si se había producido la perforación y la hemorragia posibles. Estaba en el mismo umbral de ambas complicaciones.

Lucas hizo una pausa. El doctor Gillingham movió la cabeza afirmativamente.

—Hace menos de una hora me han llamado del Condado para un caso de urgencia. Al llegar allí, la paciente había fallecido. Presentaba síntomas inconfundibles de perforación y hemorragia intestinal.

El doctor Gillingham suspiró.

—En estos casos la hemorragia suele ser muy rápida. Me figuro que usted hizo cuanto estuvo en su mano, doctor.

—Sabiendo cuál era su estado, el doctor Snider había ordenado dar una purga a la paciente en cuestión.

Lucas se interrumpió. El hecho quedaba expuesto. Su mente, lo mismo que la del doctor Gillingahm, se representaba el cuadro completo, el cuadro de un abdomen humano, de las vísceras debilitadas, quebradizas a consecuencia de la inflamación de los espacios linfáticos, y distendidas por los gases; el cuadro de una paciente que se encontraba al borde de una explosión intestinal, de una perforación, y a la cual, de entre todos los medicamentos de la farmacopea, le administraban un purgante. La mejor medicina que podía buscarse para matarla. El hecho quedaba expuesto; no cabía una equivocación, no existía un margen de ambigüedad. Se había cometido un asesinato. Lo había cometido un médico. Ahora la reivindicación de la Medicina estaba en las manos de los jueces que velaban por ella.

Y el doctor Gillingham contemplaba a Lucas, meditando.

"He ahí el caso, ¿no es cierto? ¿Esto es todo? ¿Os habéis peleado? ¿Os habéis insultado? ¿Se ha enterado media ciudad?".

—¿Ha puesto usted el hecho a la consideración del doctor Snider?

—No le comprendo. ¿Me pregunta si le he dicho claramente: Usted ha causado la muerte de esta mujer al darle un purgante? No tenía sentido el decirle nada. Me he limitado a pronunciar la siguiente frase: "Este es el último caso". Luego he venido aquí directamente. En estos momentos debería estar ocupado en mi trabajo. Tenía que venir antes. Pero... este es el único caso.

—Comprendo —respondió el doctor Gillingham. "Gracias a Dios. No hubo escándalo. Sí, Snider la ha matado, es cierto. ¡Oh, sí, es el causante de su muerte! ¡Ojalá pudiera decírselo a usted, joven! ¡Ojalá pudiéramos hacer algo los dos, sin nadie más! Porque usted está indignado, y con razón. Pero no sabe cómo son las cosas. No sabe lo que pide. Cuando llegue a mi edad tendrá que indignarse por algo más de lo que hoy ha visto. Entonces pensará que esto no era nada. Y hará lo que yo tengo que hacer ahora... Ahora voy a destrozarle... Sí, voy a destrozarle el corazón...".

El presidente del Colegio miró a Lucas. Su rostro había adquirido una expresión impersonal.

—¿Cree usted que el doctor Snider ha tratado equivocadamente este caso?

Un ligero movimiento de desconfianza agitó a Lucas. Pero quizá la pregunta del doctor Gillingham fuese únicamente una cosa formularia; acaso tuviera que plantearla para seguir el procedimiento.

—Creo —contestó llanamente— que el doctor Snider es responsable de la muerte de aquella joven. Que la ha matado él. Y he venido aquí para...

"¡Oh, claro, la ha matado! ¡No cabe duda sobre este punto! ¿Y a cuántos más habrá llevado al sepulcro que ni usted ni yo, joven, sabemos? Snider, en Greenville; Toftus, en Lepton; Grismer, aquí mismo, en Annivale, que después de siete amonestaciones, apostaría que sigue como si tal cosa... A Dios gracias sólo tenemos tres en todo el Condado... Y antes de estos tres... ¡Pero lo que importa es el presente!".

—El doctor Snider ha tratado muchos casos de tifoidea. —Era preciso deshacer el nudo. Y deshacerlo de aquel modo—. Cuando uno trata un número tan enorme de enfermos, inevitablemente...

—Temo no haberme expresado con bastante claridad, doctor. Debí añadir que, además, esta mañana yo he mandado que la paciente tuviera siempre una enfermera al lado. Y el doctor Snider accedió a ponérsela. Si hubiera cumplido aun en el caso de que el purgante hubiese perforado los intestinos de la enferma, me habrían llamado a mí, y a la paciente le hubiera quedado una esperanza. Había olvidado informarle de esta particularidad.

Ahora Lucas hablaba con acento casi ansioso, deseando no olvidar ni los menores detalles.

—No existen normas absolutas para la tifoidea, doctor Marsh. Creo que ambos lo sabemos.

—Pero una purga... ¡Sin duda, doctor...!

—Según su experiencia, ¿está dispuesto a declarar que en tales circunstancias jamás es recomendable una purga?

—¡Jamás, señor, jamás!

—Usted, ¿ha tratado mucha tifoidea?

Ahora saldrían las viejas tretas, la jugada, la antigua, la conocida jugada. Era un proceder cruel, injusto, pero inevitable. El golpe había causado efecto. Ahora el joven comprendía. Se había sonrojado.

—Acabamos de sufrir una epidemia... —dijo con los ojos muy abiertos, negándose a pensar.

—¿Y anteriormente?

Lucas le miró y no dijo nada. Los latidos de su corazón empezaban a acelerarse.

—El doctor Snider ha soportado muchísimas epidemias como esta. Yo sospecho que la mayoría de jóvenes que salen actualmente de las Facultades no han visto nunca un caso de tifoidea. Y en cuanto a la perforación y a la hemorragia..., es decir, a la perforación y a la hemorragia *posibles*, creo que usted mismo ha usado estas palabras: "posibles".

—¡Aquella mujer ha muerto de perforación y hemorragia, doctor Gillingham!

—¿Está dispuesto a sostener que si no le hubiera administrado un purgante no hubiese fallecido?

"¡Lo siento, joven, lo siento de veras! No puedo explicárselo de ningún otro modo. Es usted quien ha de verlo. Sólo existe esta manera de exponerle en realidad. No se trata precisamente de Snider. Se trata de un médico. De un hombre que posee el título. De uno de los nuestros. De uno que forma parte de usted, que forma parte de mí, que forma parte de todos los hombres que el Colegio ha de proteger. Pero usted no lo verá. No lo verá sino hasta después de que haya hecho lo que debo. Hasta después de haberle aplastado moralmente. Y quizá ni entonces. Tal vez no lo vea hasta que sea demasiado tarde. Hasta que tengamos que enfrentarnos con usted. ¡Con un médico joven tan bueno como usted! ¡Y a causa de un Snider! Sí, míreme..., es cierto... Piensa que le he traicionado, ¿verdad?

—Todos estamos expuestos a errores de apreciación, doctor. Todos nosotros.

"No le traiciono. Es preciso que lo aprenda. Es necesario que aprenda a ser uno de nosotros".

—¿Errores de apreciación? —repitió Lucas, con aire atontado.

—Errores de apreciación.

—¿Intenta decirme, señor, que el doctor Snider no ha matado a la mujer que le digo?

—"Matar" es una palabra fea, doctor. Una palabra muy fea en Medicina. Y al mismo tiempo, difícil de probar. Usted, por ejemplo, acude a mí con una acusación singularmente grave.

—¡Acudo al Colegio a dar parte de una vergüenza para la Medicina!

—Según su opinión.

—Doctor Gillingham, ¿conoce usted al doctor Snider? —preguntó Lucas, incrédulo.

—Le reconozco muy bien.

—¿Representa, según su opinión, un nivel profesional en Medicina que usted aceptaría como bueno? ¡Hombre, por amor de Dios ¡ ¡Por el amor de Dios!

—El doctor Snider posee un título que le autoriza a ejercer la Medicina. Lo que importa ahora no es mi opinión particular. Si posee hechos, doctor Marsh, preséntelos. Pero hechos que den motivo para que el Tribunal de Examinadores del Estado le retire el título al doctor Snider.

—Comprendo —dijo Lucas. Y después de humedecerse los labios, repitió anonadado—: Comprendo.

Había topado con la casta sacerdotal. La antigua, !a antiquísima casta sacerdotal que jamás moría. No se trataba de un mito, sino de una realidad. Y el paralelo era exacto. El clero no juzgaba el delito de asesinato; juzgaba el delito de herejía. Pero no ejecutaba la sentencia, sino que entregaba al condenado al brazo secular. Y el clero protegía a los suyos. No a la Medicina, sino a los miembros de la casta. Era un hecho real sentado ante él en aquel despacho. Y el doctor Snider era un sacerdote. Las filas se habían cerrado.

—Como presidente de la Junta del Colegio, yo no le represento a usted ni al doctor Snider. Represento a la Medicina según se practica en el Condado. Si el doctor Snider ha faltado a los cánones de la ética de la Medicina, si puede demostrarse que su actuación es tal que reporte el descrédito de la Medicina... ¡Dígame, doctor! ¿En qué relaciones está con el doctor Snider?

Lucas oía muy confusamente las palabras de su colega. Pero al final, al escuchar la pregunta, se recobró.

"Dejemos, pues, que se cierren las filas. Que pase lo que tenga que pasar. Tendría que oírlo todo. Tendrá que enterarse. Yo sé muy bien dónde está la razón. Y se lo diré. Por lo menos, le daré ese gusto. Haga lo que quiera, diga lo que se le antoje, tendrá que escucharme. Y luego...".

Lucas fijó en el doctor Gillingham una mirada firme.

—Acabo de explicarle una defunción provocada por ese hombre. No creo que ningún cuadro de médicos que han jurado hacer honor a los más altos ideales de la Medicina como arte o como ciencia... —El joven se dominó con esfuerzo—. No puedo enumerarle la cantidad de muertos que ha provocado ese sujeto. Me figuro que si usted tuviera que ejercer con él, le parecería increíble que pudiera seguir ejerciendo. Estoy seguro que no se resignaría a creer que sea médico.

" ¡Oh, sí, joven! Lo creería. Sólo que usted no lo sabe. No sabe qué es lo que está atacando. Nosotros protegemos no a un hombre determinado, sino a la Medicina organizada. Nosotros evitamos el escándalo, la mancha, el alboroto que se produciría... Usted es un enemigo, joven. Usted no lo sabe, pero es peligroso, es un enemigo".

—¿Ha existido tirantez entre usted y el doctor Snider?

—No —respondió Lucas, despacio—. Si se imagina que se trata de una rencilla personal, está equivocado.

—No me proponía ofenderle. Pero ha ocurrido algunas veces.

—Conocí al doctor Snider por primera vez cuando fui a Greenville. Quiero que usted tenga también en cuenta lo que voy a decirle —explicó el joven, pausadamente—. Un día vi dos camas esperando delante de la sala de Rayos X. Una sala que carece de calefacción. Y en cada una de las camas había un anciano. Dentro de la misma sala, abrigado solamente por una sábana y una colcha, había otro anciano. Los tres eran asilados. Cuando el doctor Snider juzgaba que los seniles habían llegado a las proximidades de la muerte, tenía, desde antiguo, la costumbre de procurar que contrajeran una neumonía para apresurar su fin.

—¿Posee pruebas de lo que dice?

"Sería preciso que alguien hablara claramente con Snider".

—Cualquier enfermera del hospital podrá atestiguarlo.

—¿Algún médico...?.

—El doctor Runkleman lo sabía. ¡Lo sabía bien! Me persuadió de que no lo denunciase. Me dio a entender que se encargaría de que el doctor Snider abandonara tales procedimientos.

—Pero el doctor Runkleman ha muerto.

"Lo siento, joven. Me sabe mal por usted. De todos modos, nos ocuparemos del asunto. A nuestra manera. Si pudiera explicárselo...".

—El doctor Runkleman ha muerto —asintió Lucas. La ira le arrebataba. En vano luchaba por contenerla—. ¡Y también han muerto los dos ancianos cuyo fallecimiento se provocó para dejar sitio a otros pacientes! —Durante unos instantes, el joven médico apenas veía al hombre que tenía delante—. ¿Sabe usted que no le permitimos dar éter? ¿Sabe que lo daba con un cigarrillo apagado en la boca? ¿No lo sabía? ¿Sabía que el doctor Runkleman le cogió en vilo y le arrojó fuera del quirófano? ¿Sabe usted que las enfermeras murmuran que se embolsa el dinero del hospital y que exige honorarios a los pacientes acogidos a la Beneficencia? ¿Que son ya dos veces que no se encuentra en su puesto mientras un paciente se desangra a chorros?

Su voz había subido de tono. Lucas se enfrentaba airado con el doctor Gillingham; las manos le temblaban.

El doctor Gillingham asintió. "Bien, ya lo ha dicho. Ha desahogado ya su pecho. Ha llegado, pues, el momento. Ahora...".

—¿Ha sido protegido alguna vez, doctor Marsh?

—¿Por quién?

—Desde que obtuvo el título, ¿no ha incurrido jamás en algún error de criterio? ¿No le ha pasado nada que le haya hecho pensar agradecido en la protección de sus compañeros médicos?

—¡No! ¡Nunca!

—Siempre hay algo... Todos somos de carne y hueso, doctor Marsh. Todos somos seres humanos, ninguno de nosotros está libre de error; todos hemos de cometer equivocaciones antes de morir; todos habremos hecho algo que nuestros compañeros podrían echarnos en cara, podrían denunciar públicamente. Pero no lo denuncian, sino que forman el cuadro a nuestro alrededor, protegiéndose, guardando el secreto en familia, sabiendo los miles de seres que uno salvará en compensación. Siempre cometemos algún error en el cual ya no incurriremos más.

—¿Las inmunidades y privilegios? —dijo Lucas, amargamente—. ¿Las palabras mágicas y los diplomas? ¿A eso se refiere, doctor? ¿A las inmunidades y privilegios que salvan a un médico de ser procesado por homicidio? ¿A ese pacto con la ley?

—A ese pacto con la Humanidad, doctor. Quizá usted sea uno de los afortunados. Me han dado excelentes referencias de usted. Acaso no haya cometido todavía un error con toda buena fe. Quizá, en un momento de fatiga, de nerviosismo, o de humana debilidad, no haya tenido todavía un descuido. Pero le queda mucha vida por delante, doctor Marsh. Nadie es perfecto. Sin esa Ley sería imposible ejercer la Medicina. En un determinado caso, de entre diez médicos los cinco atestiguarían que la muerte era inevitable, y los otros cinco afirmarían con la misma honradez que los primeros, que se cometió un homicidio. El público tiene derecho a conservar su fe en nosotros. Para ello hemos trabajado con todas nuestras fuerzas. Y nuestro deber consiste en mantener esa fe incólume. ¿Preferiría, acaso, no gozar de privilegios e inmunidades? ¿Cree que médico alguno se jugaría su propia libertad operando a un moribundo? ¿O a un hombre con un cincuenta por cien de posibilidades? ¿Ni a uno con sólo una posibilidad adversa entre un millón? ¿Para qué tendría que exponerse?

El presidente del Colegio se arrellanó en su sillón, dirigiendo a Lucas una mirada severa, tras la cual disimulaba una profunda compasión. "Ha caído en la trampa, joven. Le he cogido".

Lucas sonrió con una sonrisa leve, fría, segura.

—McDowell lo hizo —afirmó, sin vacilar.

—¿Qué decía?

El doctor Gillingham abrió desmesuradamente los ojos.

—Usted me ha preguntado si podía imaginarme a un médico operando con el lazo de la soga colgando sobre su cabeza. McDowell lo hizo. Ephrain McDowell.

El doctor Gillingham se quedó en silencio. "He ahí una cosa que no esperaba. Este muchacho tiene cerebro. Sería peligroso querer limitar la cuestión". Y el presidente llamó en ayuda a la Sociedad que representaba, echó mano del recurso que no podía seguir teniendo en reserva.

—Doctor Marsh, ¿espera usted que el Colegio tome cartas en este asunto?

Ahora sería preciso no ahorrarle nada.

—Lo espero.

—¿Se da cuenta de que si lo que usted afirma es verdad está pidiendo al colegio que le retire el título al doctor Snider?

—Me doy cuenta.

—Doctor Marsh, yo tengo un deber. Se trata de un deber con usted, con el doctor Snider, con todos los médicos que ejercen en este Condado y con todos los que ejercen en todos los Estados Unidos. La

Medicina no le pertenece a *usted*, doctor Marsh. Nos pertenece a todos. Me niego a aceptar su acusación.

Dicho lo cual, aguardó unos momentos. Lucas no decía nada.

Lucas deglutió con esfuerzo. Le dolía el corazón, sentía una especie de náuseas, le paralizaba la convicción de haber sido traicionado; su corazón había quedado aplastado debajo del caído altar.

El joven aguardaba anonadado. No había esperanza; no brillaba la esperanza por ninguna parte. Las palabras estallaron otra vez contra sus oídos.

—¡Y ahora, escúcheme! – le dijo fríamente el doctor Gillingham—. ¡No le hablo como presidente del Colegio de Médicos del Condado; le hablo como hombre mayor, como más antiguo en el ejercicio de la Medicina. Supongamos que esté de acuerdo con usted. Supongamos que todo lo que ha dicho sea cierto. Jamás podrá probar sus acusaciones. Sí, supongamos que son ciertas. La mujer ha muerto. No existe poder en la tierra capaz de devolverle la vida. Usted es nuevo en la profesión. Usted es joven. ¿Qué haría en otro caso?

Aquí se interrumpió. Lucas no contestaba; no podía hablar.

—Usted es joven, tiene los nervios irritados después de la agotadora epidemia y ve lo negro como negro y lo blanco como blanco. Además, el doctor Snider no es ya el médico que pudo ser en otro tiempo... He ahí una cosa enojosa, una vergüenza. —El doctor Gillingham adelantó unos instantes el labio inferior—. Pero es médico. Y usted es médico. Y yo también lo soy. Todos somos médicos. Todos navegamos en la misma embarcación. Además, el doctor Snider es viejo; tiene los días contados. No voy a portarme con usted como podría hacerlo; no le preguntaré qué es y cómo se reconoce la neumonía, no le preguntaré cómo se trata esa enfermedad en los ancianos, no le preguntaré cómo demostraría que aquellos pacientes no la sufrían ya en el momento de, como dice usted, exponerles a ella. No le preguntaré por qué el doctor Runkleman no dio parte inmediata de tales anomalías, ni le recordaré que si todo esto saliera a la luz, el nombre del doctor Runkleman quedaría mancillado... —El doctor Gillingham inspiró profundamente antes de proseguir—: Voy a hacerle una advertencia... y es que si usted insiste, si se obstina en presentar una acusación formal, si nos obliga a tomar medidas, entonces, sea cual sea el resultado, ¡esté seguro de una cosa!

El presidente se inclinó hacia su interlocutor, amenazándole con el índice y mirándole fijamente.

Las palabras estallaron en sus labios.

—¡No incurra jamás en una equivocación!

Y se interrumpió. Luego volvieron a detonar sus palabras, agudas y ásperas.

—¡En todos los años de su vida, *no cometa un solo error!*

El presidente se sentó. Sus ojos tenían una expresión implacable.

—Porque si lo comete... —dijo, suavemente. Y dejó la frase en el aire.

—Y ahora, doctor... —indicó luego.

Lucas se levantó. Le parecía tener los huesos de plomo. Por un momento creyó que se marearía. Tuvo que hacer un esfuerzo para deglutir. Oía de nuevo las palabras anteriores como un eco en una caverna. La caverna era su cabeza.

No existía santuario. Ninguno. En ninguna parte.

El doctor Gillingham se puso en pie.

—A veces tengo el deber de ser brusco —dijo—. Usted reflexionará sobre lo que le he dicho y lo comprenderá. Usted verá que, como guardián de la Medicina, no puedo pensar en individuos aislados y ni aun en mí mismo. Me alegro que acudiera a mí. La conversación sostenida queda entre nosotros. No saldrá de este despacho. Usted está realizando una labor magnífica, doctor Marsh. Ha conquistado el respeto de los que llevamos más años en la profesión. Nos alegramos de tenerle aquí. Ante usted se extiende una larga vida y provechosa. —Y le ofreció la mano. Lucas la cogió maquinalmente—. Buena suerte. Adiós, doctor. Me gustará verle en nuestras reuniones. Se celebran una vez al mes, ya lo sabe, el último martes. —Al exterior se oyó el repiqueteo del timbre del consultorio. El doctor Gillingham inclinó la cabeza a guisa de despedida, diciendo aún—: ¡Venga siempre que guste!

Lucas le saludó con una inclinación de cabeza y se encaminó hacia la salida. Pasó por delante del paciente que aguardaba en el recibidor, abrió la puerta de la calle y se quedó de pie en el desierto umbral. Había acudido al Colegio de Médicos del Condado. Había ido allí para bien de la Medicina. Y aquel hombre le había hecho frente para bien de la Medicina.

Lucas bajó la mísera escalera, la escalera de la realidad. La tarde no había cambiado, la forma familiar de su coche le aguardaba junto al bordillo. Y él era un extraño, un doctor en Medicina, que se encontraba en un lugar al que no pertenecía. Y que no podía hacer nada para que las cosas fueran de otro modo.

Allí terminaba todo. Había concluido por fin. La Medicina que conocía, el ejercicio de la única Medicina que había existido para él, había terminado allí.

Lucas sintió un escalofrío.

Medicina organizada, oficial... El presidente, la autoridad suprema, el mismo presidente...

—Yo se lo hubiera advertido —le dijo el doctor Castle, en tono triste—. Si hubiese venido a verme, yo se lo hubiera advertido.

—No. No le hubiera dado crédito. Jamás.

—Habría podido explicárselo.

—¡Si le hubiese oído! Y hablaba con convicción. El cree estar acertado.

—Lo sé, lo sé. Y si no hubiese sido Gillingham, habría sido cualquier otro.

—De modo que no existe defensa alguna. ¿Verdad que no? Es preciso cogerle in fraganti, con la mano en el mango del cuchillo y la hoja clavada en el corazón de la víctima, y que lo presencien seis testigos...

—Pero, ¿qué haría si no fuese así? ¿Qué beneficios sacaríamos de que las cosas fueran de otro modo? ¿Qué garantía tendríamos de que el puesto de Snider no lo ocuparía otro Snider todavía peor? Comprendo. Sé las respuestas. En otro tiempo era como usted. Lo siento. Hubiera podido explicarle lo que le pasaría. Sé lo que significa para usted esta decepción.

—¡Lo mismo que si hubiera hablado Cosgrove! —Lucas no podía desprenderse de su incredulidad—. "¿Qué sabemos?", venían a significar a fin de cuentas sus palabras. "¿Cómo puede estar uno seguro? ¿Es que alguno de nosotros está seguro de nada?" Y al final aquel trozo horrible, la conclusión, la amenaza: "¡Guarde silencio, o le cogemos también a usted!".

—No sabemos mucho —admitió humildemente el doctor Castle—. Esta es una verdad de Dios. Ni nosotros, ni todas las demás ciencias. Si examina la cuestión a fondo, ¿qué sabemos? ¿Qué conocemos de la misma base sobre la que opera una ciencia? Los arquitectos no saben por qué fragua el cemento. Los electricistas ignoran lo que es la electricidad. ¿De qué le serviría a un químico esa mal enhebrada tabla de pesos atómicos y equivalencias en un medio sin gravedad? Nosotros..., no sabemos ni lo que es la vida. Examine la cuestión. ¿Qué sabemos?

—¡Sabemos una cosa! ¡Sabemos lo que es la Medicina! —Lucas tenía los ojos fijos en la distancia—. Y si lo sabemos y toleramos que se la cambie de como es...

—Todo se condensa en lo que le dije el otro día.

Lucas le miró desorientado. El doctor Castle concluyó:

—Uno tiene que ejercer la Medicina como si no hubiese ningún otro médico en el mundo.

—En efecto —dijo Lucas, poniéndose de pie—. Uno ha de practicar la única Medicina que existe.

—Y éste es un lugar apropiado para ello.

—No lo creo.

—Se convencerá.

—Usted mismo sabe que no lo es.

—Quizá lo sepa... Quizá lo sepa... Consulte con la almohada...

—Estaré solo —dijo Lucas—. Me figuro que antes de ir allá ya había tomado una decisión. Yo salí de la Facultad habiendo recibido las enseñanzas que recibimos todos. Jamás tuve mucho contacto con las otras personas; ni ellas lo tuvieron conmigo. Sólo había una cosa que nunca podía defraudarle a uno, que nunca le traicionaba, y esta cosa era la Medicina. Ella posee una excelencia superior a todos nosotros, y existe en estos momentos y ha existido siempre. La Medicina es excelente y pura... y hasta quizá sagrada. Y los hombres que la practican, los médicos... ¡Ah! Todavía recuerdo la adoración que sentía de niño por ellos, por los doctores en Medicina. Y comprendía que en cuanto el concepto tomaba carne, un doctor en Medicina era la Medicina misma. Era una entidad irreprochable.

El joven hizo una pausa, tenía los ojos fijos en su anciano amigo, pero miraba, en realidad, mucho más allá. Tenía la cara muy pálida.

—Y una por una, como las hojas de una alcachofa, he visto arrancadas todas mis ilusiones... Un médico es ladrón... Un médico es asesino... Un médico es un comerciante... Un médico es indigno... Un médico es cobarde...

Lucas inhaló una profunda bocanada de aire, que luego se escapó de sus labios en forma de suspiro.

—No... todavía hay más... Queda más, mucho más... Usted lo conoce todo. Usted lo ha visto todo. Usted lo ha resistido todo... Yo no lo soportaré.

—Uno no puede vivir solo. Jamás.

—Yo estaré solo. Trabajaré a mi manera. Estaré solo y trataré las enfermedades. Trabajaré en un hospital... Ejerceré la Medicina... Trabajaré en un laboratorio... Yo tengo bastante.

—No somos tan malos.

—¡Usted, no! ¡No, Dios mío!

—Ya sé que no se refería a mí. Quiero decir que hay muchos más que son como usted y como yo. Trabajamos todo el día, hacemos lo mejor que sabemos, pasamos por alto lo que hay que pasar por alto, tratando de no fijarnos en ello; conservamos nuestras ideas propias, nuestro propio estilo... Piénselo un poco. Sé en qué estado su espíritu se encuentra ahora; después se sentirá mejor... Snider no estará aquí mucho tiempo...

—Estará Gillingham, u otro como él.

—Pero a usted no le quedará tiempo para pensar, ni para disgustarse. Los pacientes siguen viviendo invariablemente. Ellos no saben sino que están enfermos... —El anciano médico extendió las manos—. ¡Mírelas! —exclamó.

Lucas contempló las largas manos, los largos dedos, los tiesos y torpes nudillos, atenazados por la artritis.

—¿Lo creería usted? ¡Tiempo atrás yo tenía en ellas unos instrumentos verdaderamente hábiles! ¡Sí, señor! Hoy, con verlas, hay bastante para que un paciente huya de miedo, ¿verdad? Pues bien, de joven uno fue tolerante con los viejos y por ello ahora que soy viejo creo que los jóvenes mirarán mis manos y serán tolerantes conmigo...

—Ya sabe que tendría que retirarse.

—¡Caramba! ¡Recuerdo una vez en McGill... ¡Aquel día vinieron de muchas leguas de distancia para verme! Yo estaba, es verdad, en mi apogeo; tenía una idea nueva para una resección de esófago, abriendo por detrás... ¡Dios mío, *todavía* pienso...! —El brillo del recuerdo se ausentó de sus ojos. El anciano médico sonrió—. No... No puedo retirarme... como no puede retirarse Kauffman ni puede retirarse Rankin..., el primero de la clase y el último de la clase... ¿Sabía usted que Kauffman era un hombre muy notable cuando terminó la carrera? Querían que fuese neurólogo, el mismo Wyeth en persona le escribió...

—Kauffman no tiene el corazón como usted. ¿Cuánto tiempo cree que podrá resistir esta actividad? ¡Dígamelo!

El doctor Castle sonrió cariñosamente.

—Moriré con las botas puestas, muchacho. —Lucas bajó los ojos—.

Ahora se le acercan un par de días de descanso —le dijo su anciano amigo, cogiéndole por el brazo—. ¡Váyase a casa y dígale a esa excelente mujer que tiene por esposa que le prepare una buena comida, y cuando regrese de su excursión quizá yo deba comunicarle algo! —El doctor Castle sonrió y movió la cabeza afirmativamente con evidente intención—. ¡Ya verá usted! —prometió.

La enfermera asomó la cabeza en la puerta, como pidiendo que la perdonaran.

—¿Está preparado, doctor?

—¡Mándemelos! —gritó el doctor Castle.

Lucas condujo hasta su casa a poca velocidad.

Kristina no sonreía.

—Han llamado por teléfono —empezó, vacilante.

—¿De qué se trata, Kris? ¿Qué ha ocurrido?

—*Ella* ha dejado un encargo...

—¿Quién? ¿De quién estás hablando?

Pero el frío había invadido su corazón. Kristina tenía una cara extraña. Lo sentía por él; la compasión asomaba a sus ojos.

—Ha tenido que marcharse —le dijo en voz baja y desviando la vista—. Sí, esa tal miss Lang. Se ha ido esta tarde. Me ha pedido que te dijera adiós. Fue una cosa muy repentina... Supongo que no estabas enterado...

—No —respondió Lucas, oyendo su propia voz como viniendo de una gran distancia—. No, no estaba enterado.

—Ha tenido que marcharse... —murmuró su mujer.

—Sí —admitió él—. Supongo que ha tenido que irse. ¿No ha dicho a dónde?

—No, no lo ha dicho.

"Escribirá; quizá escriba... ¿Qué le habrá dicho a Kris? Después de todo, ¿qué podía decirle? Escribirá".

—Me figuro que habrá encontrado un empleo en la capital —comentó con los labios secos—. Supongo que se ha marchado por eso. Le habrán hablado de algún trabajo en la capital. ¡Hoy en día los empleos andan escasos! ¡Uno tiene que cogerlos cuando se presentan!

Y Lucas afirmó vivamente con la cabeza.

Kristina se le acercó, y con gesto vacilante, apoyó la mano en su brazo.

—Lo siento, Luke.

Su cara, su cara sencilla estaba triste; no se veía en ella otra cosa sino tristeza, sinceridad y compasión.

—¿Qué sientes? —replicó él, procurando dar energía a su voz—. ¿Por qué diablos has de apenarte?

Kristina bajó la vista.

—Era una muchacha simpática —dijo, con voz firme. Y retiró la mano de su brazo—. Erais amigos. Lamento que no hayas llegado a tiempo para decirle adiós.

Lucas juzgó prudente encogerse de hombros.

—Hoy estamos aquí y mañana nos hemos ido —comentó.

—Sí —respondió Kristina. Lucas dio media vuelta y se acercó con los ojos cegados hacia el armario—. ¿Quieres cenar? —preguntóle su esposa—. ¿A dónde vas?

Lucas abrió la puerta, diciendo:

—Voy a llevarme ese rifle a un rincón y a ver si puedo aprender a manejarlo.

—Estoy contenta de que tomes parte en esa cacería, Luke. Me alegro de veras.

—Yo también. —El joven médico hizo retroceder el cerrojo y fingió examinarlo, aunque no lo veía—. Quizá te traiga un venado. —Y siguió inspeccionando, absorto, el arma.

Kristina se le acercó, y le dijo:

—Te preparo la cena —dijo.

Ya en la cocina, levantó la cabeza, cerró los ojos en actitud de rezo y se desahogó con un profundo suspiro de acción de gracias.

CAPITULO XLI

A uno y otro lado de la carretera empezaban las montañas; no se veían viviendas por ninguna parte. El camión ascendía penosamente los largos peldaños. Los cuatro hombres miraban en silencio. La masa de las montañas corría hacia atrás. Lucas contemplaba la ola verde que se dividía a su paso rizándose a uno y otro lado y dejando en suspenso sus pensamientos, y centraba toda su atención, en aquellos instantes, en aquella marcha, aquel seguir adelante sin la ilusión de los sueños.

Todos estaban callados, contemplando las ilimitadas montañas, descansando indolentemente, entregados al movimiento del vehículo, mientras las respectivas armas incitaban a sus pulsos a latir más de prisa. Pero por ello quedaban todavía más silenciosos.

Lucas iba adelante con Bemis Shedd; detrás, en el bajo lecho del camión, estaban tendidos Phil y Art. Llevaban dos horas viajando de aquel modo. El sol se había levantado y derramaba una luz estridente, pero sin vida, a través de las nubes, y el cielo invernal, de color perlado, era como un pensamiento antiguo, oscuro y remoto.

A medida que se desnvolvía la cinta de la carretera desplegábase también la vida de aquel ser humano, sentado entre aquellos otros tres, completamente extraños para él. La vida de aquél que se daba perfecta cuenta de su diferencia, que se veía de niño, esperando el momento de transportar el maletín de un médico, mientras los otros niños jugaban. Otros niños que no conocía y unos juegos en los que no participó. Jamás echó de menos a los niños, jamás pensó en los juegos; bien pronto perdió a sus padres, dos personas de las que podía avergonzarse. Perdió a Ouida. A Ouida y a Job.

Lo que importaba era la Medicina. Sólo que en la Medicina también había gente. Gente que la diluía. Y que no eran sus semejantes. Quedaba Avery. Quedaba aquel profesor. Quizá algunos más. El resto de la gente que poblaba la Medicina le era extraño. En verdad, sólo quedaba la Medicina. Para su mente y para su alma, jamás había existido otro objetivo, otro propósito. Y para sus necesidades como ser humano...

Lucas cerró·los ojos. Se acordó de Alfred; recordó los tiempos de su peligrosa, crucial, desesperada necesidad; recordó que todos aquéllos a los que pidió ayuda hicieron de aquella necesidad una sima que les separaba súbitamente, y volvió a mirar acongojado a la otra parte de aquel abismo. Acordóse de su matrimonio, que se le antojó nuevamente monstruoso, de aquella arma apuntada a su sien, de la repugnancia que le inspiraba, aquella medida implacable, irremediable, completamente premeditada. Kristina fue la víctima. Ahora la vida sería más benévola con ella. La vida le proporcionaría otra compañía. Sí, no iba a quedarse sola. No cabía duda. Porque Kristina...

Y a su mente se representó de un modo vago la suma de valores de Kristina. Kristina, la enfermera; Kristina, la mujer que nunca se quejaba; Kristina, la firme, la impasible, la que lo aceptaba todo sin rebeldía, sin protesta, contenta de que le permitiese estar a su lado, sonrojada por el menor elogio, agradecida de que le mandara algo... ¿Qué quería Kristina, en fin de cuentas? ¿Qué frutos recogía de aquella situación? ¿Tenía bastante con ellos?, maravillábase Lucas. ¿Se contentaba con tener marido? ¿Con estar casada? Kristina... Kristina, la desconocida.

Ella viviría mejor. Y lo merecía. Lucas recordaba su faz, sus ojos, que se habían levantado para mirarle ante el operado de apendicitis... Volvía a verla de nuevo... Había algo más...

En Kristina se encerraba alguna otra cosa, aquellos días. Se había producido un cambio, se había producido algo que su memoria o su subconsciente querían comunicarle..., una transformación física... Pero no, tampoco física... Era una cosa que escapaba a su comprensión... El camión había remontado una altura... Delante aparecía otra. Los montes se sucedían continuamente. Lucas se sintió de nuevo extranjero, otra vez se fijó en los tres hombres que iban con él y recordó la vida que le aguardaba. El no se identificaba con los otros. Era sólo un viajero. Era libre. Era un extraño.

Y sin embargo, ahora, durante ese peregrinaje, existía una agradable unión.

Delante de ellos se desataba, interminable, la negra cinta de la carretera; veían pocos coches; luego, durante muchísimo rato, no apareció ninguno. Las poblaciones habían quedado atrás. El camión continuaba avanzando, transportándoles adelante, como a simples pasajeros, y la negra cinta oscilaba tras ellos, huía lejos como una mancha letea, llevando hacia atrás los abultados escombros cotidianos, empujándolos hacia un punto que se desvanecía; sus hogares desaparecían y lo mismo sus vidas ordinarias, los hábitos de cada hora, las convenciones de los días. Y ellos se encontraban desligados, sin obligación alguna; eran cuatro hombres gozando de la maravilla de la libertad, abandonados, regocijados, saboreando el dulce cosquilleo de la culpa, fugados, abrazando el peso de su destino, hombres armados, invadiendo en grupo un viejo dominio; hombres solos, que se dirigían a los terrenos de caza.

Y experimentando esta sensación, dominado por ella, Lucas, confundido con los demás, guardaba un cauteloso silencio, por miedo a que una palabra intempestiva destruyera aquello que le unía a los otros. A ambos lados, las montañas se levantaban escarpadas, se remontaban hacia el cielo y formaban cadenas y más cadenas pobladas de espesos bosques de encinas y pinos. Lucas se irguió estremecido.

Bemis le había dado un codazo y ahora señalaba adelante. A lo lejos, dos figuras cruzaban a saltos la carretera.

—¡Gamo y gama!

Lucas miró excitado. Divisó únicamente una especie de relámpago, un movimiento. Luego, los dos animales desaparecieron, tragados por el bosque.

—Terreno de cabras salvajes —dijo Bemis. Y Lucas se apresuró a mover la cabeza afirmativamente—. Son parajes donde uno se topa con un gamo, le dispara mientras el animal cruza, y si quiere hacerse con él, tiene que echar a correr entre los árboles y rogar a Dios que no le pierda de vista.

—No creo que jamás hubiera visto estas espesuras. Por lo menos, tan densas como aquí.

—¿Verdad que uno se siente a gusto en estas soledades y dejando a su espalda todo lo demás? Esta es la única vida verdadera. Es lo que el hombre necesita. —El periodista movió la cabeza muy serio—. Sí, el gamo puede encontrarse a cien yardas de distancia y uno no verle. Acaso esté plantado mirándole, a veinte yardas, casi debajo de la suela del zapato, hasta el punto de que si se mueve uno sufre un sobresalto... Pero antes de que tenga el arma a punto, el animal ha desaparecido ya.

Ahora ya no encontraban ningún coche.

—Nos queda una hora de marcha —dijo Bemis. Se cruzaron con dos zorras, dejaron atrás docenas de gordos puercoespines, y acada vez que el rectángulo de cristal que había a su espalda vibraba con los manotazos que le daban Art y Phil al paso que abrían sus labios en exageradas sonrisas y muecas y señalaban entusiasmados.

—Hemos llegado —anunció Bemis. Dos gamos saltaron a través de la carretera. El camión, habiendo coronado la cima, enfiló hacia un lado y se perdió por un prado sin camino. Las ramas azotaban el parabrisas. La carretera desapareció a su espalda. Ante sus ojos se abría un pequeño claro. El camión se detuvo.

Una hora después habían preparado el campamento. Lucas había observado respetuosamente cómo Bemis desplegaba sus habilidades en aquel menester. Luego se unió a la absorbente tarea de reunir las piedras más adecuadas para el fuego de campamento, de colocar dos canastas para que hicieran las funciones de despensa y de reunir ramas de pino a fin de que sirvieran de colchón en el fondo del vehículo. El primer fuego lo encendieron con toda solemnidad.

Y luego, no queriendo resistirse más, los cuatro cazadores recogieron las armas y las cargaron amorosamente con los macizos y pesados cartuchos.

—Bien —dijo Bemis—, Creo que ya estamos a punto.

Los reunidos se miraron unos a otros, sonriendo, Phil avanzó un paso y dio una palmadita en el pecho a Lucas. Entonces volvió a retroceder, levantó el arma, apretó los labios y los abrió, imitando, aunque sin sonido, una explosión; en seguida se puso el rifle entre las rodillas, llevóse los pulgares a las sienes y movió ligeramente los dedos. Luego señaló entusiasmado a Lucas y dejó caer las manos.

—Dice que usted cobrará un macho con cinco ramas en los cuernos —interpretó Art. Phil asintió vigorosamente con la cabeza, produjo apresurados sonidos en su garganta y levantó cinco dedos.

—Una cosa tienen —dijo Bemis—: conocen este terreno, aunque sea más salvaje que el infierno. Estos dos poseen ojos y saben usarlos. Son capaces de ver un ciervo antes de que uno tenga tiempo para decirlo.

Lucas llamó la atención de Phil por el mismo procedimiento de la palmadita en el pecho. Luego le señaló con el dedo y en seguida apuntó el arma, movió los labios imitando una explosión, indicó nuevamente al sordomudo, luego señalóse a sí mismo e hizo la mímica de cargarse un peso a la espalda. Por fin abandonó el empeño, celebrando su ineptitud con una carcajada. Phil le miraba sonriendo amigablemente.

—Intentaba decirle que si él mata uno, yo lo transportaré —explicó. Los dedos de Art entraron en movimiento. Phil movió la cabeza arriba y abajo en un exagerado gesto de que comprendía, y guiñó complacido.

—Yo iré con Phil —dijo Bemis—. Ninguno de nosotros se alejará mucho. —Entonces se plantó delante de Art, y articulando cuidadosamente, le dijo —: Yo y Phil iremos hacia esa parte, en dirección Oeste. Tú y el doctor iréis hacia el Este. —Aquí se interrumpió para mirar el reloj. Art movió la cabeza en señal de conformidad y sus dedos se apresuraron a comunicar la decisión a Phil—. Son las doce. Debemos estar aquí de regreso a las cuatro. No más tarde. —Art miró su reloj y asintió con expresión seria—. Nos limitaremos a una breve cacería, sólo para entrenar la mano y familiarizarnos con el terreno. ¡Ten cuidado, Art! —recomendó, señalando hacia la espesura—. ¡Vela por el doctor!

Emprendieron la marcha juntos. A los treinta pasos habían salido del pequeño claro. Encontraron un leve sendero y decidieron aprovecharlo, avanzando por él en fila india. Las ramas de los árboles se cerraban tras ellos. El océano verde les engulló.

Arriba, las cimas de los pinos dejaban ver pequeños trozos de cielo. El sendero subía muy empinado. Lucas respiraba fatigosamente, y trataba avergonzado de disimular su jadeo. Delante veía la espalda de Art y pocas yardas más allá, oía el caminar de Bemis y de Phil, escondidos por el follaje. El empinado sendero trazaba una repentina curva, ascendía nuevamente y luego terminaba. Habían llegado a otro claro. Era menor que el primero, donde habían establecido el campamento. Los árboles eran más altos. A trozos se veía el suelo, cubierto en su mayor parte por las hojas de los pinos. A la izquierda del claro sobresalía una gran roca.

—Eche un vistazo —recomendó Bemis. Lucas dejó la escopeta arrimada contra un árbol y trepó por la lisa superficie del peñasco, aprovechando un áspero saliente para apoyar el pie y seguir penosamente hacia arriba. Desde lo alto contempló a sus tres compañeros, escondidos en parte por el ramaje.

—Mire a su alrededor —le gritó el periodista. Los tres que permanecían abajo no dejaban de contemplarle. Lucas se volvió. Delante sólo veía el arbolado, el verde oscuro de los pinos, espesos, impenetrables, punteados por las copas de las encinas y los nogales americanos. A derecha e izquierda se extendía una perspectiva idéntica. Lucas se volvió de nuevo y miró en la dirección de donde habían venido. El campamento no aparecía a su vista. Echó una ojeada al reloj. Hacía veinte minutos que habían emprendido la marcha. Delante, una alfombra verde se extendía hasta el infinito; las montañas habían desaparecido, convirtiéndose en un mar ondulante de ininterrumpido verdor. Estaba en medio de una inmensidad sin límites.

Luego descendió y saltó a tierra. Art le ayudó a levantarse. Phil le quitó el polvo del traje con mano experta.

—¿Ha visto cómo se desarrollaba el panorama? —le preguntó Bemis—. Siempre igual arriba y abajo, ondulado aquí y allá; donde acaba un monte empieza otro, cada altura tiene el mismo aspecto de la siguiente.

Lucas movió la cabeza afirmativamente. Los demás le observaban con atención.

—Hoy no se separe de Art —le indicó Bemis, de paso. —¿De acuerdo, Art?

—¡De acuerdo! —contestó el obrero.

—En marcha, pues.

Bemis dio media vuelta y Phil le siguió. Ambos se encaminaron hacia la derecha, y unos momentos después, el claro había quedado libre de su presencia. Lucas oía los latigazos de las ramas. Casi inmediatamente, aquellos sonidos se hicieron más débiles, y luego se apagaron por completo.

El médico sonrió, asombrado. Art, que le estaba mirando, hizo un gozoso gesto de asentimiento.

—¡Como el humo! —exclamó Lucas, formando las palabras con toda pulcritud.

—Nosotros iremos en esa dirección —dijo Art, señando hacia la izquierda—. Trazaremos un círculo. Avanzaremos a diez pies de distancia el uno del otro.

Al salir del calvero tuvieron que luchar para abrirse paso entre un laberinto de arbustos y matorrales, después de atravesar el cual se encontraron nuevamente en el bosque. Lucas caminaba agradecido por los espacios que los troncos dejaban libres sin perder de vista a su acompañante, fijándose en los detalles del terreno, las rocas, algún árbol retorcido, las depresiones del suelo y grabándolos en la memoria.

Art andaba con precaución. Lucas le imitaba, conservando la distancia que habían acordado y levantado mucho los pies para salvar las ramas muertas caídas en el suelo. Avanzaban despacio y con el menor ruido posible. Lucas percibía los latidos de su corazón. Se había convertido en un cazador que se deslizaba por los bosques con la mirada atenta para descubrir una mancha de pelaje pardo, una cola blanca, una cabeza adornada por la cornamenta. Sus ojos se esforzaban por descubrir a un venado. Su brazo advertía gozoso el peso del arma.

Lucas ansiaba podérsela echar al hombro y apretar el gatillo. En su imaginación vio que un ciervo daba un salto y se detenía. La escopeta voló hacia su hombro. Lucas oyó la seca explosión y vio caer al animal. Entonces se humedeció los labios y dirigió una mirada a su compañero.

Ambos aceleraron la marcha sorteando los obstáculos. Ahora ascendían a buen paso. Lucas respiraba afanosamente. Se encontraba, sin duda, en la ladera de una montaña; los árboles no terminaban nunca; la mortecina luz del día envolvía en una claridad suave y confusa, los troncos pardo-grises. Lucas sentía un dolor en el pecho al respirar. Volvió los ojos hacia el obrero. Este le señaló un árbol caído. Al llegar allí, se sentaron.

Art respiraba sosegadamente.

—¡Una ascensión penosa! —exclamó, sonriendo.

—Se me acaba el aliento —dijo Lucas, ahogándose.

—Apuesto a que el viejo Bemis está dando bufidos. —Aquel pensamiento le hizo sonreír—. ¿Ha visto algo?

Lucas respondió moviendo la cabeza.

—No querría perderme por él —dijo Lucas, con un gesto de aprensión.

—Aquí, no. Aquí uno no puede perderse. ¡Allí, sí! —aseguró Art, señalando con el ademán hacia el noroeste. Acto seguido levantó los ojos en actitud de súplica y se cruzó la garganta con el dedo índice—. No obstante, aquí hay muchos venados. El año pasado maté dos. —Y levantó dos dedos.

Lucas respiraba mejor.

—¿Tiene hambre?

Art levantó los ojos hacia un pequeño trozo de firmamento que se veía encima de sus cabezas. Lucas miró el reloj. Hacía más de dos horas que habían salido del campamento. Art se puso de pie.

—Creo que debemos regresar —dijo con algún recelo.

Ahora caminaban cuesta abajo. Durante unos minutos la marcha resultó agradable. Los ojos de Lucas traspasaban otra vez el follaje y sus dedos sostenían precavidos la escopeta. Después, el empuje inexorable hacia abajo y el dolor de las piernas, que aumentaba cada vez que resbalaba y caía, desterraron de su cerebro todo pensamiento que no fuera el que le exigía el paso siguiente, y luego el otro, y el otro, y que vendría a continuación. Descansaron. Volvieron a emprender la marcha. Lucas dejó de abrigar la esperanza de que la caminata terminase al cabo de las próximas cien yardas, de los diez minutos siguientes, después de alcanzar el matorral o el árbol a los que se acercaban. Dejó también de fijarse en los detalles del terreno. El bosque estaba compuesto por una infinidad de árboles anónimos idénticos todos. Ya no tenía idea de dónde se encontraba; confiábase por completo a Art y le seguía ciegamente, sin preocuparse. Se le doblaron las rodillas; el arma se había convertido en un peso muerto que se enredaba entre las ramas. De pronto, se estremeció violentamente. A pocos pies de distancia había sonado el disparo de un rifle.

Todavía duraba el estrépito en sus oídos cuando el arma tronó por segunda vez. Lucas divisó un objeto pardo en movimiento, el arco trazado por una cosa blanca. Su escopeta apuntaba ya en aquella dirección, sus dedos apretaron el gatillo, se levantó el rugido del disparo, la culata le empujó el hombro, y al primer tiro le sucedió otro y todavía un tercero.

Lucas y Art se miraron el uno al otro. A Lucas le martilleaba fuertemente el corazón; tenía los labios secos y el hombro dolorido.

—¡Creo que le hemos dado! —gritó Art. Y partieron a escape saltando por encima de los troncos caídos, lanzándose por en medio de los matorrales sin prestar atención a las ramas. Encontraron el sitio donde estuvo el venado. Batieron afanosos los alrededores. Pero no encontraron el menor rastro del animal.

Entonces se miraron otra vez jadeando.

—¡A veces se tienden debajo de un arbusto! Tienen el color tan parecido al del suelo que uno es capaz de pasar por encima y no verles. ¡Y ellos no se mueven ni por casualidad!

Lucas asintió vivamente.

—Yo creo que le he tocado —prosiguió Art. Y examinó con mirada dubitativa el espacio que se extendía delante y luego a derecha e izquierda.

—¡Yo sé perfectamente bien que hice blanco! —gritó Lucas—. ¡Era imposible que fallara el tiro!

—Veamos si ha dejado manchas de sangre.

Los dos cazadores escudriñaron el suelo, las hojas... Lucas no se cansaba de buscar absorto e incrédulo. Cuando levantó los ojos, vio que Art había abandonado la pesquisa.

—En estos momentos estará a veinte millas de aquí —le dijo.

—¡Yo juraría que le hemos acertado!

—Quizá sí. Es difícil saberlo con certeza.

—¿No cree que le hemos alcanzado?

—Las ramas han desviado probablemente los proyectiles.

—¿De veras?

—Yo creo que se ha ido.

Lucas puso cara de desencanto. Miraba fijamente el denso follaje, aturdido y desilusionado.

—Bien... —Art reanudó la marcha. Lucas le siguió de mala gana. Ahora caminaba atento con el arma a punto y todos los sentidos alerta. Veía ciervos por todas partes. Un momento después, una fracción de segundo antes de que pudiera apoyarse el arma en el hombro se habían convertido en ramas o en trozos de tierra parda. Pero él seguía andando con cuidado infinito. No se acordaba en absoluto del cansancio.

—Sólo nos falta otro monte —le gritó Art.

Lucas le sonrió. Sentía el corazón ligero, la visión del campamento se mezclaba con el deseo de seguir cazando unos minutos más, sólo unos minutos más.

Rodearon una densa extensión de matorrales que se elevaban a la altura de sus cabezas. Al otro lado se abría un calvero. Era un calvero pequeño, su aspecto le parecía familiar; a un lado había una roca, más que una roca un peñasco, un elevado peñasco...

Estaban otra vez en el claro desde el cual se habían dividido.

—¡Fíjese cómo huele el tocino! —dijo Art. El impresor estaba descargando el rifle. Lucas se apresuró a imitarle. Luego siguieron andando.

La maleza, las ramas, los árboles, volvieron a sumergirles en su seno. Lucas andaba penosamente detrás de Art, separando las ramas, que al cerrarse a su espalda azotaban el aire; daba un paso y separaba otras, esquivaba las que soltaba su compañero; daba otro paso y encontraba más ramas; tropezaba, recobraba el equilibrio, cruzaba por entre ramas, se agachaba, marchaba otra vez... De pronto ya no encontró ramas, los matorrales eran más pequeños; caminaban entre ellos con mayor facilidad. Delante aparecía el claro donde habían acampado. Bemis estaba en cuclillas delante del fuego, con una sartén en la mano. Phil colocaba los platos sobre un leño.

Al oírles, Bemis se puso de pie sin dejar la sartén.

—¿Qué han cazado? —gritó. Notando su movimiento. Phil había levantado la vista y ahora corría en dirección a Art, haciendo unos signos con los dedos, sin detenerse en su carrera.

—¿Contra qué ha disparado el muchacho?

Art sonrió. Sus dedos se movían informando a Phil. De pronto, éste soltó una carcajada, rodeó los hombros de su compañero de trabajo y le acompañó hacia la fogata.

—¡Hubiera jurado que teníamos uno! —protestó Lucas.

—He oído los disparos —dijo Bemis—. ¿Dónde diablos estaban? ¿Dónde lo han visto?

—Allá arriba —respondió el médico volviéndose para señalar. Pero se dio cuenta de que no sabía hacia dónde señalaba y concluyó con un gesto vago. Y consultó a Art con una mirada interrogativa.

—Muy adentro del bosque —explicó el obrero—. A una media milla del claro de la partida.

—¿Hacia la izquierda?

—Allá donde está la abertura de la vieja mina. ¿Sabe donde aquellos abetos secos forman una choza india sosteniéndose el uno al otro?

—¡Allí mismo! ¡A unas quince o veinte yardas hacia el sur!

—Sí, seguro.

La faz de Bemis reveló que conocía el lugar descrito.

—¿Era una pieza grande?

—La he visto sólo como un relámpago.

—No podemos comer relámpagos —refunfuñó el periodista.

—Aquí, el doctor, ha hecho un par de disparos.

—¡Así se actúa!

—¡Hubiera jurado que hice blanco!

—¡Sí! Ya sé lo que quiere decir. Quizá lo hizo, de todos modos... ¡Mírelos cómo hablan! ¡Vea cómo se desenvuelven!

El periodista se sentó sobre sus talones, junto al fuego. El y Lucas contemplaban los rápidos movimientos de los dedos de Art (seguidos atentamente por los ojos de Phil); luego los dedos de éste interrumpieron a su compañero y acentuando su lenguaje con una mirada interrogativa, después una cabezada afirmativa de Art y otra vez el rápido ir y venir de los dedos.

—Estarían perdidos el uno sin el otro —exclamó Bemis, con una risita.

—Creo que, en efecto, sería así —convino Lucas.

—Ha de ser un mundo raro el suyo. Uno se lo figura cerrado, sellado y solitario. En la ciudad, la gente se aparta de ellos, con desconfianza; se figuran que son monstruos. Creo que se siente turbada en su presencia. Aquí, el viejo Phil, estaría perdido por completo si le faltase Art.

—¿Qué le ha ocurrido al otro?

—En el último minuto se le puso enferma la mujer. Ha tenido que quedarse a cuidarla. Me imagino que nadie más hubiese sabido entenderla.

Oscureció de pronto. Devoraban con buen apetito los huevos fritos y el oloroso tocino, y cuando estuvieron saciados limpiaron los platos y se deleitaron con el calor de las llamas amarillas y anaranjadas. Bemis extendió una manta en el suelo.

—No estaría de más que juguemos un rato al póker— dijo pausadamente. Y sacó una baraja sucia y doblada —. Estos son los naipes que nos llevamos para las cacerías. Hace ahora unos diez años, aproximadamente, que los usamos. ¿Usted juega al póker, doctor?

No mucho —respondió Lucas. Art y Phil le miraron sonriendo.

—¡Cuidado con él, muchachos —gritó Bemis—. ¡Os despellejará! ¡Dice que es un principiante!

Art habló con los dedos. Phil abrió la boca y movió la cabeza afirmativamente, en prueba de comprensión. Luego amonestó a Lucas amenazándole con el dedo índice.

—¡Esto servirá de cerillas! —exclamó Bemis, vaciando una cajita de palillos sobre la manta—. Cada uno puede coger veinticinco.

Pasaron una hora jugando ruidosamente. Se robaban los palillos unos a otros; el pequeño claro se animaba con los gritos de las apuestas, con las fanfarronadas del juego, con los roncos gritos guturales de Phil, sus agudas protestas y sus chillidos de regocijo, y con los movimientos de los dedos que señalaban y trazaban signos en el aire.

Por fin se tendieron sobre el fondo del camión.

—Prepárese a escuchar los ronquidos de un mudo —murmuró Bemis, recordando. Y como Lucas se volviera rápido hacia los otros, le advirtió—: No pueden oírle. No oyen nada en absoluto.

Lucas se tendió de espaldas y exhaló un suspiro. Arriba, entre los árboles, vio el centelleo de una estrella perdida.

—La Polar.

—No —dijo Bemis—. Está hacia allá —corrigió, señalando con el brazo—. ¿Verdad que a uno le engañan? A veces parecen todas idénticas. Especialmente cuando uno no ve otra cosa. La Casiopea forma una W. De pronto aparecen en forma de W en todas partes. Uno se engaña.

—Este es un lugar verdaderamente salvaje.

—Ninguno le supera. Por eso me gusta. Me gusta todo lo que tiene; todo menos los Fork Flats.

—¿Están acaso hacia donde señalaba Art? Un rato que estuvimos sentados ha señalado hacia la derecha y se ha pasado el dedo por el cuello.

—Art está enterado. Si uno se interna en ellos, se acabó para siempre. ¡Fin!

—¿Qué pasa? ¿Qué tienen de particular aquellos parajes?

—Jamás se ha levantado mapa ni croquis alguno de ellos. ¡Dios mío! Usted podría esconder allí todo el Ejército de los Estados Unidos y no encontrar ni rastro del mismo en cien años.

—¿Es un terreno tan salvaje éste?

—Esto es el jardín de un chalet en comparación con los Fork Flats. Allá se ha perdido mucha gente. El último caso ocurrió hace cuatro años. Se extravió un hombre y no le encontraron jamás. Ni los huesos. Todo son hondonadas y elevaciones, serranías y más serranías. En una comarca que ni un gamo osaría atravesar. En un centenar de yardas se quedaría usted sin ropas encima.

Ambos consideraron un momento las anteriores afirmaciones.

—No nos moveremos de por aquí —dijo Bemis—. Dando cuatro pasos nada más, se encuentra toda la caza que uno pueda desear.

Permanecieron en silencio, contemplando la noche.

—Esto resulta nuevo para usted, ¿verdad, doctor?

—No creía que me gustara mucho.

—¡Es un juego de hombres! Conviene alejarse de las mujeres por un rato.

—Sí —admitió Lucas. En aquel instante, la fiebre de la caza le abandonó y se acordó de Harriet. Abatido súbitamente por la aprensión y el desaliento, preguntóse dónde estaría la joven, qué haría, si habría escrito, si la carta le esperaba ya en casa.

—¿Le gusta nuestra ciudad, doctor? ¿Le gusta Greenville?

—Está muy bien...

—¿Resulta una buena plaza para ganar dinero. Debe saber que ahí está el conflicto del doctor Runkleman; yo siempre me figuré que atendía de balde a demasiada gente. Es preciso que se vigile a sí mismo. En esa población hay gente muy pícara. Aquí, un buen médico puede ganar dinero, si no se deja sorprender.

—Supongo que sí. Nunca me ocupo demasiado del dinero...

—Esto es lo que me han dicho.

—¿Se lo han dicho?

—¡Buen Dios, en una ciudad pequeña uno se entera de todo! Especialmente si se dirige un periódico. Vi que su amiga se marchó el otro día.

—¿A quién se refiere?

—A esa chica llamada Lang. Una muchacha muy simpática; no se mezclaba con nadie y sólo se ocupaba de sus propios asuntos.

—¿Por qué ha dicho que era *mi* amiga?

—Ha sido una manera de hablar. Que yo sepa, no es amiga de nadie;

408

aunque siempre los hay que... Su amigo Blake iba de aquí para allá muy atareado, antes de venir usted a la cacería. Seguro que se marchó a toda prisa, ¿verdad?

—Yo me quedé un tanto sorprendido.

—Probablemente se le presentó una asociación más ventajosa.

—Sí.

—Yo creo que Binyon hizo bien.

—¿Qué quiere decir?

—Un escándalo no habría servido para nada. Nadie podía resucitar a la joven. Fue mejor resolverlo así.

—De modo que está enterado —dijo por fin Lucas.

—De pocas cosas dejo de enterarme. Es preciso.

—¿Lo sabe alguien más?

—Que a mí me conste, no, nadie en absoluto. ¡Dígame, doctor! ¿Cómo es posible que un hombre se porte de aquel modo? ¿Y menos un médico?

—No se deje desorientar por Blake. En todas las profesiones se encuentra algún sujeto como él.

—Pero quedarse allí, sentado...

—Blake sabía lo que tenía que hacer. Pero perdió la serenidad.

—¿Usted cree que sabía lo que tenía que hacer?

—Bemis, no olvide jamás una cosa. Se encontrará con un sinfín de médicos...

—¡Me he encontrado ya con verdaderas alhajas!

—Quizá sí..., pero no me importa a quien quiera tomar como ejemplo, no me importa lo poco que parezca saber; tenga usted en cuenta que durante cinco años se han metido en la cabeza unos conocimientos, una colección de reglas básicas que jamás olvidarán: la manera de conocer cuándo una persona se encuentra a las puertas de la muerte y el modo de socorrerla urgentemente. Pero no saber dónde está el nervio tal, puede haber olvidado las ramificaciones de la arteria cual, puede haber olvidado todo lo que aprendió. Pero aquella colección de reglas no las olvida nunca. Los signos de la hemorragia interna, del *shock*, del envenenamiento, de la cianosis.

—Los conocen todos.

—No podrían olvidarlos, aunque quisieran. Durante cinco años las han pasado moradas, cada semana, cada mes, un detalle aquí, un detalle allá... Y si un momento te olvidas, te encuentras al instante en un conflicto. ¡Al instante! En un grave conflicto, grave de verdad.

—De modo que si no hubiera perdido la cabeza...

—No le hacía falta nada más.

—¿Qué podemos hacer nosotros con esa clase de paño, doctor? No podemos hacer nada. Ustedes nos tienen cogidos sin remisión.

—Donde existan monopolios, forzosamente han de producirse abusos.

—Ya sabe, doctor, que no le dirijo ningún reproche, pero en el fondo la gente se queja de los médicos.

—Ustedes están en nuestras manos, Bemis. Y a nadie le gusta estar en manos de otro. Se encuentran sometidos a una doble tiranía. Su propio cuerpo es un autócrata. Y la Medicina, otro.

—¡Pero no nos queda el derecho de reclamar!

—Existen entidades ante las cuales pueden presentar sus quejas.

—¡Bah, déjese de tonterías, doctor! Sabemos que una junta de médicos probará siempre, a despecho del infierno, que su compañero tenía razón. Tiene que hacerlo así. Las juntas ésas no engañan a nadie. Y aun cuando se tratase de un caso sin ningún atenuante, el médico culpable escaparía con una simple palmadita en la espalda.

—Le diré dónde está la solución, Bemis. Donde creo yo que está. El pueblo necesita jurados propios.

—¿Como hace la Compañía Telefónica? Ese es otro monopolio, pero lo gobiernan personas inteligentes que hacen cuanto pueden para que no se levanten resentimientos. Saben que si se pusieran demasiado tiranos, la gente acudiría a una comisión de ferrocarriles o a una compañía de electricidad, las cuales sólo esperan una ocasión parecida...

—Quizá si hubieran unos Tribunales del Estado, si la gente supiera que hay quien la protege, si les constara que habían de ser escuchados y que sus quejas se tramitarían con justicia, si pudieran ver los resultados de sus reclamaciones...

—Jamás lo harán. Los médicos influyentes prefieren el viejo sistema del silencio. ¿Sabe qué dirían? Dirían que se corría el peligro de que la gente perdiese la confianza en ustedes.

—Es posible que la perdiesen por algún tiempo. ¿Pero a quién consultarían al fin?

—En esto tiene razón, doctor. Usted es un partidario incondicional del pueblo, ¿verdad?

—Soy un partidario incondicional de la Medicina, Bemis. Si existiera esa clase de tribunal, tendríamos una Medicina mejor. Se pondría todo al descubierto. Hace mucho tiempo, la Medicina estaba en manos de los sacerdotes. Sin embargo, nuestra ciencia no tiene nada de magia. Quizá un sacerdote deba ser omnisciente. Un médico, no. Y no lo es. Ha llegado el momento de que dejemos de formar una clase especial de ciudadanos. Tenemos mucho trabajo que hacer. Y no hay nada más importante que hacerlo bien.

—Ya sabe usted, doctor, que la ciudad ha tenido mucha suerte al contar con un médico como usted.

—No sé si ustedes han sido afortunados. Lo que sé es que tengo que pensar también en mi propia vida, Bemis.

—¿Usted no se encuentra bien aquí, en Greenville?

—¿Por qué me lo pregunta?

—No se desilusione con respecto al dinero, doctor. No se olvide de que sufrimos una depresión. Aquí tiene una fábrica de hacer dinero, si sabe jugar bien sus triunfos. ¡Diantre, apenas acaba de empezar, doctor!

—Le confesaré una cosa, Bemis. Yo no estudié Medicina pensando en el dinero.

—Resista una temporada. Muy pronto, el viejo Snider morirá, o la Junta tendrá que destituirlo. Entonces, usted mandará en todo el hospital. Será el momento de Incluir a su esposa en nómina, en fin, todo lo que convenga.

—No se trata de dinero.

—Le diré una cosa. Al terminar la última guerra, me preguntaba a mí mismo: "Qué provecho sacas tú de eso, Bemis?". Porque en otro tiempo yo pensaba como usted. Pero, sinceramente, ¿existe algo más como no sea el provecho que uno saque de una cosa?

—No siempre ha de venir del dinero el impulso. Tanto si se trata de salvar la vida a un paciente, como si todo se reduce a proporcionarle un poco de bienestar, lo único que me importa es el provecho que saco de ello. Pero este provecho no ha de traducirse forzosamente en dinero.

—Parece un poco amargado, doctor. Recuerda a uno de ésos a quienes se llaman la Generación Perdida. ¡Diantre, jamás existió generación alguna que no fuese una generación perdida! Todos adquirimos una pose muy noble y nos complacemos explicando a los pequeños un montón de cosas que desearíamos que existiesen... Pero ellos descubren muy pronto que no existen, ¡y ya tiene otra Generación Perdida! Mas no se ha perdido. El hombre que se ha perdido no sabe dónde se encuentra. Ellos, en cambio, saben dónde están; lo que ocurre es que no quisieran estar allí.

Bemis se limpió los dientes con la lengua, meditativamente.

—Y al cabo de un tiempo descubren que no existe otro lugar donde acomodarse —prosiguió—. Entonces se adaptan a la situación, y antes de terminar la carrera de su vida se inventan otro bonito timo para tomar el pelo a la generación siguiente. ¿Acaso alguien le ha garantizado a usted que nunca le faltará nada, doctor?

—No, Bemis. Nadie me ha garantizado que nunca me faltará nada. Y no estoy amargado.

—Usted ha de ser como yo. ¿Verdad que no estuvo en la última guerra?

—Era demasiado joven.

—Estará en sazón para la próxima. Haga como yo, doctor. Usted es un hombre listo, inteligente. Usted es un hombre que conoce el mundo. Le basta poner una cara seria y seguir adelante con ella.

—¿Ha dicho que *yo estaba* amargado?

—¡Diablos, por lo menos no *soy yo* quien lo está! —exclamó Bemis, francamente desorientado—. Poseo el tercer periódico, en importancia del Condado. Todavía hoy podría venderlo por cuarenta mil dólares.

—¿Tanto?

—Por veinticinco mil, al instante. ¡Regalándolo casi sacaría veinticinco mil! Aunque usted quizá no lo creerá, en cierta ocasión que pensaba presentarme para senador, el gobernador en persona vino a verme. Y me hubiera presentado, sin duda. Pero, ¿quién habría dirigido el periódico mientras yo hubiese estado en presidio cumpliendo condena por el mucho dinero que esperaba ganar como senador?

Lucas soltó una carcajada, que decreció hasta transformarse en una risita sin alegría.

—Usted es un hombre honrado, Bemis...

—¡No, señor! ¡A mí lo que me enseñó fue el Ejército. La última guerra se sostuvo para acabar con las guerras, según decían. Pero antes de que hubiera terminado, o, lo más tarde, cuando nos volvíamos a casa, comprendimos que nos habían tomado el pelo. Fue una conmoción que sólo vencimos al cabo de algún tiempo, y hasta me figuro que un buen número de muchachos no se sobrepusieron a ella. Sin embargo, la mayor parte, simplemente, un día nos despertamos y vimos que la gente era un sorbo más de un largo trago de licor borreguil que habíamos tragado hasta entonces y nos sentimos más borregos aún por habernos dado cuenta antes. Sí, como pueda empezar a meterle el licor borreguil dentro del cuerpo, esa gente le trasquila a uno y se burla de él. Antes que nada le ordenan y recomiendan que sea honrado y noble, como lo son todos los demás, y cuando ya está bien convencido, bien empapado y le brillan los ojos de amor por la honradez y la nobleza, entonces le ordenan que las mande al diablo.

—Hubo de ser una guerra terrible, Bemis.

—La guerra siempre lo es. A uno le explican que lucha por la Democracia y para que sus hijos crezcan en un mundo mejor. Y diez años más tarde resulta que a nadie le importaba un comino la Democracia, que todos estaban a más de un millón de millas de la misma, y que cualquier idiota empezó a tocar el cuerno y de pronto la gente se puso tan excitada que cada uno se olvidó de lo que realmente era, y en el hervor del histerismo colectivo, todo el mundo se sintió noble, y en un abrir y cerrar de ojos, todos confundieron el *sentirse* nobles con el serlo, con lo cual de pronto nos encontramos todos: delincuentes, granujas, tramposos, comerciantes inmorales, todos, en fin, la mar de nobles.

El periodista refunfuñó resignadamente, recordando:

—Y llegamos a casa, siendo la misma gente que éramos antes, no sintiéndonos ya nobles, y nos mezclamos con la misma gente que dejamos al marchar, y que tampoco lo era. Y allí estuvimos. Estafados una vez más.

Bemis se incorporó a medias, apoyándose sobre un codo y continuó:

—¡Atiborramos a nuestros hijos de máximas morales! Yo juro por los cielos que no sé con qué fin, porque el único problema consiste en encontrar la manera de conseguir que el vecino nos dé algo por menos de lo que nosotros le damos a él. Y antes de cinco minutos de andar solos por el mundo, nuestros hijos descubren esta realidad, y de paso se enteran de todo lo referente a nosotros.

Los dos se quedaron callados meditando lo dicho por el periodista, pero cada uno en su propio mundo. Bemis suspiró descansando. Lucas sonrió en la oscuridad, pensando. "Ardías en ganas de contarme todo esto, ¿verdad? Es la historia de tu vida, tu historia personal. Querías que te viese a ti mismo, a ti y a los demás, y a ti y a todo el mundo... Sentías el insistente impulso de recoger el brazo de otro hombre para contarle la historia de tu vida... Y ahora que la has vaciado (es como un movimiento intestinal, ¿verdad?), te sientes mejor. Hasta que la vida haya vuelto a llenarte. La vida, o lo que sea que te anime... Vosotros pasáis la mitad de vuestra existencia haciendo esto, ¿no?, explicándoos el uno al otro la historia de vuestras respectivas vidas. Todos poseéis las soluciones...".

Y se sentía triste, derrotado, frío, solitario como el espacio, y meditaba un antiguo, muy antiguo pensamiento: "Todo lo que la ciencia puede hacer, todo lo que las mentes pueden soñar, todo lo que puede merecer el sacrificio de la vida de un hombre se hace, se sueña, se logra con esos sacrificios, noche y día, para conservar la existencia, Bemis; hay hombres que mueren, hay hombres que sacrifican su vida para que tú puedas prolongar la tuya. ¡Cómo si tu vida, esa vida que tienes, fuera tan precisa! Y lo fueren los pensamientos que elaboras, y el triste objeto que te has fijado. Como si lo fueses todo tú, Bemis. Tú y casi todos los seres humanos con los que me he topado durante mi existencia.

"Pero todo esto no durará mucho... Porque ahora me alejaré de vosotros..., de todo lo que me traiga vuestro recuerdo..., de la angustia de remendar la personalidad que podéis llegar a tener, sabiendo la que tenéis ahora".

Y Lucas se puso a pensar, inundado de tristeza, en callados laboratorios, en especialidades que eran ciencia pura, en maneras de ejercer sobre las cuales brillaba la Medicina en toda su pureza; pensó en sí mismo y en su solitaria personalidad, y su corazón solitario latió más de prisa.

Porque cuando regresaran otra vez a Greenville...

Porque ahora la decisión era firme.

—Fíjese en la religión, por ejemplo —dijo Bemis—. Usted no es religioso, ¿verdad, doctor?

—"¡Oh, no, Dios mío! Que no me salga ahora con una discusión religiosa...", suplicaba Lucas en su interior.

—¿Verdad que no es católico?

—No. Católico, no.

—¿Qué son esa multitud de reglas a las que se sujetan los católicos? ¿Las conoce, doctor?

—El ritual es la tendencia de los organismos a repetir sus propias acciones. Luego se inventan leyendas para explicar el ritual y se dictan reglas... Es un fenómeno común a todos nosotros, Bemis...

—Me refería a los médicos católicos. A las reglas especiales que tienen que seguir. ¿Ha conocido usted alguna? Se cuentan historias...

—Ellos tienen sus normas. Y creo que algunos viven de acuerdo con ellas. Tienen normas concretas sobre el control de la natalidad, la esterilización, la utilización, en el parto, de anestésicos, que podrían perjudicar al niño, la prioridad de derecho a la vida del hijo sobre la madre... Poseen libros enteros de reglas dictadas para cada uno de los casos en que la Religión y la Medicina pueden entrar en conflicto.

—Algo así me habían explicado.

—Esto no significa que no practiquen la Medicina tan bien como el

413

primero, y quizá mejor. Yo no estoy conforme con todas sus normas, pero una cosa hay que reconocerles innegablemente; para ellos, aun si pertenece al peor criminal, a un salvaje, a un engendro de la Naturaleza o a un monstruo, una vida humana es una cosa incomparablemente noble y valiosa.

—Usted no va mucho a la iglesia, ¿verdad que no, doctor?

—¿Cuándo le parece que me queda el tiempo necesario?

—De todos modos, es preciso que vaya. Aunque sólo asome la nariz por la puerta de vez en cuando. Causa buena impresión. Sobre todo tratándose de un médico.

—Iré con usted.

—¡Caramba, *yo* sí que voy! ¡Voy siempre!

—¡No lo dudo!

—¡No bromeo, doctor! ¡Diablos, conozco esta ciudad por dentro y por fuera! Conozco a todos sus moradores, sé de dónde procede cada uno, qué hace, cuánto debe en el Banco, qué concepto tienen de él los demás. Debo saberlo. Y me alegro de que esté entre nosotros, doctor. Nosotros necesitamos a un hombre como usted. Y se lo repito: aquí puede hacer una fortuna. No se fije en los momentos actuales; el tesoro está ahí esperándole y usted no tiene que hacer otra cosa sino seguir los consejos de un viejo de la población, como yo, estar bien con los que mandan, ¡y le prometo que antes de haber terminado mi carrera le habré hecho millonario!

—¿Por qué había de tomarse tal interés, Bemis?

—No lo sé. Quizá le aprecie. He ahí el motivo. No sé pensar en usted con indiferencia... Acaso sea, sencillamente, que le aprecio.

—Y yo se lo agradezco, Bemis. —"Y además, te gustaría convertirme en uno de los tuyos... Lo sé, Bemis".

—No se mueva de Greenville, doctor. Siempre que yo pueda ayudarle... ¡Buen Jesús y le prometí a Castle que me encargaría de que usted descansase!

—No es preciso que se inquiete por si esta noche dormiré.

—¡Espere! ¡Mañana probará las tortitas que yo le haré! ¡A las cinco, doctor! ¡De mañanita temprano! Y nada de teléfonos en toda la noche... Buenas noches, doctor.

Lucas se puso a contemplar las estrellas suspendidas en el breve trozo de firmamento, sobre su cabeza. Pensaba en Harriet. Pensaba en la libertad. Se movía inquieto, sintiendo un peso sobre sí, ansiando que llegara el momento de marcharse. La dulce noche se volvía fría, pero llena de promesas. El joven médico se hundió más adentro de la colcha, cerró los ojos, pensó en Harriet y se durmió.

Cuando Bemis le despertó, miró a su alrededor, desorientado.

Todavía era de noche. El crepitar del fuego le recordó dónde estaba. Lucas se levantó contra su voluntad.

—¡Yo estaba convencido de que el olor de mis tortitas era capaz de despertar a los muertos! —quejóse Bemis.

Hacía frío, la escarcha esmaltaba el suelo. Lucas sentía agujetas en los músculos; la idea de salir de caza no le decía nada. Art y Phil estaban delante del fuego, calentándose las manos, y mostraban unos rostros sonrientes.

—¡Hoy no se nos escapan! —exclamó Art, moviendo los dedos al mismo tiempo.

Phil asintió vigorosamente. Conservando dos dedos en alto, señaló a Lucas, a Bemis y a Art; luego levantó cinco dedos y se señaló a sí mismo. Art agitó la mano en ademán de reproche.

—Dice que cobrará cinco —aclaró Bemis.

Phil tiró de la manga de su patrono, levantó el arma y prorrumpió en un sonido gutural.

—Espera hasta que sea de día —dijo Bemis, señalando arriba—. Dile que partiremos cuando podamos ver dónde ponemos los pies. —Los dedos de Art entraron en acción. Phil refunfuñó y volvió a sentarse.

—Tenemos que proporcionarle un ciervo al doctor —dijo Bemis.

—¡Naturalmente! —contestó Art, al mismo tiempo que transmitía la frase a Phil. Este se levantó al instante, afirmó con gesto enérgico y produjo otro sonido gutural.

—¡Se lo conseguiremos! —aseguró Bemis—. ¡Vámonos! Cuando hayamos llegado al primer calvero tendremos ya luz bastante.

En el primer calvero del bosque, Lucas se apoyó en el elevado peñasco.

—Recobre el aliento —le dijo Art, mientras Phil le contemplaba con ojos solícitos.

—¡Me encuentro muy bien! —La pasión de la caza le había invadido de nuevo; la escopeta que sostenía su mano volvía a cobrar importancia.

—Seguiremos la misma dirección que ayer emprendieron usted y Art. Quizá volvamos a ver a su amigo, el venado contra el cual dispararon.

El corazón de Lucas martilleó más de prisa. Los cuatro hombres se desplegaron y avanzaron lentamente, escudriñando el terreno con la mirada. Habían iniciado la caza. Lucas caminaba con menos dificultad. Después se detuvieron para tomar aliento. Reanudaron la marcha. Bemis levantó el brazo y agitó la mano. La señal se transmitió de uno a otro. Volvieron a detenerse. Al final llegaron al árbol caído sobre el que se habían sentado él y Art el día anterior. Y otra vez reanudaron la marcha.

—¿Sabe dónde se encuentra? —le preguntó Bemis.

Lucas hizo un signo afirmativo y confiado.

—Ayer llegamos hasta aquí —dijo Art—. Lucas vio el tronco del árbol sobre el cual había descansado antes de emprender el camino de regreso y volvió a mover la cabeza afirmativamente. Phil aguardaba, observando a sus compañeros.

—Vamos a situarle en el punto de paso —anunció Bemis—. ¿Conformes? Le proporcionaremos el mayor placer de la caza. No tiene que hacer otra cosa que sentarse aquí. Todas las piezas que nosotros levantemos subirán escapadas en esa dirección —afirmó con un ademán hacia el noroeste—. Describiremos un ancho círculo para concentrar los animales hacia acá.

—Aquí debería quedarse uno de ustedes —protestó Lucas, sin muchas ganas de que le hicieran caso.

—Se queda usted —decidió Bemis.

—Queremos que sea usted quien mate un venado —añadió Art. Y con los dedos informó a Phil, el cual asintió con la cabeza al mismo tiempo que se esforzaba emitiendo sonidos inarticulados.

—Tenga cuidado, nada más —recomendó Bemis, sonriendo—. ¡No nos confunda a nosotros con un venado!

—¡Me parece que todos ustedes estarían demasiado duros! —replicó Lucas, con una mueca.

—Y cuando oiga algún disparo, sabrá que hemos matado uno. ¿Comprende? Entonces levántese y póngase en marcha; regrese al campamento. Si nosotros le oímos disparar a usted, haremos lo mismo. ¿De acuerdo?

Mientras se alejaban, Lucas les seguía con la mirada. En la garganta sentía un nudo de repentino afecto por aquellos hombres. Era uno de ellos. Los tres que marchaban se dispersaron; luego, se extendieron. Lucas seguía oyéndoles. Los sonidos disminuyeron poco a poco. El bosque, que los había engullido, quedó perfectamente quieto, silencioso y desierto. Tan desierto como si jamás hubieran estado allí sus compañeros. Lucas sintió que los árboles les espiaban. Poco después se sentó en el caído tronco.

Tenía la escopeta sobre el regazo y no apartaba el dedo del gatillo. Su corazón martilleaba con fuerza. Sus ojos recorrían el terreno, vigilantes. De pronto, oyó un sonido. Inmediatamente se echó el arma a la cara y aseguró mejor el dedo en el gatillo esperando con los nervios en tensión. No vio nada. Nada se movía. No obstante, conservó el arma en posición de tiro. Estaba preparado. Aguardaba. Si resultaba ser un ciervo... si disparaba..., si erraba el tiro.

Le dolían ya los brazos. Vacilando, sin quitar el dedo del gatillo, Lucas bajó el arma. No había nada. No había nada sino silencio. Los árboles ascendían hasta las alturas. No se oía un solo pájaro. El cielo gris derramaba su claridad sobre los bosques, entre cuyas ramas se filtraba aquella luz mortecina que dejaba inmovilizada la espesura. Lucas estaba solo. El silencio adquiría consistencia, se movía, se levantaba ante él y deslizaba a su espalda. El silencio se había convertido en una presencia, en un ente que esperaba y que levantaba los párpados de los ojos del bosque, que dotaba a los leños, a la tierra, a los troncos, a las piedras, de ojos que le acechaban.

Por fin el frío le obligó a mover la cabeza. Lucas se atrevió a moverse, a pasear una lenta mirada por su alrededor. No había nada. A derecha e izquierda, a su espalda, el arbolado continuaba quieto y desierto. Entonces se puso en pie. Con toda cautela se separó un paso del tronco del árbol. En seguida retrocedió. Se quedó inmóvil, sin saber qué decidir. Hacía mucho frío. El joven miró el reloj. Hacía media hora que se habían marchado los otros. Dejó la escopeta en el suelo y paseó de un lado para otro a fin de entrar en calor, destruyendo el silencio. Luego volvió a sentarse. Aguardaba. El silencio regresó con paso furtivo. El silencio envolvía el bosque. Los oídos del médico se esforzaban por percibir algún sonido. Sus ojos patrullaban entre los árboles. Y esperaba.

Los momentos pasaban, pasaban los minutos, las fracciones de hora; se rezagaban un rato, desbocábanse de pronto a una velocidad increíble y volvían a retardarse perezosos; luego, a intervalos. Lucas permanecía alerta, ansiosamente atento a cualquier ruido, al movimiento de una rama. Sentado en el tronco, vigilaba continuamente. Luego esperó contra toda esperanza. Después, ya ni se preocupó. Continuaba sentado, pero indiferente, resignado, soportando la espera.

...Avery tenía lo que deseaba... ¿O lo tenía verdaderamente? ¿Había descubierto también un montón de miserias? ¿Iba a explicárselas cuando se reuniesen?... ¿Acaso la solución tampoco estaba en la enseñanza?... En alguna parte había de existir una hermandad... existía un campo..., algún campo... ¿Sería por esto que Aaron había escogido la Patología? Pero, no. Patología no... Es una disciplina escondida, y es verdadera. Uno está solo. No le acompaña nadie más que el cadáver. Pero en aquel cadáver encontraría hoy y mañana la trastornada evidencia de fracasos inevitables, una evidencia sarcástica levantándose de unos tejidos mutilados, de un cuerpo privado de vida. Y encontraría la invisible presencia del médico autor de aquello.

No, nada de Patología...

La Cirugía parecía indicada... La Cirugía se reducía a un paciente en estado de inconsciencia, y al intelecto y a los entrenados dedos de uno... Sólo que la Cirugía era una cosa mecánica. Un operador era una especie de artesano. La Medicina tenía su parte mecánica. Pero no se reducía a máquinas... La Medicina era el rápido diagnóstico que le entusiasmaba a Lucas, la lógica de la Farmacología, la relación con la célula, con todas las células, con la criminal bacteria, las huellas que seguía el médico para descubrir lo interno, los hechos impersonales del laboratorio, el acto del alumbramiento, el saludo del llanto del recién nacido, la faz dubitativa o confiada de un niño, la expresión de una cara cualquiera cuando se abría la puerta y entraba el médico sonriendo y dejaba el maletín sobre una silla.

Pero rechazó con repugnancia esta última visión. No, aquello no. Aquello era brujería. Aquello no lo vería más. Había varias especialidades. En una de ellas, aislado de la gente, aislado de sus vidas, pero no de sus cuerpos... "Avery sabrá cual...; la buscaremos juntos".

Sería fácil encontrar a Harriet... Se habría ido a Nueva York... a cualquier parte donde hubiese una alfarería... o una escuela de Arte... y ahora la carta estaba en casa... Lucas la veía, veía su nombre escrito de mano de Harriet...

Entonces miró el reloj.

Eran más de las doce cuando oyó el primer disparo. Venía de la derecha. Se oyó muy apagado. Lucas se puso en pie. Volvió la cabeza en dirección al lejano sonido, sin saber qué hacer. Se oyeron dos nuevos disparos. No podían confundirse. Aquellos sonidos venían de muy lejos, pero εran disparos.

El aire escapó de su pecho. Sonrió. Había terminado la guardia. Miró con desdén el leño que le había servido de base y de compañía durante tantas horas, sintiendo que ya no lo necesitaba, viéndole como un tronco muerto en una muerta selva. Desandaba el camino volviendo al punto desde el cual había ido allí. Andaba de prisa, con las piernas envaradas, sin preocuparse de no hacer ruido, considerando terminada la cacería, impaciente por encontrarse con los otros, por ver el venado. El enorme bosque no era sino un conjunto de prosaicos árboles; los arbustos que escondían el suelo, simples obstáculos que se le presentaban cuando quería correr. Andaba a buen paso, deshaciendo el camino de la mañana, sin fijarse en los senderos que se entrecruzaban, ni en los rodeos que le hubieran facilitado la marcha. Una vez cayó, pero hasta en aquel momento conservó la mirada atentamente fija al frente. Cuando llevaba cuarenta minutos descendiendo, acortó el paso, dio unos cuantos más y se detuvo. Respiraba con dificultad. Miró indeciso a su alrededor. Había llegado a un pequeño repecho, y no recordaba haber visto ninguno. Por un instante, considerando el caso, los músculos de su abdomen se pusieron rígidos, el arbolado se convirtió en una mancha imprecisa; Lucas miró asustado a su alrededor. Entonces vio un grupo de árboles inclinados formando una especie de choza. Sus ojos se cerraron aliviados. Había bajado al repecho por la izquierda. Lucas se apoyó en la choza con una mano y descansó un momento. Luego siguió adelante alborozado, confiado, orgulloso de sí mismo. Después encontró un espacio libre, miró sorprendido a su alrededor y vio que estaba otra vez en el claro. Emprendió el camino de nuevo, alegremente; el sendero era muy visible; arbustos aplastados, ramas rotas, señales de paso, formaban el sendero genuino, el sendero del hogar. Lucas continuó avanzando impacientemente; apartó las últimas ramas; el espacio donde emplazaron el campamento se abría ante sus ojos.

Bemis y Phil estaban de pie junto a un árbol, de espaldas a él. Entre los dos colgaba el cuerpo de un ciervo.

— ¡Han cazado uno! —gritó Lucas.

Bemis giró sobre sus talones y se puso en jarras. La dicha iluminaba su encarnada faz.

—¿Qué le parece? ¿Verdad que es una pieza hermosa?

Phil dio un paso adelante con vivo ademán y acarició el pelaje del ciervo. Entretanto arrancaba con esfuerzo sonidos de su garganta, que salían agudos, revelando la tensión de los músculos, el esfuerzo que le inyectaba el rostro en sangre. Lucas le guiñó el ojo y se apresuró a mover la cabeza en sentido afirmativo.

—Trata de expresar algo —explico Bemis—. ¿Qué intentas decirnos, muchacho? —preguntó levantando el mentón con aire interrogativo. Phil empezó de nuevo a acariciar el animal y se señaló a sí mismo.

— ¡Sigue en sus trece! —gritó el periodista—. ¡No lo has matado tú! ¡Tan pronto encontremos la bala, te diré quién ha hecho el disparo!

—Es un ciervo precioso de veras —maravillóse Lucas.

—¡Le hemos arrastrado por la mitad del condado! —exageró Bemis, situado ya detrás del animal, mientras su cuchillo de caza empezaba a despellejarle con mano experta. Phil cogió a Lucas por la manga, moviendo la cabeza lenta y exageradamente, arriba y abajo a la vez que señalaba hacia un árbol con una rama semicaída.

—Sí —dijo Lucas con una cabezada—. Sí, Phil ¡El árbol!

—Intenta explicarle algo —dijo Bemis—. ¡Dios sabe qué! Probablemente ha visto un árbol como éste donde hemos matado el ciervo.

—¿Dónde está Art?

—Sin duda habrá ido más lejos que nosotros. Volverá directamente. ¿Qué hora es?

Era la una y veinte minutos.

—No le ha pasado nada —comentó Bemis empezando a separar el pellejo—. No se preocupe por el bueno de Art.

Phil tiró de la manga de Lucas. Le acompañó delante de una cazuela y una vez allí se dio una palmada en el vientre.

—¿Quiere hígado para cenar? —¿Han probado alguna vez el de ciervo? —preguntó Bemis—. ¡No habrá vivido de veras hasta que haya comido hígado de ciervo auténtico! Phil lo sabe bien, ¿verdad, muchacho? El ha sido quien ha descubierto la pieza.

—¿Phil?

El sordomudo les miraba atentamente.

—Tiene ojos en la nuca —afirmó el periodista, con orgullo—. Hay que reconocerles esta virtud a los mudos. Ven cosas que usted no vería ni en un millón de años. Y todavía tú, Phil, aventajas a muchos de los de tu clase, ¿verdad? —concluyó afectuosamente.

—Estoy seguro de que añora a su compañero.

—Pronto llegará —afirmó confiado Bemis. Luego se acercó al camión, sacó un acero y se puso a afilar el cuchillo—. Usted haría este trabajo mejor que yo, doctor.

—No, con un ciervo, no. Continúe usted.

Se oyó el crujir de ramas en dirección al sendero. Bemis suspendió la tarea. El y Lucas se volvieron para mirar, y aguardaron. El ruido vino nuevamente, pero de mucha distancia.

—Será un cervatillo, sin duda —dijo Bemis, echando una mirada al reloj. Lucas miró también el suyo. Eran las dos menos veinte—. Pronto volverá —insistió el periodista y se ocupó otra vez en el ciervo—. Enciende el fuego, Phil —ordenó, imitando el movimiento de partir leña y señalando luego los tizones apagados. Phil asintió con un gesto, entró en la maleza y quedó escondido a la vista. Se le oía a pocas yardas de distancia, cortando ramas.

—Usted no ha visto nada, ¿eh? —preguntó Bemis.

—Ni una sola pieza. Al oír sus disparos he regresado.

—¿No ha tenido miedo de morir de frío? Aguante esto un minuto, ¿quiere? —pidió Bemis, abriendo el hendido vientre del animal. Lucas sujetó los bordes—. Tengo que dejarle bien seco —explicó el periodista, pasando un saco harinero por la cavidad—. Luego le diré qué puede hacer usted. Podría sacar de la olla el agua necesaria para el café, poner los platos, y entretanto yo acabaría de dejar lista la pieza.

Cuando hubo terminado, Lucas se sentó junto al fuego. Phil venía con paso vacilante por entre los arbustos, cargado con una brazada de leña, que dejó caer al lado de la fogata.

—¿Esto es todo lo que has hecho? —gritó Bemis, indignado.

Y señalando la leña, extendió las manos y enarcó las cejas.

Phil movió la cabeza con vehemencia, señaló con el índice en dirección a los matorrales y se alejó precipitadamente. La maleza volvió a tragarle. Bemis sentóse al lado de Lucas.

—Me avergüenzo de mí mismo —dijo éste—. Si comparamos lo que ha hecho con lo que hice yo, usted debería estar muerto de cansancio.

—No tengo las energías de antes. Se lo aseguro. Sentiré una alegría inmensa cuando empecemos a comer.

—¡Yo sería capaz de comerme crudo todo ese ciervo! —exclamó Lucas con vehemencia, notando que sentía un hambre atroz.

Phil llegó con una segunda brazada de leña y fue a buscar otra.

—Jamás tendrá tanto apetito como aquí. Estos montes le despiertan a uno un hambre canina. ¿Qué mata primero, doctor, el hambre o la sed?

—¡La sed, Bemis! La sed mata en poco tiempo.

Phil vino con otra brazada de leña.

—¡Cielos! ¡Tenemos bastante! —protestó su dueño. Phil le miró con aire inexpresivo y quiso partir nuevamente. Su patrono le cogió por la manga. El sordomudo se paró. Bemis le soltó la manga y le indicó el leño. Phil movió la cabeza afirmativamente y se sentó al lado de Lucas.

—¡Ojalá supiera mover las manos del modo que las mueven ellos! —quejóse el periodista—. ¿Ha visto otros dedos tan rápidos como los suyos? Un sordomudo me dijo una vez que conocía a un individuo, el cual hablando por signos tartamudeaba lo mismo que otros tartamudeaban hablando con palabras. ¿Lo cree posible?

Lucas iba a responder, pero en aquel momento sintió una palmadita en el hombro. Al volverse, vio que la cara de Phil tenía una expresión inquisitiva. El sordomudo señaló el reloj. Lucas miró la hora.

—¡Eh! —gritó.

—¿Qué le pasa a Phil? —preguntó Bemis.

—Son las dos y media —dijo Lucas, mirándole interrogativamente.

Bemis fijó la vista en las llamas.

—Añora a su compañero —dijo.

—Lleva cerca de dos horas de retraso —comentó Lucas.

—Ahora ya debería estar aquí —confesó el periodista. Luego volvió la cabeza, miró en dirección al sendero y fijó nuevamente la vista en el fuego—. Art está tan bien como nosotros —dijo—. Pronto volverá.

Lucas dirigió a Phil una sonrisa tranquilizadora.

—Pronto volverá —le repitió, formando las palabras cuidadosamente.

—No entiende nada de lo que usted dice —aseguró Bemis.

Phil sonrió sin convicción y movió la cabeza con aire despreciativo.

—Trata de hacernos comprender que se enfada consigo mismo por preocuparse antes de tiempo —aventuró Lucas.

—O que tiene hambre. O que está cansado por haber transportado el ciervo hasta aquí. Sólo Dios lo sabe.

—Parece que Art debería estar ya de regreso —dijo Lucas—. Sabía que al oír un disparo tenía que volver atrás. ¿Tan lejos habría llegado? —Y entonces recordó que Art era totalmente sordo.

—Conoce estos bosques como la palma de su mano —replicó Bemis, inmediatamente—. Le gusta marcharse solo. Yo nunca me inquieto por Art. Se presentará en cualquier momento. No es la primera vez que ocurre una cosa parecida. ¡Cielos! —estalló de pronto—. ¡Si no vuelve con un ciervo, le diré unas cuantas cosas! ¡Tenernos aquí tan hambrientos como estamos!

Phil le observaba, se fijaba en todos los movimientos que hacían, se fijaba en la expresión de sus rostros al conversar. Cuando se callaron, volvieron a contemplar el fuego, como lo contemplaban también ellos.

A las tres y quince minutos, Bemis se puso en pie. Los otros dos le imitaron instantáneamente. El periodista se acercó al sendero.

—Bueno... —dijo. Y esperó unos segundos—. ¡No sé si debemos empezar a comer o si intentamos buscarle!

—¡Quizá esté herido! —murmuró Lucas.

—Ahora empiezo a inquietarme —comentó Bemis, en voz baja.

En el claro disminuía la luz. Phil corrió a ponerse enfrente de sus compañeros, observando sucesivamente la faz de uno y la del otro.

—Es posible que hayamos levantado un venado y se haya lanzado a perseguirle sin darse cuenta de la hora —dijo Bemis, contemplando el sendero—. Puede haberse extraviado hacia el oeste, puede haberse internado en la zona de matorrales que limita con los Fork. Ahora podría estar allá.

—Creo que vale la pena que lo miremos.

—Y si está allá, si aquel es el punto donde se encuentra, no puede recorrer ni cuatrocientas yardas en una hora. A menos que se haya metido por los barrancos y torrentes, llenos de rocas, atestados de árboles y tan poblados de maleza que uno no ve lo que tiene delante ni lo que tiene atrás y la mayor parte del tiempo ni siquiera puede ver el cielo.

—¿Nos ponemos en marcha?

—Y si está herido, y se ha tumbado donde sea, parece que debía estar disparando el arma... Aunque con el laberinto que forman estas montañas, es muy posible no oír los disparos... Parece que debía encender fuego. Pero ahora está demasiado oscuro para ver el humo.

Entonces miró a Lucas.

—¿Ponernos en marcha? ¡Hombre de Dios! ¡Seríamos otros tres que nos perderíamos! Mire, si usted cruzara el bosque dando gritos y disparando escopetas y él se encontrase a dos pasos, no le oiría.

Phil les miraba con ansiedad. Luego produjo un sonido gutural, plañidero. Bemis hizo pucheritos con los labios y movió la cabeza con expresión grave, mirando a su empleado.

—Vengan —dijo, dirigiéndose hacia el camión—. Creo que es hora de llamar al guarda.

Tramontaron la cresta del monte, corrieron largo rato y por fin el vehículo se detuvo en un poblado pequeño. Después de buscar la casa del guarda, llamaron a la puerta. Les abrió la mujer.

—Lamento molestarla, señora —dijo Bemis—. Pero veníamos a buscar a Sam. Un compañero nuestro se ha perdido.

—¿En los Fork Flats?

—Me temo que sí.

La mujer se llevó una mano al pecho y se hizo a un lado para dejarles paso.

—Sam está fuera —les dijo—. Se ha ido a Martinville.

—¿Le parece que quizá podría encontrarle, señora?

La mujer se acercó al teléfono de la pared, hizo girar la manivela con furia y levantó el receptor.

—Lorma Belle, vea si encuentra a Sam; tengo que hablarle —dijo—. Está aquí Bemis Shedd y otros dos compañeros. Se ha perdido un hombre en los Fork Flats... Lo sé... Vea si está en casa de Painter. Ha dicho que se iba a Martinville.

La mujer esperó largo rato. De vez en cuando hablaba con la empleada. Por fin colgó el aparato y volvió hacia ellos, moviendo la cabeza.

—Mala suerte —lamentóse el periodista.

—Se lo diré en cuanto llegue, Bemis.

—Gracias. Bueno...

—¿Quieren tomar una taza de café?

—Creo que no —respondió Bemis—. De momento, no. Pero, ¿a usted le apetece, doctor? Este amigo es el doctor Marsh, uno de los médicos de Greenville, y ése Phil Acton, uno de mis empleados.

—No, gracias —contestó Lucas. Pensaba en Art, perdido en los montes.

—¿Uno de sus obreros sordomudos?

—En efecto.

—¡Bemis! ¿Acaso el hombre se ha perdido...?

—No es mudo. Es sordo únicamente. Bastante desgracia tiene. Bien, le quedamos muy agradecidos —dijo retrocediendo hacia la puerta—. Será mejor que nos volvamos.

—En cuanto pueda ponerme en comunicación con Sam, se lo diré. El reunirá a los muchachos, y entre todos encontrarán al pobre que se ha perdido, Bemis. ¡Aparte de que ya sabe usted que cuando regresen allá, quizá les esté esperando!

—Es cierto.

—Casi es completamente inútil buscarle de noche.

—Tiene razón.

—¡Aquellos parajes les tragarían a todos ustedes!

—Le quedamos muy reconocidos —contestó el dueño del *Clarion*.

—¡No se les ocurra empezar a buscarle solos! ¡No pierda la cabeza, Bemis! ¡No serviría de nada!

—Esperaremos.

El camión emprendió el camino de regreso.

—Otra cosa —dijo Bemis, súbitamente—, esta gente tiene buen olfato. No dudo que si Art huele el olor del venado... y no hablemos ya del fuego...

El fuego se había convertido en tizones apagados. El claro continuaba desierto. Volvieron a encender la fogata. Phil se sentó junto a ellos. Tenía la cara pálida, la mirada extraviada.

—¿Quiere comer? —Bemis dio un manotazo en el hombro a Phil e hizo signo de llevarle algo a la boca.

Phil movió la cabeza negativamente.

—¿Y usted, doctor?

—Tampoco —contestó Lucas.

—Tenemos el deber de alegrarle —dijo Bemis, refiriéndose al sordomudo—. Si para nosotros es terrible, imagínese lo que ha de ser para él. Eran dos amigos inseparables... Pero, además, Art era su único enlace con los demás. Ahora se encuentra en un mundo desierto. No habla, no oye..., está como encerrado en sí mismo.

—Y su compañero se ha perdido. Perdido y sordo. Phil sabe lo que significa esto —añadió Lucas.

—¡Por lo tanto, comamos! ¡Venga! ¡Hemos de conseguir que coma!

Había cerrado la noche. Apenas era posible distinguir el camión, que sólo aparecía como una mancha algo más oscura a quince yardas de distancia. La fogata iluminaba un pequeño círculo, más allá del cual las tinieblas eran absolutas.

Bemis se puso en pie y cogió a Phil por el hombro, sonriendo. El sordomudo levantó la vista e intentó corresponder la sonrisa.

—¡Vamos a comer! —gritó el periodista. Phil miró a Lucas, que le sonrió con expresión de confianza. Entretanto, Bemis había empezado a echar el hígado del ciervo en la sartén. Phil movió la cabeza negativamente. —¡Vas a comer, aunque tenga que meterte la comida en la garganta! —aseguró su dueño. Lucas rodeó con el brazo los hombros de Phil.

Cuando dieron por terminada la cena, dejaron los platos casi intactos.

—¡Ahora, por más que caigan rayos, vamos a jugar un rato al póker! —Bemis extendió la manta sobre el suelo, cogió a Phil por el brazo, le obligó a levantarse y le llevó hasta el borde de la improvisada mesa de juego. En seguida imitó el acto de dar las cartas. Phil aceptó obedientemente y se sentó abatido.

Jugaban muy cerca del fuego. Hacía mucho frío. Bemis abría los brazos y realizaba descarados intentos por robar las cerillas de Phil. A veces el sordomudo sonreía un poco. Luego se levantaba, echaba otro leño a la lumbre y se quedaba inmóvil, mirando hacia el sendero. Entonces Bemis se inclinaba para tirarle de la pernera del pantalón, y Phil volvía a sentarse.

Hacia la medianoche se levantó viento. Los tres alzaron la vista.

—Podría reunir ramas de los pinos y cubrirse con ellas —dijo Bemis—. Si puede cortarlas... Si no está herido... —Entonces levantó los ojos—. ¡Eh! —gritó.

Phil se había quedado con la vista fija en la baraja que tenía en la mano. Permanecía inmóvil. Por sus mejillas corrían las lágrimas.

—¡Eh! —le gritó Bemis otra vez.

—No lo oye —dijo Lucas.

—Ya lo sé. —Pero repitió—: ¡Eh! —Y sacudió al sordomudo por el hombro. Phil le miró con ojos apagados. Sus labios se movieron tratando de sonreír—. ¡Vamos, reparte las cartas! —ordenó Bemis, valiéndose al mismo tiempo del ademán—. ¡Tengo que dejarte en cueros; tengo que despellejarte! —Mientras cogía las cartas, murmuró—: Sé lo que le ocurre. —Luego puso un puñado de cerillas en el centro de la manta, se cruzó el cuello con el dedo índice y luego señaló a Phil, indicándole la puerta y moviendo la mano amenazadoramente. Phil movió la cabeza y empujó hacia el centro la última cerilla.

—Le ha visto el juego —dijo Lucas.

—Lo ha visto, ¿verdad? ¡Lo arruinaré!

Phil extendió las cartas. Tenía un par de sietes.

—¡Que me cuelguen! —gritó Bemis, tirando los naipes con exagerado disgusto. Luego agitó el puño delante de la cara del sordomudo—. ¡Te pescaré! —le gritó—. ¡Te quitaré el pellejo!

—¡Recoja las ganancias! —exclamó Lucas, rastrillando las cerillas de la manta y apoyando la otra mano en el hombro de Phil.

Cerca de las cinco de la madrugada, Bemis se levantó para preparar el café. Las estrellas iban palideciendo, se veía el borde del calvero. Lucas fue hasta el límite del espacio libre y contempló los matorrales apenas visible, la claridad gris, débil del amanecer. En algún punto de aquella inmensidad también la llegada del día.

Tomaron el café. Durante la noche, Phil había envejecido, su delgada faz se había marchitado, sus ojos carecían de vida. El pelotón llegó mientras estaban limpiando las tazas. Llegaron en camiones, trayendo cuatro caballos ensillados. Eran catorce hombres.

Descendieron calladamente y en seguida se pusieron a descargar los caballos. El guarda se acercó a Bemis, los demás se reunieron alrededor del fuego. Ninguno decía nada; limitábanse a extender las manos delante de las brasas.

—Tomen café —invitó Bemis.

—Creo que debemos ponernos en marcha —dijo el guarda—. A menos que alguno de ustedes quiera tomarlo...

—Muchas gracias, lo hemos tomado ya —dijo uno.

—¿Quieren desayunar? —preguntó Bemis.

—No, me parece que no —respondió otro—. Muchas gracias, de todos modos. Hemos comido un bocado antes de salir.

Se levantó un coro de voces dando las gracias.

—Supongo que seremos bastantes —dijo el guarda.

Nadie contestó.

—Este es su compañero —dijo Bemis, señalando a Phil. Los recién llegados miraron brevemente al sordomudo. Este permanecía sentado en el tronco cerca del fuego. Su cabeza se movía de un lado para otro; miraba a los miembros de la patrulla uno por uno, contemplaba los caballos y luego volvía a mirarles a todos otra vez, con expresión humilde. Ellos dirigieron la vista hacia otra parte.

—Es sordomudo —explicó Bemis—. Su compañero se llama Art y sabe hablar, pero no oye nada. No es que tengan el cerebro débil ni cosa parecida. Sencillamente, no pueden hablar ni oyen a los demás. Son los que componen las galeradas cuando publicamos alguna hazaña del guarda, aquí presente, o de ustedes, amigos.

El guarda hirió el suelo con los pies.

—Mi mujer nos lo ha explicado —dijo afablemente.

—Bien, si no quieren tomar café, amigos... —indicó Bemis.

—De acuerdo, muchachos —dijo el guarda.

Los hombres se apartaron de la lumbre y cogieron las armas. Cuatro de ellos fueron a buscar los caballos. Al pasar distraídamente cerca de Phil, uno le dio un fuerte pisotón. Phil exhaló una queja gutural, levantó la vista, y movió la cabeza, esforzándose por hacer una mueca de comprensión.

—¡Perdóneme! —dijo el hombre, sonrojándose.

—No lo oye —advirtió Bemis.

El hombre tenía la faz encarnada.

—Perdóneme igualmente —repitió.

—Les acompañaré al lugar dónde le vimos por última vez —dijo Bemis.

—Creo que estamos a punto —asintió el guarda, reuniendo a sus hombres con la mirada.

Lucas, que tenía la escopeta en la mano, se disponía a unirse al grupo. El peso del arma le hizo detenerse. Entonces retrocedió hacia el camión, dejó la escopeta y cogió el maletín de encima del asiento. Acto seguido volvió hacia el grupo. Los demás le estaban aguardando.

Con los caballos, la exploración resultaba más fácil. Lucas marchaba detrás de Phil y de Bemis y los tres seguían al caballo del guarda. Sujetos a la silla colgaban dos rollos de cuerda y en el lado opuesto, el arma de Sam, metida dentro de una gastada funda de cuero.

—No me gusta el aspecto de Phil —dijo Bemis. Lucas dirigió una mirada de soslayo al aludido. El delgado rostro del sordomudo estaba demacrado y ansioso. Sus ojos cariñosos e inteligentes tenían una expresión remota. El obrero se retraía en sí mismo, se retiraba a un abismo de soledad más profundo aún que la sima que al nacer habían cavado su mudez y su sordera. Phil sufría, pero no podía llorar. Necesitaba la compasión de sus semejantes, pero no podía oírla. Al caminar tropezaba con frecuencia. Durante un rato sus ojos habían escudriñado minuciosamente el bosque. Ahora ya no buscaba. De vez en cuando miraba a Lucas y luego a Bemis. Después tropezaba y volvía a fijar los ojos en el suelo.

Habían llegado al punto donde Bemis había visto a Art por última vez.

Lucas volvió a observar a Phil, y le vio sin vida, con el rostro descarnado. Las quince horas que acababan de transcurrir habían operado en su persona un cambio terrible.

—Como si fuera él quien se hubiera perdido —dijo Bemis—. Como si no se tratara de otro, sino de *él mismo*. ¿Cómo se lo explica, doctor, lo que ocurre a un hombre cuando se pierde? ¿Ha visto alguno durante su vida? Aquí, Sam, puede darle detalles. Y quizá el doctor nos cuente los motivos, Sam.

—Es una cosa espantosa —afirmó el guarda.

—Algunos resisten unos cuantos días. Otros no duran sino minutos.

—¿Qué ocurre?

—Es lo que quisiéramos saber. A veces los encuentran con alimento y agua al alcance de la mano... (¿Se acuerda de aquel sujeto que se llamaba Crow, Sam?); sí, con agua y comida al alcance de la mano, sin ninguna herida en el cuerpo, sin haber muerto a consecuencia del frío ni por otra causa exterior alguna, pero muertos. ¿Qué les pasa, doctor? ¿Qué les mata?

—El miedo, quizá.

—No se les nota signo de miedo. No se les nota nada en absoluto. ¿Qué causa será la que mata a un hombre cuando anda perdido?

—No lo sé —respondió Lucas. Los demás bajaron la vista—. Podría ser la tensión nerviosa. Si no se nota ninguna señal de herida, si el hombre perdido dispone de agua y alimentos en abundancia..., podría ser el *shock* y la tensión nerviosa... Hay que tener en cuenta la voluntad de vivir; ya saben que es un factor muy importante... Todavía no conocemos bien cómo actúa, pero parece mentira lo que influye la moral en la conservación de la vida... —Aquí se quedó callado—. Jamás he visto ningún caso —murmuró por fin.

—Ocurre siempre —insistió Bemis, mirando a Lucas con ojos expectantes—. Se les encuentra muertos o tan al borde de la muerte, que sólo se les rescata para enterrarlos poco después. ¿Verdad, Sam?

—No lo sé —dijo Lucas—. No creo que tengamos que inquietarnos por Art en este aspecto. No lleva muchas horas perdido. No creo que durante este tiempo haya podido morir por la inclemencia del tiempo ni por alguna otra causa.

—Algunos no tardan mucho —objetó Sam—. Tome a su hombre como a su amigo, por ejemplo, y el saber que está sordo todavía le deprime más. Uno podría decir que un individuo como él anda siempre medio perdido.

—Miren al mudo —indicó Bemis. Todos volvieron los ojos hacia Phil. Este miró cara a cara a todos y cada uno de los hombres que emprendían la búsqueda. Ellos desviaron la vista—. Ha comido y ha estado junto al fuego, pero mírele. Tú no te apartes de mi lado, Phil. ¿Comprendes? —El periodista señalaba a Phil y luego a sí mismo—. Tú y yo. —El sordomudo asintió con expresión apática—. ¿Cree que tenemos muchas posibilidades, Sam?

El guarda se encogió de hombros.

—Si no se internó por los Fork Flats... Si logramos encontrarle pronto...

—No quiero ser quien le dé la noticia a su esposa.

Los oyentes levantaron la cabeza.

—¿Es casado?

—Tiene dos hijos y tan normales como usted y yo.

—Supongo que estamos a punto —dijo Sam.

—¿Con quién quiere que vaya yo —preguntó Lucas.

—Me parece que lo mismo da con uno que con otro, ¿no es cierto, Bemis? No podemos prever quién le encontrará.

—Pero vale la pena que también participe en la búsqueda. En caso de que se separara del grupo, cuando oiga tres disparos avance en la dirección de donde venga el sonido, doctor.

—Está bien, compañero —dijo el guarda—. Todos ustedes saben lo que tienen que hacer. Ahora nos extenderemos en fila. Si uno ve algo, que llame a su vecino. Procuren conservar el contacto. Cuando lleguemos al fondo, tenemos que cruzar una curva hacia el Noroeste y completar el círculo.

Comunicadas estas instrucciones, Sam giró al caballo y emprendió la marcha. Bemis y Phil se situaron a su lado. Lucas cogió el maletín, se dirigió hacia la izquierda y se colocó junto al último hombre de la fila.

—Quizá será mejor que vaya en medio, doctor —le gritó el guarda. Lucas asintió con un ademán y cruzó seis hombres, con lo cual quedó en el centro de la fila.

—¡Recuerden! —gritó todavía el guarda—. Dos tiros consecutivos. Luego otro, cuando haya pasado un minuto largo—. Un murmullo de conformidad se levantó de la línea, que había empezado ya a extenderse.

—¿Cree que le encontraremos, doctor? —le gritó el hombre que tenía a la izquierda. Estaba a veinte yardas de distancia, pero se separaba todavía más. El que venía a continuación se volvió para oír la respuesta. El otro ya no pudo oírla y los demás, el extremo de la línea, habían desaparecido de la vista y se desparramaban avanzando por el bosque.

—Estoy un poco preocupado por una posible neumonía —dijo Lucas. Ahora no le cabía duda de que encontrarían al compañero perdido, eran demasiados hombres buscándole. Además, el guarda y sus compañeros eran gente que conocía aquellas sierras, endurecida en la vida al aire libre, miembros expertos de una patrulla.

—Yo creo que estará muerto —le confió el que le había hablado—. No espero que lleguemos a encontrarle. Ni siquiera los huesos.

Lucas trepó encima de un enorme tronco caído. El maletín le golpeó la rodilla.

—Le encontraremos —gritó Lucas, desenredó el maletín y volvió la cabeza hacia el hombre de la izquierda. No le vio, había desaparecido.

Lucas se humedeció los labios. Luego percibió a derecha e izquierda el ruido tranquilizador de los hombres al pisotear la maleza. Entonces avanzó resueltamente, inclinándose hacia la izquierda, siempre hacia la izquierda y adelante.

Siguió caminando. Como marchaban cuesta arriba, al final tuvo que detenerse. Jadeaba. Se apoyó contra un árbol. Durante un rato no hizo otra cosa que descansar y jadear, con las piernas doloridas por la fatiga, y el pecho por el esfuerzo de la respiración. Poco a poco recobró el aliento. Entonces levantó los ojos. Allá arriba, por entre las copas de los árboles, veía unos vellones de nubes en una ventana de cielo. Lucas miró el reloj. Sólo hacía veinte minutos que habían emprendido la búsqueda. Para estar seguro de que no se equivocaba, sacudió el mecanismo y se lo acercó al oído. Ahora respiraba pausadamente. Pero poco a poco se dio cuenta de otra cosa. El bosque estaba en silencio, el ruido de maleza aplastada había cesado. No se oía el menor sonido en ninguna parte, no se advertía ningún movimiento. No se veía otra cosa que árboles. Lucas se irguió. Miró a su alrededor. Esperó indeciso. Luego, gritó. Volvió a esperar. No recibió ninguna respuesta. Gritó de nuevo. El bosque continuó callado.

Sin aguardar más, huyó de allí.

Resbalando, tropezando, cruzando con repugnancia por los matorrales, cogiéndose a todo lo que le permitía izarse para arriba, fue abriéndose paso por la ladera. Pronto le dolieron los pulmones de nuevo, pronto volvió a jadear sin poder evitarlo; arrastraba los pies y seguía adelante, libertando a tirones el maletín, que le pesaba como el plomo y se enredaba una y otra vez entre las ramas. No se atrevía a detenerse. El tiempo y la distancia quedaron en suspenso. Lucas trepó sobre un tronco, lanzóse dentro de una extensión de matorrales, siguió ascendiendo... A través del espeso ramaje vacilante. Vio una gran masa de rocas. Llegó a ella a un trote vacilante. Dejó el maletín y trepó, agotado, a la cima. Delante, la montaña que acababa de coronar descendía rápidamente. Al fondo, las copas de los árboles de la ladera se confundían con una aglomeración de otras copas ascendiendo sin interrupción por otra montaña que se levantaba cinco millas más allá. Al otro lado de la cresta de aquella montaña, se sucedía una línea ininterrumpida de otras crestas distantes, alejándose hacia el infinito. A su derecha la elevación sobre la cual se encontraba continuábase con otros montes; el abismo que se abría a sus pies quedaba entrecortado por otras elevaciones, y hasta donde le alcanzaba la vista las cimas de los árboles dibujaban la silueta de las montañas. A su espalda se extendía un océano verde. Lucas sabía que en algún punto, millas atrás, había una carretera. Pero no se veía el menor signo que revelase su presencia: veíase únicamente una masa ininterrumpida de montañas muy altas, y ningún torrente, corte o división indicaban dónde pudiera empezar una carretera. A la izquierda aparecía una corta sierra y luego otra, y otra... Pero mientras miraba, abrumado, advirtió un movimiento. Entonces lanzó un agudo grito y movió los brazos frenéticamente. La figura se detuvo. Lucas oyo, infinitamente débil, un grito de respuesta, y sus ojos, esforzando el mirar, percibieron un movimiento que pudo ser una llamada con el brazo.

Lucas cerró los ojos e inició una sonrisa de acción de gracias. Luego descendió con cuidado de la roca, recogió el maletín y siguió por la cresta del monte en dirección al hombre que había divisado a su izquierda. Andaba confiado; además, por la divisoria se caminaba mejor. Ahora, cuando se reuniera con su compañero de línea, no se separaría de él, no le perdería de vista ni un momento, aunque tuviera que pegarse materialmente a su costado. Ahora tenía una meta. Y se dirigió hacia ella con paso firme, reposado por la mayor suavidad del terreno y tranquilizado, reconfortado por el regalo, el inapreciable don que significaba la figura de aquel hombre. Lucas lo recordó con afecto; se acordaba bien de su cara, de la seguridad que se notaba en su andar; y el corazón del joven médico se alborozó con el recuerdo de los demás componentes del grupo, desplegados en algún paraje de aquellas montañas; de aquellos hombres que, sin formular una sola pregunta, sin esperar ninguna recompensa, habían venido para buscar a un semejante suyo al cual no conocían, a un hombre que se había perdido.

Y se acordó de Art.

Lucas intentó hacerse la ilusión de que era sordo, servirse únicamente de la vista y no utilizar el oído.

—*Podría estar andando a su lado y no me oiría* —dijo en voz alta— escuchando agradecido el sonido de su propia voz, cuya vibración se perdió en el silencio del bosque. Se oía el rumor de las ramas que doblaba en su avance. La ladera descendía rápidamente. La imagen de Lucas no descansaba... Art, tendido en el suelo, con una pierna doblada debajo del cuerpo... Art, con una fractura en el cráneo, perdido el conocimiento..., Art, errando completamente solo, pensando acongojado... mientras el sordomudo Phil pensaba también con zozobra en el alma y entre los dos se extendía el invisible lazo de la angustia, el lazo que unía a un sordo y a un mudo, a dos desgraciados que trataban de encontrarse el uno al otro.

El terreno ascendía nuevamente. Lucas continuaba andando, desviándose hacia la izquierda y escudriñando con la mirada todos los matorrales, todos los árboles, sin permitir un descanso a la vista, creyendo ver en todas parte al pobre de Art y a sus ojos. Y esforzó todos los sentidos tratando de atravesar el follaje con la mirada, olvidándolo todo menos el imperativo de encontrar a Art, de descubrirle al otro lado del próximo rodeo que trazara, del árbol que tenía enfrente, del matorral, que se extendía delante. Por dos veces se encontró al borde de unas simas rectangulares, antiguos pozos de mina. Era posible que Art hubiera caído en uno de ellos. Puede que ahora estuviera en el fondo, con una pierna rota, sin oír nada, fuera del campo visual de los que le buscasen... sin fuerzas para salir.

Lucas aceleró el paso.

Después tuvo que detenerse a descansar. Se tendió en el suelo, jadeando, con la mirada fija en la bóveda azul.

"¿Quién le dará la noticia a su esposa? ¿Quién le dirá lo ocurrido? ¿Se lo escribirán? Y los niños, ¿qué harán cuando ella se ponga a llorar..., cuando salga de su garganta ese sonido gimiente de los mudos? se lo dirá Phil... Ella seguirá los movimientos de los dedos de su compañero de infortunio..., luego le mirará a la cara..., y entonces...".

Lucas se puso en pie. El monte terminaba. El continuó decididamente hacia la izquierda. El hombre que había divisado estaba delante, en un punto impreciso. No importaba en cuál. Ahora lo único que importaba era Art. Lucas adoptó un sistema, andaba quince minutos y descansaba cinco. Pronto se vio ante otra elevación. De súbito, su pie no encontró apoyo: perdió el equilibrio, y a pesar de cogerse a las ramas de los arbustos, fue a chocar contra un árbol caído, rodó por el suelo y quedó inmóvil, tendido de bruces. Poco después se levantó despacio. Le dolía la muñeca; le sangraba un corte que se había hecho con una piedra. Otra vez emprendió la ascensión. No había abandonado el maletín. Ahora trataba de encontrar el modo de llevarlo colgado a la espalda. Luego levantó la mirada al cielo. No parecía tan luminoso.

Poco a poco empezó a prolongar los ratos de descanso. Su reloj señalaba más de las doce, pero la minutera no se movía. El joven lo sacudió y se lo llevó al oído. Se había parado. Entonces recordó la caída y quiso calcular cuánto rato hacía que había ocurrido.

—Una hora poco más o menos —dijo en voz alta—. Sí —repitió deliberadamente—, cosa de una hora.

Hacía unas siete horas que caminaba. Durante las mismas había tramontado una docena de ondulaciones del terreno. Delante de sus ojos se extendían miles de sierras, jamás contadas por nadie, retrocediendo hasta el infinito. Quizá eran cinco mil. Quizá diez mil. Lo cual equivalía a doble número de laderas, y a un gran número de hondonadas. Habría diecisiete mil para diez mil alturas... ¿O podían dejarse en dieciséis mil? De todos modos, no sería fácil enumerarles al compañero de Art.

Ante sus ojos se extendía ahora la selva entera, la infinita sucesión de montañas. Su mente se ocupaba de la suma de las mismas y no de los pocos pies de terreno que veía a los lados.

—¡Jamás le encontraremos! —exclamó súbitamente.

—No —respondió con cuidado a su propia voz—, jamás le encontraremos.

Soplaba una brisa suave y fría.

—Está perdido —les decía el joven médico a los árboles.

Y sus palabras se sumergían en el silencio inmenso, y pasaban a formar parte de las montañas interminables, de la perezosa brisa, del infinito.

Por entre las cimas de los árboles volvió a contemplar el cielo. La luz no era tan viva. Entonces miró a su alrededor por última vez. Sus ojos querían interrogar al monte, al océano de montes que se sucedían. En aquella soledad no había nada. No había sino el silencio y la distancia. Había llegado el momento de regresar.

Otra vez quiso examinar el cielo. Había de estar más luminoso hacia el Oeste. Allá donde se viera más brillante, allá estaría el Poniente. Pero tenía poco cielo que examinar, sólo un trozo de las copas de los árboles recortaban sobre su cabeza. Parecía más brillante hacia la izquierda. Lucas emprendió el descenso. Pronto se detuvo.

Era demasiado tarde. Había llegado la hora de regresar.

—Tengo que volverme —dijo excusándose.

Y echó a caminar cuesta abajo.

Allá lejos, en el claro del campamento, Kristina y el doctor Castle estaban sentados ante la fogata. Abrigado por la capa, el brazo de la enfermera rodeaba a una niña de cuatro años. El hermano de la pequeña, un niño de siete años, jugaba distraídamente con un montón de palitos. En el borde del claro, de espaldas a ellos, había una mujer joven y esbelta.

—Tendré que buscar la manera de conseguir que se siente —dijo Kristina, arreglándose la blanca cofia—. Quizá consienta en venir a tomar una taza de café. —Así diciendo, soltó a la niña. Esta corrió en línea recta a donde estaba su hermano y derrumbó de un puntapié el edificio de palitos que levantaba. De un empujón, el niño la hizo caer sentada. La pequeña estalló en un ruidoso llanto. Kristina dejó de mirar el puchero donde hervía el café para fijar sus ojos ansiosos en la madre de los pequeños. La mujer seguía de espaldas, inmóvil.

—No les oye —le recordó el doctor Castle—. No oye nada en absoluto.

El anciano médico se puso de pie y levantó a la niña.

—No debes empujar a tu hermanita. A tu papá no le gustaría —reprendió cariñosamente.

—Mi papá se ha perdido en los bosques —replicó el chiquillo con orgullo.

—Perdido en los bosques, per... dido en los bosques —cacareó alegremente la pequeña.

—No hay que regañarles, pobrecitos. Ellos no comprenden —dijo el médico—. ¿Qué construyes aquí, hijito? Vea si puede hacerle tomar un sorbo de café, Kris.

—Construyo una nueva casa para mi papá. Ahora viviremos aquí. Pero la niña la ha derribado.

—Levanta otra —le recomendó el doctor Castle—. Tú ya eres mayor y tienes que cuidar a tu hermanita.

Kristina tuvo que desviar los ojos hacia un lado. Cuando pudo presentar su fisonomía normal, miró nuevamente al doctor Castle. El anciano médico se había inclinado sobre el montón de bastoncitos para ayudar al niño.

—A Luke no le pasará nada —replicó el médico, sin levantar la vista—. Está con los otros.

La enfermera reflexionó un momento.

—Nunca había salido de caza —dijo.

—Me alegro de que se encontrase aquí —afirmó él—. A las telefonistas de estos rincones del mundo no hay quien las entienda... Le aseguro que durante un rato no supe comprender de qué, de quién o cuál se trataba...

431

—Sí —contestó Kristina.

Y fue en busca de la mujer. Al llegar donde estaba la tocó en el hombro. La esposa del desaparecido giró sobre sus talones. Su delgado rostro miró aterrorizado a Kristina. Luego, sus ojos buscaron a los pequeños, y ya más sosegada, se fijaron otra vez, inquisitivos, en la enfermera. No obstante, seguían desmesuradamente abiertos. La sangre se había retirado de los labios de aquella mujer. Kristina le cogió por el brazo y la empujó con suavidad. Silabeando perfectamente las palabras con los labios, le dijo:

— ¡Café!

La mujer apoyó la mano en el brazo de la enfermera, en ademán de rechazar la bebida. Contrastando con el fondo blanco del uniforme, los huesos se perfilaban debajo de la delgada piel. En un dedo lucía un grueso aro amarillo, el anillo de boda.

Kristina le rodeó el talle con el brazo. La mujer movió la cabeza negativamente y quiso resistirse.

Entonces se le acercó el doctor Castle, quien le dio una palmadita en el hombro, sonriendo y la cogió por el otro brazo: La mujer movió la cabeza con más energía, produjo otro sonido lastimero que quería ser un grito de angustia y de rebeldía, y con el mentón, indicó la senda.

—Lo sé, lo sé —dijo el doctor Castle—. Pero tiene que tomar algo caliente. Está helada.

El médico y Kristina vencieron su resistencia, y la condujeron hacia el fuego. La mujer se libertó, quiso echar a correr y cayó a tierra. De su garganta salían inarticulados sonidos. Luego se puso a llorar y enlazando las manos las elevó, temblorosa, hacia ellos en actitud suplicante. Las lágrimas caían silenciosamente de sus ojos. Después de implorar de nuevo con las manos juntas, la mujer extendió un brazo en dirección al sendero con gesto angustiado. Médico y enfermera le ayudaron a ponerse en pie. La sordomuda dejó caer la cabeza hacia un lado. Sus ojos pedían perdón por la violencia de sus sentimientos. Otra vez enlazó las manos y, volviéndose de espaldas, se quedó mirando al sendero. De su garganta salió un sonido ronco, ahogado. Sus hombros se movieron a sacudidas.

Kristina volvió hacia la lumbre, llenó una taza y se la llevó a la apenada mujer. Esta aceptó, mirándola agradecida. Luego movió la cabeza, afirmativamente y siguió mirando en dirección al sendero, con la taza entre las manos.

—Usted vigile a los niños —pidió Kristina—. Si ella quiere estar aquí, démosle esta satisfacción.

—¿Y usted, qué hará?

—Me quedaré con ella. Yo también tengo a mi marido en estas soledades.

—De acuerdo —dijo el doctor Castle—. Pero Luke está bien, Kris.

El médico aguardó un momento, pero como ella no dijo nada más, se entretuvo nuevamente con los dos pequeños.

—Mi papá tarda mucho en volver —exclamó el niño.

—Perdido en los bosques..., perdido en los bosques... —gorgojeó la pequeña, dichosa.

Kristina rodeó los delgados hombros de la sordomuda. Al cabo de un rato, el brazo de ésta deslizóse alrededor de su talle. Y así continuaron, mirando fijamente hacia la inmensidad de los bosques, sin poder hablar, porque una de las dos era muda y porque no había nada que decir, y porque ante ellas sólo se extendían la inmensidad y el silencio, la selva virgen, la muerte y el terror, y la angustia de esperar. Y entre todo aquello estaba el hombre que les pertenecía y que se encontraba necesitado. Aquella situación era una antigua historia para dos corazones envejecidos con ella, y los brazos de una estrechaban con más fuerza a la otra, y, entretanto, continuaban solas y esperaban.

La luz se debilitaba por momentos. Lucas remontó todavía un montículo y emprendió el descenso por la ladera opuesta. Andaba vacilando un poco. A mitad del penoso descenso hizo alto, apoyóse contra un pedazo de tronco que sobresalía de la tierra y levantó los ojos al cielo. A través de las altas cimas, la luz adquiría un tinte amarillento, una tonalidad sucia, amarillogrisácea. Aumentaba el frío. Cuando se puso nuevamente en marcha, las ropas húmedas por el sudor provocaron en su piel una sensación desagradable. La pendiente se dulcificaba poco a poco. Lucas se detuvo otra vez.

"No debo pensar", se decía a sí mismo.

Con la mirada recorrió el espacio visible cuyo centro ocupaba. Por todas partes le rodeaban árboles altísimos. No encontraría jamás otra cosa que árboles. La vista no alcanzaba más allá de diez yardas, salvadas aquellas diez yardas, vendrían más árboles. De súbito, le invadió el impulso de lanzarse contra ellos, de arremeter en línea recta, de golpearlos con sus puños. La furia se disipó. Lucas temblaba un poco. Sus ojos se serenaron. De nuevo miró el inútil reloj de su muñeca. Luego observó el cielo. Oscurecía. Tenía que estar ya en el campamento. A estas horas debía haber regresado. Otra vez miró a su alrededor. Bosque, sólo bosque. Y se puso a temblar de nuevo.

—¡Basta ya! —gritó. Su voz se levantaba colérica—. ¡Basta ya! ¿Me oyes? ¡Basta ya!

Luego inspiró profundamente.

"Muy bien —se dijo a sí mismo—. Examinaremos la situación cara a cara. Pensemos con calma. Tú no te has perdido. No es posible. Y suponiendo que andes perdido, te basta continuar adelante y tal situación no durará mucho tiempo. Sigue adelante nada más".

El terreno horizontal terminaba bruscamente para formar un ribazo. Lucas miró desde el borde del mismo. La pendiente descendía casi vertical a una profundidad de veinte pies. Lucas se precipitó hacia abajo, resbaló y se cogió a un arbusto, pero las raíces del mismo se levantaron del suelo y el joven médico cayó de cabeza y rodó hasta el fondo. En la cabeza le dolía el latigazo que le había dado una rama. Sus costillas habían chocado contra una piedra. Las tentó con cuidado. No tenía nada roto.

Lucas se quedó tendido un rato donde había caído, contemplando un trozo de cielo, que adquiría una tonalidad oscura y sucia. Luego examinó absorto los matorrales, las piedras que tenía cerca, fijándose en todos sus detalles. De pronto, se sintió muy cansado. Se trataba de un cansancio más profundo que la fatiga que atenazaba sus más exhaustos músculos. Era una fatiga total. Estaba tan cansado hasta de pensar. Por fin se decidió a incorporarse, se apoyó primero sobre las rodillas y luego se puso en pie con gran esfuerzo. Y empezó a remontar otra colina desconocida, anónima. Arrastró los pies quince pasos y se detuvo. Cuando hubo recobrado el aliento, avanzó otros quince pasos y volvió a detenerse. De este modo ascendió hasta la cresta. La pendiente tenías trescientos cincuenta y siete pasos. Los había contado cuidadosamente. Porque aquella era la última colina. No podía haber más. Al subir hacía un esfuerzo para no levantar la vista. Una vez arriba, miró adelante.

Las ondulaciones del terreno continuaban sin límites. No se veía otra cosa que montañas y colinas por todas partes.

Lucas las contempló con ojos apagados, tendido sobre el tronco de un árbol abriendo la boca en busca del aire.

Había terminado.

Había llegado el momento de rendirse. No podía seguir andando. Ahora la luz se apagaba. La respiración se le hizo más lenta. Entonces se levantó pausadamente. Cuando estuvo en pie se tambaleó hacia atrás y se recostó contra un árbol. Reinaba una quietud absoluta. Todo había terminado. El también había llegado a su fin.

Se había perdido. Empezó a sentir un martilleo en la cabeza. Permaneció inmóvil. No tenía ganas de moverse. Sólo deseaba continuar donde estaba. Eternamente. Inmóvil. Por entre la luz muriente se erguían los altos blandones de los árboles inmutables, austeros. Nada le era familiar. Nada estaba en el punto debido. En su interior nada le empujaba a ir en alguna dirección. Ahora comprendía que no le encontrarían jamás. Se había perdido. Jamás le encontrarían. Al cabo de unos momentos, este temblor se había convertido en una antigua realidad. Lucas inclinó la cabeza. Estaba solo.

No tenía a nadie más que a sí mismo. No existía ningún mundo diferente. El mundo antiguo había desaparecido. No había otra vida que la suya.

El frío le invadía. Lucas se dobló sobre sí mismo con una apatía total. Después, cogió el maletín. Lo mismo daba que siguiera andando. Porque no tenía otra cosa que hacer. Entonces consideró los bosques con una mirada torva y sintió un cosquilleo en el pescuezo. Un terror sin límites se apoderó de él. En la oscuridad, los árboles se erguían amenazantes. De pronto, aquel lugar adquirió una perversidad diabólica. Y las tinieblas se llenaron de peligros. La selva esperaba a la oscuridad, helada como un sepulcro. Lucas obligó a sus paralizadas piernas a moverse. Sentía la presencia del bosque a su espalda, sentía el roce de unos dedos sin nombre, y echó a correr y cayó con estrépito, y volvió a levantarse y un terror angustioso le empujó adelante; otra vez. Y otra vez cayó, chocando de cabeza contra el suelo; pero esta vez no se levantó. Continuaba con el rostro pegado en tierra.

Cuando pudo respirar acompasadamente, el terror le había abandonado ya. Tentando entre las sombras, se arrimó contra un árbol. Ahora se encontraba a gusto entre las tinieblas. El frío era como una manta suave sobre sus mejillas. Sus piernas rendidas descansaban agradecidas sobre el suelo. Lucas acercó el maletín hacia sí. Recordaba el día que lo había comprado. Era un buen maletín; lo llenaban toda clase de medicinas, medicinas, para curar o aliviar casi todos los males. Pero no contenía ningún remedio para él. Lucas recordó los tiempos en que llevaba los maletines de los médicos. Ahora era un hombre... él siempre había seguido aquel maletín... pero un hombre es un conjunto de cosas..., es el niño que fue, es de la forma que se crió y el amor que tuvo..., es la gente que conoce..., es el objeto del amor de una mujer... y es una miríada de otras cosas por las que ha de pasar.

Y comprendió que estuvo solo, que había sido un solitario toda la vida, menos ahora. Ahora, no; tenía demasiado en qué pensar, demasiado que recordar. Porque si toda la vida fue un hombre solitario, no era por su culpa, sino por la propiedad que le dieron a un hombre, por el vector que le llevaba más allá de sus semejantes, que le hacía entre todos seres humanos el más inadaptado. Y ahora lo resumía todo y recordaba, y veía que aquel hombre, él, había de sufrir un desengaño, una desilusión, una desorientación a cada hora de su existencia y que quizá la recompensa no fuera proporcionada, pero que, quieras o no, aquel hombre había de satisfacer su deuda.

Pero en su existencia había también personas. Ahora poblaba la oscuridad con ellas: Runkleman. Castle. Avery y Kris... ¡Oh, Kris! —Y Lucas se estremeció ligeramente a causa del frío—. Si Kris supiera que estaba perdido, se arrastraría de rodillas por aquellos bosques... no se detendría nunca... Y los hombres, el grupo que había emprendido la búsqueda... Lucas volvía a ver sus cincelados rostros en los que se pintaba la obstinada decisión de encontrar a un hombre, volvía a verlos con amor. La gente poseía aquella virtud, no se podía negar, en ocasión de una catástrofe era cuando descubrían lo mejor de su naturaleza, buscando a uno de los suyos que se había perdido era cuando brillaban con mayor esplendor...

Y les añoró. Y sintió necesidad de estar a su lado.

Les veía avanzando a tientas, a través de la vida, por el camino que nadie les había enseñado sin estar seguros de llegar a una meta, sin poderse medir con nada más que consigo mismo: constituyendo la presa cotidiana del infortunio, de la zozobra, de la turbación y de la muerte; sin saber cómo redimirse de ellas: unidos unos a otros desde su primer llanto hasta el borde del sepulcro.

Y sintió una tierna debilidad por ellos, un cariño saturado de añoranza y comprensión.

Y entonces supo qué era lo que mataba a un hombre que se hubiera perdido. Un hombre perdido era un moribundo que no podía vivir sin el contacto de sus semejantes. La soledad contenía un veneno, una enfermedad mortal, la enfermedad del recién nacido al que se le corta-se el cordón umbilical y se le dejara abandonado. El hombre perdido había de morir.

El había de morir.

Sentía la devastadora melancolía de vivir sin vida. La voluntad se evaporaba. La mente cedía. El espíritu se negaba a seguir en pie. El alma se alejaba de la percepción. El hombre moría, indiferente.

Y él moriría también. El, que con tanta amargura había deseado estar solo, moriría ahora de soledad, de aquel veneno infalible de su familia y de su especie.

—Mi especie —dijo en voz alta, mirándose a sí mismo.

"Puede no ser la mejor especie, pero es la mejor que se me ha dado"

"Mi raza".

"Que quizá no sea la mejor raza, pero es la única que existe".

Lucas se puso en pie vacilando. Andaría un poco más. No porque importara, sino porque un hombre tenía que andar. La luz del día se había desvanecido casi por completo. Lucas miraba en dirección a los vivientes. Miraba con cariño. Entre los vivos y los difuntos se extendía la esencia del hombre.

Lucas miraba con añoranza.

El hombre estaba solo... El hombre es una tragedia y una alegría, y un propósito, y una vida, y una muerte, y un alma...

Y él penetraba lentamente, sin objetivo, perdido en el vacío oscuro que le rodeaba. Chocó de hombros contra un árbol; al rebotar siguió caminando penosamente. Debajo de sus pies, el terreno iniciaba una cuesta abajo: Lucas corrió involuntariamente un corto trecho, cayó de súbito; su cuerpo rodó por entre los matorrales. En el límite de sus fuerzas volvio a ponerse en pie. Sabía que si se sentaba no se levanta-ría más. Luego tropezó con un árbol. Tuvo que hacer un esfuerzo para recobrar el aliento.

—¿Has visto a alguien? —preguntó una voz.

Lucas se volvió rápido. Al otro lado de un pequeño calvero, divisó al hombre que había partido a su izquierda. Estaba de pie encima de una eminencia del terreno, mirándole. Después se le acercó.

—He oído que alguien rodaba por ahí. He pensado que quizá fuera alguno de los compañeros —le dijo con acento suave.

Lucas hizo un esfuerzo por deglutir la saliva. Sentía un comezón en los ojos.

—Creo que le han encontrado —le anunció el hombre—. ¿No ha oído los disparos?

Lucas se humedeció los labios.

—No —dijo humildemente.

—Serían alrededor de las tres. Tan pronto como los oí, emprendí el regreso.

—Yo no los he oído —murmuró él.

—Esta es una de las delicias de esos malditos montes. Yo conozco sitios donde usted podría disparar un arma y un hombre situado a cien yardas no lo oiría. Se debe a las ramas, al follaje, a la configuración de las montañas... —El hombre miró a Lucas con viva atención—. ¿Se encuentra bien, doctor?

Lucas volvió la cabeza y empezó a quitarse el polvo del traje.

—He dado un tumbo —dijo.

—Me parece que yo he dado cincuenta —contestó el otro. Por su preocupada faz se extendió la luz de una sonrisa—. Supongo que será mejor que nos pongamos en marcha. Le necesitarán.

Se abrieron paso por entre los espesos matorrales. Estaban en un pequeño calvero. Lucas se detuvo, inseguro. Sus ojos se fijaron en un elevado peñasco.

—¿Le parece reconocerlo? —sonrió el hombre—. ¿Quiere descansar un poco, doctor? ¿Quiere que le lleve el maletín?

—No —respondió Lucas. En seguida desvió el rostro, apretó los labios e hizo un esfuerzo por recobrar la voz—. No. Yo lo llevaré...

Habían dejado el claro atrás. Delante aparecía la cinta del sendero. Ahora el follaje era claro; el hombre que les había precedido había cortado, apartado y pisoteado las ramas.

—¡Están aquí! —gritó de pronto.

Lucas levantó la cabeza.

Abajo, en la pendiente, vio una procesión avanzando por la maleza. Delante marchaban dos hombres, transportando penosamente una camilla improvisada con ramas y mantas. Mientras él seguía mirando, una mujer corrió al encuentro del grupo y una vez allí se arrojó al lado de la camilla, pretendiendo seguirla de rodillas, mientras sus temblorosas manos tentaban incensantemente el cuerpo de Art.

El grupo se detuvo. Algunos de sus componentes ayudaron a la mujer a ponerse en pie. Luego reanudaron la marcha. Cuando hubieron pasado delante, Lucas vio a Kristina.

Estaba sobre una pequeña elevación del terreno. Allí, de pie, inmóvil, erecta, con la mirada fija en el sendero, cubierta con la capa y tocada con la cofia, parecía muy alta.

Lucas emprendió la carrera. Kristina levantó los ojos y le vio. El oyó su grito.

Un segundo después corría entre los matorrales, precipitándose hacia su esposa.

CAPITULO XLII

Cuando llegaron a Greenville, la oscuridad era absoluta.

—Yo me iré a casa —dijo Bemis—. Dejaré que ustedes, muchachos, empiecen el trabajo. ¿Está seguro de que Art no tiene nada? —Kristina apoyaba la cabeza en el hombro de Lucas. Este le rodeaba la cintura con el brazo. Bemis se apresuró a desviar la mirada hacia la carretera y se aclaró la garganta—. Llevaré al mudo a casa —dijo.

—Se restablecerá —respondió Lucas—. Acompáñenos al Condado y en un momento le haremos la cura.

—No iremos al Condado para nada —replicó brevemente el periodista, mirando por el espejo para estar seguro de si el doctor Castle continuaba siguiéndoles—. No quiero que nadie que trabaje conmigo se acoja a la Beneficencia.

—Me alegra oírle hablar así, Bemis —dijo Lucas, en tono grave.

El camión se detuvo delante del Valley Hospital. El coche del doctor Castle paró detrás.

—¿Entra usted? —preguntó Lucas desde la acera.

—No me gustan los hospitales —respondió Bemis. Luego pasó el brazo por la ventanilla y agitó la mano violentamente. Phil levantó la cabeza, separóse de mala gana de su compañero y subió al camión al lado de Bemis—. Tengo que llevarle a casa con su familia. Les veré después —explicó el periodista.

Art estaba en la cama. La negrura de su cabello resaltaba todavía más sobre la blanca almohada del hospital. Ahora las luces ponían de relieve sus rasgos, su flaco rostro, la expresión de cansancio, los hundidos ojos. Su esposa se inclinaba sobre él, olvidándolo todo menos su cara, sus labios, la cuchara y la sopa.

El trató de sonreír. Su movimiento hizo derramar el contenido de la cuchara. Los niños, que hasta entonces habían contemplado absortos la escena, se pusieron de pronto a tirar de la falda de su madre.

— ¡Tengo hambre! —gritaba el pequeño, saltando de impaciencia.

El niño la quitó de en medio. Sus pequeños dedos recorrieron inseguros al lenguaje de los signos. Luego señaló con el índice su propia boca, abierta, y se frotó el estómago con la mano.

— ¡Quiero cenar! —gritó en seguida.

—Tienen hambre —dijo Art. Su mujer siguió dándole la sopa, sin desviar los ojos de su rostro.

La enfermera se llevó a los pequeños a la cocina.

—No estarán tan hambrientos como usted, supongo —dijo Lucas.

—Yo no sentía hambre —respondió Art—. Tenía un par de barras de chocolate.

La mujer les miró con ojos de súplica.

—No hable más, Art —ordenó el doctor Castle.

—He seguido al maldito ciervo —murmuró el obrero, con ojos que parecían privados de vista—. Es todo lo que recuerdo. —Su esposa se puso el dedo sobre los labios.

—Dejémoslo para mañana —dijo Lucas.

—Le encontraron recostado contra un árbol —dijo Kristina.

Art asintió con un movimiento de cabeza.

—He disparado..., no me quedaban más balas... Encendía fuego..., el humo no subía por encima de las copas de los árboles... —Art cerró los ojos.

Al verlo, su esposa levantó la cabeza bruscamente, pálida y estremecida de terror.

El doctor Castle le dio una palmadita en el hombro, movió la cabeza afirmativamente y desplegó los labios en una sonrisa tranquilizadora. Después se puso las manos en la mejilla en la actitud de dormir. La mujer seguía mirándoles a todos, desconfiada. El doctor Castle sacó un block de recetas y la pluma y escribió:

"Mañana estará completamente bien. No necesita más que la medicina que le hemos dado y unas horas de sueño. Usted puede ir a casa".

La mujer leyó ansiosamente el rectángulo de papel.

El doctor Castle le señaló la última frase. Ella movió la cabeza prestamente y se volvió para mirar a su dormido esposo. Y quedó inmóvil en aquella actitud.

Al cabo de un rato, Kristina y los dos médicos salieron de puntillas al pasillo.

Una enfermera llamó con la mano al doctor Castle.

—Le esperaremos en el despacho —le dijo Lucas, cogiendo a Kristina del brazo—. ¿Qué estás pensando? —le preguntó cuando ya se encontraban en la citada dependencia.

—¿Qué le pasa, Luke? No ha caído, no está herido, tenía alimentos, tenía fuego...

—Esto es lo que ocurre, Kris.

Ella escudriñó el rostro severo de su marido.

—¿Era miedo? ¿O una especie de *shock* nervioso?

Lucas movió la cabeza.

—No —respondió en tono serio y dulce a la vez—. No, no es miedo —Kristina esperaba que continuase—. Se había perdido, Kris.

—Pero...

—Algún día te lo contaré. ¿De acuerdo? Un día te lo contaré con todo detalle.

—De acuerdo. —Y Kristina le cogió tímidamente de un brazo.

—¿Qué se le habrá presentado a Castle —dijo Lucas.

—Hace un buen rato que se ha ido. Ahora tengo que llevarte a casa y hacerte tomar un baño caliente y darte de comer. ¡Uf! ¡Se te nota el olor!

—El humo de la leña...

—Sí, pero también el olor de tu propio cuerpo.

El doctor Castle venía por el pasillo.

—¿Ha terminado? —le preguntó Lucas.

—Meningitis —explicó el anciano médico, con una mueca—. El primer caso de la temporada.

Kristina profirió un sonido de disgusto.

—¿De tipo epidémico? —Lucas esperaba ansiosamente la respuesta.

—No estoy seguro —contestó por fin el doctor Castle.

—¿Qué opina el doctor Kauffman? ¿No es nuestro neurólogo?

El doctor Castle cogió el teléfono.

—No creo que sea epidémica —dijo cubriendo el micrófono con la mano—. El tiene dos casos. Me ha encargado le diga lo del niño de Gross fue una falsa alarma. —Después, colgó.

—¿Se nos prepara una invasión? —preguntó Lucas.

—No lo sé —respondió el otro médico, pasándose la mano por la frente—. Pero estamos en la temporada...

—¿Se trata de un pequeño?

El doctor Castle asintió.

—Jugaba por las orillas del vertedero y le mordió una rata. Su madre pensaba que esa era la causa... —El doctor Castle se puso en pie y les acompañó al coche—. Puede que lo sea. Quizá haya debilitado sus resistencias. No lo sé. Mañana veremos...

—No me gusta ese mordisco de ratón —exclamó Lucas ayudando a Kristina a subir al coche.

—A mí tampoco me gusta aquel vertedero.

—¿También por esta parte tenemos un problema? ¿Qué le pasa a esta ciudad?

—Lo mismo que a todas. Tiene un vertedero. Cuando Granite vivía, a cada elección prometía limpiarlo. Pero la meningitis... esa pequeña la ha recogido en alguna parte... Cuando llegue a casa, telefonearé a Binyon para ver si se le ha presentado algún caso —dijo con un suspiro.

—Si se da alguno, lo tendremos en el Condado —replicó Lucas, con acento malhumorado. El y Kristina bajaron del coche.

—Ponga los dedos en cruz —le gritó el doctor Castle. Luego arrancó de nuevo.

El matrimonio cruzó el umbral de su hogar. La puerta se cerró tras ellos. Lucas respiró profundamente y miró a su alrededor. Estaba en su casa.

—¡Kris! —gritó.

—Ya voy —contestó ella, colgando la capa y quitándose la cofia. Cuando se le acercó, su esposo le dijo:

—Con tu uniforme estás preciosa.

—Se me ha ensuciado. —Kristina frotaba con destreza una mancha de la falda.

—Me gusta —insistió Lucas, acercándosele. Ella levantó la cabeza vivamente—. Ven acá, Kris.

Lucas rodeó con sus brazos a su esposa. Y le besó las orejas, rozó su cuello con los labios y luego los confundió con los de Kris. Después se interrumpió un momento para mirarle. Kristina le miraba a su vez, deslumbrada. El cuerpo de la esposa se apretaba, turgente y cálido, contra el del marido. Sus pechos...

La mente de Lucas permaneció súbitamente estática. Una célula de la memoria llamada claramente. Una célula asociativa lanzaba un campanilleo. Aquello que le tenía confundido, aquel cambio vago, impreciso...

Los datos se ordenaron en su sitio. Ahora lo sabía ya. Su asombrada mente volvió a mecer los hechos en su seno, Kris iba a tener un niño. Y casi con toda seguridad, ella lo sabía. Pero nunca lo había dicho... porque...

Pero Lucas rechazó el recuerdo de los días aquellos en que su esposa podía habérselo dicho. Ahora solamente había quedado paralizado de asombro, y más junto a ella, sosteniéndola por el talle, más en su casa... Y el corazón se le subía a la garganta.

Lucas echó el cuerpo hacia atrás, con rostro inexpresivo.

—¿Qué te pasa? —le preguntó ella.

—Parece que te crecen los pechos, ¿verdad?

Kristina se apresuró a mirarse el seno, con ojos indagadores y aprensivos.

—A mí me gustan las muchachas suecas con el seno bien desarrollado —afirmó él, llanamente.

—¡Ve! ¡Toma una ducha! —exclamó Kristina, soltándose de un tirón.

Mientras estiraba los brazos para cogerla, un súbito pensamiento imprimió una mueca en sus labios y al mismo tiempo que Kristina retrocedía, le dijo:

—No te muevas. —Y le oprimió la cintura con el índice y el pulgar.

—¿Qué es esto? —gritó ella.

Lucas levantó la vista y arrugó el ceño, fingiendo severidad.

—¡Caramba, Kris, se te nota un latido aquí!

—¿Un latido?

—Será una consecuencia de la subida a los bosques.

—¡Dios mío, Luke! —replicó Kristina, al paso que se desabrochaba con dedos veloces y el uniforme le caía hasta los tobillos—. ¿Y yo he conseguido provocar algún latido en ti? ¡Mírame, Luke! ¡Mírame al momento! —exclamó, apartando las ropas con los pies.

—¿Y lo que queda? —preguntó él, arrugando la frente.

—¡Cielos! —exclamó Kristina, corriendo hacia el dormitorio y sosteniéndose la prenda. Todo en ella era hermoso: las proporciones del cuerpo, su blanca piel, las venas azul pálido que la surcaban, la curva de las piernas, su mismo pánico.

Lucas sintió repentinamente que se le secaba la boca.

—Te ayudaré.

El cuerpo de Kristina tenía un calor dulce; su piel, una suavidad increíble. A Lucas le entraron unas ganas locas de restregar contra ella su barbuda faz.

—No, no. Después. Podría llegar alguien.

Y luego:

—¡Oh, Luke! ¡No me importa! Es igual...

Más tarde, mucho rato más tarde, miraron los dos hacia el techo, en silencio.

—Todavía no hemos cenado —murmuró él, por fin.

—Voy a preparar la cena —respondió ella, sin moverse.

Se quedaron callados de nuevo.

—¿Crees que será un chico, Kris?

Kristina tuvo un sobresalto. Luego se quedó atontada.

El lo sabía.

—Espero que sea una niña —dijo Lucas—. Será una buena enfermera.

—Lucas..., mi Lucas...

—Igual que su mamá —concluyó él, serenamente, imitando con voz amorosa el acento sueco de Kristina.

Esta se incorporó sobre un codo y le miró despacio. Sus entreabiertos labios se unieron a los de su marido.

Eran las ocho.

—Prepararé unos huevos —dijo Kristina. Tenía las mejillas encendidas; sus labios eran como una fruta madura.

—Nada de platos. ¿Quieres cenar conmigo, enfermera? ¿Aceptas, granujita vagabunda? —Así diciendo, Lucas fue a descolgar el teléfono.

—¿A dónde vas?

—A llamar a Kauffman. Iremos al restaurante chino. Quizá Kauffman no haya cenado todavía. —Después de hablar por teléfono con su colega, dijo—: Vendrá. ¿De dónde has sacado este vestido, Kris?

—Siempre lo tuve. Y has tenido una idea excelente, Luke. El doctor Kauffman ha de encontrarse terriblemente solo. ¡Perder una mujer tan agradable como la suya!

—¡Muy agradable! *¡Tengo* que hacérmele simpático, ahora! —Y mirando de soslayo a Kristina, le preguntó:

—¿Quién crees que te asistirá en el parto?

Ella se quedó boquiabierta. Después soltó una carcajada maliciosa. Lucas exclamó:

—¡No seré yo, mujer! —Y cogiéndola del brazo, la compañó hacia el automóvil.

—Me gusta ese Bemis —dijo Kristina, sin un interés especial. El motor se puso en marcha; el vehículo arrancó.

—¿Porque paga el cuarto y la enfermera de Art?

—No estaba obligado, Luke. Y precisamente yo siempre había creído...

—Acertabas —replicó él—. Es el mismo hombre. Todavía veo el regocijo de su cara el día que me dijo que siempre contrata obreros con algún defecto físico importante para poderles pagar sueldos inferiores a los establecidos.

—¡No!

—Es la verdad, Kris.

—Pero ahora le ha pagado esto.

—"No quiero que nadie que trabaje conmigo se acoja a la Beneficencia".

Cuando estuvieron sentados en el restaurante, Li salió cojeando de la cocina para quejarse con motivo de su pierna.

Mientras el chino se alejaba otra vez, el doctor Kauffman sonrió y dijo a guisa de consuelo:

—Un paciente agradecido siempre se muestra satisfecho de que por lo menos no se lo hayamos hecho peor.

—¡Pacientes! —exclamó Kristina.

—Me han dicho que vamos a tener bastantes más —dijo Lucas.

—¿Meningitis?

—¿Qué importancia suele tener aquí? ¿Cree usted que debemos prepararnos?

—No creo que el caso del doctor Castle sea de tipo epidémico. Presenta más linfocitos que poliocitos. Mañana se lo diré con mayor seguridad. Por esta época, cada año se dan algunos casos. Con la depresión y la tifoidea no me sorprendería que el presente tuviéramos un buen puñado.

—Se nos echa encima otra epidemia.

—No me sorprendería.

—Hoy una cosa, mañana otra, nunca vivimos en paz, ¿verdad?

—No, nunca.

—Usted no come nada —quejóse Kristina.

—En realidad, había cenado ya —dijo el doctor Kauffman. Y desviando la vista, añadió—: Estaba en cama, precisamente, sin nada que hacer, esperando si me llamaban...

—Hasta las dos de la madrugada, no llama nadie —le recordó Kristina.

—Les he agradecido que me invitaran —confesó él.

—Me gustaría que viniese al Condado alguna vez y me enseñara algo de Neurología —sugirió Lucas.

—Hace mucho tiempo que no hice ninguna operación de este tipo—. Pero el doctor Kauffman se había erguido un poco.

—¿Sigue los progresos de la ciencia en esa rama?

—¡¡Ah, sí! Los sigo. Es la especialidad a la cual quería dedicarme. —Aquí sonrió—. Sólo que... Ustedes conocían muy bien al doctor Aarons, ¿verdad?

—¡Era un gran hombre! —afirmó Kristina, con calor.

—Pues... las colocaciones para neurólogos todavía están más escasas —explicó el doctor Kauffman.

—Si un día puede ayudarme, le quedaré agradecido —dijo Lucas.

El doctor Kauffman hizo un gesto de conformidad. Sus ojos se habían iluminado.

—El doctor Castle mencionó el mordisco de una rata..: La meningitis se propaga por vía respiratoria, ¿verdad? El se inclinaba a pensar que el mordisco de la rata infectó a la niña y disminuyó sus resistencias.

—Parece que se contagia por vía respiratoria. Se ha probado definitivamente que es una enfermedad contagiosa. Y probablemente está acertado en lo del mordisco. Este vertedero es una porquería.

—¿No podemos hacer nada nosotros en este aspecto? ¿Castle, Binyon, usted y yo?

—Lo hemos intentado.

—¿No podríamos intentarlo otra vez todos juntos?

—Ahora que Granite no está, no sé quién nos apoyaría. Antes Granite siempre desechaba nuestras reclamaciones. Pero creo que si viniera ahora... ¡Oiga! ¿Por qué no habla con Bemis? En la actualidad es muy amigo de usted! ¡Prácticamente son hermanos de aventuras!

—Paga los gastos de clínica de su obrero —hizo recordar Kristina.

—Es cierto —contestó Lucas, con una sonrisa—. Quizá se vuelve desprendido.

—La obra no costaría mucho.

—Ni un centavo más de lo que ha de costar una epidemia.

—No se pierde nada probando.

—Mañana le veré —prometió Lucas. Y arrellanándose en el asiento, preguntó—: Si se nos presenta una racha de meningitis, dígame: ¿qué vía prefiere para los niños? ¿La cisternal o la lumbar?

—¿Quiere que le diga una cosa? —exclamó el doctor Kauffman, acercando su silla a la mesa—. Puede utilizar la vía cervical.

—¡Pobrecitos! —exclamó Kristina, en tono de reproche.

Lucas le oprimió la mano por debajo de la mesa. El doctor Kauffman había sacado la pluma y estaba dibujando en el block de recetas.

—Mire —dijo, mientras su pluma se movía sin vacilación—. Aquí tiene la tercera vértebra cervical...

Llegaron a casa fatigados, se desnudaron y se metieron bostezando bajo las sábanas. Lucas hizo ademán de rodear a Kristina y ella se deslizó entre sus brazos. El la abrazó sosegadamente, sintiendo el contacto reconfortable de aquel cuerpo tan conocido. Su mano le acarició el costado y se detuvo sobre el vientre.

—¿Tres meses y medio, Kris? —preguntó medio dormido.

—Tres meses y tres semanas —murmuró ella.

Lucas se arrimó más a su esposa. Esta estrechó el abrazo. Y casi al instante se durmieron los dos.

Por la mañana, en el Hospital del Condado había un solo caso de meningitis. Se trataba de un joven, y le habían aislado con todas las precauciones. La gráfica colgaba bien visible a los pies del lecho, que había sido limpiado cuidadosamente. Todos los enseres y utensilios brillaban.

Lucas abrió los ojos, pasmado.

—¡Oh, si uno las machaca todo lo necesario acaban por hacer lo que deben! —le dijo el doctor Snider. Llevaba una bata recién lavada, bien planchada y blanca. Tenía la boca vacía y un aire de docilidad—. ¡Sí, señor! Debo decirle una cosa, Marsh. ¡Les armé un escándalo a las enfermeras con motivo de aquel caso de tifoidea! ¡Les dije que ahora tendrán que andar con cuidado si no quieren verse de patitas en la calle. ¡Sí, señor! —exclamó con aire compungido—. ¡Aquello no admitía excusas! ¡De ninguna clase! ¡Y mucho menos habiéndole mandado usted que se quedara junto a la enferma de la forma que se lo mandó! Yo le dije: "¿Quién diablos cree que va a firmar el certificado de defunción?".

—El doctor Snider observaba cautelosamente a Lucas—. Ella prometió que no ocurriría más...

—¡Bien! —dijo el joven.

—Yo le contesté que le convenía que no se repitiera.

De modo que Gillingham le había llamado. Y fuese lo que fuese que le hubiera dicho...

—Todos tenemos nuestras limitaciones —admitió Lucas.

—¡Sería inútil echarlas al primer tropiezo!

De modo que ahora los dos, Snider y él, estaban enterados. Ahora quedaba resuelta la cuestión y las cosas marcharían sobre ruedas y él podría dormir tranquilo... hasta la próxima vez... Pero cuando se produjera una próxima vez, sabría cómo gobernar el timón.

—Con éste son cuatro —dijo, señalando al paciente.

—Binyon cree que tiene uno. Con el suyo serían cinco. ¿Quiere saber lo que pienso? ¡Pienso que se nos echa encima una epidemia!

Los dos médicos salieron al corredor.

—Parece como si tuviera usted la mañana libre —le dijo el doctor Snider.

—Sí. No ocurre a menudo que el quirófano esté desierto a estas horas. Sólo tenemos un pequeño con amígdalas y vegetaciones.

—Mañana se le amontonarán como caídos del cielo.

—Kauffman me dijo que me ayudaría de vez en cuando... ¿Le sabría mal?

—¡Por mí, encantado! —afirmó calurosamente el doctor Snider—. Haremos lo posible para que se encuentre como en su casa. ¡Oiga, Marsh! —le gritó cuando Lucas ya estuvo en la puerta. Y acto seguido se le acercó con paso rápido y le dijo en voz baja, reservadamente—: Una cosa: no le diga nada a la enfermera aquélla; le basta y le sobra con la filípica que le solté yo.

—¡De acuerdo! —asintió Lucas, con cara seria.

Después dirigió el coche hacia el *Clarion*. Al pasar por delante del consultorio, vio en la parte posterior la casa que había construido David Runkleman. Y se dijo que necesitarían más espacio.

Quizá no perdiera nada entrando como por azar... La casa aquélla tenía una ventaja: estaba amoblada... Y si el banquero se figuraba que podía venderla por todo su valor en los tiempos que corrían...

Paró el coche delante del *Clarion*. Bemis salió a recibirle.

—¡Entre y tome una taza de café, doctor! He telefoneado al guarda y me ha dicho que le diera recuerdos de su parte y en nombre de sus compañeros. ¡Art tiene muy buen aspecto! ¿No sabe que su mujer se quedó a su lado toda la noche? ¡Cielos! ¿Cómo es posible que se lo permitieran?

—Bemis...

—¿No sabe que también vamos a pescar? Este verano saldremos un día de pesca... todo el personal...

—Bemis, tengo una noticia para usted. Se han dado cinco casos de meningitis.

—¡Me han dicho cuatro!

—Cinco. ¿Publicará la noticia?

—¡Ahí estamos! ¡Vea en qué situación me encuentro! Si no la publico, ustedes arremeterán contra mí. Si la publico, ya tengo aquí a la Cámara de Comercio llenándome de improperios; el negocio se irá a pique y los comerciantes dejarán de anunciar. Pondré una nota de advertencia. Me limitaré a decir que ustedes, los médicos, advierten a los padres que tengan cuidado con los pequeños.

—No sé si estará enterado, Bemis, pero a la niña le mordió un ratón.

—En primer lugar, ¿por qué jugaba por aquellos alrededores? ¿Con qué motivo dejan los padres que sus hijos jueguen por las cercanías del vertedero? Mirándolo bien, ¿qué tiene la gente en la cabeza?

Lucas sonrió y dejó caer la mano sobre el hombro del periodista.

—¿Qué dice de aquel vertedero?

—Doctor, permítame que le dé un consejo.

—Ratones, Bemis. Ratones, tifoidea, tifus exantemático, paratifus, peste...

—¿Quiere ir a parar a la meningitis?

—¿Cómo podremos saberlo? Quiero referirme al vertedero ése.

—Porque como he telefoneado ya al doctor Castle...

—No esté demasiado seguro de que no se debe a las ratas, Bemis. ¿Qué me dice? ¿Qué haremos respecto al vertedero?

—No hay la menor posibilidad.

—¿Y es usted quien lo dice, recordando la epidemia que acabamos de sufrir? ¿Usted? ¿Un amigo mío? ¿El director de ese gran periódico?

Pero los ojos de Lucas estaban serios.

—Doctor, el vertedero no es mío; pertenece a la ciudad. Y quiero decirle una cosa: el periodismo y la política se basan en la ciencia de lo posible. Esto, sencillamente, no es posible. Tardaremos años en acabar de pagar la nueva conducción de aguas. Continúa la depresión. Los negocios están a cero. La cerámica casi ha cerrado por completo. En resumen la ciudad no tiene dinero.

—Apóyenos —le pidió Lucas—. No costaría mucho. Pruébelo. Usted sabe lo que significaría para la ciudad. ¿Querrá apoyarnos? ¿Lo haría por mí?

—No lo haría ni por Dios todopoderoso —replicó Bemis sinceramente.

Lucas inhaló una gran bocanada de aire. Sus mejillas recuperaron el color. Luego movió la cabeza con gesto de conformidad y subió nuevamente al coche.

—¿Qué me dice respecto a lo de ir a pescar? —le gritó Bemis— Contamos con usted, ¿verdad?

—Procuraré ir —respondió el médico—. Veremos...

Nada había cambiado.

Lucas se dirigió al consultorio del doctor Castle.

Definitivamente, el caso del doctor Binyon era meningitis.

—¿Qué suero prefiere: el de Flexner o el de Jobling? —preguntó con un suspiro el doctor Castle.

—¿O la simple punción? —preguntó Lucas, en vez de contestar.

Y al mismo tiempo entornó los ojos. El doctor Castle se había levantado como si tuviera el tronco de una sola pieza, se acercó con paso fatigado a la biblioteca y volvió a la mesa trayendo un grueso volumen. Jadeaba un poco. Tenía los labios de un color azul grisáceo. Mientras abría el libro y volvía las hojas en busca del capítulo de la meningitis, Lucas le preguntó:

—¿Cómo ha dormido esta noche?

—¡Ah, bien, muy bien! Veamos, aquí está...

Lucas se puso en pie, se acercó a la mesa y le tomó el pulso.

—¿Un poco rápido? —preguntó afablemente el doctor Castle.

—Ya sabe que sí. Esta noche pasada ha sufrido un ataque, ¿verdad?

—No, esta mañana. —El anciano médico volvió a fijar la atención en el libro.

—¿Quiere tomar una píldora ahora?

—¿Qué se propone? —Pero sacó el frasco de las píldoras y se puso una en la boca.

—Un día me encontraré en mitad de las visitas de la tarde cuando me llamarán por teléfono. Será su enfermera. Y me dirá: "No habrá visto al doctor Castle, ¿verdad? No sé por qué no regresa". Y me dará la dirección de la casa a la que usted le habrá dicho se dirigía. Yo iré allá y veré su coche parado junto al bordillo. Y le encontraré a usted doblado sobre el volante.

—Y la mujer de la casa a la que tenía que ir saldrá corriendo a preguntar por qué llego tan tarde.

—Y yo le diré: "Ha muerto". Y ella contestará: "Bueno, ¿qué tengo que hacer ahora?". Y antes de la noche habrá llamado a otro médico.

—Lo sé —suspiró el doctor Castle—. Me lo han dicho muchas veces. —El anciano médico se miró los sarmentosos nudillos—. Es curioso que a uno le sepa tan mal retirarse. A mí me es imposible. Quiero seguir en activo.

—¡Cuando pienso en aquello por lo cual se destrozó el corazón...!

—Ya sabe que nadie me pidió que lo hiciera —replicó el doctor Castle—. De modo que aunque usted tuviera razón... y esto no quiere decir que yo admita que la tenga...

—¡Cuando pienso en la gente por la cual ha gastado su corazón...!

—Nadie me pedía que lo gastara —insistió el doctor Castle, con aire fatigado.

Y se quedó silencioso, pensando en los años transcurridos, en toda su vida.

"Sí —se dijo Lucas—, usted no quiere pensar en ello; pero es cierto, amigo mío. Aunque además existe otra cosa. Existe la necesidad implacable de ignorar los objetivos, las ambiciones, las ocupaciones, el nivel moral de la gente por la cual nos desvelamos. Es preciso ignorar si enriquecería al mundo, o a su nación, o a su comunidad: si formarán una generación mejor o peor. Es preciso no pararse a pensar si se trata de seres tan inútiles que ayudarles a vivir significa despreciar el valor de la vida. Porque entonces viene la aborrecible locura que produce el susurro de las hojas secas en un lugar recóndito, la locura encarnada en el grotesco pensamiento de socorrer todo lo que vive por el simple motivo de que vive, de precipitarse de un lado para otro, de un paciente a otro, todos sin fisonomía, salvando ahora a un idiota, luego a un cerebro privilegiado, después a un retrasado mental, más tarde a un apóstol. Sólo porque viven".

"—Toda mi vida he anhelado poseer aquel botón único y he trazado proyectos para conseguirlo. Si lo tuviera en mi colección no me importaría dejar este mundo. Entonces moriría feliz...". "Este es mi caso doctor, ¿cree usted que debo seguir haciendo electrodos para bujías? Cuando toda la vida mi gran ilusión fue ser telegrafista...".

Es necesario no considerar jamás lo que hacen, a qué dedican sus aptitudes y su vida, no pararse a examinar los sueños en los que emplean la facultad de soñar, ni cómo destruyen sus cuerpos en pago del don de la vida; uno no debe juzgar, ni traducir, ni formar opiniones. Si uno quiere conservar el equilibrio mental, es preciso apartar tales pensamientos de la mente y dirigirse todo entero, dedicar la ciencia y el arte que posea, directamente, sin desviarse, a la vida encerrada dentro de ellos y a la chispa de divinidad con que fueron dotatos al nacer.

Si uno no mantiene su mente alejada de todo ello, si por una sola vez se obstina en considerar lo que hacen esos imbéciles con los milagros en cuyo seno moran, si uno se da cuenta de esos seres adultos, tristes, locos, desconfiados, disparatados, intrascendentes, histéricos, seniles a los treinta años, infantiles, retraídos, prodigiosamente interesados por cualquier novela que les ofrezca su propia personalidad en un espejo de aumento, convencidos de su importancia actual con la misma seguridad que lo están de la falta de sentido de su pasado; si uno analiza aun así tan fragmentariamente aquéllos a quienes conservan la vida, a quienes sirve con los más profundos misterios y los mayores descubrimientos que le ha sido permitido al hombre revelar, y se dice que han estado en las manos de uno desde un principio, entonces ese cerebro tan recientemente desarrollado, enfocado hacia el área motora, se vuelve tejido anónimo bajo el peso de la incredulidad y la opresión de la angustia, y el empuje del odio y de la repulsión.

—Yo no hago nada de Obstetricia... Lo tomo con calma... —dijo el doctor Castle, mirando por la ventana. Sus dedos tamborileaban sobre el librito abierto—. No creo que nadie se apene por mí.

Tenía los lóbulos de las orejas pálidos. Lucas se disgustó. Un temblor de rebeldía y de miedo le encogió el corazón. El joven apretó los dientes con fuerza. Luego inspiró profundamente. Y se decidió.

—¿Qué le parece si le buscara un ayudante?

El doctor Castle siguió mirando por la ventana, y no respondió. Lucas apretó los labios apesadumbrado. Había causado una pena al hombre a quien menos hubiera querido causarla.

—No me comprenda mal —suplicó.

—No lo interpreto mal —contestó el doctor Castle, en voz baja, siempre mirando al exterior.

—Un chico joven e inteligente.

El anciano médico se volvió lentamente, fijó la mirada en Lucas, abrió los labios para decir algo, los volvió a cerrar, y por fin, los abrió de nuevo.

—No me queda clientela suficiente para engolosinar a un muchacho listo —dijo, llanamente. Luego hizo pucheritos con los labios, bajó la vista y añadió—: Aquí no quiero vagos.

Pero Lucas había pedido ya la conferencia. Unos momentos después, hablaba con Avery.

—¿Te gustaría subir aquí a ejercer? —le preguntó sin preámbulo.

—¿Dónde diablos estás? ¿Cómo se te ha subido el vino a la cabeza a estas horas del día?

—¿Subes o no subes? ¡Trabajarías con el doctor Castle, recordarás lo que te hablé de él?

—¿Lo dices en serio?

—El doctor Castle está sentado aquí conmigo. Necesito una respuesta; en seguida. Podrás practicar la clase de Medicina que sacábamos a relucir en nuestras conversaciones... Seríamos vecinos.

—¡Luke, escucha!

—Te escucho.

—Estoy *practicando* la clase de Medicina que siempre discutimos —replicó Avery.

La línea quedó en silencio.

—Quise decírtelo —explicó Avery—. Tomé una resolución cuando te vi últimamente. Medité lo que tú me dijiste. Y después de marcharte, comprendí lo que me convenía. ¡Oye, Luke! He de comunicarte una cosa de Kris..., pero no te excites...

—Ya lo sé —contestó Lucas.

—¡Buen Dios! ¿Lo sabes?

—¡Es preciso que vengas! ¡Necesitamos a alguien y con urgencia! —Pero comprendía que era inútil que insistiera. Y se obstinaba en no mirar al doctor Castle—. Aquí se puede salir de caza y...

—Yo no iré... ¿Podría interesar un chico simpático y brillante que ha terminado hace poco? Acaba de salir del internado. —Avery hizo una pausa—. Sólo padece un mal —dijo, suspirando—. Tiene las mismas ideas que tú.

—Pregúntale si se conformará con doscientos cincuenta dólares al mes —dijo el doctor Castle, en son de mofa.

—¿Aceptará por doscientos cincuenta dólares al mes?

—Sin pensarlo dos veces —prometió Avery.

—¿Cuándo puede ponerse en camino?

—¿Cuándo quieres que se ponga?

—Ayer —contestó Lucas.

—Pues ya está en la estación —informó Avery. Y colgó.

—Bien —dijo Lucas, satisfecho—, parece que tiene usted un ayudante.

El doctor Castle hubo de dominar su emoción.

—¿Cuál es su defecto?

—Su defecto consiste en que tiene los mismos puntos de vista que yo sobre la Medicina —dijo Lucas, con firmeza.

El doctor Castle hubo de dominar su emoción.

—¿Cómo tarda tanto? —preguntó en tono cariñoso. Lucas inspiró profundamente y exhaló el aire en una larga expiración. El anciano médico carraspeó para aclararse la voz y preguntó frunciendo el ceño—. ¿Cómo se llama?

—¡Dios santo! Me olvidé de preguntarlo. —Una repentina idea dejó paralizado a Lucas—. ¿Le interesa mucho?

—¿Interesarme? A *mí* no me importa cuál sea su nombre. ¡Si no lo tiene se lo pondremos!

La sirena del tejar lanzó el aullido del mediodía.

—¡Supongo que ahora se siente feliz!

—¡Si no estuviera casado, le besaría! —exclamó Lucas, exultando de gozo.

—¡Esos médicos! —refunfuñó el doctor Castle—. ¡Son unos alarmistas! ¡Me queda mucha más vida de lo que se figuran!

Luego se acercó nuevamente a la ventana. Lucas le siguió.

—Ese es un cuadro que siempre me gusta mirar —dijo el anciano.

Lucas contempló a los obreros de Greenville diseminándose por la calle, poblando las aceras, camino de sus casas para despachar la comida del mediodía.

—Ha transcurrido media jornada —prosiguió el doctor Castle—. Y quedan todos éstos con vida.

—¿Siempre viene a mirarles?

El anciano médico movió la cabeza afirmativamente.

—Sí —respondió—. Ahí los tiene siguiendo su ruta. Ellos no lo saben, pero la meningitis está suspendida sobre sus cabezas. La nueva estación, el nuevo enemigo les aguarda...

Los dos médicos se quedaron callados, mirando.

Y Lucas les veía a todos claramente, veíase a sí mismo, veía al hombre afectado de una dolencia de muerte que tenía al lado, veía a los moribundos desfilando resueltos, sin desmayar, ante sus ojos. Y en su mente se hizo la luz y sintió un profundo cariño por aquellos hombres y lloró en su corazón viendo irrevocablemente que los más nobles pensamientos del hombre y sus más generosas decisiones son los reclusos de ese campo de penados que es su propio cuerpo. Porque los hombres sobreviven o perecen, se forman o se deforman, salen mezquinos o cabales a merced de las ciegas condenas que pesan sobre su carcelero. Y en la guerra del cuerpo no existe armisticio durable, ni se da aviso de los ataques inminentes, y el tormento, el miedo, la enfermedad y la muerte redoblan el empuje de su eterno asedio a lo largo de cada año y de cada despertar.

El hombres es la Pasión del hombre, el hombre es su propia Crucifixión; él mismo ha de ser su redentor, ignorante de su propósito, sin conocer nunca otro designio que el designio humano, ni otra medida que le medida humana.

Y como el ciego que no ve la luz, pero percibe su potencia, el hombre busca a tientas la Verdad, vive por ella, muere por ella, sabiendo, indómito, que, aunque no pueda definirla, el Cielo es el destino de la Verdad; que, aunque no pueda probarlo, él nació destinado al Cielo, y que para llegar a ser más que hombre, salir de la esfera del hombre, es la más alta empresa que pueda soñar.

El sueña sin descanso. Acaricia incluso sueños todavía más atrevidos, más firmes, más brillantes; siempre orientado hacia Dios por una visión, una visión vaga, ilimitada y que la muerte no ha de interrumpir.

Ahora las calles estaban casi desiertas.

Sobre la mesa, a su espalda, sonaba el teléfono.

El doctor Castle se alejó pesadamente de su compañero, cogió el receptor y escuchó.

—Es para usted.

Lucas asintió. En seguida se acercó a la mesa; parecía un hombre que hubiese regresado de un largo viaje.

Mientras escuchaba, sus ojos se serenaron, arrugó la frente un momento, habló con voz apaciguadora y colgó.

—Creo que tenemos otro —dijo. Y se encaminó hacia la puerta.

—¡Ya estamos otra vez! —suspiró el doctor Castle—. ¡Buena suerte!... ¡Y gracias! —gritó de cara a la puerta, que ya se había cerrado.

Lucas marchó a toda velocidad hacia su consultorio.

Kristina llenaba tarjetas al lado del recibidor.

Al verle se puso de pie instantáneamente.

—¡Prepárate, Kris! ¡Quiero que vengas conmigo! ¡Tenemos otro caso!

Ella entró corriendo en la habitación contigua aun antes de que su esposo hubiera terminado de hablar.

—¡Estaremos de regreso a tiempo para las visitas del consultorio! —le gritó Lucas.

Luego avisó a la telefonista.

El médico oyó los pasos precipitados de su esposa.

Entonces se puso en pie y pasó al recibidor. Ella le esperaba ya.

Engalanada con su capa y su cofia, Kristina le abrió la puerta y se apartó a un lado.

Los enfermos aguardaban. Aguardaban los mutilados y los moribundos, los estúpidos y los inteligentes, los afortunados y los ciegos, y el mundo en que vivían bajo la sombra de su destino.

Delante estaba el futuro.

Delante estaba todo lo que un hombre puede ser.

Lucas cogió el maletín, salió al mundo y empezó a practicar la Medicina.